内容简介

内容简介

全书共分十一章，内容包括线性弹性力学问题基本提法、弹性力学变分原理、圣维南问题、平面问题、空间问题，以及板壳理论等，特别对有关的数学物理基础做了严格而简要的叙述。各章末附有习题。在最后一章汇集了常见弹性力学问题的解析解。

书中各方程统一在正交曲线坐标中讨论，由于采用了外微分和并矢的工具使得叙述变得简洁明了。书末附录列出了各种常见曲线坐标系中的公式集以便读者查考。

本书可做为大学力学系本科生弹性力学课教材及研究生基础课教材，也可供应用数学专业以及土建、机械、航空、造船等专业的师生和有关人员参考。

作者简介

武际可　北京大学力学与工程科学系教授、博士生导师，1958 年毕业于北京大学数学力学系。曾任中国力学学会副理事长，《力学与实践》杂志主编。

王敏中　北京大学力学与工程科学系教授、博士生导师，1962 年毕业于北京大学数学力学系。

王　炜　北京大学力学与工程科学系教授、博士生导师，1970 年毕业于北京大学数学力学系。

弹性力学引论

（修订版）

武际可　王敏中　王　炜

北京大学出版社
·北　京·

图书在版编目(CIP)数据

弹性力学引论/武际可,王敏中,王炜. —修订版. 北京: 北京大学出版社,2001.11

ISBN 7-301-04685-5

Ⅰ.弹… Ⅱ.① 武… ② 王… ③ 王… Ⅲ.弹性力学 Ⅳ.0343

中国版本图书馆 CIP 数据核字(2001)第 049945 号

书　　名: 弹性力学引论(修订版)
著作责任者: 武际可　王敏中　王　炜
责 任 编 辑: 邱淑清
标 准 书 号: ISBN 7-301-04685-5/O·488
出　版　者: 北京大学出版社
地　　址: 北京市海淀区中关村北京大学校内　100871
网　　址: http://cbs.pku.edu.cn
电　　话: 出版部 62752015　发行部 62754140　理科编辑部 62752021
电 子 信 箱: zpup@pup.pku.edu.cn
印　刷　者: 北京大学印刷厂
发　行　者: 北京大学出版社
经　销　者: 新华书店
850 毫米×1168 毫米　32 开本　10.75 印张　267 千字
1981 年 7 月第一版　2001 年 11 月修订版
2005 年 10 月第三次印刷
印　　数: 19 001～22 000 册
定　　价: 16.00 元

修订版前言

本书出版到现在已近20个年头了。在这段不算短的时间里，我们三人一直保持着对弹性力学基本问题的浓厚兴趣。在教学中，又积累了不少经验，吸收了同行的热情批评和建议。所以我们在保持原书风格的基础上，对本书第一版进行了必要的修改和补充。

这一版与第一版相比，主要作了以下增删：

(1) 改正了原书叙述不准确的地方和明显的原稿笔误与印刷错误；

(2) 增加了数十个习题；

(3) 收集整理了常见的弹性力学问题解析解，作为第十一章；

(4) 改写和扩充了应力函数、弯曲中心和弹性势论等节。

应当说明的是，在新版中，王炜教授承担修订、增删等全部工作。

还应当说明的是，新版是在近20多年教学经验基础上产生的，而这段时间里王敏中教授一直主讲北京大学力学系弹性力学课程，这些教学经验的积累除了我们三人对教学的热情外，也来自固体力学教研室全体同仁的关心和支持，特别是历届辅导教员苏先樾、马莲芬、张元、周青和徐昱等做了不少积累性的工作。辽宁大学戴天民教授和陈勉同学曾指出了本书附录中一些错误，在此一并向他们致谢。

作者们感谢清华大学陆明万教授和北京大学王大钧教授给予再版的支持与鼓励。

武际可　王敏中　王　炜

2000年9月于北京大学

第一版前言

1979年秋，作者在北京大学力学系对研究生和进修生讲授了一次弹性力学课。在讲课中，我们试图对于现有弹性力学课的叙述方法与内容安排做一些改进。这本书就是在当时的讲义的基础上修改补充写成的。

本书在选材上着重理论系统的完整性与问题提法的正确性，而把具体解题的技巧放在次要地位；着重于问题的数学物理基础，而把工程背景的叙述放在次要地位。在叙述方法上为了避免以往弹性力学中大量标量公式而采用了简洁的并矢与矢量形式，并且引用了外微分形。这样做，是想为具有一定工程知识和对于弹性力学有初步了解的人进一步学习和研究严格的弹性力学理论提供一个入门导引。本书可以做为大学力学系高年级学生的教材，也可以做为研究生的基础课教材。

由于叙述的简洁性，可能给初学者阅读带来一些困难。但是，如果他们把省掉的步骤做为练习来补上，将会得到更大的收获。

在写作过程中，作者得到了许多同志的帮助：胡海昌教授仔细阅读了原稿，指正了原稿中的一些错误、并提出了大量改进意见；浙江大学谢贻权教授和丁浩江副教授对本书初稿给予了热情的鼓励；韩铭宝同志为本书绘制了插图；研究生苏先樾同志仔细校对了公式推导；邱淑清同志为书稿的体例安排上提供了不少宝贵意见。作者一并表示深切的感谢。

最后，由于本书的写作无论从内容安排上还是一些理论的叙述与论证上都是一种新的尝试，加以作者水平所限，定会有不少欠妥与错误的地方。敬请读者指正。

武际可　王敏中

1980年11月于北京大学

目　录

绪 论

§1 弹性力学

弹性力学是研究弹性固体在外力作用下变形规律的学科. 所谓弹性,是指物体的应力与应变之间有单值函数关系(在本书中仅限于讨论线性关系),而且在去掉外力后又恢复原来形状的性质.

在近代工业的工程实践中,人们对于各种结构与结构的零件在外力作用下的变形需要仔细地研究. 而大多数工程材料在相当广泛的受载条件下可以近似地看为弹性固体. 所以弹性力学与工程实践有着密切的关系. 事实上,弹性力学的产生与发展的历史表明[19],正是由于工程技术发展的要求才促进了它的产生与发展. 目前,从事近代土木工程、水利工程、航空工程、造船工程、机械工程等方面的工程人员,他们大多数或多或少地要和弹性力学的课题打交道. 可见它同工程实践的联系是多么密切.

在弹性力学发展的历史上,它在促进数学和自然科学基本理论的建立和发展中也起过相当重要的作用[19]. 例如弹性波理论对于揭开地震以及大地构造之谜起了并仍起着关键性的作用. 在19世纪初,在光学理论发展的过程中,一种虚构的弹性波即以太为媒质的弹性波理论(尽管后来为新的科学事实所否定)曾经起过积极的作用. 在数学上,弹性力学对于泛函分析、函数论以及广义函数论等的发展都有过积极的作用. 许多弹性力学提出的数学问题至今仍是数学家热衷研究的课题.

所以弹性力学不仅是一门应用科学,而且也是一门基础理论学科. 它不仅是工程技术人员的研究内容,也是许多有影响的理论物理教科书的重要篇章.

在历史的发展过程中，弹性力学的研究内容不断得到扩大.在今天看来，它包含的范围是十分广泛的.最初的一些重要课题逐渐发展形成为独立的分支学科，例如板壳理论、弹性波理论、弹性稳定性理论、非线性弹性理论等.从教学的角度来看，要想在一个课程和一本教科书中包括上述各方面的内容是不可能的.目前大多数的弹性力学教科书只是包含弹性力学中最一般的原理和某些比较典型的弹性力学课题，从而为更深入地研究弹性力学或连续介质力学的其他部门提供一个基础.

§2 弹性力学的基础

弹性力学是一门力学，所以由牛顿最早总结出，其后又由拉格朗日(Lagrange, J. L.)和哈米尔顿(Hamilton, W. R.)等发展了的力学的一般原理在这里仍是有效的，并且是构成它的理论体系的基石.但除此而外，它还包含有新的内容，这主要是下面两条：

1. 连续性假设 我们知道任何物体都是由原子分子组成的.对于固体物体来讲，还由于整个物体由许多结晶颗粒组成，从而更增加了物体的不连续性.所谓连续性假设，是指物体内部的任何一点的力学性质都是连续的.例如密度、应力、位移、应变等力学量除在某些点、线或面上而外都是空间的连续变量，而且变形后物体上的质点与变形前物体上的质点是一一对应的.认真地推敲起来，这个假设与实际情况是不相符合的.例如一个原子内部的质量分布就是间断的.但是正如理论力学中质点概念是物体在一定条件下的近似一样，连续性假设也是在一定条件下对客观事物的一个近似.如果我们研究的是宏观过程，则所研究的每一个微小单位实际上不仅包含有相当多的原子、分子，而且还包含有相当多的晶体，这时物体便可以认为是“连续的”了.

有了连续性假设，我们就有可能利用基于连续函数的一系列的数学工具.微分和积分、微分方程就成为研究弹性力学的有力工具了.

然而,只有连续性假设,还不能组成弹性力学的足够的最基本的要求.事实上,流体力学、塑性力学等也是基于连续性假设的.所有这些以连续性假设为基础的学科统称为连续介质力学.弹性力学正是连续介质力学的一个分支.

2. 线性弹性规律 所谓线性弹性规律或称虎克(Hooke, R.)定律,是一个弹性力学的基本定律.即物体在变形过程中,应力与应变之间服从线性规律,亦即其中一个是另一个的线性函数.它一方面是一个实验定律,另一方面又带有一定的假定性质.这由于,一方面对于大多数真实固体来讲(例如金属、木材等)在一定条件下用这个规律对实际情况符合相当好;另一方面,任何材料又不是绝对符合线性弹性规律的,当外载去掉后,总有不能恢复原状的现象,所以它也只是对实际固体物体变形规律的一个近似模型.线性弹性规律的应用,就成为弹性力学区别于别的连续介质力学分支的本质特点.

总之,牛顿力学的基本原理、连续性假设和线性弹性定律构成了弹性力学理论系统的基石.它的全部理论体系都是建立在它们之上的.

除去上面所说的这些,有的书上还提到如下的一些假设:小应变假设(即略去位移在应变中的二次项)、无初应力假设(即去掉外力后物体没有初应力)、各向同性假设(即物体在每一点各个方向上弹性性质是相同的)和均匀性假设(即物体各点的弹性性质是相同的).这些假设都不是弹性力学理论体系带本质的假设,不过,我们这本书的大多数处理的问题是符合这些条件的.

第一章　曲线坐标和微分形

§1　正交曲线坐标与活动标架

1.1　曲线坐标

如果在空间给了一个直角坐标系：它的原点取在 O 点，$\boldsymbol{i}_1,\boldsymbol{i}_2,\boldsymbol{i}_3$ 是三个互相垂直且成右手系的单位矢量，分别为 x,y,z 轴上的坐标矢量. 则空间任一点 P 可以由矢径

$$\boldsymbol{r}=\boldsymbol{r}(x,y,z)$$

表出，或写为

$$\boldsymbol{r}=x\boldsymbol{i}_1+y\boldsymbol{i}_2+z\boldsymbol{i}_3$$

有时，我们把矢径 $\boldsymbol{r}$ 代表的点称为点 $\boldsymbol{r}$，取 $\boldsymbol{r}$ 为三个参量 x_1,x_2,x_3 的矢量函数

$$\begin{aligned}\boldsymbol{r}&=\boldsymbol{r}(x_1,x_2,x_3)\\&=x(x_1,x_2,x_3)\boldsymbol{i}_1+y(x_1,x_2,x_3)\boldsymbol{i}_2+z(x_1,x_2,x_3)\boldsymbol{i}_3\end{aligned}\qquad(1.1)$$

如果把 x,y,z 看为三维空间某一区域 $\mathscr{D}$ 内点的坐标，把 x_1,x_2,x_3 看为另一个三维空间某一区域 $\mathscr{D}'$ 上的点的直角坐标. 显然，若在 $\mathscr{D}'$ 内给了一点的坐标 x_1,x_2,x_3，则由(1.1)就唯一地确定了在三维空间中的区域 $\mathscr{D}$ 内的一点. 通常我们限制三个函数 x,y,z 的 Jacobi 行列式不为零，即

$$J=\frac{D(x,y,z)}{D(x_1,x_2,x_3)}\neq 0\qquad(1.2)$$

一般地，(1.1)在(1.2)的条件下，把 $\mathscr{D}'$ 中的点与 $\mathscr{D}$ 中的点 $\boldsymbol{r}$ 上建立了一一对应的关系. 而且，若固定 x_1,x_2,x_3 中任意两个量而让另一个变化，可以通过(1.1)得到一条曲线. 所以把 x_1,x_2,x_3 称为空间点的曲线坐标.

给定了曲线坐标，过一点沿每一条坐标曲线可以得到一个切矢量

$$\boldsymbol{r}_i = \frac{\partial \boldsymbol{r}}{\partial x_i} = \frac{\partial x}{\partial x_i}\boldsymbol{i}_1 + \frac{\partial y}{\partial x_i}\boldsymbol{i}_2 + \frac{\partial z}{\partial x_i}\boldsymbol{i}_3 \quad (i = 1,2,3) \tag{1.3}$$

对于空间的每一点，我们都可以有三个矢量 $\boldsymbol{r}_1,\boldsymbol{r}_2,\boldsymbol{r}_3$. 由于(1.2)，这三个矢量是线性无关的. 于是三个矢量便又可以做为一个标架. 对于空间内的每一点我们有一个这样的标架，这些标架的全体构成了 $\mathscr{D}$ 上的一个标架场称为活动标架场.

1.2 正交曲线坐标

在实际问题的求解中，最重要的一类曲线坐标是正交曲线坐标，即(1.1)所确定的坐标曲线在每一点的切矢量是正交的，即满足

$$\boldsymbol{r}_i \cdot \boldsymbol{r}_j = 0 \quad (i \neq j;\ i,j = 1,2,3) \tag{1.4}$$

正交曲线坐标的例子是很多的，例如：

直角坐标　$x=x_1,\ y=x_2,\ z=x_3.$

柱坐标　$x=x_1\cos x_2,\ y=x_1\sin x_2,\ z=x_3$

$(x_1\geqslant 0, 0\leqslant x_2<2\pi, -\infty<x_3<\infty).$

球坐标　$x=x_1\sin x_2\cos x_3,\ y=x_1\sin x_2\sin x_3,$

$z=x_1\cos x_2\ (x_1\geqslant 0, 0\leqslant x_2\leqslant\pi, 0\leqslant x_3<2\pi).$

在实际应用中，直接取 $\boldsymbol{r}_1,\boldsymbol{r}_2,\boldsymbol{r}_3$ 为活动标架仍然有点不便，这是由于它们的长度不是1. 现在就研究它们的长度，并且将这些长度记为

$$H_i = |\boldsymbol{r}_i| \quad (i = 1,2,3)$$

由于

$$H_i^2 = \boldsymbol{r}_i \cdot \boldsymbol{r}_i = |\boldsymbol{r}_i|^2 = \left(\frac{\partial x}{\partial x_i}\right)^2 + \left(\frac{\partial y}{\partial x_i}\right)^2 + \left(\frac{\partial z}{\partial x_i}\right)^2$$

所以

$$H_i = \sqrt{\left(\frac{\partial x}{\partial x_i}\right)^2 + \left(\frac{\partial y}{\partial x_i}\right)^2 + \left(\frac{\partial z}{\partial x_i}\right)^2} \tag{1.5}$$

H_i 称为 Lamé 系数或称度量系数. 有了它便可以引进正交单位矢量

$$\boldsymbol{e}_i = \frac{\boldsymbol{r}_i}{H_i} \quad (i = 1,2,3) \tag{1.6}$$

取它们作为活动标架,再利用(1.3)我们就有坐标矢量的转换关系

$$\boldsymbol{e}_i = \frac{1}{H_i}\frac{\partial x}{\partial x_i}\boldsymbol{i}_1 + \frac{1}{H_i}\frac{\partial y}{\partial x_i}\boldsymbol{i}_2 + \frac{1}{H_i}\frac{\partial z}{\partial x_i}\boldsymbol{i}_3 \tag{1.7}$$

如果记 $\boldsymbol{e}=\{\boldsymbol{e}_1,\boldsymbol{e}_2,\boldsymbol{e}_3\}$, $\boldsymbol{i}=\{\boldsymbol{i}_1,\boldsymbol{i}_2,\boldsymbol{i}_3\}$,这里在花括号内表示一个元素列. 则我们可以把(1.7)记为

$$\boldsymbol{e} = A\boldsymbol{i} \tag{1.7$'$}$$

式中 A 表示矩阵

$$A = \begin{bmatrix} \frac{1}{H_1}\frac{\partial x}{\partial x_1} & \frac{1}{H_1}\frac{\partial y}{\partial x_1} & \frac{1}{H_1}\frac{\partial z}{\partial x_1} \\ \frac{1}{H_2}\frac{\partial x}{\partial x_2} & \frac{1}{H_2}\frac{\partial y}{\partial x_2} & \frac{1}{H_2}\frac{\partial z}{\partial x_2} \\ \frac{1}{H_3}\frac{\partial x}{\partial x_3} & \frac{1}{H_3}\frac{\partial y}{\partial x_3} & \frac{1}{H_3}\frac{\partial z}{\partial x_3} \end{bmatrix} \tag{1.8}$$

§ 2　曲线坐标中的度量与活动标架的微分

2.1　曲线坐标中的度量

考虑空间无限邻近的两点(x_1,x_2,x_3)与$(x_1+\mathrm{d}x_1, x_2+\mathrm{d}x_2, x_3+\mathrm{d}x_3)$ 所决定的微矢径. 显然它是由矢量微分 $\mathrm{d}\boldsymbol{r}$ 所代表

$$\begin{aligned} \mathrm{d}\boldsymbol{r} &= \boldsymbol{r}_1\mathrm{d}x_1 + \boldsymbol{r}_2\mathrm{d}x_2 + \boldsymbol{r}_3\mathrm{d}x_3 \\ &= \boldsymbol{e}_1H_1\mathrm{d}x_1 + \boldsymbol{e}_2H_2\mathrm{d}x_2 + \boldsymbol{e}_3H_3\mathrm{d}x_3 \\ &= \boldsymbol{e}_1\mathrm{d}s_1 + \boldsymbol{e}_2\mathrm{d}s_2 + \boldsymbol{e}_3\mathrm{d}s_3 \end{aligned} \tag{2.1}$$

这里用

$$\mathrm{d}s_i = H_i\mathrm{d}x_i \quad (i = 1,2,3) \tag{2.2}$$

表示第 i 族曲线的微弧长.

一般地,我们由(2.1)可得这段矢径的微弧长 $\mathrm{d}s$ 满足下述公

式

$$(\mathrm{d}s)^2 = \mathrm{d}\boldsymbol{r}\cdot\mathrm{d}\boldsymbol{r} = \sum_{i=1}^{3} H_i^2 \mathrm{d}x_i^2 = \sum_{i=1}^{3} (\mathrm{d}s_i^2) \tag{2.3}$$

(2.3)这个微分二次式,一方面是点的函数(因为其中 H_i 都分别是 x_1, x_2, x_3 的函数),另一方面又是方向的函数(由于给了 $\mathrm{d}x_1, \mathrm{d}x_2, \mathrm{d}x_3$,相当于在空间给了一个方向).(2.3)是方向的二次函数.有了它,可以计算空间的各种与度量有关的量.例如给了空间曲线的参数方程

$$x_1(t),\ x_2(t),\ x_3(t) \quad t_0 \leqslant t \leqslant t_1$$

它的弧长是

$$s = \int_{t_0}^{t_1} \frac{\mathrm{d}s}{\mathrm{d}t}\mathrm{d}t = \int_{t_0}^{t_1} \sqrt{\sum_{i=1}^{3} H_i^2 \left(\frac{\mathrm{d}x_i}{\mathrm{d}t}\right)^2}\,\mathrm{d}t \tag{2.4}$$

如果在空间给了两个方向 $\mathrm{d}\boldsymbol{r}$ 和 $\delta\boldsymbol{r}$,则它们的夹角的余弦是

$$\begin{aligned} \cos\theta &= \frac{\mathrm{d}\boldsymbol{r}\cdot\delta\boldsymbol{r}}{|\mathrm{d}\boldsymbol{r}|\,|\delta\boldsymbol{r}|} \\ &= \frac{H_1^2\mathrm{d}x_1\delta x_1 + H_2^2\mathrm{d}x_2\delta x_2 + H_3^2\mathrm{d}x_3\delta x_3}{\sqrt{\sum_{i=1}^{3} H_i^2(\mathrm{d}x_i)^2}\sqrt{\sum_{i=1}^{3} H_i^2(\delta x_i)^2}} \end{aligned} \tag{2.5}$$

式(2.3)的三个系数 $H_i(i=1,2,3)$ 不仅可以如上用来计算给定方向上的弧长和方向间的夹角,还将用来计算活动标架沿给定方向的微分.

2.2 活动标架的微分

标架每个矢量的微分,仍是一个矢量,我们感兴趣的是这个微分矢量在活动标架中的表达式.不妨记为

$$\mathrm{d}\boldsymbol{e}_i = c_{i1}\boldsymbol{e}_1 + c_{i2}\boldsymbol{e}_2 + c_{i3}\boldsymbol{e}_3 \quad (i = 1,2,3)$$

如果采用(1.7)中的符号 $\boldsymbol{e}$,则上述三个式子可以合并记为

$$\mathrm{d}\boldsymbol{e} = C\boldsymbol{e} \tag{2.6}$$

这里 C 为 3×3 阶矩阵.我们的任务就在于确定 C 的各个元素.

首先，由(1.7)

$$\boldsymbol{e} = A\boldsymbol{i}$$

于是

$$\boldsymbol{e}^{\mathrm{T}} = \boldsymbol{i}^{\mathrm{T}} A^{\mathrm{T}}$$

这里上标 T 表示转置. 根据 $\boldsymbol{e}$ 的标准正交性，有

$$\boldsymbol{e}\boldsymbol{e}^{\mathrm{T}} = A\boldsymbol{i}\boldsymbol{i}^{\mathrm{T}} A^{\mathrm{T}} = AA^{\mathrm{T}} = I \tag{2.7}$$

式中每两个单位矢量之间的作用可了解为点乘，I 为单位矩阵. 也就是说 A 是正交矩阵，即 $A^{\mathrm{T}} = A^{-1}$，于是

$$\boldsymbol{i} = A^{\mathrm{T}}\boldsymbol{e} \tag{2.8}$$

将(1.7)两边微分，并考虑到直角坐标系中 $\boldsymbol{i}$ 为常矢量组便可得

$$\mathrm{d}\boldsymbol{e} = \mathrm{d}A\boldsymbol{i}$$

将(2.8)代入上式右端得

$$\mathrm{d}\boldsymbol{e} = (\mathrm{d}A)A^{\mathrm{T}}\boldsymbol{e} \tag{2.9}$$

把上式与式(2.6)对比可知

$$C = (\mathrm{d}A)A^{\mathrm{T}} \tag{2.10}$$

然后如果把(2.7)进行微分，可得

$$(\mathrm{d}A)A^{\mathrm{T}} + A\mathrm{d}A^{\mathrm{T}} = 0$$

也就是

$$C + C^{\mathrm{T}} = 0 \tag{2.11}$$

这就证明了 C 是一个反对称矩阵. 就是说 C 只有三个元素是待定的，不妨把 C 记为

$$C = \begin{bmatrix} 0 & c_3 & -c_2 \\ -c_3 & 0 & c_1 \\ c_2 & -c_1 & 0 \end{bmatrix} \tag{2.12}$$

把上式代入(2.6)，我们就得到

$$\begin{aligned} \mathrm{d}\boldsymbol{e}_1 &= c_3\boldsymbol{e}_2 - c_2\boldsymbol{e}_3 \\ \mathrm{d}\boldsymbol{e}_2 &= c_1\boldsymbol{e}_3 - c_3\boldsymbol{e}_1 \\ \mathrm{d}\boldsymbol{e}_3 &= c_2\boldsymbol{e}_1 - c_1\boldsymbol{e}_2 \end{aligned} \tag{2.13}$$

用 $\boldsymbol{e}_2,\boldsymbol{e}_3,\boldsymbol{e}_1$ 分别点乘(2.13)的第一、二、三式，我们就得到

$$c_1 = \boldsymbol{e}_3 \cdot \mathrm{d}\boldsymbol{e}_2, \quad c_2 = \boldsymbol{e}_1 \cdot \mathrm{d}\boldsymbol{e}_3, \quad c_3 = \boldsymbol{e}_2 \cdot \mathrm{d}\boldsymbol{e}_1 \tag{2.14}$$

上式还可以用 $\mathrm{d}x_i(i=1,2,3)$ 表示

$$\begin{aligned} c_1 &= \boldsymbol{e}_3 \cdot \frac{\partial \boldsymbol{e}_2}{\partial x_1}\mathrm{d}x_1 + \boldsymbol{e}_3 \cdot \frac{\partial \boldsymbol{e}_2}{\partial x_2}\mathrm{d}x_2 + \boldsymbol{e}_3 \cdot \frac{\partial \boldsymbol{e}_2}{\partial x_3}\mathrm{d}x_3 \\ c_2 &= \boldsymbol{e}_1 \cdot \frac{\partial \boldsymbol{e}_3}{\partial x_1}\mathrm{d}x_1 + \boldsymbol{e}_1 \cdot \frac{\partial \boldsymbol{e}_3}{\partial x_2}\mathrm{d}x_2 + \boldsymbol{e}_1 \cdot \frac{\partial \boldsymbol{e}_3}{\partial x_3}\mathrm{d}x_3 \\ c_3 &= \boldsymbol{e}_2 \cdot \frac{\partial \boldsymbol{e}_1}{\partial x_1}\mathrm{d}x_1 + \boldsymbol{e}_2 \cdot \frac{\partial \boldsymbol{e}_1}{\partial x_2}\mathrm{d}x_2 + \boldsymbol{e}_2 \cdot \frac{\partial \boldsymbol{e}_1}{\partial x_3}\mathrm{d}x_3 \end{aligned} \tag{2.15}$$

显然，为了计算 c_i，归结于计算上面这组表达式中的

$$\boldsymbol{e}_i \cdot \frac{\partial \boldsymbol{e}_j}{\partial x_k} \quad (i,j,k = 1,2,3)$$

现在就分如下几步来讨论.

首先，由于当 $i \neq j$ 时

$$\begin{aligned} \frac{\partial^2 \boldsymbol{r}}{\partial x_i \partial x_j} &= \frac{\partial (H_i \boldsymbol{e}_i)}{\partial x_j} = \frac{\partial H_i}{\partial x_j}\boldsymbol{e}_i + \frac{\partial \boldsymbol{e}_i}{\partial x_j}H_i \\ &= \frac{\partial^2 \boldsymbol{r}}{\partial x_j \partial x_i} = \frac{\partial (H_j \boldsymbol{e}_j)}{\partial x_i} = \frac{\partial H_j}{\partial x_i}\boldsymbol{e}_j + \frac{\partial \boldsymbol{e}_j}{\partial x_i}H_j \end{aligned} \tag{2.16}$$

将上式两端点乘 $\boldsymbol{e}_j$，并除以 H_i 后得

$$\begin{aligned} \frac{\partial \boldsymbol{e}_i}{\partial x_j} \cdot \boldsymbol{e}_j &= \frac{1}{H_i}\left(\frac{\partial H_j}{\partial x_i}\boldsymbol{e}_j + \frac{\partial \boldsymbol{e}_j}{\partial x_i}H_j - \frac{\partial H_i}{\partial x_j}\boldsymbol{e}_i \right) \cdot \boldsymbol{e}_j \\ &= \frac{1}{H_i}\frac{\partial H_j}{\partial x_i} \end{aligned} \tag{2.17}$$

这里我们考虑了 $\dfrac{\partial \boldsymbol{e}_j}{\partial x_i} \cdot \boldsymbol{e}_j = 0$.

其次，由于 $i \neq j$ 时 $\boldsymbol{e}_i \cdot \boldsymbol{e}_j = 0$，故

$$\frac{\partial (\boldsymbol{e}_i \cdot \boldsymbol{e}_j)}{\partial x_j} = \frac{\partial \boldsymbol{e}_j}{\partial x_j} \cdot \boldsymbol{e}_i + \frac{\partial \boldsymbol{e}_i}{\partial x_j} \cdot \boldsymbol{e}_j = 0$$

因此，由式(2.17)可得

$$\frac{\partial \boldsymbol{e}_j}{\partial x_j} \cdot \boldsymbol{e}_i = -\frac{\partial \boldsymbol{e}_i}{\partial x_j} \cdot \boldsymbol{e}_j = -\frac{1}{H_i}\frac{\partial H_j}{\partial x_i} \tag{2.18}$$

最后，在 $i\neq j, j\neq k, k\neq i$ 时有

$$\frac{\partial}{\partial x_k}(\boldsymbol{r}_i \cdot \boldsymbol{r}_j) = \frac{\partial}{\partial x_i}(\boldsymbol{r}_j \cdot \boldsymbol{r}_k) = \frac{\partial}{\partial x_j}(\boldsymbol{r}_k \cdot \boldsymbol{r}_i) = 0$$

因此

$$H_j \frac{\partial^2 \boldsymbol{r}}{\partial x_i \partial x_k} \cdot \boldsymbol{e}_j + H_i \frac{\partial^2 \boldsymbol{r}}{\partial x_j \partial x_k} \cdot \boldsymbol{e}_i = 0$$

$$H_k \frac{\partial^2 \boldsymbol{r}}{\partial x_j \partial x_i} \cdot \boldsymbol{e}_k + H_j \frac{\partial^2 \boldsymbol{r}}{\partial x_k \partial x_i} \cdot \boldsymbol{e}_j = 0$$

$$H_i \frac{\partial^2 \boldsymbol{r}}{\partial x_k \partial x_j} \cdot \boldsymbol{e}_i + H_k \frac{\partial^2 \boldsymbol{r}}{\partial x_i \partial x_j} \cdot \boldsymbol{e}_k = 0$$

从上述三个式子中任何两个相加，再减去第三个式子，就可得到

$$\boldsymbol{e}_k \cdot \frac{\partial^2 \boldsymbol{r}}{\partial x_i \partial x_j} = 0 \quad (i,j,k \text{ 各不相同})$$

把(2.16)代入上式可得

$$\boldsymbol{e}_k \cdot \frac{\partial \boldsymbol{e}_i}{\partial x_j} = 0 \quad (i,j,k \text{ 各不相同}) \tag{2.19}$$

综合(2.17)、(2.18)、(2.19)各式，可以把(2.15)具体写为

$$\begin{aligned} c_1 &= \frac{1}{H_2}\frac{\partial H_3}{\partial x_2}\mathrm{d}x_3 - \frac{1}{H_3}\frac{\partial H_2}{\partial x_3}\mathrm{d}x_2 \\ c_2 &= \frac{1}{H_3}\frac{\partial H_1}{\partial x_3}\mathrm{d}x_1 - \frac{1}{H_1}\frac{\partial H_3}{\partial x_1}\mathrm{d}x_3 \\ c_3 &= \frac{1}{H_1}\frac{\partial H_2}{\partial x_1}\mathrm{d}x_2 - \frac{1}{H_2}\frac{\partial H_1}{\partial x_2}\mathrm{d}x_1 \end{aligned} \tag{2.20}$$

至此，我们就完成了标架微分(2.6)的计算. 顺便指出，式(2.6)展开后的式(2.13)中，如果将 c_1, c_2, c_3 看为一个矢量 $\boldsymbol{C}$ 在活动标架中的分量

$$\boldsymbol{C} = c_1\boldsymbol{e}_1 + c_2\boldsymbol{e}_2 + c_3\boldsymbol{e}_3$$

则(2.13)可写为矢量叉乘的形式

$$\mathrm{d}\boldsymbol{e}_i = \boldsymbol{C} \times \boldsymbol{e}_i = (c_1\boldsymbol{e}_1 + c_2\boldsymbol{e}_2 + c_3\boldsymbol{e}_3) \times \boldsymbol{e}_i \tag{2.21}$$

或者统一写为

$$\mathrm{d}\boldsymbol{e} = \boldsymbol{C} \times \boldsymbol{e}$$

由于(2.20)对任意的(dx_1,dx_2,dx_3)都是成立的,不妨取 $dx_1\neq 0$, $dx_2=dx_3=0$,代入(2.21),再两边除以 dx_1,就可得

$$\frac{\partial \boldsymbol{e}}{\partial x_1}=\left(\frac{1}{H_3}\frac{\partial H_1}{\partial x_3}\boldsymbol{e}_2-\frac{1}{H_2}\frac{\partial H_1}{\partial x_2}\boldsymbol{e}_3\right)\times \boldsymbol{e}$$

同理可得

$$\frac{\partial \boldsymbol{e}}{\partial x_2}=\left(\frac{1}{H_1}\frac{\partial H_2}{\partial x_1}\boldsymbol{e}_3-\frac{1}{H_3}\frac{\partial H_2}{\partial x_3}\boldsymbol{e}_1\right)\times \boldsymbol{e}$$

$$\frac{\partial \boldsymbol{e}}{\partial x_3}=\left(\frac{1}{H_2}\frac{\partial H_3}{\partial x_2}\boldsymbol{e}_1-\frac{1}{H_1}\frac{\partial H_3}{\partial x_1}\boldsymbol{e}_2\right)\times \boldsymbol{e}$$

这些式子还可以统一记为

$$\frac{\partial \boldsymbol{e}}{\partial x_i}=\boldsymbol{C}(i)\times\boldsymbol{e}=\sum_{j=1}^{3}\frac{1}{H_j}\frac{\partial H_i}{\partial x_j}(\boldsymbol{e}_j\times\boldsymbol{e}_i)\times\boldsymbol{e} \tag{2.22}$$

其中 $\boldsymbol{C}(i)=\sum\limits_{j=1}^{3}\frac{1}{H_j}\frac{\partial H_i}{\partial x_j}\boldsymbol{e}_j\times\boldsymbol{e}_i$. 这里把 $\boldsymbol{C}(i)$ 了解为在 $\boldsymbol{C}$ 的表达式中,令 $dx_i=1$, $dx_j=0$, $dx_k=0$ 所得到的矢量(i,j,k 不同).

把这些式子展开就得到如下的矢量微商公式(i,j,k 不同)

$$\begin{aligned}\frac{\partial \boldsymbol{e}_i}{\partial x_i}&=-\frac{1}{H_j}\frac{\partial H_i}{\partial x_j}\boldsymbol{e}_j-\frac{1}{H_k}\frac{\partial H_i}{\partial x_k}\boldsymbol{e}_k\\ \frac{\partial \boldsymbol{e}_i}{\partial x_j}&=\frac{1}{H_i}\frac{\partial H_j}{\partial x_i}\boldsymbol{e}_j\end{aligned} \tag{2.23}$$

式(2.22)、(2.23)与(2.21)是完全等价的.

2.3 矢量的微分

设空间给了一个矢量场

$$\boldsymbol{a}=a_1\boldsymbol{e}_1+a_2\boldsymbol{e}_2+a_3\boldsymbol{e}_3$$

则

$$\begin{aligned}d\boldsymbol{a}&=\sum(da_i)\boldsymbol{e}_i+\sum a_i d\boldsymbol{e}_i\\&=\sum(da_i)\boldsymbol{e}_i+\sum a_i\boldsymbol{C}\times\boldsymbol{e}_i\\&=\sum(da_i)\boldsymbol{e}_i+\boldsymbol{C}\times\sum a_i\boldsymbol{e}_i\end{aligned}$$

$$= \tilde{\mathrm{d}}\,\boldsymbol{a} + \boldsymbol{C} \times \boldsymbol{a} \tag{2.24}$$

式中 $\tilde{\mathrm{d}}\boldsymbol{a} = \sum \mathrm{d}a_i\boldsymbol{e}_i$ 表示只对分量微分所得到的矢量，称为矢量的相对微分.

如果把 $\boldsymbol{e}$ 的三个坐标矢量看为一个由它组成的刚体，则(2.21)说明标架微分可以看为这个刚体在空间的一个微小转动. 而矢量 $\boldsymbol{a}$ 的微分表达式(2.24)可看为相对于活动标架的相对微分和刚体转动部分(牵连运动)两部分之和.

如果利用矢量微商公式(2.22)，我们还可以写出与(2.23)等价的矢量微商公式

$$\frac{\partial \boldsymbol{a}}{\partial x_j} = \sum_i \frac{\partial a_i}{\partial x_j}\boldsymbol{e}_i + \sum_i a_i \frac{\partial \boldsymbol{e}_i}{\partial x_j} = \frac{\tilde{\partial}\,\boldsymbol{a}}{\partial x_j} + \boldsymbol{C}(j) \times \boldsymbol{a} \tag{2.25}$$

式中 $\dfrac{\tilde{\partial}\boldsymbol{a}}{\partial x_j} = \sum_i \dfrac{\partial a_i}{\partial x_j}\boldsymbol{e}_i$ 称为矢量 $\boldsymbol{a}$ 的相对微商.

§3　微分形和外微分

3.1　微分形

在数学分析中讲述线积分、面积分和体积分时，曾遇到积分号下各种微分形式. 例如，在曲线积分

$$\int_c a_1\mathrm{d}x_1 + a_2\mathrm{d}x_2 + a_3\mathrm{d}x_3$$

的积分号后面是一个一次微分形式

$$\alpha = a_1\mathrm{d}x_1 + a_2\mathrm{d}x_2 + a_3\mathrm{d}x_3$$

在曲面积分

$$\iint_\pi P\mathrm{d}x_2\mathrm{d}x_3 + Q\mathrm{d}x_3\mathrm{d}x_1 + R\mathrm{d}x_1\mathrm{d}x_2$$

的积分号后面是一个二次微分形式

$$\beta = P\mathrm{d}x_2\mathrm{d}x_3 + Q\mathrm{d}x_3\mathrm{d}x_1 + R\mathrm{d}x_1\mathrm{d}x_2$$

此外，在体积分中遇到的是三次微分形式. 这些微分形式分别刻画

了长度、面积和体积元的线性表达式.

人们通过长期的测量和计算得出了长度、面积和体积元的一些最本质的性质. 如果把 $\mathrm{d}x_i$ 了解为坐标轴方向上的一个微小长度，则这些最本质的性质可以归纳为：与 $\mathrm{d}x_i$ 有关的长度、面积、体积等微分对它的依赖关系是线性关系. 其次，长度、面积和体积具有定向的性质，即可以有正负号. 把这些性质加以进一步的概括得到微分形的概念.

定义在 n 维空间的一个函数 $f(x_1, x_2, \cdots, x_n)$ 称为零次形.

定义在 n 维空间的一次形可记为

$$\alpha = A_1\mathrm{d}x_1 + A_2\mathrm{d}x_2 + \cdots + A_n\mathrm{d}x_n$$

式中 $A_i(i=1,2,\cdots,n)$ 是 $x_1, x_2, \cdots, x_n$ 的函数.

为了定义高次微分形，我们首先引进外积的概念，并用"∧"表示这个运算. 这个运算遵守如下三条规律：

Ⅰ. 结合律

$$(\mathrm{d}x_1 \wedge \mathrm{d}x_2) \wedge \mathrm{d}x_3 = \mathrm{d}x_1 \wedge (\mathrm{d}x_2 \wedge \mathrm{d}x_3) \tag{3.1}$$

Ⅱ. 分配律

$$(A_1\mathrm{d}x + A_2\mathrm{d}y) \wedge B\mathrm{d}z = A_1B\mathrm{d}x \wedge \mathrm{d}z + A_2B\mathrm{d}y \wedge \mathrm{d}z \tag{3.2}$$

这里 A_1, A_2, B 是标量.

Ⅲ. 反交换律

$$\mathrm{d}x \wedge \mathrm{d}y = -\mathrm{d}y \wedge \mathrm{d}x \tag{3.3}$$

作为上述三条规律的自然推论有：

(1) $\mathrm{d}x \wedge \mathrm{d}x = 0$.

(2) 在 n 维空间内任意高于 n 次的微分形都为零. 这是因为任意高于 n 次的微分形的表达式中至少有某个 $\mathrm{d}x_i$ 在外积中重复出现，因而应当等于零.

(3) 在 p 次形 $\mathrm{d}x_{i_1} \wedge \mathrm{d}x_{i_2} \wedge \cdots \wedge \mathrm{d}x_{i_p}$ 中，任意两个微分 $\mathrm{d}x_{i_k}$ 与 $\mathrm{d}x_{i_j}$ 互换位置时，反号. 即

$$dx_{i_1}\wedge dx_{i_2}\wedge\cdots\wedge dx_{i_j}\wedge\cdots\wedge dx_{i_k}\wedge\cdots\wedge dx_{i_p}$$
$$=-dx_{i_1}\wedge\cdots\wedge dx_{i_k}\wedge\cdots\wedge dx_{i_j}\wedge\cdots\wedge dx_{i_p} \quad (3.4)$$

这是由于任意相邻两个一次形交换次序时变号，而 dx_{i_j} 与 dx_{i_k} 交换位置可看为先经过 $k-j$ 次相邻调换将 dx_{i_k} 换到 dx_{i_j} 之前，再经过 $k-j-1$ 次相邻调换将 dx_{i_j} 调到原来 dx_{i_k} 位置上，共是 $2(k-j)-1$ 次，即奇数次相邻调换，故其结果 p 次形反号.

(4) 在 n 维空间中一个 p 次形($p\leqslant n$)，一般可以写为

$$\alpha=\sum_{i_1<\cdots<i_p} A_{i_1i_2\cdots i_p} dx_{i_1}\wedge dx_{i_2}\wedge\cdots\wedge dx_{i_p}$$
$$=\frac{1}{p!}\sum_{i_1,i_2,\cdots,i_p} A'_{i_1i_2\cdots i_p} dx_{i_1}\wedge dx_{i_2}\wedge\cdots\wedge dx_{i_p} \quad (3.5)$$

式中 $A'_{i_1i_2\cdots i_p}$ 了解为当任两下标互换时反号. 实际上，任意 p 次形中仅仅是 dx_{i_j} 次序不同，成分完全相同的各项是可以合并的. 而这种项总共有 $p!$ 个. 所以(3.5)可以代表 p 次形的通式.

3.2 外微分

有了关于一般 p 次形的定义，现在来定义外微分的概念.

首先，定义零次形的外微分就是通常的全微分，即

$$df(x_1,x_2,\cdots,x_n)=\sum_{i=1}^{n}\frac{\partial f}{\partial x_i}dx_i=\nabla f\cdot d\boldsymbol{r} \quad (3.6)$$

其次，对于微分形的外微分遵从以下两条规律：

Ⅰ. $d(f\alpha)=df\wedge\alpha$，这里 f 为零次形，α 为任意由 dx_i 的外积组成的 p 次形，

$$\alpha=dx_{i_1}\wedge dx_{i_2}\wedge\cdots\wedge dx_{i_p}$$

Ⅱ. $d(\alpha_1+\alpha_2)=d\alpha_1+d\alpha_2$，这里 α_1,α_2 为任意 p 次形.

从上述两条规律可以得到下述推论：

(1) 对于任意 dx_i 有

$$d(dx_i)=0 \quad (3.7)$$

(2) 对于任意微分形 α,恒有

$$d(d\alpha) = 0 \tag{3.8}$$

证明 令 $\alpha = f\alpha_1$,其中 α_1 为 $dx_{i_1} \wedge \cdots \wedge dx_{i_p}$. 则有

$$d\alpha = \sum \frac{\partial f}{\partial x_i} dx_i \wedge \alpha_1$$

$$\begin{aligned} d(d\alpha) &= \sum_j \sum_i \frac{\partial^2 f}{\partial x_i \partial x_j} dx_j \wedge dx_i \wedge \alpha_1 \\ &= \frac{1}{2} \sum_{i,j} \left(\frac{\partial^2 f}{\partial x_i \partial x_j} - \frac{\partial^2 f}{\partial x_j \partial x_i} \right) dx_j \wedge dx_i \wedge \alpha_1 = 0 \end{aligned}$$

这个结论一般称为 Poincaré 引理.

(3) 令 α_1 为 p 次微分形,则对于任意微分形 α_2 恒有

$$d(\alpha_1 \wedge \alpha_2) = d\alpha_1 \wedge \alpha_2 + (-1)^p \alpha_1 \wedge d\alpha_2 \tag{3.9}$$

证明 只要证明当 $\beta_1 = dx_{i_1} \wedge \cdots \wedge dx_{i_p}, \beta_2 = dx_{j_1} \wedge \cdots \wedge dx_{j_q}$, $\alpha_1 = a_1\beta_1, \alpha_2 = a_2\beta_2$ 时上式成立即可. 事实上

$$\begin{aligned} d(\alpha_1 \wedge \alpha_2) &= d(a_1 dx_{i_1} \wedge \cdots \wedge dx_{i_p} \wedge a_2 dx_{j_1} \wedge \cdots \wedge dx_{j_q}) \\ &= d(a_1 a_2 \beta_1 \wedge \beta_2) = \sum \frac{\partial(a_1 a_2)}{\partial x_i} dx_i \wedge \beta_1 \wedge \beta_2 \\ &= \sum \frac{\partial a_1}{\partial x_i} a_2 dx_i \wedge \beta_1 \wedge \beta_2 \\ &\quad + \sum a_1 \frac{\partial a_2}{\partial x_i} dx_i \wedge \beta_1 \wedge \beta_2 \\ &= \sum \frac{\partial a_1}{\partial x_i} dx_i \wedge \beta_1 \wedge (a_2 \beta_2) \\ &\quad + (-1)^p \sum a_1 \beta_1 \wedge \left(\frac{\partial a_2}{\partial x_i} dx_i \wedge \beta_2 \right) \\ &= d\alpha_1 \wedge \alpha_2 + (-1)^p \alpha_1 \wedge d\alpha_2 \end{aligned}$$

3.3 例子

为了对外微分有较为具体的了解,让我们来举几个例子.

例 1 在三维空间给了一次形

$$\alpha = a_1 \mathrm{d}x_1 + a_2 \mathrm{d}x_2 + a_3 \mathrm{d}x_3$$

则

$$\mathrm{d}\alpha = \left(\frac{\partial a_2}{\partial x_1} - \frac{\partial a_1}{\partial x_2}\right)\mathrm{d}x_1 \wedge \mathrm{d}x_2$$

$$+ \left(\frac{\partial a_3}{\partial x_2} - \frac{\partial a_2}{\partial x_3}\right)\mathrm{d}x_2 \wedge \mathrm{d}x_3 + \left(\frac{\partial a_1}{\partial x_3} - \frac{\partial a_3}{\partial x_1}\right)\mathrm{d}x_3 \wedge \mathrm{d}x_1$$

例 2 在三维空间中给了二次形

$$\beta = a_1 \mathrm{d}x_2 \wedge \mathrm{d}x_3 + a_2 \mathrm{d}x_3 \wedge \mathrm{d}x_1 + a_3 \mathrm{d}x_1 \wedge \mathrm{d}x_2$$

则

$$\mathrm{d}\beta = \left(\frac{\partial a_1}{\partial x_1} + \frac{\partial a_2}{\partial x_2} + \frac{\partial a_3}{\partial x_3}\right)\mathrm{d}x_1 \wedge \mathrm{d}x_2 \wedge \mathrm{d}x_3$$

例 3 令 f 为零次形，α 为一次形

$$\alpha = a_1 \mathrm{d}x_1 + a_2 \mathrm{d}x_2 + a_3 \mathrm{d}x_3 = \boldsymbol{a} \cdot \mathrm{d}\boldsymbol{r}$$

则由 Poincaré 引理有

$\mathrm{d}(\mathrm{d}f) = 0$，就是通常的 $\mathrm{rot}(\mathrm{grad} f) = 0$

$\mathrm{d}(\mathrm{d}\alpha) = 0$，就是通常的 $\mathrm{div}(\mathrm{rot}\boldsymbol{a}) = 0$

例 4 令 n 维空间有 n 次形

$$\omega = f(x_1, \cdots, x_n)\mathrm{d}x_1 \wedge \mathrm{d}x_2 \wedge \cdots \wedge \mathrm{d}x_n$$

如果采取变数替换

$$x_i = x_i(y_1, y_2, \cdots, y_n) \quad (i = 1, \cdots, n)$$

则有

$$\omega = f(x_1(y_1, \cdots, y_n), \cdots, x_n(y_1, \cdots, y_n))\left(\sum \frac{\partial x_1}{\partial y_i}\mathrm{d}y_i\right)$$

$$\wedge \cdots \wedge \left(\sum \frac{\partial x_n}{\partial y_i}\mathrm{d}y_i\right)$$

$$= \varphi(y_1, y_2, \cdots, y_n)\frac{D(x_1, \cdots, y_n)}{D(y_1, \cdots, y_n)}\mathrm{d}y_1 \wedge \cdots \wedge \mathrm{d}y_n$$

这里 $\varphi(y_1, y_2, \cdots, y_n)$ 是 $f(x_1, x_2, \cdots, x_n)$ 引进代换后的 y 的函数.

这个事实表明，如果我们把重积分中的 $\mathrm{d}x_1\mathrm{d}x_2\cdots\mathrm{d}x_n$ 了解为外积，则根据上述外微分运算法则施行变数替换，就得到通常的积

分换元公式.

§4 Poincaré 逆定理

在上节曾经根据外积与外微分的基本规则证明了 Poincaré 引理,即对任意微分形 ω 恒有 $\mathrm{d}(\mathrm{d}\omega)=0$. 现在我们提出这个问题的逆问题,即如果 α 是 n 维空间的一个 p 次形,且有

$$\mathrm{d}\alpha = 0$$

我们问:是否存在一个 $p-1$ 次形 ω 使 $\alpha=\mathrm{d}\omega$? 回答在一定条件下是肯定的. 它可以表述为如下的 Poincaré 逆定理.

定理 如果 α 是 n 维空间的一个 p 次形($1\leqslant p\leqslant n$),且有 $\mathrm{d}\alpha=0$, 则一定存在一个 $p-1$ 次形 ω,使 $\alpha=\mathrm{d}\omega$.

证明 对于空间的维数 n 应用数学归纳法. 首先,当 $n=1$ 时,定理显然成立. 这是因为在一维空间的一次形

$$\alpha = a(x)\mathrm{d}x$$

的外微分

$$\mathrm{d}\alpha = \frac{\mathrm{d}a}{\mathrm{d}x}\mathrm{d}x \wedge \mathrm{d}x = 0$$

总是成立的,而且总存在零次形 $\omega=f(x)$,使

$$f(x) = \int_{x^0}^{x} a(x)\mathrm{d}x$$

满足 $\mathrm{d}\omega=a(x)\mathrm{d}x$.

现假设当空间维数为 $n-1$ 时定理成立,我们来证明对 n 维空间定理也成立. 设在 n 维空间的微分形为 α,则 α 总可写为

$$\alpha = \alpha_1 + \mathrm{d}x_n \wedge \alpha_2$$

这里 α_1 是在 $n-1$ 维空间的 p 次微分形,若 $p=n$,取 $\alpha_1=0$. 而 α_2 是 $n-1$ 维空间内的 $p-1$ 次形($p\geqslant 1$). α_1,α_2 所包含系数函数的自变量 x_n 都可看为参数.

如果根据(3.5)把 α_2 的表达式写为

$$\alpha_2 = \frac{1}{(p-1)!}\sum A_{i_1 i_2 \cdots i_{p-1}} dx_{i_1} \wedge dx_{i_2} \wedge \cdots \wedge dx_{i_{p-1}}$$

则可引进 $p-1$ 次形

$$\beta = \frac{1}{(p-1)!}\sum B_{i_1 i_2 \cdots i_{p-1}} dx_{i_1} \wedge dx_{i_2} \wedge \cdots \wedge dx_{i_{p-1}} \qquad (4.1)$$

式中

$$B_{i_1 i_2 \cdots i_{p-1}} = \int_{x_n^0}^{x_n} A_{i_1 i_2 \cdots i_{p-1}} dx_n \qquad (4.2)$$

我们再来讨论 p 次形

$$\varphi = \alpha - d\beta = \alpha_1 + dx_n \wedge \alpha_2 - d\beta$$

显然，由于(4.1)与(4.2)易于验算

$$d\beta = dx_n \wedge \alpha_2 + \frac{1}{(p-1)!}\sum_{\substack{q\neq n \\ i_1,\cdots,i_{p-1}}} \frac{\partial B_{i_1 i_2 \cdots i_{p-1}}}{\partial x_q} dx_q \wedge dx_{i_1} \wedge \cdots \wedge dx_{i_{p-1}}$$

故 φ 中不再包含 dx_n 微分项. 但我们有

$$d\varphi = d\alpha - d(d\beta) = 0$$

这一方面由于根据假设 $d\alpha=0$，另一方面根据 Poincaré 引理有 $d(d\beta)=0$. 这就是说，在 $n-1$ 维空间里(以 x_n 为参量)的微分形 $d\varphi=0$，由假设必存在 $p-1$ 次形 ω_1，使

$$d\omega_1 = \varphi$$

亦即有

$$d\omega_1 = \alpha - d\beta$$

于是 $\alpha = d(\omega_1+\beta)$. 这就是说，如果令 $\omega=\omega_1+\beta$，则有

$$\alpha = d\omega$$

这正是所要证明的.

在上述证明中，应当注意积分表达式(4.2)的下限 x_n^0 是对一个固定点而言的. 由于我们用的是归纳法证明，所以实际上在 ω 的表达式中应当包含以 $(x_1^0, x_2^0, \cdots, x_n^0)$ 各个坐标分量为下限的积分. 如果把这一点记为 P，则一般地讲，在 P 点充分小的邻域内

(4.2)总可以进行积分.也就是说 Poincaré 逆定理在 P 点充分小的邻域内总是成立的,所以这个定理是局部成立的.对于 α 定义的整个区域 $\mathscr{D}$ 来说,(4.2)就不一定可积了.(4.2)能否开拓到整个区域 $\mathscr{D}$,这就要看区域的几何形状.现在举一个 Poincaré 逆定理对于全域不成立的反例.

考虑在除掉原点以外的整个平面上定义的微分形

$$\alpha=\frac{-x_2\mathrm{d}x_1+x_1\mathrm{d}x_2}{x_1^2+x_2^2}$$

由于

$$\begin{aligned}\mathrm{d}\alpha=&\ \mathrm{d}\left(\frac{1}{x_1^2+x_2^2}\right)\wedge(x_1\mathrm{d}x_2-x_2\mathrm{d}x_1)\\&+(-1)^0\frac{1}{x_1^2+x_2^2}\mathrm{d}(x_1\mathrm{d}x_2-x_2\mathrm{d}x_1)\\=&-\frac{2}{x_1^2+x_2^2}\mathrm{d}x_1\wedge\mathrm{d}x_2+\frac{2}{x_1^2+x_2^2}\mathrm{d}x_1\wedge\mathrm{d}x_2=0\end{aligned}$$

显然满足在全域上 $\mathrm{d}\alpha=0$ 的条件.但是 $\alpha=\mathrm{d}\theta$,这里 θ 为极坐标的幅角.显然在全域是非单值的.仅仅可以在局部取得单值的 θ.

这个例子说明,区域的几何形状对于 Poincaré 逆定理在全区域成立与否起着不可忽视的作用.下面介绍在实用上相当重要的两种情形,它们都给出了 Poincaré 逆定理在全区域成立的充分条件.

定理 1 对于定义在 $\mathscr{D}$ 上的任意 p 次形($p\leqslant n$)α,设 $\mathrm{d}\alpha=0$ 在全域 $\mathscr{D}$ 成立.如果 $\mathscr{D}$ 是星形的,即在 $\mathscr{D}$ 内存在一点 P,对于任一点 $Q\in\mathscr{D}$,总使得直线段 PQ 上的全部点属于 $\mathscr{D}$.则一定存在 $\mathscr{D}$ 上的 $p-1$ 次形 ω 使 $\alpha=\mathrm{d}\omega$.

证明 在归纳法证明中只要把积分(4.2)都了解为沿直线 PQ 的积分,P 是点$(x_1^0,x_2^0,\cdots,x_n^0)$,$Q$ 是点$(x_1,x_2,\cdots,x_n)$,则全部证明有效.由于区域 $\mathscr{D}$ 的星形性质,积分总是有意义的.所以定理成立.

定理 2 若 $\mathscr{D}$ 是 n 维空间的简单连通区域,则对于定义在 $\mathscr{D}$ 上的一次微分形 α,满足 $\mathrm{d}\alpha=0$,总存在零次形 $f(x_1,x_2,\cdots,x_n)$,使 $\mathrm{d}f=\alpha$.

附带说明,这里所说的简单连通区域定义为: $\mathscr{D}$ 内任一条闭曲线 c,可以在 $\mathscr{D}$ 内连续地收缩为一点. 例如取 $\mathscr{D}$ 为三维空间中 $|\boldsymbol{r}|>1$ 的球外部分,尽管它包含一个空洞,但却是简单连通的.

证明 由于 $\mathscr{D}$ 的连通性,在 $\mathscr{D}$ 内取定一点 P,对 $\mathscr{D}$ 内任一点 Q 存在曲线 PQ 全属于 $\mathscr{D}$. 和前面一样,取 Q 点是 $(x_1,x_2,\cdots,x_n)$,则直接定义

$$f(x_1,x_2,\cdots,x_n)=\int_{PQ}\alpha$$

剩下只需证明 f 的取值是和 PQ 是哪一条曲线无关的. 设有另一条连接 P 与 Q 两点,且属于 $\mathscr{D}$ 内的曲线 $(PQ)'$,则 PQ 与 $(PQ)'$ 组成一闭曲线 c. 所以

$$\int_c\alpha=\int_\pi\mathrm{d}\alpha=0$$

这里曲面 π 的边界 $\partial\pi=c$. 由于 $\mathscr{D}$ 的简单连通性,π 是存在的. 再由下节要讲的 Stokes 定理可知,

$$\int_c\alpha=0$$

是成立的. 从而

$$\int_P^Q\alpha=\int_{(PQ)'}\alpha$$

即沿 PQ 为端点的任意曲线积分是相同的. 这就证明了定理.

现在,我们再不加证明地介绍一个 Poincaré 逆定理在全域成立的充分必要条件,这就是

定理 3 (De Rham) 对于定义在 $\mathscr{D}$ 上的 p 次形有 $\mathrm{d}\omega=0$,当且仅当对于所有属于 $\mathscr{D}$ 的 p 维循环 c_p 上有

$$\int_{c_p}\omega=0$$

时在 $\mathscr{D}$ 上存在 $p-1$ 次形 φ,使 $\omega=\mathrm{d}\varphi$.

这里 p 次循环定义为：p 维的没有边界的子流形. 例如空间的闭曲面是二维循环,闭曲线是一维循环等.

Poincaré 逆定理的应用是相当广泛的,这里再举几个例子.

例 1 设在三维空间给了矢量 $\boldsymbol{a}=a_1\boldsymbol{e}_1+a_2\boldsymbol{e}_2+a_3\boldsymbol{e}_3$,这相当于给了一个一次形

$$\alpha = a_1\mathrm{d}x_1 + a_2\mathrm{d}x_2 + a_3\mathrm{d}x_3$$

我们问在什么条件下才存在一个标量函数 $f(x_1,x_2,x_3)$,它的梯度就是 $\boldsymbol{a}$ 呢?

Poincaré 逆定理作了明确回答：当 $\mathrm{d}\alpha=0$ 时,即

$$\mathrm{d}\alpha=\left(\frac{\partial a_3}{\partial x_2}-\frac{\partial a_2}{\partial x_3}\right)\mathrm{d}x_2\wedge\mathrm{d}x_3+\left(\frac{\partial a_1}{\partial x_3}-\frac{\partial a_3}{\partial x_1}\right)\mathrm{d}x_3\wedge\mathrm{d}x_1$$
$$+\left(\frac{\partial a_2}{\partial x_1}-\frac{\partial a_1}{\partial x_2}\right)\mathrm{d}x_1\wedge\mathrm{d}x_2=0$$

这就是说 $\mathrm{rot}\boldsymbol{a}=0$ 是 $\boldsymbol{a}$ 有势的必要条件. 由于我们讨论的区域是全空间,显然是星形区域,所以条件还是充分的.

例 2 我们再来进一步讨论活动标架的微分. 我们要问：如果在三维空间给了三个标量函数 $H_i(i=1,2,3)$,在什么条件下会存在标准正交标架场 $\boldsymbol{e}_i(i=1,2,3)$,使

$$\mathrm{d}\boldsymbol{r}=\sum_{i=1}^{3}\boldsymbol{e}_iH_i\,\mathrm{d}x_i$$

且 $\mathrm{d}\boldsymbol{e}_i=\boldsymbol{C}\times\boldsymbol{e}_i$ 呢?

为了回答这一问题,考虑矢量微分形

$$\boldsymbol{\alpha}_i=\sum_j\boldsymbol{C}(j)\times\boldsymbol{e}_i\,\mathrm{d}x_j \tag{4.3}$$

根据 Poincaré 引理,若存在 $\boldsymbol{e}_i$,使 $\mathrm{d}\boldsymbol{e}_i=\boldsymbol{\alpha}_i$ 的充分必要条件是

$$\mathrm{d}(\mathrm{d}\boldsymbol{e}_i)=\mathrm{d}\boldsymbol{\alpha}_i=\frac{1}{2}\sum_{j,k}\left(\frac{\partial^2\boldsymbol{e}_i}{\partial x_j\partial x_k}-\frac{\partial^2\boldsymbol{e}_i}{\partial x_k\partial x_j}\right)\mathrm{d}x_j\wedge\mathrm{d}x_k\equiv\boldsymbol{0}$$

为了计算上式中括号内的两项,我们根据(2.23)进行如下的矢量微商.

当 i,j,k 各不相同时

$$\frac{\partial^2 \boldsymbol{e}_i}{\partial x_j \partial x_k}=\frac{\partial}{\partial x_j}\left(\frac{\partial \boldsymbol{e}_i}{\partial x_k}\right)=\frac{\partial}{\partial x_j}\left(\frac{1}{H_i}\frac{\partial H_k}{\partial x_i}\boldsymbol{e}_k\right)$$

$$=\frac{1}{H_i}\frac{\partial^2 H_k}{\partial x_j \partial x_i}\boldsymbol{e}_k+\frac{1}{H_i}\frac{\partial H_k}{\partial x_i}\frac{1}{H_k}\frac{\partial H_j}{\partial x_k}\boldsymbol{e}_j$$

$$-\frac{1}{H_i^2}\frac{\partial H_i}{\partial x_j}\frac{\partial H_k}{\partial x_i}\boldsymbol{e}_k$$

$$\frac{\partial^2 \boldsymbol{e}_i}{\partial x_k \partial x_j}=\frac{\partial}{\partial x_k}\left(\frac{\partial \boldsymbol{e}_i}{\partial x_j}\right)=\frac{\partial}{\partial x_k}\left(\frac{1}{H_i}\frac{\partial H_j}{\partial x_i}\boldsymbol{e}_j\right)$$

$$=\frac{1}{H_i}\frac{\partial^2 H_j}{\partial x_k \partial x_i}\boldsymbol{e}_j+\frac{1}{H_i}\frac{\partial H_j}{\partial x_i}\frac{1}{H_j}\frac{\partial H_k}{\partial x_j}\boldsymbol{e}_k$$

$$-\frac{1}{H_i^2}\frac{\partial H_i}{\partial x_k}\frac{\partial H_j}{\partial x_i}\boldsymbol{e}_j$$

上两式相等，得

$$\frac{\partial^2 H_j}{\partial x_k \partial x_i}=\frac{1}{H_i}\frac{\partial H_i}{\partial x_k}\frac{\partial H_j}{\partial x_i}+\frac{1}{H_k}\frac{\partial H_k}{\partial x_i}\frac{\partial H_j}{\partial x_k} \tag{4.4}$$

我们还有(其中用到了式(4.4))

$$\frac{\partial^2 \boldsymbol{e}_i}{\partial x_j \partial x_i}=\frac{\partial}{\partial x_j}\left(\frac{\partial \boldsymbol{e}_i}{\partial x_i}\right)=\frac{\partial}{\partial x_j}\left(-\frac{1}{H_j}\frac{\partial H_i}{\partial x_j}\boldsymbol{e}_j-\frac{1}{H_k}\frac{\partial H_i}{\partial x_k}\boldsymbol{e}_k\right)$$

$$=-\frac{\partial}{\partial x_j}\left(\frac{1}{H_j}\frac{\partial H_i}{\partial x_j}\right)\boldsymbol{e}_j-\frac{1}{H_k^2}\frac{\partial H_i}{\partial x_k}\frac{\partial H_j}{\partial x_k}\boldsymbol{e}_j$$

$$+\frac{1}{H_j}\frac{\partial H_i}{\partial x_j}\frac{1}{H_i}\frac{\partial H_j}{\partial x_i}\boldsymbol{e}_i$$

$$\frac{\partial^2 \boldsymbol{e}_i}{\partial x_i \partial x_j}=\frac{\partial}{\partial x_i}\left(\frac{\partial \boldsymbol{e}_i}{\partial x_j}\right)=\frac{\partial}{\partial x_i}\left(\frac{1}{H_i}\frac{\partial H_j}{\partial x_i}\boldsymbol{e}_j\right)$$

$$=\frac{\partial}{\partial x_i}\left(\frac{1}{H_i}\frac{\partial H_j}{\partial x_i}\right)\boldsymbol{e}_j+\frac{1}{H_i}\frac{\partial H_j}{\partial x_i}\frac{1}{H_j}\frac{\partial H_i}{\partial x_j}\boldsymbol{e}_i$$

上两式相等得

$$\frac{\partial}{\partial x_i}\left(\frac{1}{H_i}\frac{\partial H_j}{\partial x_i}\right)+\frac{\partial}{\partial x_j}\left(\frac{1}{H_j}\frac{\partial H_i}{\partial x_j}\right)=-\frac{1}{H_k^2}\frac{\partial H_i}{\partial x_k}\frac{\partial H_j}{\partial x_k} \tag{4.5}$$

式(4.4)与(4.5)中 i,j,k 不同共有 6 个式子.

由 Poincaré 逆定理，如果在空间给了三个函数 $H_i(i=1,2,3)$，它们满足(4.4)、(4.5)，则存在标架 $\boldsymbol{e}_i(i=1,2,3)$满足(2.23).

进而考虑

$$\boldsymbol{\beta}=\boldsymbol{e}_1H_1\mathrm{d}x_1+\boldsymbol{e}_2H_2\mathrm{d}x_2+\boldsymbol{e}_3H_3\mathrm{d}x_3 \tag{4.6}$$

我们问是否存在矢量场 $\boldsymbol{r}$，使 $\mathrm{d}\boldsymbol{r}=\boldsymbol{\beta}$ 呢？又根据 Poincaré 引理及逆，只要有 $\mathrm{d}\boldsymbol{\beta}=\boldsymbol{0}$ 就可以. 而这个条件正好对应于

$$\frac{\partial^2\boldsymbol{r}}{\partial x_i\partial x_j}=\frac{\partial^2\boldsymbol{r}}{\partial x_j\partial x_i}$$

具体微商可知这一矢量等式等价于(2.16)，亦即等价于(2.17). 就是说 $\boldsymbol{e}_i(i=1,2,3)$组成正交标准标架. 即式(4.4)与(4.5)是在空间存在满足(4.6)的正交曲线坐标的充分必要条件.

§5 Stokes 定理

如果给了 n 个自变量 $x_1,x_2,\cdots,x_n$ 的 $p+1$ 个可微函数 f_1，$\varphi_1,\varphi_2,\cdots,\varphi_p$，考虑 n 维空间内的 p 次形

$$f\mathrm{d}\varphi_1\wedge\mathrm{d}\varphi_2\wedge\cdots\wedge\mathrm{d}\varphi_p$$

的积分

$$\begin{aligned}&\int f\mathrm{d}\varphi_1\wedge\mathrm{d}\varphi_2\wedge\cdots\wedge\mathrm{d}\varphi_p\\&\quad=\int f\sum\frac{\partial\varphi_1}{\partial x_i}\mathrm{d}x_i\wedge\sum\frac{\partial\varphi_2}{\partial x_i}\mathrm{d}x_i\wedge\cdots\wedge\sum\frac{\partial\varphi_p}{\partial x_i}\mathrm{d}x_i\\&\quad=\int_{\mathscr{D}}f\sum_{i_1<i_2<\cdots<i_p}\frac{D(\varphi_1,\varphi_2,\cdots,\varphi_p)}{D(x_{i_1},x_{i_2},\cdots,x_{i_p})}\mathrm{d}x_{i_1}\wedge\mathrm{d}x_{i_2}\wedge\cdots\wedge\mathrm{d}x_{i_p}\end{aligned} \tag{5.1}$$

如果在 $\mathscr{D}$ 内引进新的坐标参数 $y_1,y_2,\cdots,y_p$，使

$$\begin{aligned}x_1&=x_1(y_1,y_2,\cdots,y_p)\\x_2&=x_2(y_1,y_2,\cdots,y_p)\\&\cdots\cdots\\x_n&=x_n(y_1,y_2,\cdots,y_p)\end{aligned}$$

则上述积分还可以化归于

$$\int_{\mathscr{D}^*} f \sum_{i_1<\cdots<i_p} \frac{D(\varphi_1,\cdots,\varphi_p)}{D(x_{i_1},\cdots,x_{i_p})} \cdot \frac{D(x_{i_1},\cdots,x_{i_p})}{D(y_1,\cdots,y_p)} \mathrm{d}y_1 \wedge \cdots \wedge \mathrm{d}y_p \tag{5.2}$$

这里 $\mathscr{D}^*$ 是 $\mathscr{D}$ 对应的在参数 $y_1,y_2,\cdots,y_p$ 空间的区域. 这样,微分形的积分便可以化归于通常的重积分来计算.

为了进一步讨论微分形的积分,把外积了解为由 n 维空间的坐标平面切出来的一个 p 维微元的体积

$$V_p = \mathrm{d}x_1 \wedge \mathrm{d}x_2 \wedge \cdots \wedge \mathrm{d}x_p$$

这个体积是有正负定向的. 在上述规定外积的顺序下取正;当其中任意两个微元 $\mathrm{d}x_i$ 与 $\mathrm{d}x_j$ 次序互换便取负. 显然,上述微体元边界是由如下一些小 $p-1$ 维微元组成

$$\partial_i V_p = \mathrm{d}x_1 \wedge \cdots \wedge \widehat{\mathrm{d}x_i} \wedge \cdots \wedge \mathrm{d}x_p \quad (i=1,2,\cdots,p) \tag{5.3}$$

式中 $\mathrm{d}x_i$ 上面的符号"^"表示没有这个元素的意思. 不过对同一个体积元 V_p 来讲,微边界(5.3)是成对出现的,这就是对在 x_i 与 $x_i+\mathrm{d}x_i$ 各截出一个 $p-1$ 维微元. 既然微体积是有定向的,那么它的边界也是有定向的. 我们规定在边界上矢量$(0,\cdots,0,\mathrm{d}x_i,0,\cdots,0)$指向微体积外侧时边界的定向为正. 于是上述成对出现的面元符号是相反的. 根据以上讨论,一个微分形

$$\omega = \sum_i A_i \mathrm{d}x_1 \wedge \cdots \wedge \widehat{\mathrm{d}x_i} \wedge \cdots \wedge \mathrm{d}x_p \tag{5.4}$$

对于上述小体积 V_p 的全部边界上求和就可以写为

$$\begin{aligned}\sum_{\partial V_p} \omega = & \sum_i [A_i(x_1,\cdots,x_i+\mathrm{d}x_i,\cdots,x_p) \\ & - A_i(x_1,\cdots,x_i,\cdots,x_p)]\mathrm{d}x_1 \wedge \cdots \wedge \widehat{\mathrm{d}x_i} \wedge \cdots \wedge \mathrm{d}x_p\end{aligned}$$

这里 ∂V_p 表示 V_p 的边界.

但我们有

$$A_i(x_1,\cdots,x_i+\mathrm{d}x_i,\cdots,x_p) - A_i(x_1,\cdots,x_i,\cdots,x_p) = \frac{\partial A_i}{\partial x_i}\mathrm{d}x_i$$

于是有

$$\sum_{\partial V_p}\omega=\sum_i\frac{\partial A_i}{\partial x_i}\mathrm{d}x_i\wedge\mathrm{d}x_1\wedge\cdots\wedge\widehat{\mathrm{d}x_i}\wedge\cdots\wedge\mathrm{d}x_p$$

$$=\sum_i(-1)^{i-1}\frac{\partial A_i}{\partial x_i}\mathrm{d}x_1\wedge\mathrm{d}x_2\wedge\cdots\wedge\mathrm{d}x_p \tag{5.5}$$

如果我们要求的微分形是在整个 $\mathscr{D}$ 上积分，则可以将 $\mathscr{D}$ 按照坐标平面剖分为小体积元，然后将(5.5)对全部这些小体积元求和. 这时只要注意到等式左边是沿小体积元边界值求和，但当两个体积元共有一个处于 $\mathscr{D}$ 内的边界面时，这边界面对两个体积元一个定向为正，另一个为负，因而在总和中总是互相抵消的. 所以，最终只剩下在整个 $\mathscr{D}$ 的边界上求和了. 于是便有

$$\int_{\partial\mathscr{D}}\omega=\int_{\mathscr{D}}\sum(-1)^{i-1}\frac{\partial A_i}{\partial x_i}\mathrm{d}x_1\wedge\cdots\wedge\mathrm{d}x_p$$

注意右端被积函数恰好是 ω 的外微分 $\mathrm{d}\omega$. 所以我们有下述一般性的定理.

Stokes 定理 对于任意 p 次微分形 ω 在 $\partial\mathscr{D}$ 上积分时恒有

$$\int_{\partial\mathscr{D}}\omega=\int_{\mathscr{D}}\mathrm{d}\omega \tag{5.6}$$

Stokes 定理实际上包括了通常数学分析中许多重要的公式，例如

(1) 令 $\omega=P\mathrm{d}x+Q\mathrm{d}y$，$\mathscr{D}$ 为平面上单连通区域时有 Green 公式

$$\int_{\partial\mathscr{D}}\omega=\oint_{\partial\mathscr{D}}P\mathrm{d}x+Q\mathrm{d}y=\iint_{\mathscr{D}}\left(\frac{\partial Q}{\partial x}-\frac{\partial P}{\partial y}\right)\mathrm{d}x\mathrm{d}y$$

(2) 令 $\omega=P\mathrm{d}x+Q\mathrm{d}y+R\mathrm{d}z$，$\mathscr{D}$ 为空间某单连通曲面段时，就得到通常的 Stokes 公式

$$\int_{\partial\mathscr{D}}\omega=\oint_{\partial\mathscr{D}}P\mathrm{d}x+Q\mathrm{d}y+R\mathrm{d}z$$

$$=\int_{\mathscr{D}}\left(\frac{\partial R}{\partial y}-\frac{\partial Q}{\partial z}\right)\mathrm{d}y\mathrm{d}z+\left(\frac{\partial P}{\partial z}-\frac{\partial R}{\partial x}\right)\mathrm{d}z\mathrm{d}x$$

$$+\left(\frac{\partial Q}{\partial x}-\frac{\partial P}{\partial y}\right)\mathrm{d}x\mathrm{d}y$$

(3) 令 $\omega=P\mathrm{d}y\mathrm{d}z+Q\mathrm{d}z\mathrm{d}x+R\mathrm{d}x\mathrm{d}y$, $\mathscr{D}$ 为空间某单连通区域时,就有通常的 Gauss 公式

$$\iint_{\partial\mathscr{D}}\omega=\oiint_{\partial\mathscr{D}}P\mathrm{d}y\mathrm{d}z+Q\mathrm{d}z\mathrm{d}x+R\mathrm{d}x\mathrm{d}y$$

$$=\iiint_{\mathscr{D}}\left(\frac{\partial P}{\partial x}+\frac{\partial Q}{\partial y}+\frac{\partial R}{\partial z}\right)\mathrm{d}x\mathrm{d}y\mathrm{d}z$$

今后在引用 Stokes 定理时,有时也将省去外积符号"$\wedge$",这样做不致引起混淆.

§6 矢量与张量的一些公式

6.1 并矢与张量

在三维空间中,一个矢量 $\boldsymbol{a}$ 可以用它在三个坐标方向上的投影 a_1, a_2, a_3 来表示,即

$$\boldsymbol{a}=a_1\boldsymbol{e}_1+a_2\boldsymbol{e}_2+a_3\boldsymbol{e}_3$$

除了矢量外,我们还要讨论更为复杂的量,即张量.一个三维空间的二阶张量

$$\mathbf{A}=\{\boldsymbol{a}_1,\boldsymbol{a}_2,\boldsymbol{a}_3\}$$

或者可记为

$$\mathbf{A}=\boldsymbol{e}_1\boldsymbol{a}_1+\boldsymbol{e}_2\boldsymbol{a}_2+\boldsymbol{e}_3\boldsymbol{a}_3=\boldsymbol{a}_1^{\mathrm{T}}\boldsymbol{e}_1+\boldsymbol{a}_2^{\mathrm{T}}\boldsymbol{e}_2+\boldsymbol{a}_3^{\mathrm{T}}\boldsymbol{e}_3$$

$$=\sum_{i,j}^{3}\boldsymbol{e}_i\,a_{ij}\,\boldsymbol{e}_j=\sum_{i,j}^{3}a_{ij}\,\boldsymbol{e}_i\,\boldsymbol{e}_j \tag{6.1}$$

这里记

$$\boldsymbol{a}_i=\sum_j a_{ij}\,\boldsymbol{e}_j,\quad \boldsymbol{a}_i^{\mathrm{T}}=\sum_j a_{ji}\,\boldsymbol{e}_j\quad(i=1,2,3)$$

今后,我们用黑正体的大写字母来记张量. a_{ij} 共为 9 个数,称为张量 $\mathbf{A}$ 的分量.

在(6.1)中形式地可以把 $\boldsymbol{e}_i\boldsymbol{e}_j$ 了解为张量分解的基张量,其前后次序不得任意颠倒. 在三维空间中,这样的基张量共有 9 个. 由于它是把两个矢量并写在一起,所以该记法也称为并矢记法.

在引进坐标变换

$$\boldsymbol{e} = B\boldsymbol{e}' \tag{6.2}$$

时,其中 B 为矩阵(b_{ij}). 显然,在(6.1)中把(6.2)代入可得

$$\sum a_{ij}\,\boldsymbol{e}_i\,\boldsymbol{e}_j = \boldsymbol{e}^{\mathrm{T}}A\boldsymbol{e} = \boldsymbol{e}'^{\mathrm{T}}B^{\mathrm{T}}AB\boldsymbol{e}' = \sum_{i,j}\boldsymbol{e}'_i\,a'_{ij}\,\boldsymbol{e}'_j = \sum a'_{ij}\,\boldsymbol{e}'_i\,\boldsymbol{e}'_j$$

式中 $A=(a_{ij})$. 由上式有

$$a'_{ij} = \sum_{k=1}^{3}\sum_{l=1}^{3} a_{kl}\,b_{ki}\,b_{lj} \tag{6.3}$$

这就是说,在标架 $\boldsymbol{e}$ 与 $\boldsymbol{e}'$ 中,张量分量之间的转换关系为(6.3). 该结论有时也作为二阶张量的定义. 同样地,也可定义高阶张量. 不过因本书后面主要地只用到二阶张量,我们就不讨论高阶张量了.

附带说明,两个张量 $\mathbf{A}^1$ 与 $\mathbf{A}^2$ 相等是指

$$a_{ij}^1 = a_{ij}^2$$

而且如果这个等式在某一个坐标系中满足,根据(6.3),在另一个坐标系中也应当有

$$(a_{ij}^1)' = (a_{ij}^2)'$$

这就是说,对于张量等式,只要在一个坐标系中验证成立,则它在任何坐标系中也应当成立. 这是不言而喻的.

若给了(6.1)中的 $\mathbf{A}$,我们定义它的转置为

$$\mathbf{A}^{\mathrm{T}} = \sum_{i,j} a_{ij}\,\boldsymbol{e}_j\,\boldsymbol{e}_i = \sum_{i,j} a_{ji}\,\boldsymbol{e}_i\,\boldsymbol{e}_j \tag{6.4}$$

即张量转置时只要将它的分解式中其张量的脚标互换即可. 如果张量 $\mathbf{A}^{\mathrm{T}}=\mathbf{A}$,则表示它的对应分量有关系 $a_{ij}=a_{ji}$,或 $\boldsymbol{a}_i=\boldsymbol{a}_i^{\mathrm{T}}$. 这样的张量称为对称张量.

6.2 矢量与张量的代数运算

矢量之间的代数运算,我们是熟悉的;对于张量来说,它是矢

量代数运算的自然推广. 令 **A** 与 **B** 是两个张量,则

$$\mathbf{A}+\mathbf{B}=\sum_{i,j}(a_{ij}+b_{ij})\boldsymbol{e}_i\boldsymbol{e}_j$$

同样地,可以定义张量与实数 α 的乘积,即

$$\alpha\mathbf{A}=\sum_{i,j}\alpha a_{ij}\,\boldsymbol{e}_i\,\boldsymbol{e}_j$$

更一般地说,如果说矢量运算组成一个三维线性空间,那么二阶张量之间的加减运算,以及它和实数的乘积也是服从线性空间的运算规律的. 只不过由于它的基 $\boldsymbol{e}_i\,\boldsymbol{e}_j$ 是 9 个,所以构成一个九维线性空间.

至于讨论相应于矢量点乘和叉乘的代数运算,我们首先对基张量和基矢量的这种运算来作定义,即

$$\begin{aligned}
&\boldsymbol{e}_i\cdot(\boldsymbol{e}_j\,\boldsymbol{e}_k)=(\boldsymbol{e}_i\cdot\boldsymbol{e}_j)\boldsymbol{e}_k=\delta_{ij}\,\boldsymbol{e}_k\\
&\boldsymbol{e}_i\times(\boldsymbol{e}_j\,\boldsymbol{e}_k)=(\boldsymbol{e}_i\times\boldsymbol{e}_j)\boldsymbol{e}_k=\sum_l\varepsilon_{lij}\,\boldsymbol{e}_l\,\boldsymbol{e}_k\\
&(\boldsymbol{e}_i\,\boldsymbol{e}_j)\cdot\boldsymbol{e}_k=\boldsymbol{e}_i(\boldsymbol{e}_j\cdot\boldsymbol{e}_k)=\boldsymbol{e}_i\delta_{jk}=\delta_{jk}\,\boldsymbol{e}_i\\
&(\boldsymbol{e}_i\,\boldsymbol{e}_j)\times\boldsymbol{e}_k=\boldsymbol{e}_i(\boldsymbol{e}_j\times\boldsymbol{e}_k)=\sum_l\boldsymbol{e}_i\,\boldsymbol{e}_l\,\varepsilon_{ljk}=\sum_l\varepsilon_{ljk}\,\boldsymbol{e}_i\,\boldsymbol{e}_l
\end{aligned}\tag{6.5}$$

式中

$$\delta_{ij}=\begin{cases}1, & 当\ i=j\\ 0, & 当\ i\neq j\end{cases}$$

$$\varepsilon_{ijk}=\begin{cases}1, & 当\ i,j,k\ 是\ 1,2,3\ 的偶排列\\ -1, & 当\ i,j,k\ 是\ 1,2,3\ 的奇排列\\ 0, & 当\ i,j,k\ 不是\ 1,2,3\ 的排列\end{cases}$$

并且我们有

$$\boldsymbol{e}_i\times\boldsymbol{e}_j=\sum_k\varepsilon_{ijk}\,\boldsymbol{e}_k=\sum_k\varepsilon_{kij}\,\boldsymbol{e}_k$$

其实,(6.5)这样定义的运算只不过是将运算号“·”或“×”左右相邻的两个基矢量按普通的矢量运算定义进行运算后,再与其余的矢量按原来的顺序相并或相乘(视叉乘或点乘而异).

有了(6.5)的定义,考虑到点乘与叉乘是遵从分配律的,令 $\boldsymbol{a}$

与 $\boldsymbol{b}$ 代表矢量，$\mathbf{A}$ 与 $\mathbf{B}$ 代表张量，便可得如下矢量与张量之间的代数运算公式：

$$
\left.\begin{aligned}
&(1)\ \boldsymbol{b}\cdot\mathbf{A}=(b_1\boldsymbol{e}_1+b_2\boldsymbol{e}_2+b_3\boldsymbol{e}_3)\cdot(\boldsymbol{e}_1\boldsymbol{a}_1+\boldsymbol{e}_2\boldsymbol{a}_2+\boldsymbol{e}_3\boldsymbol{a}_3)\\
&\qquad\quad =b_1\boldsymbol{a}_1+b_2\boldsymbol{a}_2+b_3\boldsymbol{a}_3,\\
&(2)\ \mathbf{A}\cdot\boldsymbol{b}=(\boldsymbol{e}_1\boldsymbol{a}_1+\boldsymbol{e}_2\boldsymbol{a}_2+\boldsymbol{e}_3\boldsymbol{a}_3)\cdot\boldsymbol{b}\\
&\qquad\quad =\boldsymbol{e}_1(\boldsymbol{a}_1\cdot\boldsymbol{b})+\boldsymbol{e}_2(\boldsymbol{a}_2\cdot\boldsymbol{b})+\boldsymbol{e}_3(\boldsymbol{a}_3\cdot\boldsymbol{b})=\boldsymbol{b}\cdot\mathbf{A}^{\mathrm{T}},\\
&(3)\ \boldsymbol{b}\times\mathbf{A}=(b_1\boldsymbol{e}_1+b_2\boldsymbol{e}_2+b_3\boldsymbol{e}_3)\times(\boldsymbol{e}_1\boldsymbol{a}_1+\boldsymbol{e}_2\boldsymbol{a}_2+\boldsymbol{e}_3\boldsymbol{a}_3)\\
&\qquad\quad =\boldsymbol{e}_1(b_2\boldsymbol{a}_3-b_3\boldsymbol{a}_2)+\boldsymbol{e}_2(b_3\boldsymbol{a}_1-b_1\boldsymbol{a}_3)\\
&\qquad\qquad +\boldsymbol{e}_3(b_1\boldsymbol{a}_2-b_2\boldsymbol{a}_1)\\
&\qquad\quad =(\boldsymbol{b}\times\boldsymbol{a}_1^{\mathrm{T}})\boldsymbol{e}_1+(\boldsymbol{b}\times\boldsymbol{a}_2^{\mathrm{T}})\boldsymbol{e}_2+(\boldsymbol{b}\times\boldsymbol{a}_3^{\mathrm{T}})\boldsymbol{e}_3,\\
&(4)\ \mathbf{A}\times\boldsymbol{b}=\boldsymbol{e}_1(\boldsymbol{a}_1\times\boldsymbol{b})+\boldsymbol{e}_2(\boldsymbol{a}_2\times\boldsymbol{b})+\boldsymbol{e}_3(\boldsymbol{a}_3\times\boldsymbol{b}).
\end{aligned}\right\}
$$

(6.6(a))

进而，为了考虑两个二阶张量的点乘与叉乘，我们定义张量基之间的运算如下：

$$(\boldsymbol{e}_i\,\boldsymbol{e}_j):(\boldsymbol{e}_k\boldsymbol{e}_l)=(\boldsymbol{e}_i\cdot\boldsymbol{e}_l)(\boldsymbol{e}_j\cdot\boldsymbol{e}_k)=\delta_{il}\delta_{jk}$$

$$(\boldsymbol{e}_i\,\boldsymbol{e}_j)\overset{\times}{\cdot}(\boldsymbol{e}_k\,\boldsymbol{e}_l)=(\boldsymbol{e}_i\cdot\boldsymbol{e}_l)(\boldsymbol{e}_j\times\boldsymbol{e}_k)=\delta_{il}\sum_h\varepsilon_{jkh}\,\boldsymbol{e}_h$$

$$(\boldsymbol{e}_i\,\boldsymbol{e}_j)\underset{\times}{\cdot}(\boldsymbol{e}_k\,\boldsymbol{e}_l)=(\boldsymbol{e}_i\times\boldsymbol{e}_l)(\boldsymbol{e}_j\cdot\boldsymbol{e}_k)=\delta_{jk}\sum_h\varepsilon_{hil}\,\boldsymbol{e}_h$$

$$(\boldsymbol{e}_i\,\boldsymbol{e}_j)\overset{\times}{\times}(\boldsymbol{e}_k\,\boldsymbol{e}_l)=(\boldsymbol{e}_i\times\boldsymbol{e}_l)(\boldsymbol{e}_j\times\boldsymbol{e}_k)=\sum_{n,m}\varepsilon_{nil}\varepsilon_{mjk}\,\boldsymbol{e}_n\,\boldsymbol{e}_m$$

上述规定，只要注意到运算符号是由下而上、对应的基矢量是由外向内进行运算的顺序，便可归结于通常矢量间点乘与叉乘的运算. 再考虑到点乘与叉乘遵从分配律，便得如下代数运算公式：

$$
\begin{aligned}
(5)\ \mathbf{A}:\mathbf{B}&=\Big(\sum_i\boldsymbol{e}_i\,\boldsymbol{a}_i\Big):\Big(\sum_j\boldsymbol{e}_j\,\boldsymbol{b}_j\Big)=\Big(\sum_i\boldsymbol{e}_i\,\boldsymbol{a}_i\Big):\Big(\sum_j\boldsymbol{b}_j^{\mathrm{T}}\boldsymbol{e}_j\Big)\\
&=\sum_{i,j}(\boldsymbol{e}_i\cdot\boldsymbol{b}_j)(\boldsymbol{a}_i\cdot\boldsymbol{e}_j)=\sum_{i,j}a_{ij}b_{ji}=\sum_i\boldsymbol{a}_i\cdot\boldsymbol{b}_i^{\mathrm{T}}\\
&=\sum_i\boldsymbol{a}_i^{\mathrm{T}}\cdot\boldsymbol{b}_i,
\end{aligned}
$$

$$
\left.
\begin{aligned}
&(6)\ \mathbf{A}\overset{\times}{\cdot}\mathbf{B}=\Big(\sum_i \boldsymbol{e}_i\boldsymbol{a}_i\Big)\overset{\times}{\cdot}\Big(\sum_j \boldsymbol{e}_j\boldsymbol{b}_j\Big)\\
&\qquad=\Big(\sum_i \boldsymbol{e}_i\boldsymbol{a}_i\Big)\overset{\times}{\cdot}\Big(\sum_j \boldsymbol{b}_j^{\mathrm{T}}\boldsymbol{e}_j\Big)=\sum_i \boldsymbol{a}_i\times\boldsymbol{b}_i^{\mathrm{T}}\\
&\qquad=(\boldsymbol{a}_2^{\mathrm{T}}\cdot\boldsymbol{b}_3-\boldsymbol{a}_3^{\mathrm{T}}\cdot\boldsymbol{b}_2)\boldsymbol{e}_1+(\boldsymbol{a}_3^{\mathrm{T}}\cdot\boldsymbol{b}_1-\boldsymbol{a}_1^{\mathrm{T}}\cdot\boldsymbol{b}_3)\boldsymbol{e}_2\\
&\qquad\quad+(\boldsymbol{a}_1^{\mathrm{T}}\cdot\boldsymbol{b}_2-\boldsymbol{a}_2^{\mathrm{T}}\cdot\boldsymbol{b})\boldsymbol{e}_3,\\
&(7)\ \mathbf{A}\overset{\cdot}{\times}\mathbf{B}=\Big(\sum_i \boldsymbol{e}_i\boldsymbol{a}_i\Big)\overset{\cdot}{\times}\Big(\sum_j \boldsymbol{b}_j^{\mathrm{T}}\boldsymbol{e}_j\Big)=\Big(\sum_i \boldsymbol{a}_i^{\mathrm{T}}\boldsymbol{e}_i\Big)\overset{\cdot}{\times}\Big(\sum_j \boldsymbol{e}_j\boldsymbol{b}_j\Big)\\
&\qquad=\sum_{i,j}(\boldsymbol{a}_i\cdot\boldsymbol{b}_j^{\mathrm{T}})(\boldsymbol{e}_i\times\boldsymbol{e}_j)=\sum_{i,j}(\boldsymbol{a}_i^{\mathrm{T}}\times\boldsymbol{b}_j)(\boldsymbol{e}_i\cdot\boldsymbol{e}_j)\\
&\qquad=(\boldsymbol{a}_2\cdot\boldsymbol{b}_3^{\mathrm{T}}-\boldsymbol{a}_3\cdot\boldsymbol{b}_2^{\mathrm{T}})\boldsymbol{e}_1+(\boldsymbol{a}_3\cdot\boldsymbol{b}_1^{\mathrm{T}}-\boldsymbol{a}_1\cdot\boldsymbol{b}_3^{\mathrm{T}})\boldsymbol{e}_2\\
&\qquad\quad+(\boldsymbol{a}_1\cdot\boldsymbol{b}_2^{\mathrm{T}}-\boldsymbol{a}_2\cdot\boldsymbol{b}_1^{\mathrm{T}})\boldsymbol{e}_3=\sum_i \boldsymbol{a}_i^{\mathrm{T}}\times\boldsymbol{b}_i,\\
&(8)\ \mathbf{A}\overset{\times}{\times}\mathbf{B}=\Big(\sum_i \boldsymbol{e}_i\boldsymbol{a}_i\Big)\overset{\times}{\times}\Big(\sum_j \boldsymbol{b}_j^{\mathrm{T}}\boldsymbol{e}_j\Big)=\Big(\sum_i \boldsymbol{a}_i^{\mathrm{T}}\boldsymbol{e}_i\Big)\overset{\times}{\times}\Big(\sum_j \boldsymbol{e}_j\boldsymbol{b}_j\Big)\\
&\qquad=\sum_{i,j}(\boldsymbol{e}_i\times\boldsymbol{e}_j)(\boldsymbol{a}_i\times\boldsymbol{b}_j^{\mathrm{T}})=\sum_{i,j}(\boldsymbol{a}_i^{\mathrm{T}}\times\boldsymbol{b}_j)(\boldsymbol{e}_i\times\boldsymbol{e}_j)\\
&\qquad=\boldsymbol{e}_1(\boldsymbol{a}_2\times\boldsymbol{b}_3^{\mathrm{T}}-\boldsymbol{a}_3\times\boldsymbol{b}_2^{\mathrm{T}})+\boldsymbol{e}_2(\boldsymbol{a}_3+\boldsymbol{b}_1^{\mathrm{T}}-\boldsymbol{a}_1\times\boldsymbol{b}_3^{\mathrm{T}})\\
&\qquad\quad+\boldsymbol{e}_3(\boldsymbol{a}_1\times\boldsymbol{b}_2^{\mathrm{T}}-\boldsymbol{a}_2\times\boldsymbol{b}_1^{\mathrm{T}})\\
&\qquad=(\boldsymbol{a}_2^{\mathrm{T}}\times\boldsymbol{b}_3-\boldsymbol{a}_3^{\mathrm{T}}\times\boldsymbol{b}_2)\boldsymbol{e}_1+(\boldsymbol{a}_3^{\mathrm{T}}\times\boldsymbol{b}_1-\boldsymbol{a}_1^{\mathrm{T}}\times\boldsymbol{b}_3)\boldsymbol{e}_2\\
&\qquad\quad+(\boldsymbol{a}_1^{\mathrm{T}}\times\boldsymbol{b}_2-\boldsymbol{a}_2^{\mathrm{T}}\times\boldsymbol{b}_1)\boldsymbol{e}_3.
\end{aligned}
\right\}
\tag{6.6(b)}
$$

在上述公式(1)～(4)中如果 **A** 是对称张量，在公式(5)～(8)中如果 **A** 或 **B** 是对称张量，则有

$$\boldsymbol{b}\cdot\mathbf{A}=\mathbf{A}\cdot\boldsymbol{b},\quad \boldsymbol{b}\times\mathbf{A}=(-\mathbf{A}\times\boldsymbol{b})^{\mathrm{T}}$$

$$\mathbf{A}:\mathbf{B}=\mathbf{A}:\mathbf{B}^{\mathrm{T}}=\sum_{i,j}a_{ij}\,b_{ij}$$

当 **A** 与 **B** 都是对称张量时，我们还有

$$\mathbf{A}\overset{\times}{\cdot}\mathbf{B}=\mathbf{A}\overset{\cdot}{\times}\mathbf{B}=-\mathbf{B}\overset{\times}{\cdot}\mathbf{A}=-\mathbf{B}\overset{\cdot}{\times}\mathbf{A}$$

$$\mathbf{A}\overset{\times}{\times}\mathbf{B}=\mathbf{B}\overset{\times}{\times}\mathbf{A}$$

6.3 矢量与张量分析的若干公式

§3 中的最后三个例子我们可以总结为下述三个式子

$$
\begin{aligned}
(\mathrm{grad} f) \cdot \mathrm{d}\boldsymbol{r} &= \mathrm{d}f = \nabla f \cdot \mathrm{d}\boldsymbol{r} \\
\mathrm{rot}\boldsymbol{a} \cdot \mathrm{d}\boldsymbol{\pi} &= \mathrm{d}(\boldsymbol{a} \cdot \mathrm{d}\boldsymbol{r}) \\
\mathrm{div}\boldsymbol{a}\, \mathrm{d}V &= \mathrm{d}(\boldsymbol{a} \cdot \mathrm{d}\boldsymbol{\pi})
\end{aligned} \tag{6.7(a)}
$$

同样地，引用并矢记号，可以把矢量的相应运算写为

$$
\begin{aligned}
\mathrm{d}\boldsymbol{r} \cdot (\mathrm{grad}\boldsymbol{a}) &= \mathrm{d}\boldsymbol{a} \\
\mathrm{d}\boldsymbol{\pi} \cdot (\mathrm{rot}\mathbf{A}) &= \mathrm{d}(\mathrm{d}\boldsymbol{r} \cdot \mathbf{A}) \\
(\mathrm{div}\mathbf{A})\mathrm{d}V &= \mathrm{d}(\mathrm{d}\boldsymbol{\pi} \cdot \mathbf{A})
\end{aligned} \tag{6.7(b)}
$$

这里引用了记号

$$\mathrm{d}\boldsymbol{r} = \mathrm{d}s_1\boldsymbol{e}_1 + \mathrm{d}s_2\boldsymbol{e}_2 + \mathrm{d}s_3\boldsymbol{e}_3$$

$$\mathrm{d}\boldsymbol{\pi} = \mathrm{d}s_2 \wedge \mathrm{d}s_3\boldsymbol{e}_1 + \mathrm{d}s_3 \wedge \mathrm{d}s_1\boldsymbol{e}_2 + \mathrm{d}s_1 \wedge \mathrm{d}s_2\boldsymbol{e}_3$$

$$\mathrm{d}V = \mathrm{d}s_1 \wedge \mathrm{d}s_2 \wedge \mathrm{d}s_3$$

在直角坐标系中有

$$\mathrm{d}s_i = \mathrm{d}x_i \quad (i = 1,2,3)$$

在正交曲线坐标系中有

$$\mathrm{d}s_i = H_i\mathrm{d}x_i \quad (i = 1,2,3)$$

在直角坐标系中我们记

$$\mathrm{grad} f = \frac{\partial f}{\partial x_1}\boldsymbol{e}_1 + \frac{\partial f}{\partial x_2}\boldsymbol{e}_2 + \frac{\partial f}{\partial x_3}\boldsymbol{e}_3 = \nabla f$$

$$\mathrm{rot}\boldsymbol{a} = \left(\frac{\partial a_3}{\partial x_2} - \frac{\partial a_2}{\partial x_3}\right)\boldsymbol{e}_1 + \left(\frac{\partial a_1}{\partial x_3} - \frac{\partial a_3}{\partial x_1}\right)\boldsymbol{e}_2 + \left(\frac{\partial a_2}{\partial x_1} - \frac{\partial a_1}{\partial x_2}\right)\boldsymbol{e}_3$$

$$\mathrm{div}\boldsymbol{a} = \frac{\partial a_1}{\partial x_1} + \frac{\partial a_2}{\partial x_2} + \frac{\partial a_3}{\partial x_3} = \nabla \cdot \boldsymbol{a}$$

其中简记 $$\nabla = \frac{\partial}{\partial x_1}\boldsymbol{e}_1 + \frac{\partial}{\partial x_2}\boldsymbol{e}_2 + \frac{\partial}{\partial x_3}\boldsymbol{e}_3$$

当它作用于并矢或矢量时，可把它看为矢量进行形式上的代数运算. 例如，若令 $\boldsymbol{a}=a_1\boldsymbol{e}_1+a_2\boldsymbol{e}_2+a_3\boldsymbol{e}_3$，则有

$$\nabla \cdot \boldsymbol{a} = \frac{\partial a_1}{\partial x_1} + \frac{\partial a_2}{\partial x_2} + \frac{\partial a_3}{\partial x_3}$$

$$a \times \nabla = \left(\frac{\partial a_2}{\partial x_3} - \frac{\partial a_3}{\partial x_2}\right)\boldsymbol{e}_1 + \left(\frac{\partial a_3}{\partial x_1} - \frac{\partial a_1}{\partial x_3}\right)\boldsymbol{e}_2 + \left(\frac{\partial a_1}{\partial x_2} - \frac{\partial a_2}{\partial x_1}\right)\boldsymbol{e}_3$$

对于正交曲线坐标系的情形，引用上述作用的规则，通过直接计算可得

$$\left.\begin{aligned}
\nabla &= \frac{1}{H_1}\frac{\partial}{\partial x_1}\boldsymbol{e}_1 + \frac{1}{H_2}\frac{\partial}{\partial x_2}\boldsymbol{e}_2 + \frac{1}{H_3}\frac{\partial}{\partial x_3}\boldsymbol{e}_3 \\
\nabla f &= \frac{1}{H_1}\frac{\partial f}{\partial x_1}\boldsymbol{e}_1 + \frac{1}{H_2}\frac{\partial f}{\partial x_2}\boldsymbol{e}_2 + \frac{1}{H_3}\frac{\partial f}{\partial x_3}\boldsymbol{e}_3 \\
\nabla \times \boldsymbol{a} &= \left(\frac{\boldsymbol{e}_1}{H_1}\frac{\partial}{\partial x_1} + \frac{\boldsymbol{e}_2}{H_2}\frac{\partial}{\partial x_2} + \frac{\boldsymbol{e}_3}{H_3}\frac{\partial}{\partial x_3}\right) \\
&\quad \times (a_1\boldsymbol{e}_1 + a_2\boldsymbol{e}_2 + a_3\boldsymbol{e}_3) \\
&= \boldsymbol{e}_1 \times \frac{1}{H_1}\frac{\partial \boldsymbol{a}}{\partial x_1} + \boldsymbol{e}_2 \times \frac{1}{H_2}\frac{\partial \boldsymbol{a}}{\partial x_2} + \boldsymbol{e}_3 \times \frac{1}{H_3}\frac{\partial \boldsymbol{a}}{\partial x_3} \\
&= \boldsymbol{e}_1 \times \left[\left(\frac{1}{H_1}\frac{\partial a_2}{\partial x_1} - \frac{a_1}{H_1H_2}\frac{\partial H_1}{\partial x_2}\right)\boldsymbol{e}_2\right. \\
&\quad \left. + \left(\frac{1}{H_1}\frac{\partial a_3}{\partial x_1} - \frac{a_1}{H_1H_3}\frac{\partial H_1}{\partial x_3}\right)\boldsymbol{e}_3\right] \\
&\quad + \boldsymbol{e}_2 \times \left[\left(\frac{1}{H_2}\frac{\partial a_3}{\partial x_2} - \frac{a_2}{H_2H_3}\frac{\partial H_2}{\partial x_3}\right)\boldsymbol{e}_3\right. \\
&\quad \left. + \left(\frac{1}{H_2}\frac{\partial a_1}{\partial x_2} - \frac{a_2}{H_2H_1}\frac{\partial H_2}{\partial x_1}\right)\boldsymbol{e}_1\right] \\
&\quad + \boldsymbol{e}_3 \times \left[\left(\frac{1}{H_3}\frac{\partial a_1}{\partial x_3} - \frac{a_3}{H_3H_1}\frac{\partial H_3}{\partial x_1}\right)\boldsymbol{e}_1\right. \\
&\quad \left. + \left(\frac{1}{H_3}\frac{\partial a_2}{\partial x_3} - \frac{a_3}{H_3H_2}\frac{\partial H_3}{\partial x_2}\right)\boldsymbol{e}_2\right] \\
&= \frac{\boldsymbol{e}_1}{H_2H_3}\left[\frac{\partial(H_3a_3)}{\partial x_2} - \frac{\partial(H_2a_2)}{\partial x_3}\right] + \frac{\boldsymbol{e}_2}{H_3H_1}\left[\frac{\partial(H_1a_1)}{\partial x_3} - \frac{\partial(H_3a_3)}{\partial x_1}\right] \\
&\quad + \frac{\boldsymbol{e}_3}{H_1H_2}\left[\frac{\partial(H_2a_2)}{\partial x_1} - \frac{\partial(H_1a_1)}{\partial x_2}\right] \\
\nabla \cdot \boldsymbol{a} &= \left(\frac{\boldsymbol{e}_1}{H_1}\frac{\partial}{\partial x_1} + \frac{\boldsymbol{e}_2}{H_2}\frac{\partial}{\partial x_2} + \frac{\boldsymbol{e}_3}{H_3}\frac{\partial}{\partial x_3}\right)\cdot \boldsymbol{a} \\
&= \boldsymbol{e}_1 \cdot \frac{1}{H_1}\frac{\partial \boldsymbol{a}}{\partial x_1} + \boldsymbol{e}_2 \cdot \frac{1}{H_2}\frac{\partial \boldsymbol{a}}{\partial x_2} + \boldsymbol{e}_3 \cdot \frac{1}{H_3}\frac{\partial \boldsymbol{a}}{\partial x_3} \\
&= \frac{1}{H_1H_2H_3}\left[\frac{\partial(H_2H_3a_1)}{\partial x_1} + \frac{\partial(H_3H_1a_2)}{\partial x_2} + \frac{\partial(H_1H_2a_3)}{\partial x_3}\right]
\end{aligned}\right\} \tag{6.8}$$

在下面(1)～(10)公式中引用记号

$$\mathbf{I}=\boldsymbol{e}_1\boldsymbol{e}_1+\boldsymbol{e}_2\boldsymbol{e}_2+\boldsymbol{e}_3\boldsymbol{e}_3,\ J_1(\mathbf{A})=a_{11}+a_{22}+a_{33} \tag{6.9}$$

$J_1(\mathbf{A})$称为张量$\mathbf{A}$的迹,有时记为$\mathrm{tr}(\mathbf{A})$.

$$\left.\begin{array}{l}
(1)\ \nabla(\boldsymbol{a}\cdot\boldsymbol{b})=\boldsymbol{a}\cdot(\nabla\boldsymbol{b})+\boldsymbol{b}\cdot(\nabla\boldsymbol{a})+\boldsymbol{a}\times(\nabla\times\boldsymbol{b})-(\nabla\times\boldsymbol{a})\times\boldsymbol{b}.\\
(2)\ \nabla\cdot(\boldsymbol{a}\times\boldsymbol{b})=(\nabla\times\boldsymbol{a})\cdot\boldsymbol{b}-\boldsymbol{a}\cdot(\nabla\times\boldsymbol{b}).\\
(3)\ \nabla\times(\boldsymbol{a}\times\boldsymbol{b})=\boldsymbol{b}\cdot(\nabla\boldsymbol{a})-\boldsymbol{a}\cdot(\nabla\boldsymbol{b})+\boldsymbol{a}(\nabla\cdot\boldsymbol{b})-\boldsymbol{b}(\nabla\cdot\boldsymbol{a}).\\
(4)\ \nabla\times(\nabla\times\boldsymbol{a})=\nabla(\nabla\cdot\boldsymbol{a})-\nabla\cdot\nabla\boldsymbol{a}.\\
(5)\ 若\ \mathbf{A}=\mathbf{A}^{\mathrm{T}},则\ \mathbf{I}:\mathrm{rot}\mathbf{A}=0.\\
(6)\ \mathrm{div}(\mathrm{grad}\boldsymbol{a})^{\mathrm{T}}=\nabla\cdot(\nabla\boldsymbol{a})^{\mathrm{T}}=\nabla\cdot(\boldsymbol{a}\,\nabla)=\nabla(\nabla\cdot\boldsymbol{a}).\\
(7)\ (\mathrm{rot}\mathbf{A})^{\mathrm{T}}=(\nabla\times\mathbf{A})^{\mathrm{T}}=-\mathbf{A}^{\mathrm{T}}\times\nabla.\\
(8)\ \mathbf{A}\overset{\times}{\times}\mathbf{I}=-\mathbf{A}^{\mathrm{T}}+\mathbf{I}\,J_1(\mathbf{A}).\\
(9)\ 若\ \mathbf{A}=\mathbf{A}^{\mathrm{T}},有\\
\qquad\mathbf{Q}=\mathrm{rot}(\mathrm{rot}\mathbf{A})^{\mathrm{T}}\\
\qquad\quad=\nabla(\nabla\cdot\mathbf{A})+(\nabla\cdot\mathbf{A})\nabla-\nabla\cdot\nabla\mathbf{A}-\nabla\nabla J_1(\mathbf{A})\\
\qquad\qquad+\mathbf{I}(\Delta J_1(\mathbf{A})-\nabla\cdot(\nabla\cdot\mathbf{A}))\\
(10)\ 令\ \mathbf{A}\ 为\ \mathbf{I}\,J_1(\mathbf{A})代入上式,可得恒等式\\
\qquad\nabla\times(\nabla\times\mathbf{I}\,J_1(\mathbf{A}))^{\mathrm{T}}=2\nabla\nabla J_1(\mathbf{A})-\mathbf{I}\Delta J_1(\mathbf{A})\\
\qquad\qquad-3\nabla\nabla J_1(\mathbf{A})+\mathbf{I}[3\Delta J_1(\mathbf{A})-\Delta J_1(\mathbf{A})]\\
\qquad\quad=\mathbf{I}\Delta J_1(\mathbf{A})-\nabla\nabla J_1(\mathbf{A})
\end{array}\right\} \tag{6.10}$$

在(9)和(10)式中的$\Delta=\nabla\cdot\nabla=\nabla^2$为 Laplace 算子.

注意,在(6.10)的(9)式中

$$\begin{aligned}
Q_{11}&=\frac{\partial^2 a_{22}}{\partial x_3^2}+\frac{\partial^2 a_{33}}{\partial x_2^2}-2\,\frac{\partial^2 a_{23}}{\partial x_2\partial x_3}\\
&=2\,\frac{\partial}{\partial x_1}\left(\frac{\partial a_{11}}{\partial x_1}+\frac{\partial a_{21}}{\partial x_2}+\frac{\partial a_{31}}{x_3}\right)\\
&\quad-\nabla\cdot(\nabla\cdot\mathbf{A})-\Delta a_{11}-\frac{\partial^2}{\partial x_1^2}[J_1(\mathbf{A})]+\Delta J_1(\mathbf{A})
\end{aligned}$$

$$
\begin{aligned}
Q_{12} &= \frac{\partial}{\partial x_3}\left(\frac{\partial a_{23}}{\partial x_1}+\frac{\partial a_{31}}{\partial x_2}-\frac{\partial a_{12}}{\partial x_3}\right)-\frac{\partial^2 a_{23}}{\partial x_1 \partial x_2} \\
&= \frac{\partial}{\partial x_2}\left(\frac{\partial a_{11}}{\partial x_1}+\frac{\partial a_{21}}{\partial x_2}+\frac{\partial a_{31}}{\partial x_3}\right) \\
&\quad +\frac{\partial}{\partial x_1}\left(\frac{\partial a_{12}}{\partial x_1}+\frac{\partial a_{22}}{\partial x_2}+\frac{\partial a_{32}}{\partial x_3}\right) \\
&\quad -\Delta a_{12}-\frac{\partial^2}{\partial x_1 \partial x_2}(J_1(\mathbf{A}))
\end{aligned}
$$

可知(9)式一般地是成立的.

习 题

1. 验证下列各曲线坐标的正交性,并计算各曲线坐标的 Lamé 系数:

(1) $x=x_1\cos x_2\cos x_3$, $y=x_1\cos x_2\sin x_3$, $z=x_1\sin x_2$;

(2) $x=x_1\cos x_2$, $y=x_1\sin x_2$, $z=x_3$;

(3) $x=a\operatorname{ch}x_1\cos x_2$, $y=a\operatorname{sh}x_1\sin x_2$, $z=x_3$;

(4) $\frac{x^2}{a^2-x_1}+\frac{y^2}{b^2-x_1}+\frac{z^2}{c^2-x_1}=1$, $\frac{x^2}{a^2-x_2}+\frac{y^2}{b^2-x_2}+\frac{z^2}{c^2-x_2}=1$,

$\frac{x^2}{a^2-x_3}+\frac{y^2}{b^2-x_3}+\frac{z^2}{c^2-x_3}=1$, 其中 $x_1<c^2<x_2<b^2<x_3<a^2$.

2. 计算正交曲线坐标中坐标曲线的曲率与挠率.

3. 在标架微商中 $\mathrm{d}\boldsymbol{e}_i=\boldsymbol{C}\times\boldsymbol{e}_i$,对于第一题各种曲线坐标计算 $\boldsymbol{C}$.

4. 令 $\varphi_1(x,y,z)=x^2+y^2+z^2$, $\varphi_2(x,y,z)=x+y+z$, 求 $\mathrm{d}\varphi_1\wedge\mathrm{d}\varphi_2$.

5. 令 $\varphi(x_1,x_2,x_3)=x_1$,求 $\mathrm{d}\varphi$. 若有变数代换

$$(x_1,x_2,x_3)=(\cos u, a\sin u, u)$$

求 $\mathrm{d}\varphi=?$

6. 证明 $\omega_1\wedge\omega_2=(-1)^{\deg\omega_1\deg\omega_2}\omega_2\wedge\omega_1$,其中 deg 表示微分形的次数.

7. 证明当 $\omega_i=\sum_{k=1}^{n}v_{ik}\mathrm{d}x_k\ (i=1,\cdots,p)$时,有

$$
\omega_1\wedge\omega_2\wedge\cdots\wedge\omega_p
=\sum_{1\leqslant i_1\leqslant\cdots\leqslant i_p\leqslant n}\begin{vmatrix} v_{1i_1} & \cdots & v_{1i_p}\\ \vdots & & \vdots \\ v_{pi_1} & \cdots & v_{pi_p}\end{vmatrix}\mathrm{d}x_{i_1}\wedge\cdots\wedge\mathrm{d}x_{i_p}
$$

8. 令 ω_1 与 ω_2 分别为 p 次与 q 次微分形,证明

$$\int_{\mathscr{D}} d\omega_1 \wedge \omega_2 = \int_{\partial\mathscr{D}} \omega_1 \wedge \omega_2 + (-1)^{p+1}\int_{\mathscr{D}} \omega_1 \wedge d\omega_2$$

9. 利用上题结论证明 Green 公式

$$\iiint_{\mathscr{D}} \left[u\Delta v + \frac{\partial u}{\partial x}\frac{\partial v}{\partial x} + \frac{\partial u}{\partial y}\frac{\partial v}{\partial y} + \frac{\partial u}{\partial z}\frac{\partial v}{\partial z}\right] dx dy dz = \oint\!\!\!\oint_{\partial\mathscr{D}} u \frac{\partial v}{\partial n} d\pi$$

式中 $\frac{\partial v}{\partial n}d\pi = \frac{\partial v}{\partial x}dydz + \frac{\partial v}{\partial y}dzdx + \frac{\partial v}{\partial z}dxdy$.

10. 试求在球面 $x^2+y^2+z^2=a^2$ 的上半部的积分

$$\iint_{\mathscr{D}} [(z^n - y^n)\cos\alpha + (x^n - z^n)\cos\beta + (y^n - x^n)\cos\gamma] d\pi$$

这里 $\cos\alpha, \cos\beta, \cos\gamma$ 是外法线的方向余弦,$d\pi$ 为面积元.

11. 证明若 $\boldsymbol{a}$ 为任意矢量场,则 $\boldsymbol{a}$ 可表示为

$$\boldsymbol{a} = \nabla\varphi + \mathrm{rot}\boldsymbol{b}, \quad \text{且 } \mathrm{div}\boldsymbol{b} = 0$$

即存在函数 φ 与矢量 $\boldsymbol{b}$ 使上式成立.

12. 验证 §6 公式(6.10)的各式.

13. 若 $\mathbf{T}$ 是张量,$\boldsymbol{\omega}$ 是矢量,试验证

$$d\pi \cdot \mathbf{T} \cdot (\boldsymbol{\omega} \times d\boldsymbol{r}) = -(\mathbf{I} \overset{\times}{\cdot} \mathbf{T}) \cdot \boldsymbol{\omega}\, dV$$

14. 若 $\boldsymbol{\Gamma}$ 是对称张量,$\mathbf{T}$ 是张量,验证

$$d\boldsymbol{\pi} \cdot \mathbf{T} \cdot (d\boldsymbol{r} \cdot \boldsymbol{\Gamma}) = \mathbf{T} : \boldsymbol{\Gamma} dV$$

15. 设 $\mathscr{D}$ 为空间区域,∂ 为取边界,试证

$$\partial\partial\mathscr{D} = 0$$

即区域边界的边界为零.

16. 试证:$\mathbf{A}=\mathbf{0}$ 的充分必要条件是

$$\mathbf{I} \overset{\times}{\times} \mathbf{A} = \mathbf{0}$$

17. 试证:$\mathbf{A}$ 对称的充分必要条件是

$$\mathbf{I} \overset{\times}{\cdot} \mathbf{A} = \mathbf{0}$$

18. 试证:对任意矢量场 $\boldsymbol{a}$,存在矢量场 $\boldsymbol{b}$,使 $\boldsymbol{a} = \nabla \times \boldsymbol{b}$ 的充分必要条件是

$$\nabla \cdot \boldsymbol{a} = 0, \quad \oint\!\!\!\oint_S \boldsymbol{a} \cdot \boldsymbol{n} ds = 0$$

其中 S 为区域内任意封闭曲面.(Stevenson[59])

第二章　变形分析

§1　变形体内的位移场

1.1　位移场

物体不论是作为在空间的刚体运动或是它的形状发生改变，终归体现为物体内部每一点产生位移. 如果把未发生运动和变形的物体占据的空间区域记做 $\mathscr{D}$，在 $\mathscr{D}$ 内引进正交曲线坐标. 它的每一点的位置由矢径

$$\boldsymbol{r} = \boldsymbol{r}(x_1, x_2, x_3)$$

来表示. 在物体发生运动和变形时，每一点获得一个位移 $\boldsymbol{u}(x_1, x_2, x_3)$，于是原来矢径为 $\boldsymbol{r}$ 的点移到了矢径为

$$\tilde{\boldsymbol{r}} = \boldsymbol{r} + \boldsymbol{u} \tag{1.1}$$

的点. 这里 $\boldsymbol{u}$ 称为位移矢量，对于 $\mathscr{D}$ 上每一点都有定义，所以我们实际上得到一个位移场.

为方便起见，把 $\boldsymbol{u}$ 投影在正交曲线坐标的活动标架上，即得

$$\boldsymbol{u} = u_1\boldsymbol{e}_1 + u_2\boldsymbol{e}_2 + u_3\boldsymbol{e}_3 \tag{1.2}$$

通常在变形体内，如果不考虑在变形过程中被撕裂或重叠等特殊情况，则位移场 $\boldsymbol{u}$ 不仅对自变量 x_1, x_2, x_3 是连续变化的，而且除掉物体内若干特殊的点、线或面外还是可微的. 今后如果不特别申明，我们都假定它具有直到三阶的连续导数. 有了关于位移可微性的假设，便可能把位移场进行微分分析，从而达到对变形体变形的更深入的了解.

1.2　位移场的微分

考虑变形体内一点 $\boldsymbol{r}(x_1, x_2, x_3)$，在变形时它的位移为 $\boldsymbol{u}(x_1,$

$x_2, x_3)$. 又取与此点无限邻近的另一点 $\boldsymbol{r}+\mathrm{d}\boldsymbol{r}$,则它的位移是

$$\boldsymbol{u}(x_1+\mathrm{d}x_1, x_2+\mathrm{d}x_2, x_3+\mathrm{d}x_3)=\boldsymbol{u}+\mathrm{d}\boldsymbol{u}$$

式中的右端第二项是位移的微分,根据(1.2.24)可得

$$\mathrm{d}\boldsymbol{u}=\tilde{\mathrm{d}}\,\boldsymbol{u}+\boldsymbol{C}\times\boldsymbol{u}=\alpha_1\boldsymbol{e}_1+\alpha_2\boldsymbol{e}_2+\alpha_3\boldsymbol{e}_3 \tag{1.3}$$

式中采用了记号

$$\begin{aligned}\alpha_1&=\mathrm{d}u_1+u_3c_2-u_2c_3\\ \alpha_2&=\mathrm{d}u_2+u_1c_3-u_3c_1\\ \alpha_3&=\mathrm{d}u_3+u_2c_1-u_1c_2\end{aligned} \tag{1.4}$$

在这些式子中 α_i 是一次微分形,不妨把它们表示为

$$\alpha_i=\sum_j\alpha_{ji}\,\mathrm{d}s_j\quad(i=1,2,3) \tag{1.5}$$

式中 $\mathrm{d}s_j(j=1,2,3)$是第一章谈到的曲线坐标的弧元. 这样(1.3)又可以写为

$$\mathrm{d}\boldsymbol{u}=\mathrm{d}\boldsymbol{r}\cdot\nabla\boldsymbol{u}=\sum_i\sum_j\mathrm{d}s_i\,\alpha_{ij}\,\boldsymbol{e}_j \tag{1.6}$$

式中记 $\nabla\boldsymbol{u}=\sum_{ij}\alpha_{ij}\,\boldsymbol{e}_i\,\boldsymbol{e}_j$.

由(1.6)显然有

$$\alpha_{ij}=\frac{\partial\boldsymbol{u}}{\partial s_i}\cdot\boldsymbol{e}_j \tag{1.7}$$

根据矢量的微分公式不难算得

$$\begin{aligned}\alpha_{11}&=\frac{1}{H_1}\frac{\partial u_1}{\partial x_1}+\frac{u_2}{H_1H_2}\frac{\partial H_1}{\partial x_2}+\frac{u_3}{H_1H_3}\frac{\partial H_1}{\partial x_3}\\ \alpha_{21}&=\frac{1}{H_2}\frac{\partial u_1}{\partial x_2}-\frac{u_2}{H_1H_2}\frac{\partial H_2}{\partial x_1}\\ \alpha_{31}&=\frac{1}{H_3}\frac{\partial u_1}{\partial x_3}-\frac{u_3}{H_1H_3}\frac{\partial H_3}{\partial x_1}\end{aligned} \tag{1.8}$$

下标轮换可得到其余 6 个分量. 这些表达式在直角坐标系中有更为简单的形式

$$\alpha_{ji}=\frac{\partial u_i}{\partial x_j}\quad(i,j=1,2,3) \tag{1.9}$$

现在,将(1.6)式略加改变,并考虑到

$$\nabla \boldsymbol{u} = \frac{1}{2}(\nabla \boldsymbol{u} + \boldsymbol{u}\nabla) + \frac{1}{2}(\nabla \boldsymbol{u} - \boldsymbol{u}\nabla) \tag{1.10}$$

采用记号

$$\boldsymbol{\Gamma} = \frac{1}{2}(\nabla \boldsymbol{u} + \boldsymbol{u}\nabla) = \sum_{i,j} \gamma_{ij}\, \boldsymbol{e}_i\, \boldsymbol{e}_j$$

$$\boldsymbol{\Omega} = \frac{1}{2}(\nabla \boldsymbol{u} - \boldsymbol{u}\nabla) = \sum_{i,j} \omega_{ij}\, \boldsymbol{e}_i\, \boldsymbol{e}_j$$

则(1.10)又可以写为

$$\nabla \boldsymbol{u} = \boldsymbol{\Gamma} + \boldsymbol{\Omega}$$

其分量形式为

$$\begin{aligned} \alpha_{ij} &= \gamma_{ij} + \omega_{ij} \\ \gamma_{ij} &= \frac{1}{2}(\alpha_{ij} + \alpha_{ji}) \\ \omega_{ij} &= \frac{1}{2}(\alpha_{ij} - \alpha_{ji}) \end{aligned} \tag{1.11}$$

显然 $\gamma_{ij}=\gamma_{ji}$,所以 $\boldsymbol{\Gamma}$ 是对称张量; $\omega_{ij}=-\omega_{ji}$,所以 $\boldsymbol{\Omega}$ 是反对称张量.

考虑到这些,(1.6)就可以进一步写为

$$\mathrm{d}\boldsymbol{u} = \mathrm{d}\boldsymbol{r} \cdot \boldsymbol{\Gamma} + \mathrm{d}\boldsymbol{r} \cdot \boldsymbol{\Omega} = \mathrm{d}\boldsymbol{r} \cdot \boldsymbol{\Gamma} + \boldsymbol{\omega} \times \mathrm{d}\boldsymbol{r} \tag{1.12}$$

这里令 $\boldsymbol{\omega}=\omega_1\boldsymbol{e}_1+\omega_2\boldsymbol{e}_2+\omega_3\boldsymbol{e}_3$,且

$$\omega_1 = \omega_{23} = -\omega_{32} = \frac{1}{2}\frac{1}{H_2H_3}\left(\frac{\partial H_3u_3}{\partial x_2} - \frac{\partial H_2u_2}{\partial x_3}\right)$$

$$\omega_2 = \omega_{31} = -\omega_{13} = \frac{1}{2}\frac{1}{H_3H_1}\left(\frac{\partial H_1u_1}{\partial x_3} - \frac{\partial H_3u_3}{\partial x_1}\right)$$

$$\omega_3 = \omega_{12} = -\omega_{21} = \frac{1}{2}\frac{1}{H_1H_2}\left(\frac{\partial H_2u_2}{\partial x_1} - \frac{\partial H_1u_1}{\partial x_2}\right)$$

由第一章§6的公式(6.8)可知

$$\boldsymbol{\omega} = \frac{1}{2}\mathrm{rot}\boldsymbol{u} = \frac{1}{2}\nabla \times \boldsymbol{u} \tag{1.13}$$

(1.12)中的 $\boldsymbol{\Gamma}$ 是一个对称张量,由(1.7)与(1.11)有

$$\gamma_{ij} = \frac{1}{2}\left(\frac{\partial \boldsymbol{u}}{\partial s_i} \cdot \boldsymbol{e}_j + \frac{\partial \boldsymbol{u}}{\partial s_j} \cdot \boldsymbol{e}_i\right) \quad (i, j = 1, 2, 3) \qquad (1.14)$$

§2 无限小微元的应变

2.1 无限小微元的伸长应变

为了更细致地讨论变形体的变形，我们来研究点 $\boldsymbol{r}$ 及与其无限邻近的点 $\boldsymbol{r}+\mathrm{d}\boldsymbol{r}$ 之间的微小矢径 $\mathrm{d}\boldsymbol{r}$ 在变形中的应变.

这个微矢径的原长是

$$\begin{aligned} \mathrm{d}s^2 &= \mathrm{d}\boldsymbol{r} \cdot \mathrm{d}\boldsymbol{r} = \mathrm{d}s_1^2 + \mathrm{d}s_2^2 + \mathrm{d}s_3^2 \\ &= H_1^2 \mathrm{d}x_1^2 + H_2^2 \mathrm{d}x_2^2 + H_3^2 \mathrm{d}x_3^2 \end{aligned}$$

在变形后，点 $\boldsymbol{r}$ 变为 $\boldsymbol{r}+\boldsymbol{u}$，而点 $\boldsymbol{r}+\mathrm{d}\boldsymbol{r}$ 变为 $\boldsymbol{r}+\mathrm{d}\boldsymbol{r}+\boldsymbol{u}+\mathrm{d}\boldsymbol{u}$，所以这个微小矢径在变形后变成为

$$\mathrm{d}\tilde{\boldsymbol{r}} = (\boldsymbol{r} + \mathrm{d}\boldsymbol{r} + \boldsymbol{u} + \mathrm{d}\boldsymbol{u}) - (\boldsymbol{r} + \boldsymbol{u}) = \mathrm{d}\boldsymbol{r} + \mathrm{d}\boldsymbol{u} \qquad (2.1)$$

变形后的长度是

$$\begin{aligned} (\mathrm{d}\tilde{s})^2 &= \mathrm{d}\tilde{\boldsymbol{r}} \cdot \mathrm{d}\tilde{\boldsymbol{r}} = (\mathrm{d}\boldsymbol{r} + \mathrm{d}\boldsymbol{u}) \cdot (\mathrm{d}\boldsymbol{r} + \mathrm{d}\boldsymbol{u}) \\ &= (\mathrm{d}s)^2 + 2\mathrm{d}\boldsymbol{r} \cdot \mathrm{d}\boldsymbol{u} + \mathrm{d}\boldsymbol{u} \cdot \mathrm{d}\boldsymbol{u} \end{aligned} \qquad (2.2)$$

另一方面，我们知道一个线段的应变是

$$\varepsilon = \frac{\mathrm{d}\tilde{s} - \mathrm{d}s}{\mathrm{d}s}$$

即变形后的长度减去原长与原长之比. 亦即

$$\begin{aligned} (\mathrm{d}\tilde{s})^2 &= (1 + \varepsilon)^2 (\mathrm{d}s)^2 = (1 + 2\varepsilon + \varepsilon^2)(\mathrm{d}s)^2 \\ &= (1 + 2\varepsilon)(\mathrm{d}s)^2 \end{aligned} \qquad (2.3)$$

上式的右端考虑了应变微小性略去了 ε^2 项. 把式(2.3)与(2.2)比较，易于得到

$$2\varepsilon\,\mathrm{d}s^2 = 2\mathrm{d}\boldsymbol{r} \cdot \mathrm{d}\boldsymbol{u} + \mathrm{d}\boldsymbol{u} \cdot \mathrm{d}\boldsymbol{u}$$

亦即

$$\varepsilon = \frac{\mathrm{d}\boldsymbol{r}}{\mathrm{d}s} \cdot \frac{\mathrm{d}\boldsymbol{u}}{\mathrm{d}s} + \frac{1}{2} \frac{\mathrm{d}\boldsymbol{u}}{\mathrm{d}s} \cdot \frac{\mathrm{d}\boldsymbol{u}}{\mathrm{d}s} \qquad (2.4)$$

式(2.4)中包含了位移微商的二次项. 在讨论位移较大的非线性问题时，大多数人就是用的这个表达式. 在我们的课程中着重讨论线性情况，即略去式(2.4)中最后一项. 另外注意 $\left|\frac{\mathrm{d}\boldsymbol{r}}{\mathrm{d}s}\right|=1$，所以 $\frac{\mathrm{d}\boldsymbol{r}}{\mathrm{d}s}$ 实际上代表一个在 $\boldsymbol{r}$ 点的单位矢量，不妨记为 $\boldsymbol{\zeta}$. 这样就有

$$\varepsilon = \boldsymbol{\zeta}\cdot\frac{\mathrm{d}\boldsymbol{u}}{\mathrm{d}s} \tag{2.5}$$

如果把(1.12)的 $\mathrm{d}\boldsymbol{u}$ 的表达式代入上式，并考虑

$$\boldsymbol{\zeta}\cdot(\boldsymbol{\omega}\times\boldsymbol{\zeta}) = 0$$

则有

$$\varepsilon = \boldsymbol{\zeta}\cdot(\boldsymbol{\zeta}\cdot\boldsymbol{\Gamma}) = \boldsymbol{\zeta}\cdot\boldsymbol{\Gamma}\cdot\boldsymbol{\zeta} = \sum_{i,j}\gamma_{ij}\,\zeta_i\,\zeta_j \tag{2.6}$$

式中记 $\boldsymbol{\zeta}=\zeta_1\boldsymbol{e}_1+\zeta_2\boldsymbol{e}_2+\zeta_3\boldsymbol{e}_3$，$\zeta_i=\frac{\partial s_i}{\partial s}$ $(i=1,2,3)$.

对于给定点，γ_{ij}可以通过式(1.14)由位移的微商计算得到. 而对给定点上的方向 $\zeta_i=\frac{\partial s_i}{\partial s}$ 正好是方向 $\boldsymbol{\zeta}$ 的方向余弦. 式(2.6)给出了计算给定方向的应变的公式. 它是方向余弦的二次齐式. 有时式(2.6)可写为另外的形式

$$\varepsilon = \sum_{j\geqslant i}\varepsilon_{ij}\,\zeta_i\,\zeta_j = \boldsymbol{\zeta}\cdot\boldsymbol{\Gamma}\cdot\boldsymbol{\zeta} \tag{2.7}$$

式中 $\varepsilon_{ii}=\gamma_{ii}$，$\varepsilon_{ij}=2\gamma_{ij}$(当 $i\neq j$ 时). γ_{ij}称为物体在一点的应变张量分量，ε_{ij}称为应变分量. 从(2.7)可看出沿活动标架方向上的应变分别为 ε_{11}，ε_{22}和 ε_{33}. 在曲线坐标中

$$\begin{aligned}
\varepsilon_{11} &= \gamma_{11} = \frac{1}{H_1}\frac{\partial u_1}{\partial x_1} + \frac{u_2}{H_1H_2}\frac{\partial H_1}{\partial x_2} + \frac{u_3}{H_1H_3}\frac{\partial H_1}{\partial x_3} \\
\varepsilon_{22} &= \gamma_{22} = \frac{1}{H_2}\frac{\partial u_2}{\partial x_2} + \frac{u_3}{H_2H_3}\frac{\partial H_2}{\partial x_3} + \frac{u_1}{H_2H_1}\frac{\partial H_2}{\partial x_1} \\
\varepsilon_{33} &= \gamma_{33} = \frac{1}{H_3}\frac{\partial u_3}{\partial x_3} + \frac{u_1}{H_3H_1}\frac{\partial H_3}{\partial x_1} + \frac{u_2}{H_3H_2}\frac{\partial H_3}{\partial x_2}
\end{aligned} \tag{2.8}$$

在直角坐标中则有更为简单的形式

$$\varepsilon_{ii} = \frac{\partial u_i}{\partial x_i} \tag*{(2.8)$'$}$$

2.2 两个垂直方向的剪应变

现在,我们转而讨论剪应变.设在点 $\boldsymbol{r}$ 给了两个互相垂直的方向 $\mathrm{d}\boldsymbol{r}$ 与 $\delta\boldsymbol{r}$,因为它们相互垂直,所以有

$$\mathrm{d}\boldsymbol{r}\cdot\delta\boldsymbol{r}=0$$

它们在变形后分别变为

$$\mathrm{d}\tilde{\boldsymbol{r}}=\mathrm{d}\boldsymbol{r}+\mathrm{d}\boldsymbol{u}\quad 与 \quad \delta\tilde{\boldsymbol{r}}=\delta\boldsymbol{r}+\delta\boldsymbol{u}$$

考虑到剪应变是微小的,即这两个方向间的夹角变化是微小的,并记

$$\boldsymbol{\zeta}=\frac{\mathrm{d}\boldsymbol{r}}{\mathrm{d}s},\quad \boldsymbol{\eta}=\frac{\delta\boldsymbol{r}}{\delta s}$$

则可以把这两个方向间的夹角变化近似地记为

$$2\gamma\approx\sin\theta=\cos\left(\frac{\pi}{2}-\theta\right)\approx\frac{\mathrm{d}\tilde{\boldsymbol{r}}}{\mathrm{d}s}\cdot\frac{\delta\tilde{\boldsymbol{r}}}{\delta s}=\frac{\mathrm{d}\boldsymbol{u}}{\mathrm{d}s}\cdot\boldsymbol{\eta}+\frac{\delta\boldsymbol{u}}{\delta s}\cdot\boldsymbol{\zeta}$$

式中略去了二次项 $\frac{\mathrm{d}\boldsymbol{u}}{\mathrm{d}s}\cdot\frac{\delta\boldsymbol{u}}{\delta s}$. 若把式(1.12)代入则可得

$$\begin{aligned}\gamma&=\frac{1}{2}(\boldsymbol{\zeta}\cdot\boldsymbol{\Gamma}\cdot\boldsymbol{\eta}+\boldsymbol{\eta}\cdot\boldsymbol{\Gamma}\cdot\boldsymbol{\zeta})\\&=\varepsilon_{11}\zeta_1\eta_1+\varepsilon_{22}\zeta_2\eta_2+\varepsilon_{33}\zeta_3\eta_3+\frac{1}{2}\varepsilon_{23}(\zeta_2\eta_3+\zeta_3\eta_2)\\&\quad+\frac{1}{2}\varepsilon_{13}(\zeta_1\eta_3+\zeta_3\eta_1)+\frac{1}{2}\varepsilon_{12}(\zeta_1\eta_2+\zeta_2\eta_1)\end{aligned}\tag{2.9}$$

取 $\boldsymbol{\zeta}$ 与 $\boldsymbol{\eta}$ 正好是两个坐标轴的单位矢量 $\boldsymbol{e}_i$ 与 $\boldsymbol{e}_j$,并代入(2.9),容易看出 $\varepsilon_{12},\varepsilon_{23},\varepsilon_{13}$ 分别是 $\boldsymbol{e}_1$ 与 $\boldsymbol{e}_2$,$\boldsymbol{e}_2$ 与 $\boldsymbol{e}_3$,$\boldsymbol{e}_1$ 与 $\boldsymbol{e}_3$ 间的夹角变化.在曲线坐标系中有

$$\begin{aligned}\gamma_{23}&=\frac{1}{2}\varepsilon_{23}=\frac{1}{2}\left[\frac{H_2}{H_3}\frac{\partial}{\partial x_3}\left(\frac{u_2}{H_2}\right)+\frac{H_3}{H_2}\frac{\partial}{\partial x_2}\left(\frac{u_3}{H_3}\right)\right]\\\gamma_{13}&=\frac{1}{2}\varepsilon_{13}=\frac{1}{2}\left[\frac{H_3}{H_1}\frac{\partial}{\partial x_1}\left(\frac{u_3}{H_3}\right)+\frac{H_1}{H_3}\frac{\partial}{\partial x_3}\left(\frac{u_1}{H_1}\right)\right]\\\gamma_{12}&=\frac{1}{2}\varepsilon_{12}=\frac{1}{2}\left[\frac{H_1}{H_2}\frac{\partial}{\partial x_2}\left(\frac{u_1}{H_1}\right)+\frac{H_2}{H_1}\frac{\partial}{\partial x_1}\left(\frac{u_2}{H_2}\right)\right]\end{aligned}\tag{2.10}$$

对于直角坐标系式(2.10)有更简单的形式

$$\gamma_{ij} = \frac{1}{2}\left(\frac{\partial u_i}{\partial x_j} + \frac{\partial u_j}{\partial x_i}\right) \tag{2.10$'$}$$

2.3 应变张量

式(2.8)与(2.10)总共定义了6个应变分量,它正好是一个对称张量.前三个属于伸长应变分量,后三个属于剪切应变分量.如果把 $\boldsymbol{\zeta},\boldsymbol{\eta}$ 看为新坐标系的坐标矢量,则式(2.7)与(2.9)给出了当坐标轴改变时这些分量之间的转换关系.即给出了

$$\gamma'_{ij} = \boldsymbol{e}'_i \cdot \boldsymbol{\Gamma} \cdot \boldsymbol{e}'_j \quad (i,j=1,2,3) \tag{2.11}$$

式中带"$'$"号的量为新坐标中的量.把式(2.11)与第一章式(6.3)对照,可知这个转换关系符合张量的转换关系.这种通过二次齐次函数的转换关系称为二阶张量.应变张量完全地刻画了在一点附近的变形情况.

§3 主应变与不变量

3.1 主方向

上一节式(2.7)给出了在一点周围不同方向上的应变公式.式中 ε_{ij} 已知时,给了任何一个方向 $\boldsymbol{\zeta}$,这个方向上的应变就由式(2.7)给出.现在我们提出这样的问题,对于给定的点,在怎样的方向上应变 ε 取驻值呢?

这个问题是不难解决的,它是我们在数学分析中熟悉的求极大与极小问题.需指出的一点是这个驻值问题中 $\boldsymbol{\zeta}$ 的三个分量之间是有约束的,这就是它们必须满足

$$f(\zeta_1,\zeta_2,\zeta_3) = \boldsymbol{\zeta}\cdot\boldsymbol{\zeta} = \zeta_1^2+\zeta_2^2+\zeta_3^2 = 1 \tag{3.1}$$

运用 Lagrange 不定乘子法可以得到

$$\frac{\partial \varepsilon}{\partial \zeta_i} - \lambda\frac{\partial f}{\partial \zeta_i} = 0 \quad (i=1,2,3)$$

把这个方程组具体写出来就是

$$\begin{cases}\gamma_{11}\zeta_1+\gamma_{12}\zeta_2+\gamma_{13}\zeta_3=\lambda\zeta_1\\ \gamma_{12}\zeta_1+\gamma_{22}\zeta_2+\gamma_{23}\zeta_3=\lambda\zeta_2\\ \gamma_{13}\zeta_1+\gamma_{23}\zeta_2+\gamma_{33}\zeta_3=\lambda\zeta_3\end{cases}\tag{3.2}$$

若写成矢量形式即为

$$\boldsymbol{\zeta}\cdot\boldsymbol{\Gamma}=\lambda\boldsymbol{\zeta}\tag{3.2$'$}$$

在式(3.2)中 ζ_1,ζ_2 与 ζ_3 具有非零解的条件是一个典型的求特征值问题，非零解便是特征矢量. 这又是高等代数中学过的课题. 我们知道，式(3.2)具有非零解的充分必要条件是

$$\begin{vmatrix}\gamma_{11}-\lambda & \gamma_{12} & \gamma_{13}\\ \gamma_{12} & \gamma_{22}-\lambda & \gamma_{23}\\ \gamma_{13} & \gamma_{23} & \gamma_{33}-\lambda\end{vmatrix}=0\tag{3.3}$$

把上面的行列式展开得到

$$\lambda^3-I_1\lambda^2+I_2\lambda-I_3=0\tag{3.4}$$

式中

$$\begin{aligned}I_1&=\gamma_{11}+\gamma_{22}+\gamma_{33}=J_1(\boldsymbol{\Gamma})\\ I_2&=\gamma_{11}\gamma_{22}+\gamma_{22}\gamma_{33}+\gamma_{33}\gamma_{11}-(\gamma_{12}^2+\gamma_{23}^2+\gamma_{13}^2)\\ I_3&=\gamma_{11}\gamma_{22}\gamma_{33}+2\gamma_{12}\gamma_{23}\gamma_{31}-(\gamma_{12}^2\gamma_{33}+\gamma_{23}^2\gamma_{11}+\gamma_{13}^2\gamma_{22})\end{aligned}\tag{3.5}$$

我们知道对称矩阵的特征根皆为实根，所以式(3.4)的三个根皆为实根. 不妨令为 $\lambda_1,\lambda_2,\lambda_3$. 把它们代入式(3.2)和(3.1)后可以求得非零矢量 $\boldsymbol{\zeta}^1$, $\boldsymbol{\zeta}^2$与 $\boldsymbol{\zeta}^3$ 三个特征矢量，分别对应于 λ_1,λ_2 与 λ_3. 这三个矢量实际上就是三个应变取驻值的方向，称为应变主方向，有时简称为主方向.

3.2 主方向的性质与应变不变量

由上述求主方向的过程可以引伸得到如下的几个重要性质：

(1) 在 $\boldsymbol{\zeta}^i$方向上的应变值 ε_i 就是式(3.4)的特征根 λ_i. 我们定

义在主方向上的应变称为主应变.

事实上,把式(3.2)′与 $\boldsymbol{\zeta}^i$ 进行点乘,考虑到式(3.1)便得

$$\lambda_i = \boldsymbol{\zeta}^i \cdot \boldsymbol{\Gamma} \cdot \boldsymbol{\zeta}^i = \sum_{k,l} \gamma_{kl} \zeta_k^i \zeta_l^i \tag{3.6}$$

将此式与(2.7)对照,可知 λ_i 就是方向 $\boldsymbol{\zeta}^i$ 上的应变 ε_i,即主应变.

(2) 任两个不同主应变所对应的主方向互相正交.

不妨设 $\lambda_1 \neq \lambda_2$, 在式(3.2)′中以 λ_1 与 $\boldsymbol{\zeta}^1$ 代入,并与 $\boldsymbol{\zeta}^2$ 点乘得

$$\boldsymbol{\zeta}^1 \cdot \boldsymbol{\Gamma} \cdot \boldsymbol{\zeta}^2 = \lambda_1 \boldsymbol{\zeta}^1 \cdot \boldsymbol{\zeta}^2$$

同样地,以 λ_2 与 $\boldsymbol{\zeta}^2$ 代入,并与 $\boldsymbol{\zeta}^1$ 点乘得

$$\boldsymbol{\zeta}^2 \cdot \boldsymbol{\Gamma} \cdot \boldsymbol{\zeta}^1 = \lambda_2 \boldsymbol{\zeta}^2 \cdot \boldsymbol{\zeta}^1$$

由于 $\boldsymbol{\Gamma}$ 的对称性,上述两式左端相同,于是两式相减得

$$(\lambda_1 - \lambda_2) \boldsymbol{\zeta}^1 \cdot \boldsymbol{\zeta}^2 = 0 \tag{3.7}$$

由于假设 $\lambda_1 \neq \lambda_2$, 故 $\boldsymbol{\zeta}^1 \cdot \boldsymbol{\zeta}^2 = 0$, 即方向 $\boldsymbol{\zeta}^1$ 与 $\boldsymbol{\zeta}^2$ 正交. 这就是需要证明的.

(3) 任两个主方向间的剪应变为零.

若令 $\boldsymbol{\zeta}^i$ 与 $\boldsymbol{\zeta}^j$ 代表两个不同的主方向,由式(2.9)知,这两个方向间的剪应变是

$$\gamma^{(ij)} = \boldsymbol{\zeta}^i \cdot \boldsymbol{\Gamma} \cdot \boldsymbol{\zeta}^j$$

但如果把式(3.2)′以 λ_i 和 $\boldsymbol{\zeta}^i$ 代入,并与 $\boldsymbol{\zeta}^j$ 进行点乘,正好得到上述表达式的右端项. 而同时又等于 $\lambda_i \boldsymbol{\zeta}^i \cdot \boldsymbol{\zeta}^j$, 由于主方向的正交性,所以它是等于零的. 这就是说主方向之间的剪应变为零.

(4) 式(3.4)的三个特征根分别有如下三种情形:

(a) 若 $\lambda_1 \neq \lambda_2, \lambda_2 \neq \lambda_3, \lambda_3 \neq \lambda_1$,即三个根各不相同. 则由(2)的讨论,我们得到三个互相垂直的主方向.

(b) 若 $\lambda_1 = \lambda_2, \lambda_2 \neq \lambda_3$,即有两个根相同. 这时在式(3.7)中可得 $\boldsymbol{\zeta}^1 \cdot \boldsymbol{\zeta}^2 \neq 0$,即这两个特征矢量可以呈任意的角度. 但它们又必须同时与 $\boldsymbol{\zeta}^3$ 垂直,所以与 $\boldsymbol{\zeta}^3$ 垂直的平面内任何矢量对应于 λ_1 与 λ_2 的特征矢量.

(c) 如果 $\lambda_1 = \lambda_2 = \lambda_3$,即三个根都相等,则任何矢量都是特征

矢量.这时在任何方向上变形的伸长应变都相等.

(5) 由于上述应变主方向上的应变是只与应变张量的性质有关而与所取的坐标无关,所以它的任何函数也不依赖于坐标的变化.这种量我们称为应变不变量.特别地,由根与系数关系

$$\begin{aligned} I_1 &= \lambda_1 + \lambda_2 + \lambda_3 \\ I_2 &= \lambda_1\lambda_2 + \lambda_2\lambda_3 + \lambda_1\lambda_3 \\ I_3 &= \lambda_1\lambda_2\lambda_3 \end{aligned} \tag{3.8}$$

知 I_1, I_2 与 I_3 都是不变量,其中 I_1 具有十分直观的几何意义.沿三个主方向各取 ds_i 长度的弧元组成小立方体的体积为

$$dV = ds_1 ds_2 ds_3 \tag{3.9}$$

变形后由于它们之间没有剪应变,所以体积为

$$d\tilde{V} = (1 + \varepsilon_1)ds_1(1 + \varepsilon_2)ds_2(1 + \varepsilon_3)ds_3$$

略去高阶项,我们有 $d\tilde{V} - dV = I_1 dV$.即

$$\frac{d\tilde{V} - dV}{dV} = I_1 \tag{3.10}$$

这表明 I_1 是体积的相对改变量.若把式(2.8)代入(3.5)中,即得

$$I_1 = \varepsilon_{11} + \varepsilon_{22} + \varepsilon_{33} = \operatorname{div} \boldsymbol{u} \tag{3.11}$$

3.3 一点邻近的位移

现在进一步讨论点 $\boldsymbol{r}$ 及与其无限邻近的点的位移的情况.为了明确起见,不妨讨论以点 $\boldsymbol{r}$ 为中心,以 ds 为半径的一个微小的球上各点的运动情况.我们知道,球上各点在变形前可用

$$\boldsymbol{\rho} = \boldsymbol{r} + d\boldsymbol{r} \tag{3.12}$$

来表示,条件

$$(ds)^2 = (ds_1)^2 + (ds_2)^2 + (ds_3)^2 \tag{3.13}$$

给出以 $\boldsymbol{r}$ 为圆心的一个球面方程.现在求它在变形以后的方程.变形后球心获得一个位移,变为

$$\tilde{\boldsymbol{r}} = \boldsymbol{r} + \boldsymbol{u}$$

而球面上的点在变形后的位置则可由式(1.12)表为

$$\tilde{\boldsymbol{\rho}} = \tilde{\boldsymbol{r}} + \mathrm{d}\tilde{\boldsymbol{r}} = \boldsymbol{r} + \boldsymbol{u} + \mathrm{d}\boldsymbol{r} + \mathrm{d}\boldsymbol{u}$$
$$= \boldsymbol{r} + \boldsymbol{u} + \mathrm{d}\boldsymbol{r} + \boldsymbol{\omega} \times \mathrm{d}\boldsymbol{r} + \mathrm{d}\boldsymbol{r} \cdot \boldsymbol{\Gamma} \tag{3.14}$$

式(3.14)有一个明显的物理解释.这就是:若忽略变形前小球的直径,即近似地取 $|\mathrm{d}\boldsymbol{r}| = \mathrm{d}s \approx 0$ 时,则球上的点在变形后的位置可以近似地用变形后的球心的位置

$$\tilde{\boldsymbol{r}} = \boldsymbol{r} + \boldsymbol{u}$$

来表示(图 2.1),即整个球的位移可以看为以球心代表的平动.若进一步近似,如果略去小球的应变,即当 $\gamma_{ij}=0$ 时,整个小球的变化可看为平动 $\boldsymbol{u}$ 与绕球心的以 $\boldsymbol{\omega}$ 转动的结果,是一个刚体运动. 最后,当考虑应变时就得到式(3.14).

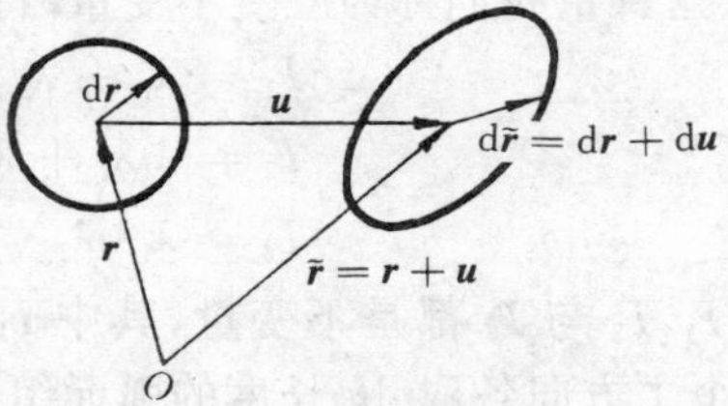

图 2.1

现在,转而讨论小球面(3.13)在变形后究竟变成了怎样的曲面.在变形和转动都是微小的条件下,我们说它是一个椭球面.令

$$\mathrm{d}\tilde{\boldsymbol{r}} = \mathrm{d}\tilde{s}_1\boldsymbol{e}_1 + \mathrm{d}\tilde{s}_2\boldsymbol{e}_2 + \mathrm{d}\tilde{s}_3\boldsymbol{e}_3 \tag{3.15}$$

由式(3.14)有

$$\mathrm{d}\boldsymbol{r} = \mathrm{d}\tilde{\boldsymbol{r}} - \mathrm{d}\boldsymbol{u} \tag{3.16}$$

但把式(3.16)代入 $\mathrm{d}\boldsymbol{u}$ 的表达式后,略去二阶项就有

$$\mathrm{d}\boldsymbol{u} = (\mathrm{d}\tilde{\boldsymbol{r}} - \mathrm{d}\boldsymbol{u}) \cdot \boldsymbol{\Gamma} + \boldsymbol{\omega} \times (\mathrm{d}\tilde{\boldsymbol{r}} - \mathrm{d}\boldsymbol{u})$$
$$\approx \mathrm{d}\tilde{\boldsymbol{r}} \cdot \boldsymbol{\Gamma} + \boldsymbol{\omega} \times \mathrm{d}\tilde{\boldsymbol{r}} \tag{3.17}$$

将式(3.16)与(3.17)合并,得

$$\mathrm{d}\boldsymbol{r} = \mathrm{d}\tilde{\boldsymbol{r}} - \mathrm{d}\tilde{\boldsymbol{r}} \cdot \boldsymbol{\Gamma} - \boldsymbol{\omega} \times \mathrm{d}\tilde{\boldsymbol{r}}$$

于是

$$(\mathrm{d}s)^2 = (\mathrm{d}\boldsymbol{r})^2 = \mathrm{d}\tilde{\boldsymbol{r}} \cdot \mathrm{d}\tilde{\boldsymbol{r}} - 2\mathrm{d}\tilde{\boldsymbol{r}} \cdot \boldsymbol{\Gamma} \cdot \mathrm{d}\tilde{\boldsymbol{r}} \tag{3.18}$$

即

$$(\mathrm{d}s)^2 = \mathrm{d}\tilde{\boldsymbol{r}} \cdot (\mathbf{I} - 2\,\boldsymbol{\Gamma}\,) \cdot \mathrm{d}\tilde{\boldsymbol{r}}$$
$$= (1 - 2\varepsilon_{11})(\mathrm{d}\tilde{s}_1)^2 + (1 - 2\varepsilon_{22})(\mathrm{d}\tilde{s}_2)^2$$

$$+ (1-2\varepsilon_{33})(\mathrm{d}\tilde{s}_3)^2 - 2\varepsilon_{12}\,\mathrm{d}\tilde{s}_1\,\mathrm{d}\tilde{s}_2$$
$$- 2\varepsilon_{23}\,\mathrm{d}\tilde{s}_2\,\mathrm{d}\tilde{s}_3 - 2\varepsilon_{13}\,\mathrm{d}\tilde{s}_3\,\mathrm{d}\tilde{s}_1$$

在小变形的条件下，式(3.18)是一个微矢径(3.15)所必须满足的条件，其中由于$(\mathrm{d}s)^2$是常数，所以它表示一个椭球. 而且可以证明，椭球的主轴正好是应变主方向.

§4 应变协调方程

4.1 应变协调方程

在前面几节中，先后引进了位移场 $\boldsymbol{u}$，应变张量场 $\boldsymbol{\Gamma}$ 以及旋转矢量场 $\boldsymbol{\omega}$. 我们看到，对于真正描述物体"形状的改变"而言，应变场具有更为本质的特点. 这是因为在 $\boldsymbol{u}$ 与 $\boldsymbol{\omega}$ 内总是混合进了作为表述物体刚体运动的量. 既然弹性力学着重点在于考察物体的变形，不言而喻，应变场 $\boldsymbol{\Gamma}$ 将在这门学科中占有特殊的地位.

这一节，我们将讨论 $\boldsymbol{\Gamma}$ 的 6 个分量之间的关系. 事实上，由于位移场 $\boldsymbol{u}$ 的三个分量的三个标量函数便完全刻画了物体的位移与变形，那么应变分量 6 个标量函数之间也不应当完全独立. 它们之间的关系体现为一组微分方程，通常称为协调方程.

如果说前几节的讨论，是以从 $\mathscr{D}$ 内一点出发的各个方向的应变随其方向的变化从而得到应变张量的概念. 那么，本节要得到应变张量的微分方程，就要讨论 $\boldsymbol{\Gamma}$ 随不同点的变化情况，从讨论这种变化中寻求 $\boldsymbol{\Gamma}$ 的变化关系. 下面我们就来进行这种讨论.

由 Poincaré 引理，我们有

$$\mathrm{d}\mathrm{d}\boldsymbol{u} = \boldsymbol{0} \tag{4.1}$$

如果把式(1.12)代入上式，利用第一章式(6.7)的符号，我们又有

$$\mathrm{d}\boldsymbol{\pi}\cdot\mathrm{rot}\boldsymbol{\Gamma} + \mathrm{d}(\boldsymbol{\omega}\times\mathrm{d}\boldsymbol{r}) = \boldsymbol{0} \tag{4.2}$$

考虑到 $\mathrm{d}\mathrm{d}\boldsymbol{r}=\boldsymbol{0}$，式(4.2)中的第二项有

$$\mathrm{d}(\boldsymbol{\omega}\times\mathrm{d}\boldsymbol{r}) = (\mathrm{d}\boldsymbol{\omega}\,\wedge)\times\mathrm{d}\boldsymbol{r} = (\mathrm{d}\boldsymbol{r}\cdot\mathrm{grad}\boldsymbol{\omega}\,\wedge)\times\mathrm{d}\boldsymbol{r}$$

$$= \mathrm{d}\boldsymbol{\pi} \cdot (\mathrm{grad}\boldsymbol{\omega} \overset{\times}{\times} \mathbf{I}) \tag{4.3}$$

但由第一章式(6.10)的(8)式知

$$\mathrm{grad}\boldsymbol{\omega} \overset{\times}{\times} \mathbf{I} = -(\mathrm{grad}\boldsymbol{\omega})^{\mathrm{T}} + \mathbf{I} J_1(\mathrm{grad}\boldsymbol{\omega}) \tag{4.4}$$

因为

$$J_1(\mathrm{grad}\boldsymbol{\omega}) = \mathrm{div}\boldsymbol{\omega} = \frac{1}{2}\mathrm{div}(\mathrm{rot}\boldsymbol{u}) \equiv 0$$

故把式(4.4)代入(4.3)后，再代入式(4.2)，考虑 $\mathrm{d}\boldsymbol{\pi}$ 的任意性便有

$$\mathrm{grad}\boldsymbol{\omega} = (\mathrm{rot}\boldsymbol{\Gamma})^{\mathrm{T}}$$

亦即

$$\mathrm{d}\boldsymbol{\omega} = \mathrm{d}\boldsymbol{r} \cdot (\mathrm{rot}\boldsymbol{\Gamma})^{\mathrm{T}} \tag{4.5}$$

于是得

$$\begin{aligned} \mathrm{d}\boldsymbol{u} &= \mathrm{d}\boldsymbol{r} \cdot \boldsymbol{\Gamma} + \mathrm{d}(\boldsymbol{\omega} \times \boldsymbol{r}) - \mathrm{d}\boldsymbol{\omega} \times \boldsymbol{r} \\ &= \mathrm{d}(\boldsymbol{\omega} \times \boldsymbol{r}) + \mathrm{d}\boldsymbol{r} \cdot \boldsymbol{\Gamma} - [\mathrm{d}\boldsymbol{r} \cdot (\mathrm{rot}\boldsymbol{\Gamma})^{\mathrm{T}}] \times \boldsymbol{r} \end{aligned} \tag{4.6}$$

对上式进行外微分，并考虑到 Poincaré 引理，可得

$$\mathrm{rot}[\boldsymbol{\Gamma} - (\mathrm{rot}\boldsymbol{\Gamma})^{\mathrm{T}} \times \boldsymbol{r}] = \mathbf{0} \tag{4.7}$$

直接计算上式

$$\mathrm{rot}[(\mathrm{rot}\boldsymbol{\Gamma})^{\mathrm{T}} \times \boldsymbol{r}] = \mathrm{rot}(\mathrm{rot}\boldsymbol{\Gamma})^{\mathrm{T}} \times \boldsymbol{r} - (\mathrm{rot}\boldsymbol{\Gamma})^{\mathrm{T}} \overset{\times}{\times} (\mathrm{grad}\boldsymbol{r}) \tag{4.8}$$

因 $\mathrm{grad}\boldsymbol{r} = \mathbf{I}$，利用第一章中(6.10)的(8)式，即得上式的第二项为

$$(\mathrm{rot}\boldsymbol{\Gamma})^{\mathrm{TT}} - \mathbf{I} J_1[(\mathrm{rot}\boldsymbol{\Gamma})^{\mathrm{T}}]$$

但知 $J_1[(\mathrm{rot}\boldsymbol{\Gamma})^{\mathrm{T}}] = \mathbf{I} : \mathrm{rot}\boldsymbol{\Gamma} = 0$，故上式等于 $\mathrm{rot}\boldsymbol{\Gamma}$，并代入式(4.7)，最后得

$$\mathbf{Q} \equiv \mathrm{rot}(\mathrm{rot}\boldsymbol{\Gamma})^{\mathrm{T}} = \mathbf{0} \tag{4.9}$$

式中 $\mathbf{Q}$ 称为不协调张量，$\mathbf{Q} = \mathbf{0}$ 就是以张量形式表出的应变协调方程. 式(4.9)实际上代表了 9 个标量方程，在 $\boldsymbol{\Gamma}$ 是对称张量的条件下，它只代表 6 个独立的方程.

在直角坐标系中，式(4.9)具有比较简单的形式，即

$$
\begin{cases}
Q_{11} = \dfrac{\partial^2 \varepsilon_{22}}{\partial z^2} + \dfrac{\partial^2 \varepsilon_{33}}{\partial y^2} - \dfrac{\partial^2 \varepsilon_{23}}{\partial y \partial z} = 0 \\
Q_{22} = \dfrac{\partial^2 \varepsilon_{33}}{\partial x^2} + \dfrac{\partial^2 \varepsilon_{11}}{\partial z^2} - \dfrac{\partial^2 \varepsilon_{13}}{\partial x \partial z} = 0 \\
Q_{33} = \dfrac{\partial^2 \varepsilon_{11}}{\partial y^2} + \dfrac{\partial^2 \varepsilon_{22}}{\partial x^2} - \dfrac{\partial^2 \varepsilon_{12}}{\partial x \partial y} = 0 \\
Q_{23} = \dfrac{1}{2} \dfrac{\partial}{\partial x}\left(- \dfrac{\partial \varepsilon_{23}}{\partial x} + \dfrac{\partial \varepsilon_{13}}{\partial y} + \dfrac{\partial \varepsilon_{12}}{\partial z} \right) - \dfrac{\partial^2 \varepsilon_{11}}{\partial y \partial z} = 0 \\
Q_{13} = \dfrac{1}{2} \dfrac{\partial}{\partial y}\left(\dfrac{\partial \varepsilon_{23}}{\partial x} - \dfrac{\partial \varepsilon_{13}}{\partial y} + \dfrac{\partial \varepsilon_{12}}{\partial z} \right) - \dfrac{\partial^2 \varepsilon_{22}}{\partial x \partial z} = 0 \\
Q_{12} = \dfrac{1}{2} \dfrac{\partial}{\partial z}\left(\dfrac{\partial \varepsilon_{23}}{\partial x} + \dfrac{\partial \varepsilon_{13}}{\partial y} - \dfrac{\partial \varepsilon_{12}}{\partial z} \right) - \dfrac{\partial^2 \varepsilon_{33}}{\partial x \partial y} = 0
\end{cases}
\tag{4.10}
$$

4.2 位移通过应变的积分表达式

协调条件给出了应变分量必须满足的关系. 同时, 由 Poincaré 逆定理以及第一章 § 4 的定理 2 知, 在 $\mathscr{D}$ 是空间简单连通区域的条件下, 协调方程(4.9)还是一次微分形(4.6)可积的充分条件, 即有位移 $\boldsymbol{u}$ 满足式(4.6)(对于一般的区域, 由上章定理 3 知, 还需在协调方程外再补充适当的条件). 在这个条件下积分式(1.12), 得

$$
\boldsymbol{u} = \boldsymbol{u}_0 + \int_{\boldsymbol{r}_0}^{\boldsymbol{r}} \mathrm{d}\boldsymbol{\rho} \cdot \boldsymbol{\Gamma} + \boldsymbol{\omega} \times \mathrm{d}\boldsymbol{\rho}
$$

此积分与路径无关. 式中 $\boldsymbol{u}_0$ 是某定点 $\boldsymbol{r}_0$ 处的位移. 为了便于讨论, 我们把上式略加变形. 由于

$$
\boldsymbol{\omega} \times \mathrm{d}\boldsymbol{\rho} = \boldsymbol{\omega} \times \mathrm{d}(\boldsymbol{\rho} - \boldsymbol{r}) = \mathrm{d}[\boldsymbol{\omega} \times (\boldsymbol{\rho} - \boldsymbol{r})] - \mathrm{d}\boldsymbol{\omega} \times (\boldsymbol{\rho} - \boldsymbol{r})
$$

代入上积分式, 并记 $\boldsymbol{\omega}$ 在 $\boldsymbol{r}_0$ 处的值为 $\boldsymbol{\omega}_0$, 则有

$$
\begin{aligned}
\boldsymbol{u} &= \boldsymbol{u}_0 + \boldsymbol{\omega}_0 \times (\boldsymbol{r} - \boldsymbol{r}_0) + \int_{\boldsymbol{r}_0}^{\boldsymbol{r}} \mathrm{d}\boldsymbol{\rho} \cdot \boldsymbol{\Gamma} + \mathrm{d}\boldsymbol{\omega} \times (\boldsymbol{r} - \boldsymbol{\rho}) \\
&= \boldsymbol{u}_0 + \boldsymbol{\omega}_0 \times (\boldsymbol{r} - \boldsymbol{r}_0) \\
&\quad + \int_{\boldsymbol{r}_0}^{\boldsymbol{r}} \mathrm{d}\boldsymbol{\rho} \cdot \boldsymbol{\Gamma} + [\mathrm{d}\boldsymbol{\rho} \cdot (\mathrm{rot}\boldsymbol{\Gamma})^{\mathrm{T}}] \times (\boldsymbol{r} - \boldsymbol{\rho})
\end{aligned}
\tag{4.11}
$$

式中最后一项是用式(4.5)代入后的结果.

式(4.11)表明，如果在 $\mathscr{D}$ 内 $\boldsymbol{\Gamma}$ 为已知的，且假设 $\boldsymbol{\Gamma}$ 满足协调条件,则对应的位移场可通过积分简单地得到.

现在我们来讨论一个十分重要的特殊情形,即当应变张量恒等于零的情形.毫无疑问,这时式(4.11)的积分号下被积函数各项都等于零,于是有

$$\boldsymbol{u} = \boldsymbol{u}_0 + \boldsymbol{\omega}_0 \times (\boldsymbol{r} - \boldsymbol{r}_0) \tag{4.12}$$

我们把这个结论叙述为如下的定理：

定理1 如果物体内应变张量恒为零,则位移场取式(4.12),即位移场为刚体运动. 这个刚体运动由两个矢量 $\boldsymbol{u}_0$ 及 $\boldsymbol{\omega}_0$ 唯一地决定,前者是一个平动矢量,后者是一个转动矢量.

4.3 协调方程的进一步讨论

由于在一般情况下有

$$\mathrm{div}\ \mathrm{rot}\mathbf{A} \equiv \mathbf{0}$$

所以由式(4.9)我们直接有

$$\mathrm{div}\mathbf{Q} \equiv \mathbf{0} \tag{4.13}$$

式(4.13)称为 Bianchi 恒等式. 这个式子说明,(4.9)的 6 个标量等式在微商一次后只有三个是独立的.例如,对于直角坐标系的情形,将式(4.10)的第一式对 x 求微商、第六式对 y 求微商、第五式对 z 求微商后三式之和为零.这一事实启示我们提出如下的问题：在部分区域上如果式(4.9)的 6 个标量式中某些式子成立,那么能否推出它在全域上也成立呢？回答是肯定的.这个问题最早由 Washizu[60]在 1958 年提出,随后由王敏中与青春炳[39]又作了进一步的讨论.他们的工作可以总结为如下提法：

问题 A 设式(4.9)的三个条件

$$Q_{i_1j_1} = Q_{i_2j_2} = Q_{i_3j_3} = 0 \quad (\text{在 } \mathscr{D} \text{ 内}) \tag{4.14}$$

另外三个

$$Q_{i_4j_4} = Q_{i_5j_5} = Q_{i_6j_6} = 0 \quad (\text{在 } \partial\mathscr{D} \text{ 上}) \tag{4.15}$$

其中 $i_k \leqslant j_k$；$i_k, j_k = 1,2,3$；且数偶 $i_k j_k$ 各不相同($k=1,\cdots,6$). 则有

$$\mathbf{Q} = \mathbf{0} \quad (\text{在 } \mathscr{D} \text{ 内}) \tag{4.16}$$

问题 B 在 $\mathscr{D}$ 上求矢量场 $\boldsymbol{a}$，使

$$\boldsymbol{\Gamma}_{i_4j_4}(\boldsymbol{a}), \quad \boldsymbol{\Gamma}_{i_5j_5}(\boldsymbol{a}), \quad \boldsymbol{\Gamma}_{i_6j_6}(\boldsymbol{a}) \tag{4.17}$$

为已知，这里 $\boldsymbol{\Gamma}_{ij}(\boldsymbol{a})$ 是以 $\boldsymbol{a}$ 为位移场的应变张量

$$\boldsymbol{\Gamma}(\boldsymbol{a}) = \frac{1}{2}(\nabla\boldsymbol{a} + \boldsymbol{a}\nabla)$$

的分量，其中下标同问题 A 的规定.

问题 B 的可解性是易于回答的. 注意位移场的积分表达式(4.11)，我们现在面对的问题是已知 $\boldsymbol{\Gamma}$ 中的三个分量，另外三个还不知道. 怎样确定这另外三个呢？一旦这另外三个确定了，把 $\boldsymbol{\Gamma}$ 代入式(4.11)便可以利用积分而求出对应的位移场 $\boldsymbol{a}$.

为了确定 $\boldsymbol{\Gamma}(\boldsymbol{a})$ 的另外三个分量，还是从方程(4.9)出发. 在一般情况下，只要将给定的式(4.17)代入(4.9)后不发生矛盾，总是可以找到 $\boldsymbol{\Gamma}(\boldsymbol{a})$ 的另外三个分量，使 $\boldsymbol{\Gamma}(\boldsymbol{a})$ 满足式(4.9).

以直角坐标系为例，可能使式(4.10)的前三式之一产生矛盾，这种情况只发生在同时给定

$$\varepsilon_{22},\ \varepsilon_{33},\ \varepsilon_{23};\quad \text{或}\quad \varepsilon_{11},\ \varepsilon_{33},\ \varepsilon_{13};\quad \text{或}\quad \varepsilon_{11},\ \varepsilon_{22},\ \varepsilon_{12} \tag{4.18}$$

这样的三种情形. 除了上述三种情形外，总是可以借助于简单的两次积分得到满足式(4.10)的另外三个分量.

有了这些讨论，我们来证明下述定理：

定理 2 在问题 B 可解的条件下，则问题 A 成立.

证明 对于任意矢量 $\boldsymbol{a}$ 我们有

$$\begin{aligned} \mathrm{d}(\mathrm{d}\boldsymbol{\pi}\cdot\mathbf{Q}\cdot\boldsymbol{a}) &= \mathrm{d}(\mathrm{d}\boldsymbol{\pi}\cdot\mathbf{Q})\cdot\boldsymbol{a} + (\mathrm{d}\boldsymbol{\pi}\cdot\mathbf{Q})\cdot\mathrm{d}\boldsymbol{a} \\ &= \mathrm{div}\mathbf{Q}\cdot\boldsymbol{a}\mathrm{d}V + \mathbf{Q} : \nabla\boldsymbol{a}\mathrm{d}V \end{aligned}$$

由于 Bianchi 恒等式(4.13)以及 $\mathbf{Q}$ 的对称性，有

$$\mathrm{d}(\mathrm{d}\boldsymbol{\pi}\cdot\mathbf{Q}\cdot\boldsymbol{a}) = \frac{1}{2}\mathbf{Q} : (\nabla\boldsymbol{a} + \boldsymbol{a}\nabla)\mathrm{d}V \tag{4.19}$$

将上式右端在 $\mathscr{D}$ 上积分，并应用 Stokes 定理得

$$\int_{\partial\mathscr{D}} \boldsymbol{a} \cdot \mathbf{Q} \cdot \mathrm{d}\boldsymbol{\pi} = \int_{\mathscr{D}} \mathbf{Q} : \boldsymbol{\Gamma}(\boldsymbol{a}) \mathrm{d}V \tag{4.20}$$

由式(4.14)及(4.15)可知上式左端恒为零. 取式(4.17)中 $\boldsymbol{\Gamma}(\boldsymbol{a})$的三个分量是对应的(4.15)中 $\mathbf{Q}$ 的三个分量在 $\mathscr{D}$ 内的值，显然，这时式(4.20)的右端有

$$\int_{\mathscr{D}} (c_4 Q^2_{i_4 j_4} + c_5 Q^2_{i_5 j_5} + c_6 Q^2_{i_6 j_6}) \mathrm{d}V = 0$$

其中常数：当 $i_k = j_k$ 时，$c_k = 1$，当 $i_k \neq j_k$ 时，$c_k = 2$. 故知式(4.15)在 $\mathscr{D}$ 内也成立，亦即式(4.16)成立.

习　题

1. 写出直角坐标、柱坐标和球坐标中应变分量以位移分量表示的表达式.

2. 写出柱坐标内的协调方程.

3. 设一点在方程 $\boldsymbol{e}_1, \boldsymbol{e}_2, \boldsymbol{e}_3$ 及它们分角线方向的应变为已知，求这点的各应变分量.

4. 用坐标变换的方法证明 $\varepsilon_{11} + \varepsilon_{22} + \varepsilon_{33}$是坐标变换的不变量.

5. 设一点周围的任何方向上伸长率相同，证明这一点任意互相垂直方向上剪应变为零.

6. 如果物体任一点的任何方向上的伸长率都相同，把它的位移的一般表达式写出来.

7. 一物体在变形过程中任两点的间距离不变，证明此物体只能产生刚体运动. 并证明任一点的应变张量为零张量.

8. 若一物体在变形过程中任一直线永远保持为直线，物体位移场最一般的表达式是什么？应变呢？

9. 给了 $\mathrm{d}\boldsymbol{r}$ 与 $\delta\boldsymbol{r}$ 两个方向，变形前它所张的平行四边形面积为 $S = |\mathrm{d}\boldsymbol{r} \times \delta\boldsymbol{r}|$，用 $\boldsymbol{\Gamma}$ 的分量把变形时它的面积变化率

$$\varepsilon_s = \frac{\Delta S}{S}$$

表示出来，其中 ΔS 为面积在变形后的改变量.

10. 在一般区域 $\mathscr{D}$ 上给了张量场 $\boldsymbol{\Gamma}$，问什么条件下，在 $\mathscr{D}$ 上有矢量场 $\boldsymbol{u}$，使得

$$\boldsymbol{\Gamma} = \frac{1}{2}(\nabla \boldsymbol{u} + \boldsymbol{u}\nabla)$$

（提示：利用上章定理 3.）

11. 试证下述各量是不变量

(1) $\omega_x^2 + \omega_y^2 + \omega_z^2$；

(2) $\varepsilon_x\omega_x^2 + \varepsilon_y\omega_y^2 + \varepsilon_z\omega_z^2 + 2\gamma_{yz}\omega_y\omega_z + 2\gamma_{zx}\omega_z\omega_x + 2\gamma_{xy}\omega_x\omega_y$.

(Salmon)

12. 试举例说明，所给应变分量满足 5 个协调方程，但不满足第 6 个方程(共 6 个例子). 这些例子说明了什么？（胡海昌）

第三章　应力张量与平衡条件

§1　应 力 张 量

在外力作用下的变形体，如果沿某一个截面把它截开，则两块物体之间通过截面有相互作用力. 这个截面，在一点可以有无限多个方向，对于不同的方向，力也就不同. 这种复杂的情况只有引进应力张量的概念才能充分地加以描述.

为了刻画一点的应力状态，我们设想在一点 P 的邻近任意给定一个其法矢量为 $\boldsymbol{n}$ 的小的平截面. 相应地，过 P 点沿活动标架做三个坐标平面. 于是它们在物体内截得一个四面体，如图 3.1 所示.

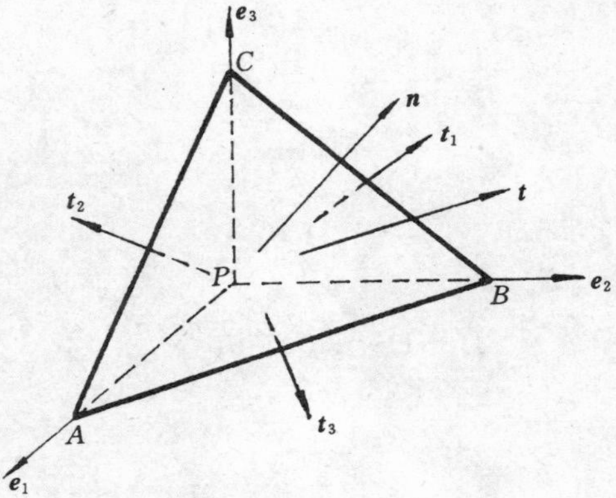

图　3.1

在这四面体的每一个面上，都受有物体的其余部分给它的作用力，不妨设在 ABC 上受到的作用力为 $\boldsymbol{t}\mathrm{d}\pi$，在 PBC，PCA 与 PAB 上的作用力分别为 $-\boldsymbol{t}_1\mathrm{d}\pi_1$，$-\boldsymbol{t}_2\mathrm{d}\pi_2$，$-\boldsymbol{t}_3\mathrm{d}\pi_3$，其中 $\mathrm{d}\pi$ 与 $\mathrm{d}\pi_i$

($i=1,2,3$) 分别为各三角形的面积. 根据牛顿第三定律,作用力与反作用力大小相等方向相反,因此,小微元通过坐标平面对物体其余部分上的作用力分别是 $\boldsymbol{t}_1 \mathrm{d}\pi_1, \boldsymbol{t}_2 \mathrm{d}\pi_2$ 与 $\boldsymbol{t}_3 \mathrm{d}\pi_3$. 令

$$PA=\mathrm{d}s_1, \quad PB=\mathrm{d}s_2, \quad PC=\mathrm{d}s_3$$

我们有

$$\begin{aligned}\boldsymbol{n} &= (\overrightarrow{AB} \times \overrightarrow{AC})/|\overrightarrow{AB} \times \overrightarrow{AC}| \\ &= (\mathrm{d}s_2 \boldsymbol{e}_2 - \mathrm{d}s_1 \boldsymbol{e}_1) \times (\mathrm{d}s_3 \boldsymbol{e}_3 - \mathrm{d}s_1 \boldsymbol{e}_1)/(2 \times \mathrm{d}\pi) \\ &= (\mathrm{d}s_2 \wedge \mathrm{d}s_3 \boldsymbol{e}_1 + \mathrm{d}s_3 \wedge \mathrm{d}s_1 \boldsymbol{e}_2 + \mathrm{d}s_1 \wedge \mathrm{d}s_2 \boldsymbol{e}_3)/(2 \times \mathrm{d}\pi)\end{aligned}$$

式中最后考虑到外积的定向, $\mathrm{d}\pi$ 是三角形 ABC 的面积,以及三角形 PBC, PCA, PAB 的面积的二倍分别为

$$\mathrm{d}s_i \wedge \mathrm{d}s_j = 2\varepsilon_{ijk} \mathrm{d}\pi_k \quad (i,j,k \text{ 不同})$$

则有

$$\boldsymbol{n} = \frac{\mathrm{d}\pi_1}{\mathrm{d}\pi}\boldsymbol{e}_1 + \frac{\mathrm{d}\pi_2}{\mathrm{d}\pi}\boldsymbol{e}_2 + \frac{\mathrm{d}\pi_3}{\mathrm{d}\pi}\boldsymbol{e}_3 \tag{1.1}$$

$$\mathrm{d}\pi_i = \boldsymbol{n} \cdot \boldsymbol{e}_i \, \mathrm{d}\pi = n_i \, \mathrm{d}\pi \quad (i = 1,2,3) \tag{1.2}$$

令作用小四面体 $PABC$ 上的体力为 $\boldsymbol{f}\mathrm{d}V$,这里

$$\mathrm{d}V = \frac{1}{3}h \cdot \mathrm{d}\pi$$

是小四面体的体积, h 为 P 点到 ABC 的距离. 而作用在四面体上的所有的力必须平衡,于是

$$-(\boldsymbol{t}_1 \mathrm{d}\pi_1 + \boldsymbol{t}_2 \mathrm{d}\pi_2 + \boldsymbol{t}_3 \mathrm{d}\pi_3) + \boldsymbol{t}\mathrm{d}\pi + \boldsymbol{f}\mathrm{d}V + \text{高阶项} = \boldsymbol{0}$$

把 $\mathrm{d}V$ 的表达式与 $\mathrm{d}\pi_i$ 的表达式(1.2)代入上式后,我们得到

$$-(\boldsymbol{t}_1 n_1 + \boldsymbol{t}_2 n_2 + \boldsymbol{t}_3 n_3)\mathrm{d}\pi + \boldsymbol{t}\mathrm{d}\pi + \frac{1}{3}\boldsymbol{f}h\mathrm{d}\pi = \boldsymbol{0}$$

消去 $\mathrm{d}\pi$,并令 $h \to 0$ 就得到

$$\boldsymbol{t} = \boldsymbol{t}_1 n_1 + \boldsymbol{t}_2 n_2 + \boldsymbol{t}_3 n_3 = \boldsymbol{n} \cdot \mathbf{T} \tag{1.3}$$

其中记 $\mathbf{T} = \boldsymbol{e}_1 \boldsymbol{t}_1 + \boldsymbol{e}_2 \boldsymbol{t}_2 + \boldsymbol{e}_3 \boldsymbol{t}_3$,称为应力张量. 式(1.3)说明,只要给定了过一点沿三个坐标平面上的应力矢量,则任何给定法方向为 $\boldsymbol{n}$ 的平面上的应力皆可以由它们计算出来.

现在，把 $\boldsymbol{t}_i(i=1,2,3)$ 沿活动坐标架进行分解

$$\boldsymbol{t}_i=\sigma_{i1}\boldsymbol{e}_1+\sigma_{i2}\boldsymbol{e}_2+\sigma_{i3}\boldsymbol{e}_3 \quad (i=1,2,3) \tag{1.4}$$

我们一共得到 9 个标量函数 $\sigma_{ij}(i,j=1,2,3)$，它们的第一个下标 i 说明是作用在哪个平面 $\mathrm{d}\pi_i$ 上；第二个下标 j 说明是在哪个坐标轴的方向 $\boldsymbol{e}_j$ 上的投影. 式(1.4)与(1.3)说明完全刻画一点的应力状态需要 9 个标量，这些标量称做应力分量.

如果要求把作用在 $\mathrm{d}\pi$ 上的应力矢量沿三个坐标轴方向分解，则有

$$t_i=\boldsymbol{e}_i\cdot\boldsymbol{t}=\sigma_{1i}n_1+\sigma_{2i}n_2+\sigma_{3i}n_3 \quad (i=1,2,3) \tag{1.5}$$

现在，若把 $\mathrm{d}\pi$ 上的应力沿 $\boldsymbol{n}$ 上投影，则有

$$\sigma_{nn}=\boldsymbol{t}\cdot\boldsymbol{n}=\boldsymbol{n}\cdot\mathbf{T}\cdot\boldsymbol{n}=\sum_{i,j}\sigma_{ij}n_in_j \tag{1.6}$$

若在 $\mathrm{d}\pi$ 内给了另外一个方向

$$\boldsymbol{m}=m_1\boldsymbol{e}_1+m_2\boldsymbol{e}_2+m_3\boldsymbol{e}_3$$

则显然有 $\boldsymbol{m}\cdot\boldsymbol{n}=0$，$\boldsymbol{t}$ 沿 $\boldsymbol{m}$ 方向的投影是一个沿 $\boldsymbol{m}$ 方向作用在 $\mathrm{d}\pi$ 上的剪应力，经计算得到

$$\sigma_{nm}=\boldsymbol{t}\cdot\boldsymbol{m}=\boldsymbol{n}\cdot\mathbf{T}\cdot\boldsymbol{m}=\sum_{i,j}\sigma_{ij}n_im_j \tag{1.7}$$

式(1.6)与(1.7)也像在第二章的(2.7)与(2.9)给出应变分量的公式一样，给出了应力分量的坐标变换公式. 即如果 $\boldsymbol{n}$ 与 $\boldsymbol{m}$ 方向就是新的坐标轴的方向时，则式(1.6)与(1.7)就是新坐标内的应力分量. 显然它们也是与第一章张量转换公式(6.3)符合的.

§2 平衡方程

2.1 从静力平衡条件来推导平衡方程

上一节，我们讨论的是一点的应力状态. 对于一个连续的物体来说，各点的应力状态间不是毫无关系的. 这就是，它们之间的变化应当满足物体的平衡条件. 如果我们讨论的是动力学问题，则应当满足相应的运动方程. 现在我们就来推导这些方程.

设想从连续体内任意划分出一个体积 $\mathscr{D}$ 来，设它的外表面法矢量 $\boldsymbol{n}$ 是定义在表面上点的矢量函数. 作用在单位表面上的面力为 $\boldsymbol{t}$，作用在单位体积上的体力为 $\boldsymbol{f}$. 这些力的合力和合力矩应当为零矢量，即应当满足矢量形式的平衡方程

$$\begin{cases} \int_{\partial\mathscr{D}} \boldsymbol{t}\mathrm{d}\pi + \int_{\mathscr{D}} \boldsymbol{f}\mathrm{d}V = \boldsymbol{0} \\ \int_{\partial\mathscr{D}} \boldsymbol{r} \times \boldsymbol{t}\mathrm{d}\pi + \int_{\mathscr{D}} \boldsymbol{r} \times \boldsymbol{f}\mathrm{d}V = \boldsymbol{0} \end{cases} \tag{2.1}$$

利用第一章学过的 Stokes 定理，可得

$$\begin{cases} \int_{\mathscr{D}} \mathrm{d}(\boldsymbol{t}\mathrm{d}\pi) + \boldsymbol{f}\mathrm{d}V = \boldsymbol{0} \\ \int_{\mathscr{D}} \mathrm{d}(\boldsymbol{r} \times \boldsymbol{t}\mathrm{d}\pi) + \boldsymbol{r} \times \boldsymbol{f}\mathrm{d}V = \boldsymbol{0} \end{cases} \tag{2.2}$$

如果把(1.3)代入此式，并且应用外微分公式，则有

$$\mathrm{d}(\boldsymbol{t}\mathrm{d}\pi) = \mathrm{d}(\mathrm{d}\boldsymbol{\pi} \cdot \mathbf{T}) = \mathrm{div}\mathbf{T}\,\mathrm{d}V$$

$$\begin{aligned} \mathrm{d}(\boldsymbol{r} \times \boldsymbol{t}\mathrm{d}\pi) &= \mathrm{d}\boldsymbol{r} \times (\mathrm{d}\boldsymbol{\pi} \cdot \mathbf{T}) + \boldsymbol{r} \times \mathrm{d}(\mathrm{d}\boldsymbol{\pi} \cdot \mathbf{T}) \\ &= (-\mathbf{I} \overset{\times}{\cdot} \mathbf{T} + \boldsymbol{r} \times \mathrm{div}\mathbf{T})\mathrm{d}V \end{aligned}$$

把以上各式代入(2.2)，我们得到

$$\int_{\mathscr{D}} (\mathrm{div}\mathbf{T} + \boldsymbol{f})\mathrm{d}V = \boldsymbol{0}$$

$$\int_{\mathscr{D}} [\boldsymbol{r} \times (\mathrm{div}\mathbf{T} + \boldsymbol{f}) - \mathbf{I} \overset{\times}{\cdot} \mathbf{T}]\mathrm{d}V = \boldsymbol{0}$$

由于积分对于任意 $\mathscr{D}$ 都成立，所以被积函数应当恒等于零. 亦即有

$$\mathrm{div}\mathbf{T} + \boldsymbol{f} = \boldsymbol{0} \tag{2.3}$$

$$\mathbf{I} \overset{\times}{\cdot} \mathbf{T} = \boldsymbol{0} \tag{2.4}$$

对式(2.4)进行具体的计算，可得

$$\begin{aligned} \mathbf{I} \overset{\times}{\cdot} \mathbf{T} &= (\boldsymbol{e}_1\boldsymbol{e}_1 + \boldsymbol{e}_2\boldsymbol{e}_2 + \boldsymbol{e}_3\boldsymbol{e}_3) \overset{\times}{\cdot} \Big[\sum_{i,j} \sigma_{ij}\, \boldsymbol{e}_i\, \boldsymbol{e}_j\Big] \\ &= (\sigma_{21} - \sigma_{12})\boldsymbol{e}_3 + (\sigma_{13} - \sigma_{31})\boldsymbol{e}_2 + (\sigma_{32} - \sigma_{23})\boldsymbol{e}_1 \end{aligned} \tag{2.5}$$

故式(2.4)表示 $\sigma_{ij}=\sigma_{ji}(i\neq j)$. 就是说力矩的平衡条件给出了应力张量是对称张量的条件. 应当指出这个结论是在平衡方程中没有计入体内分布的外力矩时才是成立的.

为了得到平衡方程的标量形式,只需把式(2.3)代入矢量微商公式中,经具体的计算可得到

$$\begin{cases}\dfrac{1}{H_1H_2H_3}\Big[\dfrac{\partial(H_2H_3\sigma_{11})}{\partial x_1}+\dfrac{\partial(H_3H_1\sigma_{21})}{\partial x_2}+\dfrac{\partial(H_1H_2\sigma_{31})}{\partial x_3} \\ \quad +H_2\dfrac{\partial H_1}{\partial x_3}\sigma_{13}+H_3\dfrac{\partial H_1}{\partial x_2}\sigma_{12}-H_3\dfrac{\partial H_2}{\partial x_1}\sigma_{22}-H_2\dfrac{\partial H_3}{\partial x_1}\sigma_{33}\Big] \\ \quad +f_1=0 \\ \dfrac{1}{H_1H_2H_3}\Big[\dfrac{\partial(H_2H_3\sigma_{12})}{\partial x_1}+\dfrac{\partial(H_3H_1\sigma_{22})}{\partial x_2}+\dfrac{\partial(H_1H_2\sigma_{32})}{\partial x_3} \\ \quad +H_3\dfrac{\partial H_2}{\partial x_1}\sigma_{21}+H_1\dfrac{\partial H_2}{\partial x_3}\sigma_{23}-H_1\dfrac{\partial H_3}{\partial x_2}\sigma_{33}-H_3\dfrac{\partial H_1}{\partial x_2}\sigma_{11}\Big] \\ \quad +f_2=0 \\ \dfrac{1}{H_1H_2H_3}\Big[\dfrac{\partial(H_2H_3\sigma_{13})}{\partial x_1}+\dfrac{\partial(H_3H_1\sigma_{23})}{\partial x_2}+\dfrac{\partial(H_1H_2\sigma_{33})}{\partial x_3} \\ \quad +H_1\dfrac{\partial H_3}{\partial x_2}\sigma_{32}+H_2\dfrac{\partial H_3}{\partial x_1}\sigma_{31}-H_2\dfrac{\partial H_1}{\partial x_3}\sigma_{11}-H_1\dfrac{\partial H_2}{\partial H_3}\sigma_{22}\Big] \\ \quad +f_3=0\end{cases} \tag{2.6}$$

这里 f_1,f_2,f_3 是 $\boldsymbol{f}$ 在活动坐标架中的分量,即

$$\boldsymbol{f}=f_1\boldsymbol{e}_1+f_2\boldsymbol{e}_2+f_3\boldsymbol{e}_3 \tag{2.7}$$

对于直角坐标系式(2.6)具有更简单的形式

$$\begin{cases}\dfrac{\partial\sigma_{11}}{\partial x}+\dfrac{\partial\sigma_{21}}{\partial y}+\dfrac{\partial\sigma_{31}}{\partial z}+f_1=0 \\ \dfrac{\partial\sigma_{12}}{\partial x}+\dfrac{\partial\sigma_{22}}{\partial y}+\dfrac{\partial\sigma_{32}}{\partial z}+f_2=0 \\ \dfrac{\partial\sigma_{13}}{\partial x}+\dfrac{\partial\sigma_{23}}{\partial y}+\dfrac{\partial\sigma_{33}}{\partial z}+f_3=0\end{cases} \tag{2.8}$$

2.2 用虚功原理来推导平衡方程

由于连续体平衡方程的重要性，我们现在用虚功原理给出另一个推导.

与前面的推导不同，取整个弹性体为 $\mathscr{D}$.

注意，如果将 $\mathscr{D}$ 内的 A 与 B 两点之间的距离记为 $d(t)$，这里 t 是表征变形过程的一个参数. 由理论力学中知道虚位移必须满足

$$\frac{\partial d}{\partial t} = 0$$

这就是说，虚位移的位移场 $\delta\boldsymbol{u}$ 必须使任何两点之间的距离不变. 也等于说，虚位移的位移场 $\delta\boldsymbol{u}$ 必须满足

$$\boldsymbol{\Gamma}(\delta\boldsymbol{u}) \equiv \boldsymbol{0} \tag{2.9}$$

式(2.9)相当于给了一组约束，这组约束就是假定物体为刚体，这就是通常所谓的硬化原理. 硬化原理说：平衡的物体在增加新的约束后不破坏平衡条件. 在前面 2.1 小节推导平衡方程的过程中，实际上已应用了所取的任意体积 $\mathscr{D}$ 为刚体的假定.

在约束(2.9)的条件下，如果引进不定乘子 $-\mathbf{T}$，则在任意虚位移上虚功为零的事实可表为

$$\int_{\partial\mathscr{D}} \boldsymbol{t}\cdot\delta\boldsymbol{u}\,\mathrm{d}\pi + \int_{\mathscr{D}} \boldsymbol{f}\cdot\delta\boldsymbol{u}\,\mathrm{d}V + \int_{\mathscr{D}} -\mathbf{T} : \delta\boldsymbol{\Gamma}\mathrm{d}V = 0 \tag{2.10}$$

式中 $\boldsymbol{t}$ 是在 $\partial\mathscr{D}$ 上作用的表面力，$\boldsymbol{f}$ 是体力场，$\delta\boldsymbol{\Gamma} = \boldsymbol{\Gamma}(\delta\boldsymbol{u})$.

注意，在给定 $\delta\boldsymbol{u}$ 的条件下，$\boldsymbol{\Gamma}(\delta\boldsymbol{u})$是对称张量，因而约束(2.9)只给出 6 个独立的标量约束. 由此，我们有理由认为不定乘子 $-\mathbf{T}$ 也是对称张量，即只提供 6 个独立的不定乘子. 由此有

$$\mathbf{I} \overset{\times}{\cdot} \mathbf{T} = \mathbf{0}$$

对于式(2.10)中的虚位移应当怎样了解呢？由于引进了不定乘子 $-\mathbf{T}$，则根据通常的不定乘子法，原来的约束(2.9)应当解除. 我们知道，不定乘子相当于解除约束后引进的约束反力. 在理论力

学中，对于一个物体引进约束反力后，解除约束的结果可以把物体看为自由体. 在这里，既然式(2.9)是加于每一质点的虚位移 $\delta\boldsymbol{u}$ 上的约束，解除约束后，就可以把 $\delta\boldsymbol{u}$ 看为定义在 $\mathscr{D}$ 内的任一个矢量场，它与 $\delta\boldsymbol{\Gamma}$ 的关系为

$$\mathrm{d}(\delta\boldsymbol{u}) = \mathrm{d}\boldsymbol{r}\cdot\delta\boldsymbol{\Gamma} + \delta\boldsymbol{\omega}\times\mathrm{d}\boldsymbol{r} \tag{2.11}$$

式中

$$\delta\boldsymbol{\omega} = \boldsymbol{\omega}\,(\delta\boldsymbol{u})$$

再考虑微分形

$$\begin{aligned}\mathrm{d}(\mathrm{d}\boldsymbol{\pi}\cdot\mathbf{T}\cdot\delta\boldsymbol{u}) &= \mathrm{div}\mathbf{T}\cdot\delta\boldsymbol{u}\,\mathrm{d}V + \mathrm{d}\boldsymbol{\pi}\cdot\mathbf{T}\cdot\mathrm{d}(\delta\boldsymbol{u})\\ &= \mathrm{div}\mathbf{T}\cdot\delta\boldsymbol{u}\,\mathrm{d}V + \mathrm{d}\boldsymbol{\pi}\cdot\mathbf{T}\cdot(\mathrm{d}\boldsymbol{r}\cdot\delta\boldsymbol{\Gamma} + \delta\boldsymbol{\omega}\times\mathrm{d}\boldsymbol{r})\\ &= \mathrm{div}\mathbf{T}\cdot\delta\boldsymbol{u}\,\mathrm{d}V + \mathbf{T}:\delta\boldsymbol{\Gamma}\mathrm{d}V - (\mathbf{I}\overset{\times}{\cdot}\mathbf{T})\cdot\delta\boldsymbol{\omega}\mathrm{d}V\end{aligned} \tag{2.12}$$

由于 $\mathbf{T}$ 的对称性，上式最后一项为零，所以有

$$-\mathbf{T}:\delta\boldsymbol{\Gamma}\mathrm{d}V = \mathrm{div}\mathbf{T}\cdot\delta\boldsymbol{u}\,\mathrm{d}V - \mathrm{d}(\mathrm{d}\boldsymbol{\pi}\cdot\mathbf{T}\cdot\delta\boldsymbol{u})$$

考虑到

$$\mathrm{d}\boldsymbol{\pi}\cdot\mathbf{T}\cdot\delta\boldsymbol{u} = \mathrm{d}\pi(\boldsymbol{n}\cdot\mathbf{T}\cdot\delta\boldsymbol{u})$$

并利用 Stokes 定理把积分化为

$$\int_{\partial\mathscr{D}}(\boldsymbol{t} - \boldsymbol{n}\cdot\mathbf{T})\cdot\delta\boldsymbol{u}\mathrm{d}\pi + \int_{\mathscr{D}}(\mathrm{div}\mathbf{T} + \boldsymbol{f})\cdot\delta\boldsymbol{u}\mathrm{d}V = 0 \tag{2.13}$$

上式中由于 $\delta\boldsymbol{u}$ 的任意性，并且考虑到 $\mathbf{T}$ 的对称性，最后可得平衡条件

$$\begin{cases}\boldsymbol{t} = \boldsymbol{n}\cdot\mathbf{T} & (\text{在 } \partial\mathscr{D} \text{ 上})\\ \mathrm{div}\mathbf{T} + \boldsymbol{f} = \mathbf{0} & (\text{在 } \mathscr{D} \text{ 内})\\ \mathbf{I}\overset{\times}{\cdot}\mathbf{T} = \mathbf{0} & (\text{在 } \mathscr{D} \text{ 内})\end{cases} \tag{2.14}$$

这三个式子正好是前面得到的边界上的平衡条件(1.3)与内部的平衡方程(2.3)及(2.4). 而且由于第一个式子，我们知道引进的不定乘子 $\mathbf{T}$ 正好是应力张量. 因为我们对于应力张量的随坐标变化规律的了解，也仅仅是从(1.3)得到的.

从上述推导过程知由式(2.10)到(2.14)是充分必要的. 至此

我们完成了下述定理的证明.

定理 若 $\mathscr{D}$ 内给了外力场 $\boldsymbol{f}$,在 $\partial\mathscr{D}$ 上给了边界上的外力场 $\boldsymbol{t}$,则全部外力在约束(2.9)所确定的虚位移上所做的虚功为零的充分必要条件是(2.14),其中 $\mathbf{T}$ 是应力张量.

2.3 应力函数

在无体力作用时,平衡方程可写为

$$\nabla\cdot\mathbf{T}=\mathbf{0} \tag{2.15}$$

式中应力张量 $\mathbf{T}$ 是对称的.

Schaefer[57]导出了无体力平衡方程的通解

$$\mathbf{T}=\nabla\times\boldsymbol{\Phi}\times\nabla+\boldsymbol{h}\nabla+\nabla\boldsymbol{h}-\mathbf{I}\,\nabla\cdot\boldsymbol{h} \tag{2.16}$$

其中 $\boldsymbol{\Phi}$ 为对称张量,而 $\boldsymbol{h}$ 为调和矢量,即 $\boldsymbol{h}$ 满足方程

$$\nabla^2\boldsymbol{h}=\mathbf{0} \tag{2.17}$$

从(2.16)可以看出,其右端是对称的.将(2.16)代入(2.15),由于(2.17),可知(2.16)适合方程(2.15).

现在来证明上述事实的逆命题.即要证:如果 $\mathbf{T}$ 满足式(2.15),则一定存在一个对称张量 $\boldsymbol{\Phi}$ 和一个调和矢量 $\boldsymbol{h}$,使(2.16)成立.

为此,设 $\mathbf{T}$ 是(2.15)的一个解,令

$$\mathbf{A}(x,y,z)=-\frac{1}{4\pi}\iiint\limits_{\mathscr{D}}\frac{\mathbf{T}(x,y,z)}{\rho}\mathrm{d}\xi\mathrm{d}\eta\mathrm{d}\zeta \tag{2.18}$$

其中

$$\rho=\left[(x-\xi)^2+(y-\eta)^2+(z-\zeta)^2\right]^{1/2}$$

由于 $\mathbf{T}$ 是对称的,因而 $\mathbf{A}$ 也是对称的.按照 Newton 位势的性质,我们有

$$\nabla^2\mathbf{A}=\mathbf{T} \tag{2.19}$$

另外,利用第一章的(6.10)式,我们可以得到恒等式

$$\begin{aligned}&\nabla\times(\mathbf{I}\,{}^{\times}_{\times}\mathbf{A})\times\nabla\\&=\nabla(\mathbf{A}\cdot\nabla)+(\nabla\cdot\mathbf{A})\,\nabla-\nabla^2\mathbf{A}-\mathbf{I}(\nabla\cdot\nabla\cdot\mathbf{A})\end{aligned} \tag{2.20}$$

在(2.20)中，令

$$\boldsymbol{\Phi} = -\mathbf{I} \overset{\times}{\underset{\times}{}} \mathbf{A}, \quad \boldsymbol{h} = \nabla \cdot \mathbf{A} \tag{2.21}$$

由于 **A** 对称，张量 **Φ** 也对称.

将式(2.19)和(2.21)代入(2.20)即得到式(2.16). 由于 **T** 满足 (2.15)，从式(2.16)可知 $\boldsymbol{h}$ 为调和矢量. 这样，我们就完成了 Schaefer 应力函数完备性的证明.

可以证明[46]，如果在任意封闭曲面上的应力都是静力平衡的，则(2.16)中的调和矢量 $\boldsymbol{h}$ 可略去，而不失一般性. 那么式(2.16)变成

$$\mathbf{T} = \nabla \times \boldsymbol{\Phi} \times \nabla \tag{2.22}$$

其中 **Φ** 称为 Beltrami 应力函数.

著名的 Maxwell 应力函数和 Morera 应力函数是解(2.22)的特殊形式，其中 **Φ** 分别取为

$$\boldsymbol{\Phi} = \Phi_{11}\boldsymbol{e}_1\boldsymbol{e}_1 + \Phi_{22}\boldsymbol{e}_2\boldsymbol{e}_2 + \Phi_{33}\boldsymbol{e}_3\boldsymbol{e}_3 \tag{2.23}$$

和

$$\begin{aligned} \boldsymbol{\Phi} = & \Phi_{12}\boldsymbol{e}_1\boldsymbol{e}_2 + \Phi_{13}\boldsymbol{e}_1\boldsymbol{e}_3 + \Phi_{21}\boldsymbol{e}_2\boldsymbol{e}_1 + \Phi_{23}\boldsymbol{e}_2\boldsymbol{e}_3 \\ & + \Phi_{31}\boldsymbol{e}_3\boldsymbol{e}_1 + \Phi_{32}\boldsymbol{e}_3\boldsymbol{e}_2 \end{aligned} \tag{2.24}$$

2.4 对平衡方程的几点说明

在结束平衡方程的讨论时，应当附带作如下几点说明：

首先，连续体内应力分量有6个标量，而平衡方程却只有三个. 这说明对于连续体而言，在每一点邻域内问题已经是静不定(或称超静定)的了. 可见为了要确定内力还必须补充别的条件. 单由静力学是不够的.

其次，在动力学问题中，上述平衡方程应当稍加改变，这只要在 $\boldsymbol{f}$ 中计入惯性力就可以了.

第三，上述平衡方程的推导过程中，并没有申明物体的几何形状在加载过程中的变化情况. 在实际问题中，随着外载的增加，物体的几何形状或多或少总要产生变化. 也就是说，原来未加载时取

定的几何形状参数 H_i,V,$\mathrm{d}s_i$ 等都相应地改变了. 有时,甚至原来取定的正交曲线网,在变形后一般也不再是正交的. 在这种情况下,对于平衡方程中的各几何参数就必须考虑其在变形前后的变化. 于是除了应力是未知的外,几何参数也是未知的,这时方程变为非线性的,问题的求解变得十分复杂. 为了简化讨论,本书中只假定在加载过程中,在列平衡方程时物体的几何形状的改变可以忽略不计.

§3　主应力与最大剪应力

3.1　主应力

在讨论了应力的平衡方程之后,现在再回过头来对一点的应力加以更细致的讨论.

和在应变中一样,既然我们也有转换公式(1.6),它和第二章应变的转换公式(2.7)具有完全一样的形式. 于是也可以问：在怎样的方向上 σ_{nn} 具有驻值呢？这个驻值称为主应力，这个具有主应力的方向称为应力主方向或简称为主方向. 全部讨论和第二章§3关于主应变的讨论是平行的. 因此我们就不再重复它了. 只列出主要的结论如下：

(1) 主应力与主方向是特征方程

$$\boldsymbol{\zeta}\cdot\mathbf{T}-\lambda\boldsymbol{\xi}=\mathbf{0} \tag{3.1}$$

的特征值与特征矢量.

(2) 任意两个不同的主应力值所对应的主方向互相正交.

(3) 任意以主方向为法矢量的平面上的切应力为零.

(4) 三个主应力值若都不相同,则具有三个互相垂直的主方向. 若两个相同,则对应这两个主方向的平面内任一方向皆为主方向. 若三个主应力相等,则空间任一方向都是主方向.

(5) $\sigma_1,\sigma_2,\sigma_3$ 三个主应力的任何组合都是坐标变换的不变量. 特别地,我们有如下三个不变量

$$\Theta_1 = \sigma_1 + \sigma_2 + \sigma_3 = \sigma_{11} + \sigma_{22} + \sigma_{33}$$

$$\begin{aligned}
\Theta_2 &= \sigma_1\sigma_2 + \sigma_2\sigma_3 + \sigma_3\sigma_1 \\
&= \sigma_{11}\sigma_{22} + \sigma_{22}\sigma_{33} + \sigma_{33}\sigma_{11} - \sigma_{12}^2 - \sigma_{23}^2 - \sigma_{31}^2 \\
\Theta_3 &= \sigma_1\sigma_2\sigma_3 \\
&= \sigma_{11}\sigma_{22}\sigma_{33} - (\sigma_{11}\sigma_{23}^2 + \sigma_{22}\sigma_{31}^2 + \sigma_{33}\sigma_{12}^2) + 2\sigma_{12}\sigma_{23}\sigma_{31}
\end{aligned} \tag{3.2}$$

有时，我们取 $p = -\Theta_1/3$，称为平均压力. 今后为了简单也把 Θ_1 记为 Θ.

3.2 最大剪应力

现在，来讨论最大剪应力与最大剪应力方向. 为简单起见，设已经求得了一点的主应力与主应力方向，并且把主应力方向取为坐标架. 以任意方向

$$\boldsymbol{n} = n_1\boldsymbol{e}_1 + n_2\boldsymbol{e}_2 + n_3\boldsymbol{e}_3$$

为法向的平面的应力矢量具有简单的表达式

$$\boldsymbol{t} = \sigma_1 n_1 \boldsymbol{e}_1 + \sigma_2 n_2 \boldsymbol{e}_2 + \sigma_3 n_3 \boldsymbol{e}_3 \tag{3.3}$$

$\boldsymbol{t}$ 在以 $\boldsymbol{n}$ 为法向的平面内投影，即剪应力为

$$\begin{aligned}
\varphi_1(n_1, n_2, n_3) = \tau^2 = (\boldsymbol{n} \times \boldsymbol{t})^2 = \boldsymbol{t}^2 - (\boldsymbol{t} \cdot \boldsymbol{n})^2 \\
= (\sigma_1 - \sigma_2)^2 n_1^2 n_2^2 + (\sigma_2 - \sigma_3)^2 n_2^2 n_3^2 \\
+ (\sigma_3 - \sigma_1)^2 n_3^2 n_1^2
\end{aligned} \tag{3.4}$$

由于 n_i 间有约束

$$\varphi_2(n_1, n_2, n_3) = n_1^2 + n_2^2 + n_3^2 - 1 = 0$$

我们使用不定乘子法来求 $\varphi_1(n_1, n_2, n_3)$ 的极值. 按拉氏乘子法，有

$$\frac{\partial \varphi_1}{\partial n_i} + \lambda \frac{\partial \varphi_2}{\partial n_i} = 0 \quad (i = 1, 2, 3)$$

考虑法向应力 σ 和合应力 $\boldsymbol{t}$ 有下述关系：

$$\begin{aligned}
\sigma &= \boldsymbol{n} \cdot \boldsymbol{t} = \sigma_1 n_1^2 + \sigma_2 n_2^2 + \sigma_3 n_3^2 \\
t^2 &= \sigma_1^2 n_1^2 + \sigma_2^2 n_2^2 + \sigma_3^2 n_3^2
\end{aligned} \tag{3.5}$$

注意到 $\tau^2=t^2-\sigma^2$,故有

$$\frac{\partial\varphi_1}{\partial n_i}=\frac{\partial\tau^2}{\partial n_i}=2n_i\sigma_i^2-2\sigma\frac{\partial\sigma}{\partial n_i}=2n_i(\sigma_i^2-2\sigma_i\sigma)$$

最后得到方程组

$$\begin{cases}n_1(\sigma_1^2-2\sigma_1\sigma+\lambda)=0\\ n_2(\sigma_2^2-2\sigma_2\sigma+\lambda)=0\\ n_3(\sigma_3^2-2\sigma_3\sigma+\lambda)=0\end{cases}\qquad(3.6)$$

这个方程组有显然解:

$$n_1=\pm 1,\quad n_2=n_3=0$$
$$n_2=\pm 1,\quad n_1=n_3=0$$
$$n_3=\pm 1,\quad n_1=n_2=0$$

这些都是主方向,而在主方向上 τ^2 为零,因而它们对应于 τ^2 取极小的方向.这是我们不感兴趣的.

假定在式(3.6)中 n_1 与 n_2 异于零,则由其前两个式消去它们,并相减得

$$\sigma_1^2-\sigma_2^2-2(\sigma_1-\sigma_2)\sigma=0$$

故有

$$\sigma=(\sigma_1+\sigma_2)/2$$

这时 $n_1^2=n_2^2=1/2$, $n_3=0$,显然满足方程组. 这个方向是 $\boldsymbol{e}_1$ 与 $\boldsymbol{e}_2$ 轴的分角线,代入式(3.4)后得

$$\tau_{\max}=\pm\frac{1}{2}(\sigma_1-\sigma_2)$$

同样道理可得 τ 的另外两个驻值

$$\pm\frac{1}{2}(\sigma_2-\sigma_3)\quad 和\quad \pm\frac{1}{2}(\sigma_3-\sigma_1)$$

它们分别对应于作用平面的法矢量为: $\boldsymbol{e}_2$ 与 $\boldsymbol{e}_3$ 的分角线和 $\boldsymbol{e}_1$ 与 $\boldsymbol{e}_3$ 的分角线方向. 在 $\sigma_1\geqslant\sigma_2\geqslant\sigma_3$ 的条件下,有

$$\tau_{\max}=\pm\frac{1}{2}(\sigma_1-\sigma_3)$$

显然它也是一个坐标变换的不变量.

习　题

1. 一点的应力分量为 $\sigma_{11}=\sigma_{22}=\sigma_{33}=0,\sigma_{12}=\sigma_{23}=\sigma_{31}=\sigma$.

(1) 求过这一点法方向 $\boldsymbol{n}=\dfrac{1}{\sqrt{3}}(\boldsymbol{e}_1+\boldsymbol{e}_2+\boldsymbol{e}_3)$的平面上的正应力与剪应力.

(2) 求主方向、主应力值、最大剪应力方向与最大剪应力值.

2. 一点的应力分量为 $\sigma_{11}=a>0,\sigma_{22}=2a,\sigma_{33}=-2a,\sigma_{12}=\sigma_{23}=\sigma_{31}=0$. 讨论过这一点平面上正应力何时为正何时为负.

3. 过 P 点有两个平面 $\mathrm{d}\pi$ 与 $\mathrm{d}\pi'$,它们的法矢量分别为 $\boldsymbol{n}$ 与 $\boldsymbol{n}'$,在这两个平面上的应力分别为 $\boldsymbol{t}$ 与 $\boldsymbol{t}'$,证明

$$\boldsymbol{t}\cdot\boldsymbol{n}'=\boldsymbol{t}'\cdot\boldsymbol{n}$$

4. 导出柱坐标与球坐标内的平衡方程.

5. 物体的应力状态为 $\sigma_{11}=\sigma_{22}=\sigma_{33}=\sigma,\sigma_{12}=\sigma_{23}=\sigma_{31}=0$,这里 σ 为点的函数. 证明物体所受的体力 $\boldsymbol{f}$ 必有势,即存在势函数 $\varphi(x,y,z)$,使 $f=\nabla\varphi$.

6. 在直角坐标系与柱坐标系导出 Maxwell 应力函数与应力分量之间的关系.

7. 证明应力分量的多项式函数如果在坐标变换下其值不变,则它一定可以表为应力不变量的函数. 对于应变分量的函数也有同样的结论.

8. 试利用第一章 § 4 中定理 3(De Rham)的结论证明：若

$$\mathrm{div}\mathbf{T}=\mathbf{0}\quad(\text{在 }\mathscr{D}\text{ 上恒成立})$$

$$\iint_{\partial\mathscr{D}}\mathbf{T}\cdot\mathrm{d}\boldsymbol{\pi}=\mathbf{0}$$

则在 $\mathscr{D}$ 上存在某个张量 $\mathbf{A}$,使

$$\mathbf{T}=\nabla\times\mathbf{A}$$

即(2.17)成立.

9. 如果弹性体内有分布力偶 $\boldsymbol{m}$,例如,电场作用下的极化介质,证明

$$-\mathbf{I}\overset{\times}{\cdot}\mathbf{T}+\boldsymbol{m}=\mathbf{0}$$

10. 试证：Maxwell 应力函数和 Morera 应力函数不失一般性. (Gurtin[24]和 Rostamian[56])

第四章　应力应变关系

§1　热力学定律与本构关系

1.1　本构关系

在前面两章中，我们分别讨论了应变与应力．那里的结论应当说对任何连续介质都是适用的．但是只有那些关系还不能完全解决实际上所碰到的力学问题．按照协调条件只能从符合协调条件的应变场将位移场求出来；按照平衡方程，它本身连应力张量也不能完全确定下来．在实际问题中则需要在给定外力条件下，把应力、应变以及位移完全求解出来．看来，为了解决这个问题，还必须建立另外的一组关系，这就是应力张量与应变张量之间的关系，一般也称为本构关系．

要寻求一个对任意连续介质都适用的，或对某一连续材料在任何工作条件下都适用的本构关系是不可能的．这是由于这一问题本身的复杂性所决定的．实际上，连续介质力学的分科，也正是以各科所采用的本构关系的不同来区分的．流体力学、弹性力学、塑性力学、土力学、粘弹性等等都分别采用不同的本构关系．本构关系的研究也就成为连续介质力学最重要的部分之一．

不管本构关系具有怎样花样繁多的形式，它总要遵循一些共同的基本的规律．而其中最根本的规律就是热力学第一和第二定律．

1.2　内力功的表达式

现在来讨论变形时所消耗的功．

设物体 $\mathscr{D}$ 内产生应变场 $\mathbf{\Gamma}$ 时受一应力场 $\mathbf{T}$ 的作用．如果新

产生一微小的应变场 $\delta\mathbf{\Gamma}$，求内力所做之功. 假定物体在这微小的应变状态下始终是处于平衡的，即满足

$$\begin{cases} \boldsymbol{t} = \boldsymbol{n} \cdot \mathbf{T} & (\text{在 } \partial\mathscr{D} \text{ 上}) \\ \boldsymbol{f} = -\operatorname{div}\mathbf{T} & (\text{在 } \mathscr{D} \text{ 内}) \\ \sigma_{ij} = \sigma_{ji} & (\text{在 } \mathscr{D} \text{ 内}) \end{cases} \tag{1.1}$$

令 $\delta\boldsymbol{u}$ 是与 $\delta\mathbf{\Gamma}$ 相应的位移场，令单位体积中内力的功为 δA，则内力所做的总功为

$$\begin{aligned} \int_{\mathscr{D}} \delta A \mathrm{d}V &= \int_{\partial\mathscr{D}} \boldsymbol{t} \cdot \delta\boldsymbol{u} \mathrm{d}\pi + \int_{\mathscr{D}} \boldsymbol{f} \cdot \delta\boldsymbol{u} \mathrm{d}V \\ &= \int_{\partial\mathscr{D}} \boldsymbol{t} \cdot \delta\boldsymbol{u} \mathrm{d}\pi - \int_{\mathscr{D}} \operatorname{div}\mathbf{T} \cdot \delta\boldsymbol{u} \mathrm{d}V \end{aligned}$$

由第三章式(2.12)有

$$\begin{aligned} -\operatorname{div}\mathbf{T} \cdot \delta\boldsymbol{u} \mathrm{d}V = \mathbf{T} : \delta\mathbf{\Gamma} \mathrm{d}V &- \mathrm{d}(\mathrm{d}\boldsymbol{\pi} \cdot \mathbf{T} \cdot \delta\boldsymbol{u}) \\ &- (\mathbf{I} \overset{\times}{\cdot} \mathbf{T}) \cdot \delta\boldsymbol{\omega} \mathrm{d}V \end{aligned} \tag{1.2}$$

将此式代入前式，并考虑到(1.1)的第一式与第三式就有

$$\int_{\mathscr{D}} \delta A \mathrm{d}V = \int_{\mathscr{D}} \mathbf{T} : \delta\mathbf{\Gamma} \mathrm{d}V \tag{1.3}$$

式中

$$\begin{aligned} \delta A = \mathbf{T} : \delta\mathbf{\Gamma} = \sigma_{11}\delta\varepsilon_{11} + \sigma_{22}\delta\varepsilon_{22} + \sigma_{33}\delta\varepsilon_{33} + \sigma_{23}\delta\varepsilon_{23} \\ + \sigma_{31}\delta\varepsilon_{31} + \sigma_{12}\delta\varepsilon_{12} \end{aligned} \tag{1.4}$$

一般地，我们就把(1.4)称为物体作无限小变形时内力所做的功.

1.3 热力学定律与热力学平衡条件

由热力学第一定律知，物体单位体积的内能增加 δU 应当等于外界给它的热 δQ（差一个热功当量系数，取功的单位）和 δA 之和. 即

$$\delta U = \delta Q + \delta A = \delta Q + \mathbf{T} : \delta\mathbf{\Gamma} \tag{1.5}$$

设物体每个局部都是热力学平衡的，即描述任何一点所代表

的物体微团的参量，不仅 $\boldsymbol{\Gamma}$ 具有确定的值，而且温度 θ（取绝对温度）也有确定的值，或至少假定每个局部是近似热力学平衡的. 在热力学中，把从一个平衡态（即 $\boldsymbol{\Gamma}$ 与 θ 的一组确定的值）变到另一平衡态，并且中间经过一串缓慢变化的平衡态称为一个平衡过程. 根据热力学第二定律，对于两个状态 Ⅱ 与 Ⅰ，当由状态 Ⅱ 到 Ⅰ 的变化过程中，不等式

$$\theta\delta S \geqslant \delta Q \tag{1.6}$$

永远成立. 这里 S 是一个状态函数，我们称它为熵. 这个不等式称为 Clausius 不等式. 当等号成立时，变化过程为可逆的，否则就是不可逆的. 从式(1.6)可看出，在孤立系统即和外界没有热交换($\delta Q=0$)的物体微团中，在从 Ⅱ 到 Ⅰ 时如果为可逆过程，则熵将保持不变.

现设孤立系统处于热力学平衡状态 Ⅰ，且这种平衡是稳定的. 所谓平衡是稳定的，是指系统从状态向邻近的任一状态 Ⅱ 变化时，系统的熵应当不增. 这当然是一种假想的变化，因为既然 Ⅱ 到 Ⅰ 是可以实现的变化，当过程不可逆时，从 Ⅰ 到 Ⅱ 便是实现不了的过程. 我们设想从 Ⅰ 到 Ⅱ 这种扰动为虚拟的扰动，于是当系统被扰动时，即从 Ⅰ 向 Ⅱ 的方向进行，过程进行的方向与不等式(1.6)相反，即由式(1.5)有

$$\theta \mathrm{d}S \leqslant \delta Q = \delta U - \mathbf{T} : \delta\boldsymbol{\Gamma}$$

上式取不等号有

$$\delta U - \mathbf{T} : \delta\boldsymbol{\Gamma} - \theta\delta S > 0 \tag{1.7}$$

这就是物体每一个局部都达到热力学稳定平衡的条件.

如果把 S 与 $\boldsymbol{\Gamma}$ 看为描述系统的参量，则显然内能 U 应当是这些参量的函数；把 δU 在 $S=S_1$ 与 $\boldsymbol{\Gamma}=\boldsymbol{\Gamma}_1$ 附近展为幂级数，则有

$$\delta U = \frac{\partial U}{\partial S}\delta S + \sum_{i,j}\frac{\partial U}{\partial \gamma_{ij}}\delta\gamma_{ij} + \frac{1}{2}\frac{\partial^2 U}{\partial S^2}\delta S^2 + \sum_{i,j}\frac{\partial^2 U}{\partial\gamma_{ij}\,\partial S}\delta\gamma_{ij}\,\delta S + \frac{1}{2}\sum_{i,j,k,l}\frac{\partial^2 U}{\partial\gamma_{ij}\,\partial\gamma_{kl}}\delta\gamma_{ij}\,\delta\gamma_{kl}$$

把上式代入(1.7). 考虑无论 $\delta\gamma_{ij}$ 与 δS 取怎样的一组值,不等式(1.7)都必须成立,而这就要求

$$\frac{\partial U}{\partial S}=\theta,\quad \frac{\partial U}{\partial \gamma_{ij}}=\sigma_{ij} \tag{1.8}$$

$$\delta^2 U=\frac{1}{2}\frac{\partial^2 U}{\partial S^2}\delta S^2+\sum_{i,j}\frac{\partial^2 U}{\partial \gamma_{ij}\,\partial S}\delta\gamma_{ij}\,\delta S$$
$$+\frac{1}{2}\sum_{i,j,k,l}\frac{\partial^2 U}{\partial\gamma_{ij}\,\partial\gamma_{kl}}\delta\gamma_{ij}\,\delta\gamma_{kl}>0 \tag{1.9}$$

式(1.8)与(1.9)说明在热力学稳定平衡态(1.7)的左端具有极小值.

对于物体上另一热力函数

$$F=U-\theta S \tag{1.10}$$

来说,将它代入(1.7)可得稳定平衡条件

$$\delta F+S\delta\theta-\mathbf{T}:\delta\mathbf{\Gamma}>0 \tag{1.11}$$

将 δF 在 I 附近对 $\delta\theta$ 与 $\delta\mathbf{\Gamma}$ 展为幂级数,根据和前面同样的讨论可得

$$\frac{\partial F}{\partial \theta}=-S,\quad \frac{\partial F}{\partial \gamma_{ij}}=\sigma_{ij} \tag{1.12}$$

$$\delta^2 F=\frac{1}{2}\frac{\partial^2 F}{\partial \theta^2}\delta\theta^2+\sum_{i,j}\frac{\partial^2 F}{\partial\theta\,\partial\gamma_{ij}}\delta\theta\,\delta\gamma_{ij}$$
$$+\frac{1}{2}\sum_{i,j,k,l}\frac{\partial^2 F}{\partial\gamma_{ij}\,\partial\gamma_{kl}}\delta\gamma_{ij}\,\delta\gamma_{kl}>0 \tag{1.13}$$

式(1.12)与(1.13)说明在热力学稳定平衡态(1.11)左端取极小值.

式(1.8)、(1.9)与(1.12)、(1.13)是任何变形体在变形过程中所必须满足的条件. 从式中易于看出,如果我们能够得到 U 或 F 作为应变张量 $\mathbf{\Gamma}$ 的函数表达式, 则从(1.8)或(1.12)就可以得到应力、应变的函数关系. 可惜的是,在一般条件下,很难得到这种函数关系. 但是对于实际上最常见的两类重要过程,这种函数关系是易于得到的. 这两类过程是: 绝热过程(相当于变化很快,质点之

间热交换很小的过程)和等温过程(相当于变化很慢,以至物体热交换比较充分,温度不发生变化).

由于在可逆过程时,(1.6)取等号.代入式(1.5)便得

$$\delta U = \theta\delta S + \mathbf{T} : \delta\mathbf{\Gamma} \tag{1.14}$$

用(1.10)代入上式,得

$$\delta F = -S\delta\theta + \mathbf{T} : \delta\mathbf{\Gamma} \tag{1.15}$$

用于绝热过程,(1.14)中

$$\theta\delta S = \delta Q = 0$$

而对等温过程,(1.15)中

$$S\delta\theta = 0$$

于是我们分别有

$$\delta U = \mathbf{T} : \delta\mathbf{\Gamma} \quad (\text{绝热}) \tag{1.16}$$

$$\delta F = \mathbf{T} : \delta\mathbf{\Gamma} \quad (\text{等温}) \tag{1.17}$$

上两式说明,只需计算变形过程中内力的功便可以分别得到内能与自由能.

§2 各向同性材料的 Hooke 定律

在上一节,我们讨论了建立本构关系的一般性准则.本节我们要讨论在应用上和理论上都具有重要意义的各向同性材料的 Hooke 定律.也就是各向同性材料的线性弹性应力与应变关系.它是弹性力学的基本关系.

为了推导它,我们对变形过程作如下进一步的假定:

(1) 应力和应变关系是线性的且没有初应力.即有

$$\{\sigma\} = D\{\varepsilon\} \tag{2.1}$$

这里把应力与应变分量写为列矢量

$$\{\sigma\} = \{\sigma_{11}, \sigma_{22}, \sigma_{33}, \sigma_{23}, \sigma_{31}, \sigma_{12}\}^{\mathrm{T}}$$

$$\{\varepsilon\} = \{\varepsilon_{11}, \varepsilon_{22}, \varepsilon_{33}, \varepsilon_{23}, \varepsilon_{31}, \varepsilon_{12}\}^{\mathrm{T}}$$

其中 D 是 6×6 阶的矩阵.

(2) 材料是各向同性的,即 D 不随坐标变换而改变.

(3) 变形过程为等温过程.

在上述假设下,由(1.12)可见,如果 F 表为 ε_{ij} 的函数,则必为二次函数.又因为自由能是标量函数,所以它只应当是应变不变量的函数.但 ε_{ij} 所构成独立的不变量只有 I_1,I_2,I_3 三个,而 I_3 为三次式.因此二次函数 F 的形式只可能为

$$F = F_0 + \left(\frac{\lambda}{2} + \mu\right) I_1^2 - 2\mu I_2$$

其中 λ 与 μ 为 Lamé 常数.上式也可写为

$$F = F_0 + \frac{\lambda}{2}(\varepsilon_{11} + \varepsilon_{22} + \varepsilon_{33})^2 + \mu\Big[\varepsilon_{11}^2 + \varepsilon_{22}^2 + \varepsilon_{33}^2 + \frac{1}{2}(\varepsilon_{23}^2 + \varepsilon_{31}^2 + \varepsilon_{12}^2)\Big] \tag{2.2}$$

把(2.2)对 ε_{ij} 微商,并代入(1.12)便得

$$\begin{aligned} \sigma_{ii} &= \lambda I_1 + 2\mu\varepsilon_{ii} \\ \sigma_{ij} &= \mu\varepsilon_{ij} \quad (i \neq j) \end{aligned} \tag{2.3}$$

考虑到 $I_1 = J_1(\mathbf{\Gamma})$,上式还可统一写为

$$\mathbf{T} = 2\mu\mathbf{\Gamma} + \lambda\mathbf{I}J_1(\mathbf{\Gamma}) \tag{2.3$'$}$$

这就是各向同性材料的 Hooke 定律.将(2.3)与(2.1)对照,便知 D 的形状如下:

$$D = \begin{bmatrix} \lambda + 2\mu & \lambda & \lambda & 0 & 0 & 0 \\ \lambda & \lambda + 2\mu & \lambda & 0 & 0 & 0 \\ \lambda & \lambda & \lambda + 2\mu & 0 & 0 & 0 \\ 0 & 0 & 0 & \mu & 0 & 0 \\ 0 & 0 & 0 & 0 & \mu & 0 \\ 0 & 0 & 0 & 0 & 0 & \mu \end{bmatrix} \tag{2.4}$$

式(2.1)也可以把 $\{\varepsilon\}$ 反解出来得

$$\{\varepsilon\} = D^{-1}\{\sigma\} \tag{2.5}$$

式中

$$D^{-1}=\frac{1}{E}\begin{bmatrix}1 & -\nu & -\nu & 0 & 0 & 0\\ -\nu & 1 & -\nu & 0 & 0 & 0\\ -\nu & -\nu & 1 & 0 & 0 & 0\\ 0 & 0 & 0 & 2(1+\nu) & 0 & 0\\ 0 & 0 & 0 & 0 & 2(1+\nu) & 0\\ 0 & 0 & 0 & 0 & 0 & 2(1+\nu)\end{bmatrix} \tag{2.6}$$

不难算得

$$E=\frac{\mu(3\lambda+2\mu)}{\lambda+\mu},\quad \nu=\frac{\lambda}{2(\lambda+\mu)} \tag{2.7}$$

这里 E 称为杨氏(Young)模量，ν 为泊松(Poisson)比.

若考虑到 $\Theta_1=J_1(\mathbf{T})$，则还可以把通过 E 与 ν 表出的 Hooke 定律写为

$$\mathbf{\Gamma}=\frac{1}{E}[(1+\nu)\mathbf{T}-\nu\mathbf{I}J_1(\mathbf{T})] \tag{2.8}$$

由于式(2.2)中的自由能 F 必须满足式(1.13). 在等温过程的条件下 $\delta\theta=0$，所以 F 纯粹是应变分量的正定二次函数. 由 F 的正定性就要求 D 和 D^{-1} 同时都是正定矩阵，于是推出 λ,μ; E,ν 必须满足条件

$$\begin{cases}E>0, & -1<\nu<\dfrac{1}{2}\\ \mu>0, & \lambda>-\dfrac{2}{3}\mu\end{cases} \tag{2.9}$$

将弹性常数的数值代入式(2.3)与(2.8)后可知：当 $\nu=-1$ 或 $\mu=\infty$ 时，剪切是不可能发生的，即物体对剪切是绝对刚性的；当 $\nu=0.5$ 时，物体不可压缩，即有 $I_1\equiv 0$.

通常材料的泊松比总是正数，因而多年来人们认为从物理观点来看，泊松比的范围似乎是从 0 到 0.5. 但是，近年来已研制出一类泡沫塑料材料[46]，它们的泊松比为负数，可以达到 -0.7 或者更低.

表 2.1　各向同性材料弹性常数之间的关系

	$E=$	$\nu=$	$\lambda=$	$\mu=$	$K_0=$
E,ν	E	ν	$\frac{E\nu}{(1+\nu)(1-2\nu)}$	$\frac{E}{2(1+\nu)}$	$\frac{E}{3(1-2\nu)}$
E,μ	E	$\frac{E}{2\mu}-1$	$\frac{\mu(E-2\mu)}{3\mu-E}$	μ	$\frac{\mu E}{3(3\mu-E)}$
E,K_0	E	$\frac{1}{2}-\frac{E}{6K_0}$	$\frac{3K_0(3K_0-E)}{9K_0-E}$	$\frac{3K_0E}{9K_0-E}$	K_0
ν,λ	$\frac{\lambda(1+\nu)(1-2\nu)}{\nu}$	ν	λ	$\frac{\lambda(1-2\nu)}{2\nu}$	$\frac{\lambda(1+\nu)}{3\nu}$
ν,μ	$2\mu(1+\nu)$	ν	$\frac{2\mu\nu}{1-2\nu}$	μ	$\frac{2\mu(1+\nu)}{3(1-2\nu)}$
ν,K_0	$3K_0(1-2\nu)$	ν	$\frac{3K_0\nu}{1+\nu}$	$\frac{3K_0(1-2\nu)}{2(1+\nu)}$	K_0
λ,μ	$\frac{\mu(3\lambda+2\mu)}{\lambda+\mu}$	$\frac{\lambda}{2(\lambda+\mu)}$	λ	μ	$\frac{3\lambda+2\mu}{3}$
λ,K_0	$\frac{9K_0(K_0-\lambda)}{3K_0-\lambda}$	$\frac{\lambda}{3K_0-\lambda}$	λ	$\frac{3(K_0-\lambda)}{2}$	K_0
μ,K_0	$\frac{9K_0\mu}{3K_0+\mu}$	$\frac{3K_0-2\mu}{2(3K_0+\mu)}$	$\frac{3K_0-2\mu}{3}$	μ	K_0

在实际问题中,另外一个弹性常数也常用到,这就是体应变常数,我们知道 Θ_1 与 I_1 之间也是线性关系,把式(2.3)的前三式相加,不难得到

$$\Theta_1 = 3K_0 I_1 \tag{2.10}$$

式中

$$K_0 = \lambda + \frac{2}{3}\mu \tag{2.11}$$

应当指出,上述引进的 λ,μ,E,ν,K_0 5 个常数,不论取其中哪两个都能完全地表达各向同性弹性材料的虎克定律.这是因为不管怎样,在(2.2)中只含有两个任意常数.为了方便,我们把这些常数中任何两个作为独立参量时,其余参量的依赖关系列在表 2.1 中.

在结束本节时,还应当指出,对于绝热过程来说,根据上节式(1.8)与(1.9)对内能来讨论,可以完全相同地得到上述各向同性的虎克定律.但由于过程不同,故得到的弹性常数亦略有不同.具体地说,在绝热过程中 K_0 比起等温过程略大.因为这种差异在通常情形下很微小,所以我们就不再详细地讨论了.

§3 应变能.有温度变化时的 Hooke 定律

3.1 克拉伯龙(Clapeyron)定理

在§1 中我们特别讨论了等温和绝热的情况,并分别得到了式(1.16)与(1.17).我们看到在这两种情形下,内能或自由能的增量分别等于内力所做之功.今后我们对自由能与内能,在这两种情况下不加区分统称为应变能.并把单位体积内的应变能(称为应变能密度)记为 W,于是

$$W = \int_{\mathbf{\Gamma}=\mathbf{0}}^{\mathbf{\Gamma}} \mathbf{T} : \delta\mathbf{\Gamma} \tag{3.1}$$

这里积分是对应变状态从起始状态 $\mathbf{\Gamma}=\mathbf{0}$ 积到终结状态 $\mathbf{\Gamma}$,实际

上是在六维矢量空间$\{\varepsilon\}$内进行的. 由于在 $\mathbf{\Gamma}$ 状态下的应变能只依赖于$\{\varepsilon\}$，而与积分路径无关，也就是该积分与应变路径无关，根据 Poincaré 引理必有

$$\delta(\mathbf{T}:\delta\mathbf{\Gamma}) = 0 \tag{3.2}$$

这里 δ 是在$\{\varepsilon\}$空间的微分符号，即有

$$\frac{\partial\sigma_{ij}}{\partial\varepsilon_{kl}} - \frac{\partial\sigma_{kl}}{\partial\varepsilon_{ij}} = 0 \tag{3.3}$$

对于在线性弹性条件下，式(3.3)说明(2.1)中的 D 是一个对称矩阵，即在最一般的各向异性条件下，D 有 21 个常数而不是 36 个常数.

既然式(3.1)不依于积分路径，那么就可以选择一条特殊的路径来讨论它. 在线性弹性的条件下，选用成比例的变形路径，即令积分号下的

$$\{\varepsilon\}_t = t\{\varepsilon\} \quad 或 \quad \mathbf{\Gamma}_t = t\mathbf{\Gamma}$$

这里 $0 \leqslant t \leqslant 1$，当 t 从 0 到 1 变化时 $\mathbf{\Gamma}_t$ 就从 $\mathbf{0}$ 变到了 $\mathbf{\Gamma}$. 相应地，由于 $\mathbf{T}$ 与 $\mathbf{\Gamma}$ 的线性关系，$\mathbf{T}_t$ 也从 $\mathbf{0}$ 变到了 $\mathbf{T}$. 这时

$$\begin{aligned} W &= \int_0^1 t\mathbf{T}:\mathbf{\Gamma}\mathrm{d}t = \mathbf{T}:\mathbf{\Gamma}\int_0^1 t\mathrm{d}t = \frac{1}{2}\mathbf{T}:\mathbf{\Gamma} \\ &= \frac{1}{2}(\sigma_{11}\varepsilon_{11} + \sigma_{22}\varepsilon_{22} + \sigma_{33}\varepsilon_{33} + \sigma_{23}\varepsilon_{23} + \sigma_{31}\varepsilon_{31} + \sigma_{12}\varepsilon_{12}) \end{aligned} \tag{3.4}$$

这个关系就是线性弹性关系下应变能密度最一般的表达式. 它对于任意线性弹性材料都是适用的，称为 Clapeyron 定理. 如果把弹性关系(2.1)代入(3.4)，可得

$$W = \frac{1}{2}\{\varepsilon\}^{\mathrm{T}}D\{\varepsilon\} \tag{3.4$'$}$$

在各向同性材料时，式(3.4)分别用(2.3)或(2.8)代入，可得

$$W = \frac{1}{2}[2\mu\mathbf{\Gamma} + \lambda\mathbf{I}J_1(\mathbf{\Gamma})]:\mathbf{\Gamma}$$

$$= \frac{1}{2E}[(1+\nu)\mathbf{T} - \nu \mathbf{I} J_1(\mathbf{T})] : \mathbf{T}$$

$$= \frac{1}{2}[\lambda(\varepsilon_{11} + \varepsilon_{22} + \varepsilon_{33})^2 + 2\mu(\varepsilon_{11}^2 + \varepsilon_{22}^2 + \varepsilon_{33}^2) + \mu(\varepsilon_{23}^2 + \varepsilon_{13}^2 + \varepsilon_{12}^2)]$$

$$= \frac{1}{2E}[\sigma_{11}^2 + \sigma_{22}^2 + \sigma_{33}^3 - 2\nu(\sigma_{11}\sigma_{22} + \sigma_{22}\sigma_{33} + \sigma_{33}\sigma_{11} + 2(1+\nu)(\sigma_{23}^2 + \sigma_{13}^2 + \sigma_{12}^2)] \tag{3.5}$$

3.2 有温度变化时的弹性关系

在有温度变化时，相当于在(2.1)中再叠加上一项依赖于温度的项. 假设温度变化 $\theta-\theta_0$ 很小，则自由能的表达式应当是在(2.2) 中再增加一项

$$F = F_0(\theta) + \frac{\lambda}{2}I_1^2 + \mu(I_1^2 - 2I_2) - 3K_0\alpha(\theta-\theta_0)I_1 \tag{3.6}$$

把式(3.6)代入(1.12)后便可得

$$\begin{aligned} \sigma_{ii} &= \lambda I_1 + 2\mu\varepsilon_{ii} - 3K_0\alpha(\theta - \theta_0) \\ \sigma_{ij} &= \mu\varepsilon_{ij} \quad (i \neq j) \end{aligned} \tag{3.7}$$

或统一写为

$$\mathbf{T} = 2\mu\mathbf{\Gamma} + [\lambda J_1(\mathbf{\Gamma}) - 3K_0\alpha(\theta - \theta_0)]\mathbf{I} \tag{3.7$'$}$$

把上述关系对 ε_{ij} 反解出来，可得到

$$\begin{aligned} \varepsilon_{ii} &= \frac{1}{E}[(1+\nu)\sigma_{ii} - \nu\Theta] + \alpha(\theta - \theta_0) \\ \varepsilon_{ij} &= \frac{2(1+\nu)}{E}\sigma_{ij} \quad (i \neq j) \end{aligned} \tag{3.8}$$

或者统一写为

$$\mathbf{\Gamma} = \frac{1+\nu}{E}\mathbf{T} - \left[\frac{\nu}{E}\Theta - \alpha(\theta - \theta_0)\right]\mathbf{I} \tag{3.8$'$}$$

当物体自由受热均匀膨胀时，$\sigma_{ij}=0$，得

$$\varepsilon_{ij} = \alpha(\theta - \theta_0)\delta_{ij}$$

可见 α 正好是物体受热时线膨胀系数.

§4 各向异性材料的 Hooke 定律

4.1 各向异性材料

在实际问题中,经常碰到各向异性材料,例如单晶体、木材以及各种人工材料(组合材料)等.

什么是各向异性材料呢?简单说来,就是从不同方向对物体加同样的应力状态后变形的效果不同.或者说 Hooke 定律的弹性常数不同,其方向也不同.也就是说弹性关系在坐标转换时发生变化.

还是从自由能的表达式开始讨论.在各向异性时,且当应力与应变关系为线性关系时,自由能应当具有最一般的二次函数形式,即

$$F = F_0 + \frac{1}{2}\sum_{i,j,k,l} E_{ijkl}\gamma_{ij}\gamma_{kl} \tag{4.1}$$

这里 E_{ijkl} 是弹性常数.由式(3.3)我们知道

$$E_{ijkl} = E_{klij} = E_{jikl} = E_{ijlk} \tag{4.2}$$

这里后两个等式是根据 $\boldsymbol{\Gamma}$ 的对称性,即(2.1)中的独立式子只有 6 个而不是 9 个.第一个式子保证 D 的对称性,亦即独立的常数不是 36 个而是 21 个.

注意,既然 F 是能量,是一个不变量.这就要求 E_{ijkl} 必须随坐标变化,现在我们就来讨论它变化的规律.

设给了新坐标架

$$\boldsymbol{e}' = \{\boldsymbol{e}_1', \boldsymbol{e}_2', \boldsymbol{e}_3'\}$$

且有

$$\boldsymbol{e} = B\boldsymbol{e}' \tag{4.3}$$

则由第一章式(6.3)可知,应变张量有转换关系

$$\gamma_{ij}' = \sum_{k,l}\gamma_{kl}b_{ki}b_{lj} \tag{4.4}$$

根据 F 在新坐标的表达式

$$F = F_0 + \frac{1}{2}\sum_{i,j,k,l} E'_{ijkl}\gamma'_{ij}\gamma'_{kl} \tag{4.5}$$

若令

$$E'_{ijkl} = \sum_{i_1,j_1,k_1,l_1} E_{i_1j_1k_1l_1} b_{i_1i} b_{j_1j} b_{k_1k} b_{l_1l} \tag{4.6}$$

把式(4.4)与(4.6)代入(4.5),并考察

$$BB^{\mathrm{T}} = I$$

显然可得

$$\sum_{i,j,k,l} E'_{ijkl}\gamma'_{ij}\gamma'_{kl} = \sum_{i,j,k,l} E_{ijkl}\gamma_{ij}\gamma_{kl}$$

可见在式(4.6)转换的条件下 F 保持不变.(4.6)说明 E_{ijkl}是一个四阶张量,由于它随坐标转换的表达式是坐标矢量转换矩阵元素的四次齐次式.

4.2 几种特殊的各向异性材料

下面我们讨论几种重要的各向异性材料的弹性关系.

(1) 材料的每一点具有一个对称面.即在以对称面作为镜面反射这样的变换下弹性关系保持不变.

这时,不妨取 $\boldsymbol{e}_1$ 与 $\boldsymbol{e}_2$ 所决定的平面为对称面,以这个面作为镜面反射的变换有

$$\sum_{i,j,k,l} E'_{ijkl}\gamma'_{ij}\gamma'_{kl} = \sum_{i,j,k,l} E_{ijkl}\gamma_{ij}\gamma_{kl} \tag{4.7}$$

这个表达式中取下标 1,2 的方向实际上未变,而取下标 3 的方向变为它的反方向.于是(4.7)中带下标 3 的奇数次指标的项要改变符号.要求这个表达式不变就应当使这些项为零.因此,不为零的弹性系数只有

$$\begin{aligned}&E_{1111},\ E_{2222},\ E_{3333},\ E_{1122},\\&E_{1133},\ E_{2233},\ E_{1212},\ E_{1313},\\&E_{2323},\ E_{1112},\ E_{2212},\ E_{1233},\ E_{1323}\end{aligned} \tag{4.8}$$

这种情形共有 13 个弹性常数.

(2) 材料的每一点具有三个垂直的对称面.

这种情形正好对应于上述情形重复应用于三个坐标平面. 这时对于任一下标出现奇数次的常数皆应为零. 即剩下常数

$$E_{1111}, E_{2222}, E_{3333}, E_{1122}, E_{2233}, E_{1133}, E_{1212}, E_{2323}, E_{1313}$$

共有 9 个常数. 有时也用如下的关系表示

$$\begin{aligned}
\varepsilon_{11} &= \frac{1}{E_1}(\sigma_{11} - \nu_{12}\sigma_{22} - \nu_{13}\sigma_{33}) \\
\varepsilon_{22} &= \frac{1}{E_2}(\sigma_{22} - \nu_{21}\sigma_{11} - \nu_{23}\sigma_{33}) \\
\varepsilon_{33} &= \frac{1}{E_3}(\sigma_{33} - \nu_{31}\sigma_{11} - \nu_{32}\sigma_{22}) \\
\varepsilon_{12} &= \frac{1}{G_{12}}\sigma_{12} \\
\varepsilon_{23} &= \frac{1}{G_{23}}\sigma_{23} \\
\varepsilon_{31} &= \frac{1}{G_{31}}\sigma_{31}
\end{aligned} \tag{4.9}$$

此外尚有三个常数之间的关系

$$\frac{\nu_{12}}{E_1} = \frac{\nu_{21}}{E_2}, \quad \frac{\nu_{23}}{E_2} = \frac{\nu_{32}}{E_3}, \quad \frac{\nu_{13}}{E_1} = \frac{\nu_{31}}{E_3}$$

这种材料有时也称为正交各向异性材料或正交材料.

(3) 轴对称材料. 材料的每一点有一轴, 对这轴作坐标旋转, 弹性关系不变. 不妨设 $\boldsymbol{e}_3$ 就是这样的对称轴. 这时弹性关系在 $\boldsymbol{e}_1$ 与 $\boldsymbol{e}_2$ 平面内应当认为是各向同性的.

这时, 材料应当关于 $\boldsymbol{e}_1$ 与 $\boldsymbol{e}_3$ 和 $\boldsymbol{e}_2$ 与 $\boldsymbol{e}_3$ 的平面为对称; 而且当 $\boldsymbol{e}_1$ 与 $\boldsymbol{e}_2$ 坐标互换时, 弹性常数不变. 为了满足第一个要求, 只有 9 个常数不为零

$$E_{1111}, E_{2222}, E_{3333}, E_{1122}, E_{2233}, E_{1133}, E_{1212}, E_{2323}, E_{1313}$$

为了满足第二个要求, 还需要有

$$E_{1111}=E_{2222}=E,\quad E_{1133}=E_{2233},\quad E_{1313}=E_{2323}$$

最后，把坐标轴绕 $\boldsymbol{e}_3$ 转 45°，弹性关系不变. 还应当得到一个 E_{1111}，E_{1122}，E_{1212}之间的关系. 所以总起来弹性常数只剩 5 个. 弹性关系可写为

$$\begin{aligned}
\varepsilon_{11}&=\frac{1}{E}(\sigma_{11}-\nu\sigma_{22})-\frac{\nu'}{E'}\sigma_{33}\\
\varepsilon_{22}&=\frac{1}{E}(\sigma_{22}-\nu\sigma_{11})-\frac{\nu'}{E'}\sigma_{33}\\
\varepsilon_{33}&=-\frac{\nu'}{E'}(\sigma_{11}+\sigma_{22})+\frac{1}{E'}\sigma_{33}\\
\varepsilon_{12}&=\frac{2(1+\nu)}{E}\sigma_{12}\\
\varepsilon_{23}&=\frac{1}{G'}\sigma_{23}\\
\varepsilon_{13}&=\frac{1}{G'}\sigma_{13}
\end{aligned}\tag{4.10}$$

上述这种材料有的书上也称为平面各向同性或横观各向同性材料.

习　　题

1. 变形体在变形的过程中，外力所做的功是否总大于零？若否，请举反例并说明大于零的条件.

2. 为什么线性弹性各向同性材料的弹性常数只能有两个？如果各向同性材料的弹性关系取二次多项式，则弹性常数有几个？三次呢？

3. 若 $\varepsilon_{33}=\varepsilon_{13}=\varepsilon_{23}=0$ 时弹性问题称为平面应变问题；若 $\sigma_{33}=\sigma_{13}=\sigma_{23}=0$ 时称为平面应力问题. 试写出这两类问题的应力与应变关系. 设材料为各向同性的.

4. 试证在各向同性材料中应力主方向与应变主方向总是重合的.

5. 在各向同性材料的条件下，试把应力不变量 $\Theta_1,\Theta_2,\Theta_3$ 与应变不变量 I_1,I_2,I_3 之间的关系写出来.

6. 各向异性材料在热膨胀也各向异性时，最多有几个常数？

7. 应变能密度函数是应变分量的正定二次型,这在什么条件下近似成立?

8. 在什么条件下变形能密度与加载路径无关?

9. 设弹性体内存在一点 O,由它发出的射线与边界 $\partial\mathscr{D}$ 外法线的交角小于 $\pi/2$,设边界上仅作用法向外力 σ_{nn},不计体力,如 $\sigma_{nn}\leqslant 0$,试证变形后 $\mathscr{D}$ 的体积不增加. 并证在什么样的附加条件下,体积可以不变.

第五章　弹性力学的边值问题及其求解

§1　弹性力学的基本方程

1.1　各种方程的小结

在此以前，我们分别讨论了应变、应力及它们之间的关系，得到了一些方程. 这些方程就构成了弹性力学问题的基本方程组. 在这一节我们把它们归总在一起.

在本书中，只讨论线性弹性问题，即应变中略去位移的二次项、平衡方程中不考虑几何参量的变化；在弹性关系中只考虑线性弹性关系. 在这些条件下，各种方程如下：

(1) 应力与应变关系. 对各向同性材料

$$\mathbf{T} = \lambda I_1 \mathbf{I} + 2\mu \boldsymbol{\Gamma} \tag{1.1}$$

或者反解出来有

$$\boldsymbol{\Gamma} = \frac{1}{E}[(1+\nu)\mathbf{T} - \nu \Theta \mathbf{I}] \tag{1.2}$$

式中

$$I_1 = \varepsilon_{11} + \varepsilon_{22} + \varepsilon_{33}, \quad \Theta = \sigma_{11} + \sigma_{22} + \sigma_{33}$$

(2) 应变与位移的关系

$$\boldsymbol{\Gamma} = \frac{1}{2}(\nabla \boldsymbol{u} + \boldsymbol{u} \nabla) \tag{1.3}$$

(3) 应变协调方程

$$\mathbf{Q} \equiv \nabla \times (\nabla \times \boldsymbol{\Gamma})^{\mathrm{T}} = \mathbf{0} \tag{1.4}$$

(4) 位移通过应变的表达式

$$\boldsymbol{u} = \boldsymbol{u}_0 + \boldsymbol{\omega}_0 \times (\boldsymbol{r} - \boldsymbol{r}_0) + \int_{\boldsymbol{r}_0}^{\boldsymbol{r}} \mathrm{d}\boldsymbol{\rho} \cdot \boldsymbol{\Gamma} - \mathrm{d}\boldsymbol{\rho} \cdot (\boldsymbol{\Gamma} \times \nabla) \times (\boldsymbol{r} - \boldsymbol{\rho}) \tag{1.5}$$

(5) 平衡方程

$$\nabla\cdot\mathbf{T}+\boldsymbol{f}=\mathbf{0} \tag{1.6}$$

且 **T** 为对称张量.

1.2 以位移、应变或应力表示的方程组

上述各方程组中,总起来不外含有三组未知量,即 $\boldsymbol{u}$,$\boldsymbol{\Gamma}$ 与 **T**. 从上述方程组中消去两组未知量使成为只含一组未知量的方程组,显然会给实际求解带来很大的方便.这样做之后我们便得到如下三种方程组:

(1) 以位移 $\boldsymbol{u}$ 为未知量的方程组(Lamé 方程). 把式(1.3)代入(1.1)后再代入(1.6)得

$$\mu\nabla\cdot(\nabla\boldsymbol{u}+\boldsymbol{u}\nabla)+\lambda\nabla\cdot(I_1\mathbf{I})+\boldsymbol{f}=\mathbf{0}$$

但知

$$\nabla\cdot(\nabla\boldsymbol{u})=\Delta\boldsymbol{u},\quad \nabla\cdot(I_1\mathbf{I})=\nabla(\nabla\cdot\boldsymbol{u})$$

又由第一章式(6.10)知

$$\nabla\cdot(\boldsymbol{u}\nabla)=\nabla(\nabla\cdot\boldsymbol{u})=\Delta\boldsymbol{u}+\nabla\times(\nabla\times\boldsymbol{u})$$

把这些式代入前式,就得

$$(\lambda+2\mu)\nabla(\nabla\cdot\boldsymbol{u})-\mu\nabla\times(\nabla\times\boldsymbol{u})+\boldsymbol{f}=\mathbf{0} \tag{1.7}$$

或

$$(\lambda+\mu)\nabla(\nabla\cdot\boldsymbol{u})+\mu\Delta\boldsymbol{u}+\boldsymbol{f}=\mathbf{0} \tag{1.7$'$}$$

(2) 以应力张量 **T** 为未知量的方程组(Beltrami-Michell 方程). 利用第一章式(6.10)我们有

$$\begin{aligned}\mathbf{Q}&=\nabla\times(\nabla\times\boldsymbol{\Gamma})^{\mathrm{T}}\\&=\nabla(\nabla\cdot\boldsymbol{\Gamma})+(\nabla\cdot\boldsymbol{\Gamma})\nabla-\nabla\cdot\nabla\boldsymbol{\Gamma}-\nabla\nabla J_1(\boldsymbol{\Gamma})\\&\quad+\mathbf{I}[\Delta J_1(\boldsymbol{\Gamma})-\nabla\cdot(\nabla\cdot\boldsymbol{\Gamma})]\end{aligned}$$

把(1.2)代入上式,并考虑到平衡条件

$$\nabla\cdot\mathbf{T}=-\boldsymbol{f}$$

得

$$-\nabla\boldsymbol{f}-\boldsymbol{f}\nabla-\nabla\cdot\nabla\mathbf{T}-\nabla\nabla\Theta+\mathbf{I}(\Delta\Theta+\nabla\cdot\boldsymbol{f})$$

$$-\frac{\nu}{1+\nu}(\mathbf{I}\Delta\Theta-\nabla\nabla\Theta)=\mathbf{0}$$

这是一个张量式子，如果取它的迹则有

$$-2\nabla\cdot\boldsymbol{f}-\Delta\Theta-\Delta\Theta+3\Delta\Theta+3\nabla\cdot\boldsymbol{f}$$
$$-\frac{\nu}{1+\nu}(3\Delta\Theta-\Delta\Theta)=0$$

利用这个式子消去张量式子中的 Θ 就得

$$\nabla\cdot\nabla\mathbf{T}+\frac{1}{1+\nu}\nabla\nabla\Theta+\nabla\boldsymbol{f}+\boldsymbol{f}\nabla+\frac{\nu}{1-\nu}\mathbf{I}\nabla\cdot\boldsymbol{f}=\mathbf{0} \tag{1.8}$$

方程(1.8)通常称为应力协调方程，为了求解应力，还需要把它与平衡方程(1.6)联立起来求解.

(3) 只包含应变张量 $\mathbf{\Gamma}$ 的方程组. 由(1.4)，并且把(1.1)代入(1.6)后得

$$\begin{cases}\nabla\times(\mathbf{\Gamma}\times\nabla)=\mathbf{0}\\ 2\mu\nabla\cdot\mathbf{\Gamma}+\lambda\nabla\cdot(I_1\mathbf{I})+\boldsymbol{f}=\mathbf{0}\end{cases} \tag{1.9}$$

上述得到的三种方程组(1.7)、(1.8)和(1.9)比由方程组(1.1)～(1.6)求解要方便很多；而且只要根据问题本身的特点选用其中任何一组都可以. 这是因它们中的任何一组都是闭合的，即足以把解完全定出来. 至于选用哪一组较有利，这要看问题的边条件了.

§2　弹性力学问题的边界条件. 圣维南(Saint-Venant)原理

2.1　弹性力学问题的边界条件

上一节讨论了弹性力学的基本方程. 为了实际上求解问题还必须给出一组边界条件. 所谓边界条件，就是在弹性体的边界面上给出位移、应变或应力必须满足的一组等式. 在弹性力学问题中，对应于位移形式的方程组(1.7)是三个二阶方程的联立方程组. 为了它有确定的解，一般需要在边界上每一点给出三个标量等式. 最

常出现的是如下几类提法：

(1) 沿已知方向上给定位移. 令 $\boldsymbol{l}$ 是边界段 $\partial_a\mathscr{D}$ 上给定的一个方向场，并设在每一点给定弹性位移 $\boldsymbol{u}$ 在 $\boldsymbol{l}$ 上的投影. 即有

$$\boldsymbol{u}\cdot\boldsymbol{l}=u_l \quad (\text{当 } \boldsymbol{r}\in\partial_a\mathscr{D}) \tag{2.1}$$

这里 u_l 是 $\partial_a\mathscr{D}$ 上的已知函数. 当 $u_l\equiv 0$ 时，就是边界沿 $\boldsymbol{l}$ 方向不能移动. 即为沿此方向固定的边条件.

(2) 沿已知方向 $\boldsymbol{l}$ 上给定外力. 这时我们有

$$\boldsymbol{t}\cdot\boldsymbol{l}=\boldsymbol{n}\cdot\mathbf{T}\cdot\boldsymbol{l}=t_l \tag{2.2}$$

这里 $\boldsymbol{n}$ 是 $\partial_a\mathscr{D}$ 上的外法矢量，t_l 是在 $\partial_a\mathscr{D}$ 上的已知函数. 当 $t_l\equiv 0$ 时，就是沿 $\boldsymbol{l}$ 方向不受外力，即边界在这个方向自由.

(3) 弹性支承边条件. 这时我们有

$$\boldsymbol{t}\cdot\boldsymbol{l}=-k_l\boldsymbol{u}\cdot\boldsymbol{l} \tag{2.3}$$

它表示在方向 $\boldsymbol{l}$ 上外力分量与位移分量成正比且方向相反. k_l 是 $\partial_a\mathscr{D}$ 上点的函数.

在实际问题中，对于任何确定的边界段上，总是要给出三个独立的方向 $\boldsymbol{l}_1,\boldsymbol{l}_2,\boldsymbol{l}_3$ 上的三个标量边条件. 这三个边条件可以由(2.1)、(2.2)与(2.3)中任取三个来组成.

特别地，如果三个边条件全取(2.1)的形式，则称为指定位移边界. 进而如果在边界上给定 $\boldsymbol{u}\equiv\mathbf{0}$，则称为固定边界. 若三个边条件全为(2.2)形式给出，则称这段边界为应力边条件. 特别地，若给定 $\boldsymbol{t}=\mathbf{0}$，则称为自由边，或边界自由.

还应当特别指出的是，当弹性体 $\mathscr{D}$ 的边界 $\partial\mathscr{D}$ 上全部给定的是应力边条件时，这时 $\partial\mathscr{D}$ 上的 $\boldsymbol{t}$ 必须满足弹性体整体平衡条件，即

$$\int_{\partial\mathscr{D}}\boldsymbol{t}\,\mathrm{d}\pi+\int_{\mathscr{D}}\boldsymbol{f}\,\mathrm{d}V=\mathbf{0},\quad \int_{\partial\mathscr{D}}\boldsymbol{r}\times\boldsymbol{t}\,\mathrm{d}\pi+\int_{\mathscr{D}}\boldsymbol{r}\times\boldsymbol{f}\,\mathrm{d}V=\mathbf{0}$$

2.2 关于以应力表示的弹性力学方程边值问题的说明

在用应力表示的弹性力学方程来求解时，前面我们说，应当将

平衡方程(1.6)与方程组(1.8)联合起来求解.这时,共有9个标量方程而边条件却只有三个.表面看起来似乎有些矛盾,其实并不矛盾,因为平衡方程(1.6)并不需要在全域上满足而只要在边界上满足就行了.从而共有式(1.8)的6个标量方程与6个标量边条件.

方程组(1.8)是一个包含6个标量方程的方程组.为了求解它只需要提出通常的应力边条件

$$\boldsymbol{t}=\boldsymbol{t}^{*} \quad (\text{在 } \partial\mathscr{D} \text{ 上}) \tag{2.4}$$

并且补充边条件

$$\nabla\cdot\mathbf{T}+\boldsymbol{f}=\mathbf{0} \quad (\text{在 } \partial\mathscr{D} \text{ 上}) \tag{2.5}$$

这样求得的解必然在 $\mathscr{D}$ 内恒满足平衡方程(1.6).现在就来证明我们的结论.

事实上,对式(1.8)取迹得

$$\nabla^2\Theta+\frac{1+\nu}{1-\nu}\nabla\cdot\boldsymbol{f}=0 \tag{2.6}$$

再对式(1.8)取散度得

$$\nabla^2(\nabla\cdot\mathbf{T})+\frac{1}{1+\nu}\nabla(\nabla^2\Theta)+\nabla\cdot(\nabla\boldsymbol{f}+\boldsymbol{f}\nabla)$$
$$+\frac{\nu}{1-\nu}\nabla(\nabla\cdot\boldsymbol{f})=\mathbf{0} \tag{2.7}$$

将式(2.6)代入(2.7)得

$$\nabla^2(\nabla\cdot\mathbf{T}+\boldsymbol{f})=\mathbf{0} \tag{2.8}$$

上式表明 $\nabla\cdot\mathbf{T}+\boldsymbol{f}$ 是 $\mathscr{D}$ 内的调和函数,而且由式(2.5)知,它在边界上是等于零的.根据调和函数的性质它必须在 $\mathscr{D}$ 内恒为零,即有

$$\nabla\cdot\mathbf{T}+\boldsymbol{f}=\mathbf{0} \quad (\text{在 } \mathscr{D} \text{ 内})$$

这就证明了我们的论断.

2.3 Saint-Venant 原理

在本节一开始讨论的边条件中,边界上给定的函数 t_i 或 u_i 都是边界上点的函数.但在工程实践中,一方面常常不可能提得这样

精确，即准确地逐点给出边界上的位移与载荷；另一方面，即使提出了这样精确的边条件，问题也往往是难于求解的. 于是就提出这样一个问题：边界条件做怎样的变动时，弹性问题的解会在大部分范围内保持不变动或变动很小？Saint-Venant 原理就是回答这个问题的.

Saint-Venant 原理 如果作用在边界上的小面积 $\Delta\pi$ 上的力被作用在这块小面积上的另一组外力所代替，这组外力与原外力是静力等效的(即合力相等、合力矩相等)，那么在物体内部产生的应力改变随着与 $\Delta\pi$ 的距离增加迅速衰减.

这个原理的另一种叙述方式是：在 $\Delta\pi$ 上作用的与零等效的(即自相平衡的)外力系只在 $\Delta\pi$ 的邻近产生与 $\Delta\pi$ 上同一数量级的应力，且应力随着距离增加迅速衰减.

圣维南原理是一个从大量力学现象中总结出来的原理；同时又反过来帮助我们更好地解决工程实际问题. 它使我们在实际问题中把复杂的边界载荷问题加以简化，可以用一个最简单的、在局部静力等效的应力分布来替代边界上的复杂应力. 例如在梁的端部受弯矩时，弯矩本身的作用对各点产生的应力是很复杂的，也很难精确描述. 如果采用线性分布的应力就使这一问题变得简单而又便于求解了.

关于圣维南原理的数学表述和严格证明，其研究概况请参见 C. O. Horgan[49]的综述.

§3　叠加原理与唯一性定理

3.1　线性弹性力学中的叠加原理

在§1与§2中讨论的方程和边界条件有一个共同的特点，这就是它们对未知函数来说都是线性的. 为了具体说明这一特点，现在用以位移为未知量的方程和边条件来加以说明.

由式(1.7)和在§2中关于边界条件的讨论，我们把一个弹性

力学问题可以提为

$$\begin{cases}\mathbf{L}\cdot \boldsymbol{u}=\boldsymbol{f} & (\text{在 } \mathscr{D} \text{ 内})\\ \mathbf{M}\cdot \boldsymbol{u}=\boldsymbol{g} & (\text{在 } \partial\mathscr{D} \text{ 上})\end{cases} \tag{3.1}$$

这里 $\mathbf{L}$ 为算子矩阵,在直角坐标系中为

$$\mathbf{L}=-\begin{bmatrix}(\lambda+\mu)\dfrac{\partial^2}{\partial x^2}+\mu\Delta & (\lambda+\mu)\dfrac{\partial^2}{\partial x\partial y} & (\lambda+\mu)\dfrac{\partial^2}{\partial x\partial z}\\ (\lambda+\mu)\dfrac{\partial^2}{\partial x\partial y} & (\lambda+\mu)\dfrac{\partial^2}{\partial y^2}+\mu\Delta & (\lambda+\mu)\dfrac{\partial^2}{\partial y\partial z}\\ (\lambda+\mu)\dfrac{\partial^2}{\partial x\partial z} & (\lambda+\mu)\dfrac{\partial^2}{\partial y\partial z} & (\lambda+\mu)\dfrac{\partial^2}{\partial z^2}+\mu\Delta\end{bmatrix}$$

而 $\mathbf{M}$ 算子矩阵分别由(2.1)～(2.3)的任何三行的算子组成.为了具体计算 $\mathbf{M}$ 算子,我们首先将弹性关系与应变表达式代入应力分量,然后再将所得结果代入式(2.2)与(2.3),最后得到位移的表达式.例如,设 $\mathbf{M}$ 的第一行为沿 $\boldsymbol{l}_1$ 给定的位移,第二行为沿 $\boldsymbol{l}_2$ 给定的应力分量,则相应 $\mathbf{M}$ 的第一行为 l_{11},l_{12},l_{13},右端项 $g_1=u_{l_1}$,其中 l_{1i}是 $\boldsymbol{l}_1$ 的三个坐标分量.边条件的第二行(2.2)可记为

$$\boldsymbol{l}_2\cdot\mathbf{T}\cdot\boldsymbol{n}=t_{l_2}$$

把式(1.1)代入,再考虑(1.3)即得

$$\boldsymbol{l}_2\cdot[\lambda\mathbf{I}\,\nabla\cdot\boldsymbol{u}+\mu(\nabla\boldsymbol{u}+\boldsymbol{u}\,\nabla)]\cdot\boldsymbol{n}=t_{l_2}$$

于是得 $\mathbf{M}$ 的第二行为

$$\lambda\boldsymbol{l}_2\cdot\boldsymbol{n}\frac{\partial}{\partial x_j}+\mu\sum_{i=1}^{3}\left(l_{2i}\,n_j\frac{\partial}{\partial x_i}+l_{2j}\,n_i\frac{\partial}{\partial x_i}\right)$$

式中 $j=1,2,3$ 表示行中的第一、二、三个元素.相应地右端项 $g_2=t_{l_2}$.

这样一来,无论边条件是由§2中哪一种组成,都可以就每一边界段把它的 $\mathbf{M}$ 与 $\boldsymbol{g}$ 写出来,从而构成了整个 $\partial\mathscr{D}$ 上的 $\mathbf{M}$ 与 $\boldsymbol{g}$.

我们的问题在于求满足(3.1)的未知函数 $\boldsymbol{u}$.由于(3.1)的线性性质,给我们求解带来很大的方便.叠加原理,就是线性性质的概括.

叠加原理 如果我们有 $\boldsymbol{f}=\boldsymbol{f}_1+\boldsymbol{f}_2$ 与 $\boldsymbol{g}=\boldsymbol{g}_1+\boldsymbol{g}_2$，其中 $\boldsymbol{f}_1$ 与 $\boldsymbol{f}_2$ 分别是 $\mathscr{D}$ 内已知矢量函数，$\boldsymbol{g}_1$ 与 $\boldsymbol{g}_2$ 是 $\partial\mathscr{D}$ 上的已知矢量函数. 且已知

$$\begin{cases}\mathbf{L}\cdot\boldsymbol{u}_1=\boldsymbol{f}_1\\ \mathbf{M}\cdot\boldsymbol{u}_1=\boldsymbol{g}_1\end{cases}\qquad \begin{cases}\mathbf{L}\cdot\boldsymbol{u}_2=\boldsymbol{f}_2\\ \mathbf{M}\cdot\boldsymbol{u}_2=\boldsymbol{g}_2\end{cases}\tag{3.2}$$

即 $\boldsymbol{u}_1$ 与 $\boldsymbol{u}_2$ 分别是上述两个问题的解，则(3.1)的解为

$$\boldsymbol{u}=\boldsymbol{u}_1+\boldsymbol{u}_2$$

这个原理不难直接代入方程加以验证.

应当指出，叠加原理在这里虽然是以位移为未知量进行具体地讨论的. 而实际上，它对以什么为未知量无关紧要. 也即对于以应变和应力为未知量的方程也同样是成立的.

这个原理对我们在具体求解方程时提供了很大的方便. 利用它可以把一个较为复杂的问题(3.1)分解为易于求解的(3.2)，而且可以多次进行这种分解.

3.2 弹性力学问题解的唯一性定理

弹性力学问题解的唯一性定理说：在问题(3.1)中对于给定的 $\boldsymbol{f}$ 与 $\boldsymbol{g}$，如果(3.1)有解，则对应于此解的应力与应变是唯一的.

现在我们证明这个定理.

令 $\boldsymbol{u}_1,\boldsymbol{u}_2$ 是(3.1)的两个解. 则有

$$\begin{cases}\mathbf{L}\cdot\boldsymbol{u}_1=\boldsymbol{f} & (\text{在 }\mathscr{D}\text{ 内})\\ \mathbf{M}\cdot\boldsymbol{u}_1=\boldsymbol{g} & (\text{在 }\partial\mathscr{D}\text{ 上})\end{cases}$$

$$\begin{cases}\mathbf{L}\cdot\boldsymbol{u}_2=\boldsymbol{f} & (\text{在 }\mathscr{D}\text{ 内})\\ \mathbf{M}\cdot\boldsymbol{u}_2=\boldsymbol{g} & (\text{在 }\partial\mathscr{D}\text{ 上})\end{cases}$$

将此两组方程式对应相减，并考虑到 $\mathbf{L},\mathbf{M}$ 的线性性质，则有

$$\begin{cases}\mathbf{L}\cdot(\boldsymbol{u}_1-\boldsymbol{u}_2)=\mathbf{0} & (\text{在 }\mathscr{D}\text{ 内})\\ \mathbf{M}\cdot(\boldsymbol{u}_1-\boldsymbol{u}_2)=\mathbf{0} & (\text{在 }\partial\mathscr{D}\text{ 上})\end{cases}\tag{3.3}$$

令 $\boldsymbol{u}=\boldsymbol{u}_1-\boldsymbol{u}_2$，我们知道 L 算子实际上是以位移表示的平衡方程，即等于 $-\mathrm{div}\mathbf{T}$. 于是把式(3.3)的第一式与 $\boldsymbol{u}$ 点乘后，再积分应当是

$$\iiint_{\mathscr{D}} -(\mathrm{div}\mathbf{T})\cdot\boldsymbol{u}\mathrm{d}V=0$$

但由于

$$-(\mathrm{div}\mathbf{T})\cdot\boldsymbol{u}\mathrm{d}V=\mathbf{T}:\boldsymbol{\Gamma}\mathrm{d}V-(\mathbf{I}\overset{\times}{\cdot}\mathbf{T})\cdot\boldsymbol{\omega}\mathrm{d}V-\mathrm{d}(\mathrm{d}\boldsymbol{\pi}\cdot\mathbf{T}\cdot\boldsymbol{u})$$

以及 $\mathbf{T}$ 的对称性，故 $\mathbf{I}\overset{\times}{\cdot}\mathbf{T}\equiv\mathbf{0}$，即有

$$\iiint_{\mathscr{D}} -(\mathrm{div}\mathbf{T})\cdot\boldsymbol{u}\mathrm{d}V=\iiint_{\mathscr{D}}\mathbf{T}:\boldsymbol{\Gamma}\mathrm{d}V-\iint_{\partial\mathscr{D}}\boldsymbol{u}\cdot\mathbf{T}\cdot\mathrm{d}\boldsymbol{\pi}$$

由于式(3.3)的第二式表示在边界上 $\boldsymbol{u}$ 满足齐次边条件，故自然有

$$\iint_{\partial\mathscr{D}}\boldsymbol{u}\cdot\mathbf{T}\cdot\mathrm{d}\boldsymbol{\pi}=\iint_{\partial\mathscr{D}}\boldsymbol{t}\cdot\boldsymbol{u}\mathrm{d}\boldsymbol{\pi}=0$$

这相当于在边界上或者固定或者自由的情形. 这样就有

$$\iiint_{\mathscr{D}} -(\mathrm{div}\mathbf{T})\cdot\boldsymbol{u}\mathrm{d}V=\iiint_{\mathscr{D}}\mathbf{T}:\boldsymbol{\Gamma}\mathrm{d}V=0 \tag{3.4}$$

根据第四章中的式(3.4)可知上式右端为变形能的两倍.

但由第四章 §2 讨论变形能应当是正定的，即恒有

$$\mathbf{T}:\boldsymbol{\Gamma}>0 \tag{3.5}$$

这与(3.4)发生了矛盾. 故只能有

$$\boldsymbol{\Gamma}\equiv\mathbf{0}$$

这就是 $\boldsymbol{\Gamma}_1=\boldsymbol{\Gamma}_2$，$\mathbf{T}_1=\mathbf{T}_2$. 亦即对应于 $\boldsymbol{u}_1$ 的应力、应变和对应于 $\boldsymbol{u}_2$ 的应力、应变恒等.

如果在式(3.1)的第二个方程中包含有给定的不共线三点的边界位移，则由 $\boldsymbol{\Gamma}$ 的唯一性，利用式(1.5)我们还可以证明位移的唯一性.

唯一性定理是说，如果线性弹性力学问题有解，则它是唯一的. 这个定理使我们能确信：不论用什么方式找到的(3.1)的解，

只要它满足方程和边值,它便是要找的唯一解.

§4 若干例子

4.1 自重作用下的竖直杆

圆柱(如图 5.1). 设比重为 γ,且各处均匀. 则方程组是

$$\begin{cases}\operatorname{div}\mathbf{T}=\gamma\boldsymbol{k}\\ \operatorname{rot}(\operatorname{rot}\boldsymbol{\Gamma})^{\mathrm{T}}=\mathbf{0}\end{cases}\tag{4.1}$$

边条件是

$$\begin{cases}\boldsymbol{k}\cdot\mathbf{T}=\mathbf{0} & (\text{在 } z=h \text{ 表面})\\ \boldsymbol{n}\cdot\mathbf{T}=\mathbf{0} & (\text{在侧表面})\\ -\boldsymbol{k}\cdot\mathbf{T}=\gamma h\boldsymbol{k} & (\text{在 } z=0 \text{ 表面})\end{cases}\tag{4.2}$$

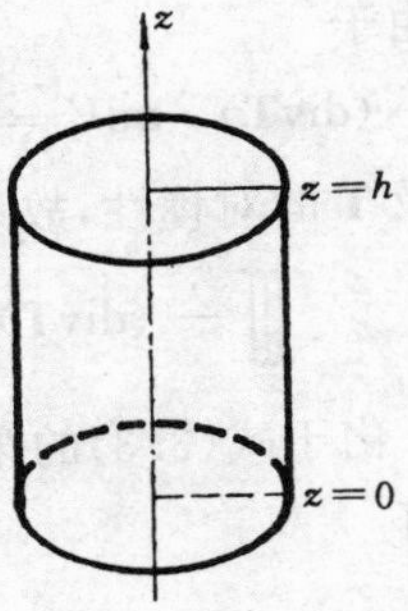

图 5.1

显然,若令

$$\mathbf{T}=\gamma(z-h)\boldsymbol{kk}\tag{4.3}$$

则它满足式(4.1)与(4.2). 对应于它的应变是

$$\boldsymbol{\Gamma}=\frac{\gamma}{E}[(1+\nu)\boldsymbol{kk}-\nu\mathbf{I}](z-h)\tag{4.4}$$

由上式,我们又令

$$\mathrm{d}\boldsymbol{\rho}=\mathrm{d}\xi\boldsymbol{i}+\mathrm{d}\eta\boldsymbol{j}+\mathrm{d}\zeta\boldsymbol{k}$$

易于求得

$$\mathrm{d}\boldsymbol{\rho}\cdot\boldsymbol{\Gamma}=\frac{\gamma}{E}[(1+\nu)\mathrm{d}\zeta\boldsymbol{k}-\nu\mathrm{d}\boldsymbol{\rho}](\zeta-h)$$

$$\begin{aligned}&[\mathrm{d}\boldsymbol{\rho}\cdot(\operatorname{rot}\boldsymbol{\Gamma})^{\mathrm{T}}]\times(\boldsymbol{r}-\boldsymbol{\rho})\\ &\quad=-\frac{\gamma\nu}{E}\{(z-\zeta)\mathrm{d}\xi\boldsymbol{i}+(z-\zeta)\mathrm{d}\eta\boldsymbol{j}\\ &\quad\quad-[(x-\xi)\mathrm{d}\xi+(y-\eta)\mathrm{d}\eta]\boldsymbol{k}\}\end{aligned}$$

将上式代入式(1.5)后并积分,就可得到位移的表达式

$$
\begin{aligned}
\boldsymbol{u} &= \int_{(0,0,0)}^{(x,y,z)} \mathrm{d}\boldsymbol{\rho} \cdot \boldsymbol{\Gamma} + [\mathrm{d}\boldsymbol{\rho} \cdot (\mathrm{rot}\boldsymbol{\Gamma})^{\mathrm{T}}] \times (\boldsymbol{r} - \boldsymbol{\rho}) + \boldsymbol{u}_0 + \boldsymbol{\omega}_0 \times \boldsymbol{r} \\
&= \frac{\gamma}{E}\left[(1+\nu)\left(\frac{z^2}{2} - hz\right)\boldsymbol{k} - \nu(z-h)\boldsymbol{r} + \frac{\nu}{2}\boldsymbol{r}^2\boldsymbol{k}\right] \\
&\quad + \boldsymbol{u}_0 + \boldsymbol{\omega}_0 \times \boldsymbol{r}
\end{aligned}
$$

上式中 $\boldsymbol{u}_0$ 和 $\boldsymbol{\omega}_0$ 是原点的位移与转动. 令 $\boldsymbol{u}_0 = \boldsymbol{\omega}_0 = \boldsymbol{0}$ 时可看出, $\boldsymbol{u}$ 是一个二次函数. 即

$$
\boldsymbol{u} = \frac{\gamma}{E}\left[(1+\nu)\left(\frac{z^2}{2} - hz\right)\boldsymbol{k} - \nu(z-h)\boldsymbol{r} + \frac{\nu}{2}r^2\boldsymbol{k}\right]
$$

采用极坐标,令 $r^2 = x^2 + y^2$,则

$$
\begin{aligned}
\boldsymbol{u} &= \frac{\gamma}{E}\left[(1+\nu)\left(\frac{z^2}{2} - hz\right)\boldsymbol{k} - \nu(z-h)r\boldsymbol{r}^0\right. \\
&\quad \left. - \nu(z-h)z\boldsymbol{k} + \frac{\nu}{2}(r^2 + z^2)\boldsymbol{k}\right] \\
&= \frac{\gamma}{E}\left\{\left[\frac{\nu r^2 + z^2}{2} - hz\right]\boldsymbol{k} - \nu(z-h)r\boldsymbol{r}^0\right\}
\end{aligned}
$$

令 $z=0$,可得到此面经变形后的曲面为

$$
\boldsymbol{u}(r,0) = \frac{\gamma\nu}{E}\left(\frac{r^2}{2}\boldsymbol{k} + hr\boldsymbol{r}^0\right)
$$

它是一张旋转抛物面. 这说明平截面假定只是近似的成立.

顺便指出,问题中的参数 h 可以取负值,这时柱体就是从 $z=0$ 向下垂的位置.

4.2 空心球壳

内径为 $r=R_1$,外径为 $r=R_2$,且 $R_2>R_1$. 设内部有均匀压力 p_1,外部有均匀压力 p_2 作用. 求它的变形.

我们用以位移表示的方程来求解. 但是由于问题的球对称性质,我们知道位移场只是 r 的函数. 采用球坐标,显然可看出 $\mathrm{rot}\boldsymbol{u} \equiv \boldsymbol{0}$,因而方程(1.7)变为

$$
(\lambda + 2\mu)\nabla(\nabla \cdot \boldsymbol{u}) \equiv \boldsymbol{0}
$$

在球坐标内，令 $\boldsymbol{u}=u\boldsymbol{r}^0$，则有

$$\operatorname{div}\boldsymbol{u}=\frac{1}{r^2}\frac{\mathrm{d}(r^2u)}{\mathrm{d}r}=\text{const}=3a$$

或即 $u=ar+b/r^2$，这里 a,b 是积分常数.

利用球坐标中应变张量的公式可算出

$$\varepsilon_{rr}=a-\frac{2b}{r^3},\quad \varepsilon_{\theta\theta}=\varepsilon_{\varphi\varphi}=a+\frac{b}{r^3}$$

因而

$$\begin{aligned}\sigma_{rr}&=\lambda(\varepsilon_{rr}+\varepsilon_{\theta\theta}+\varepsilon_{\varphi\varphi})+2\mu\varepsilon_{rr}\\&=3\lambda a+2\mu\left(a-\frac{2b}{r^3}\right)\end{aligned}$$

根据边条件，当 $r=R_1$ 时

$$\sigma_{rr}=3\lambda a+2\mu\left(a-\frac{2b}{R_1^3}\right)=-p_1$$

当 $r=R_2$ 时

$$\sigma_{rr}=3\lambda a+2\mu\left(a-\frac{2b}{R_2^3}\right)=-p_2$$

由上面两个式子中解出 a 与 b，得

$$a=\frac{1}{R_1^{-3}-R_2^{-3}}\frac{p_1R_2^{-3}-p_2R_1^{-3}}{3\lambda+2\mu}$$

$$b=\frac{1}{R_1^{-3}-R_2^{-3}}\frac{p_1-p_2}{4\mu}$$

故有

$$u=\frac{1}{R_1^{-3}-R_2^{-3}}\left[\left(\frac{p_1R_2^{-3}-p_2R_1^{-3}}{3\lambda+2\mu}\right)r+\left(\frac{p_1-p_2}{4\mu}\right)r^{-2}\right]\tag{4.5}$$

现在转而讨论两种在实际应用中重要的情形：

(1) 当内部压力 $p_1=p$，外侧压力 $p_2=0$ 时，沿壳厚的应力分布为

$$\sigma_{rr} = \frac{pR_1^3}{R_2^3 - R_1^3}\left(1 - \frac{R_2^3}{r^3}\right)$$

$$\sigma_{\theta\theta} = \sigma_{\varphi\varphi} = \frac{pR_1^3}{R_2^3 - R_1^3}\left(1 + \frac{R_2^3}{2r^3}\right) \tag{4.6}$$

如果壳厚 $R_2 - R_1 = h \ll R = \frac{1}{2}(R_1 + R_2)$ 时，则有

$$R_1 = R - \frac{h}{2}, \quad R_2 = R + \frac{h}{2},$$

令 $R=r$ 代入式(4.5)与(4.6)后按 h 展开，并略去高阶小量，则有

$$u = \frac{pR^2(1-\nu)}{2Eh}$$

$$\sigma_{rr} = -\frac{p}{2}, \quad \sigma_{\theta\theta} = \sigma_{\varphi\varphi} = \frac{pR}{2h}.$$

(2) 若 $R_2 = \infty$，则我们得到无限介质中的球形空腔. 并且令 $p_1 = 0, p_2 = p, R_1 = R$. 则我们有

$$\sigma_{rr} = -p\left(1 - \frac{R^3}{r^3}\right)$$

$$\sigma_{\theta\theta} = \sigma_{\varphi\varphi} = -p\left(1 + \frac{R^3}{2r^3}\right)$$

对于空腔的边界 $r=R$ 时，切向力

$$\sigma_{\theta\theta} = \sigma_{\varphi\varphi} = -\frac{3p}{2}$$

这个表达式说明它们超过了无穷远处的压力. 这正好说明，在铸件中细小的沙眼对于构件的强度是有害的.

习　题

1. 证明对于各向同性弹性体在缺少体力作用的静力问题中，体积的相对改变(体应变)I_1 是调和函数，即

$$\Delta I_1 = 0$$

2. 证明在上题的条件下，弹性位移和应力分量都是双调和函数. 即

$$\Delta^2 \boldsymbol{u} = \boldsymbol{0}, \quad \Delta^2 \mathbf{T} = \mathbf{0}$$

3. 证明对于各向同性材料当 $\nu=0$ 时，有

$$\frac{\partial^2 \sigma_{ij}}{\partial x_i \partial x_j} = \frac{1}{2}\left(\frac{\partial^2 \sigma_{ii}}{\partial x_j^2} + \frac{\partial^2 \sigma_{jj}}{\partial x_i^2}\right) \quad (i \neq j)$$

4. 内外半径为 R_1, R_2 之圆管，设内压力为 p_1，外压力为 p_2. 求它的位移场 $\boldsymbol{a}$ 及应力场 $\mathbf{T}$.

5. 试验证在没有体力的条件下，如下给出的位移矢量 $\boldsymbol{u}$ 总是满足位移形式的平衡方程：

(1) 设 $\boldsymbol{u}=\boldsymbol{b}-\frac{1}{4(1-\nu)}\nabla(\psi+\boldsymbol{b}\cdot\boldsymbol{r})$，其中 $\Delta\boldsymbol{b}=\boldsymbol{0}$，$\boldsymbol{b}$ 为矢量函数. $\Delta\psi=0$，ψ 为标量函数；$\boldsymbol{b}$ 与 ψ 称为 Панкобич 函数.

(2) 设 $\boldsymbol{u}=\frac{1+\nu}{E}[\nabla J_1(\boldsymbol{\Phi})-2\nabla\cdot\boldsymbol{\Phi}]$，其中 $\boldsymbol{\Phi}$ 为对角张量，且满足

$$(2-\nu)\nabla\cdot\nabla\boldsymbol{\Phi} - \mathbf{I}\nabla\cdot\nabla\cdot\boldsymbol{\Phi} = \boldsymbol{0}, \quad \mathbf{T} = \nabla\times(\boldsymbol{\Phi}\times\nabla)$$

$\boldsymbol{\Phi}$ 称为 Maxwell 应力函数张量.

(3) 设 $\boldsymbol{u}=\boldsymbol{c}+\boldsymbol{r}\varphi$，其中 φ 与 $\boldsymbol{c}$ 为调和函数，且满足

$$(5-4\nu)\varphi + \boldsymbol{r}\cdot\nabla\varphi + \nabla\cdot\boldsymbol{c} = \text{const}$$

这里 $\boldsymbol{c}$ 与 φ 称为 Betti 函数.

(4) 设 $\boldsymbol{u}=\Delta\boldsymbol{F}-\frac{1}{2(1-\nu)}\nabla\nabla\cdot\boldsymbol{F}$，式中 $\boldsymbol{F}$ 为矢量函数，且 $\Delta^2\boldsymbol{F}=0$. 这里的 $\boldsymbol{u}$ 称为 Галёркин 形式的通解.

(5) 设 $\boldsymbol{u}=\boldsymbol{c}+\boldsymbol{b}\cdot\boldsymbol{r}\,\nabla\varphi$，式中 $\boldsymbol{c}$ 为矢量函数，φ 为标量函数，都是调和函数. 即 $\Delta\boldsymbol{c}=\boldsymbol{0}$，$\Delta\varphi=0$，且

$$\nabla\cdot\boldsymbol{c} + (3-4\nu)\boldsymbol{b}\cdot\nabla\varphi = \text{const}$$

$\boldsymbol{b}$ 为常矢量. 这种形式的解称为 Kelvin 形式的解.

6. 弹性体沉入与自己同密度的液体内，试求其位移场.

7. 双层弹性球壳，已知最内球腔半径为 R_1，两层之间的交界球面半径为 R_2，最外球面半径为 R_3，$R_3>R_2>R_1$，已知内层，外层的扬氏模量与泊松比分别为 E_1, ν_1, E_2, ν_2，设在内层球腔内充以压力 p 的气体，试求：

(1) 球壳内的应力分布和位移分布.

(2) 两球壳交界面的压力 p'.

8. (1) 试证下述位移场

$$u = A\frac{xz}{r^3}, \quad v = A\frac{yz}{r^3}$$

$$w = A\left(\frac{z^2}{r^3} + \frac{\lambda + 3\mu}{\lambda + \mu}\frac{1}{r}\right)$$

满足无体力的弹性力学方程.

(2) 试求应力场.

(3) 计算 $r=\delta$ 球面上的合力和合力矩.

(4) 本题所给位移场是何三维弹性力学问题的解.

9. 如果 $\mu=0$,试以弹性球为例,说明弹性力学位移边值问题的解不唯一. (Ericksen and Toupin[24])

10. 试求出 $\nu=1/2$ 时,以位移表示的弹性力学方程组. (Appel)

11. 半径为 R 的球体,密度为 ρ,质点之间服从万有引力定律,引力常数为 G,试求球心处的应力.

第六章 Saint-Venant 问题

§1 问题的提法

在前几章我们建立了弹性力学的一般理论，现在开始研究一些具体问题. 在这一章中，我们要专门讨论所谓“Saint-Venant 问题”. 它在工程实际中有着相当广泛的应用.

设弹性体为一柱体，体力可以略去，且柱的侧面不受外力而仅在两个端部受有外载. 柱体的横截面可以是任意的几何图形. 在这样的条件下，求柱体内的位移场与应力场.

假定柱体长为 l，坐标原点取在一个底面的形心上，z 轴平行于母线并指向另一底面(称为上底)，x 轴与 y 轴分别为截面的惯性主轴，并与 z 轴合成一个右手坐标系.

以 V 表示弹性柱体，S 表示其侧面，G 表示 V 的截面，L 表示 G 的边界.

以应力表示的这个柱体的方程为

$$\nabla \cdot \mathbf{T} = \mathbf{0} \tag{1.1}$$

$$\nabla^2 \mathbf{T} + \frac{1}{1+\nu} \nabla\nabla\Theta = \mathbf{0} \tag{1.2}$$

在直角坐标系中方程(1.1)的分量形式为

$$\left\{\begin{aligned} &\frac{\partial \sigma_x}{\partial x} + \frac{\partial \tau_{xy}}{\partial y} + \frac{\partial \tau_{xz}}{\partial z} = 0 \\ &\frac{\partial \tau_{xy}}{\partial x} + \frac{\partial \sigma_y}{\partial y} + \frac{\partial \tau_{yz}}{\partial z} = 0 \\ &\frac{\partial \tau_{xz}}{\partial x} + \frac{\partial \tau_{yz}}{\partial y} + \frac{\partial \sigma_z}{\partial z} = 0 \end{aligned}\right. \tag{1.3}$$

式中用 $\sigma_x, \sigma_y, \sigma_z$，代表三个正应力分量，$\tau_{xy}, \tau_{yz}, \tau_{xz}$ 代表三个剪应力

分量.而(1.2)的分量形式为

$$\begin{cases}\nabla^2\sigma_x+\dfrac{1}{1+\nu}\dfrac{\partial^2\Theta}{\partial x^2}=0\\ \nabla^2\sigma_y+\dfrac{1}{1+\nu}\dfrac{\partial^2\Theta}{\partial y^2}=0\\ \nabla^2\sigma_z+\dfrac{1}{1+\nu}\dfrac{\partial^2\Theta}{\partial z^2}=0\end{cases}\tag{1.4}$$

$$\begin{cases}\nabla^2\tau_{yz}+\dfrac{1}{1+\nu}\dfrac{\partial^2\Theta}{\partial y\partial z}=0\\ \nabla^2\tau_{zx}+\dfrac{1}{1+\nu}\dfrac{\partial^2\Theta}{\partial z\partial x}=0\\ \nabla^2\tau_{xy}+\dfrac{1}{1+\nu}\dfrac{\partial^2\Theta}{\partial x\partial y}=0\end{cases}\tag{1.5}$$

侧面边条件为

$$\begin{cases}\sigma_x n_1+\tau_{xy}n_2=0\\ \tau_{xy}n_1+\sigma_y n_2=0\\ \tau_{xz}n_1+\tau_{yz}n_2=0\end{cases}\tag{1.6}$$

这里 $\boldsymbol{n}$ 为 S 的外法向,$\boldsymbol{n}=n_1\boldsymbol{i}+n_2\boldsymbol{j}$.即

$$n_1=\boldsymbol{i}\cdot\boldsymbol{n},\quad n_2=\boldsymbol{j}\cdot\boldsymbol{n}$$

其中 $\boldsymbol{i}$ 与 $\boldsymbol{j}$ 分别为 x 与 y 轴方向的单位矢量.

在柱体两底的边条件为

$$\tau_{xz}=F_1,\ \tau_{yz}=F_2,\ \sigma_z=F_3\quad(z=l)\tag{1.7}$$

$$-\tau_{xz}=F'_1,\ -\tau_{yz}=F'_2,\ -\sigma_z=F'_3\quad(z=0)\tag{1.8}$$

其中 (F_1,F_2,F_3) 和 (F'_1,F'_2,F'_3) 为给定的外力分布.

为了得到柱体内的应力分布,我们必须求解边值问题(1.3)~(1.8).但是,求解这组精确提法下的边值问题是相当困难的.

如果考虑的是长柱,即假定柱的长度 l 比柱的横截面的最大尺度大得多.这时,根据 Saint-Venant 原理,如果在端面上作用有两组静力等效(即合力与合力矩相等)的载荷,则在离两端较远处所产生的应力近似相等.

另一方面，在绝大多数情况下，严格精确的边界条件(1.7)和(1.8)是难以给出的.

设在底 $z=l$ 上，外力的合力为 $\boldsymbol{R}$，以及外力对重心的合力矩为 $\boldsymbol{M}$. 现在用放松的边界条件来代替严格的边界条件. 在 $z=l$ 上，(1.7)可换为

$$\begin{cases}\iint_G \tau_{xz}\,\mathrm{d}x\mathrm{d}y = R_x \\ \iint_G \tau_{yz}\,\mathrm{d}x\mathrm{d}y = R_y \\ \iint_G \sigma_z\,\mathrm{d}x\mathrm{d}y = R_z \\ \iint_G y\sigma_z\,\mathrm{d}x\mathrm{d}y = M_x \\ \iint_G x\sigma_z\,\mathrm{d}x\mathrm{d}y = -M_y \\ \iint_G (x\tau_{yz} - y\tau_{xz})\mathrm{d}x\mathrm{d}y = M_z \end{cases} \tag{1.9}$$

类似地，对于 $z=0$ 上，(1.8)可换为

$$\begin{cases}\iint_G \tau_{xz}\,\mathrm{d}x\mathrm{d}y = R_x \\ \iint_G \tau_{yz}\,\mathrm{d}x\mathrm{d}y = R_y \\ \iint_G \sigma_z\,\mathrm{d}x\mathrm{d}y = R_z \\ \iint_G y\sigma_z\,\mathrm{d}x\mathrm{d}y = M_x - R_y l \\ \iint_G x\sigma_z\,\mathrm{d}x\mathrm{d}y = -M_y - R_x l \\ \iint_G (x\tau_{yz} - y\tau_{xz})\mathrm{d}x\mathrm{d}y = M_z \end{cases} \tag{1.10}$$

放松边条件后的边值问题(1.3)、(1.4)、(1.5)、(1.6)、(1.9)和(1.10)统称为“Saint-Venant 问题”.

显然 Saint-Venant 问题的解是不唯一的.

§2 问题的求解

2.1 利用半逆解法求解 Saint-Venant 问题

弹性力学中所谓半逆解法,是利用问题的物理性质猜出其中的若干未知量,而其余未知量靠求解方程得到.这些求解的方程也因代入了所猜得的未知量而大大简化.最初,Saint-Venant 求解这个问题正是采用的半逆解法.下面就来叙述这一解法.

首先假定

$$\sigma_x = \sigma_y = \tau_{xy} = 0 \tag{2.1}$$

如果在这假定之下,找到了一个满足 Saint-Venant 问题全部方程和边条件的应力分布,那么它就是该问题的一个解.

将式(2.1)代入(1.4)的前两个式和(1.5)的第三式得

$$\frac{\partial^2 \sigma_z}{\partial x^2} = \frac{\partial^2 \sigma_z}{\partial y^2} = \frac{\partial^2 \sigma_z}{\partial x \partial y} = 0$$

由此有

$$\sigma_z = A(z)x + B(z)y + C(z)$$

将上式代入(1.4)的第三式,得

$$A''(z) = B''(z) = C''(z) = 0$$

从此式可看出 $A(z)$,$B(z)$,$C(z)$是 z 的线性函数,把它代入 σ_z 的表达式得

$$\sigma_z = \alpha_0 x + \beta_0 y + \gamma_0 - (\alpha_1 x + \beta_1 y + \gamma_1)(l - z)$$

式中 $\alpha_0,\beta_0,\gamma_0,\alpha_1,\beta_1,\gamma_1$ 是 6 个待定常数.

把 $\sigma_x=\sigma_y=\tau_{xy}=0$ 代入(1.3),由它的前两式可看出 τ_{xz}与 τ_{yz} 仅仅为变量 x 和 y 的函数,而与自变量 z 无关.

(1.3)的第三式与(1.5)的前两式是

$$
\begin{cases}
\dfrac{\partial \tau_{xz}}{\partial x} + \dfrac{\partial \tau_{yz}}{\partial y} + \alpha_1 x + \beta_1 y + \gamma_1 = 0 \\
\nabla^2 \tau_{xz} + \dfrac{1}{1+\nu}\alpha_1 = 0 \\
\nabla^2 \tau_{yz} + \dfrac{1}{1+\nu}\beta_1 = 0
\end{cases}
\tag{2.2}
$$

把上面的第一式改写为

$$
\frac{\partial}{\partial x}\left(\tau_{xz} + \frac{1}{2}\alpha_1 x^2 + \frac{1}{2}\gamma_1 x\right) + \frac{\partial}{\partial y}\left(\tau_{yz} + \frac{1}{2}\beta_1 y^2 + \frac{1}{2}\gamma_1 y\right) = 0
$$

由此令

$$
\tau_{xz} + \frac{1}{2}\alpha_1 x^2 + \frac{1}{2}\gamma_1 x = \frac{\partial F}{\partial y}
$$

$$
\tau_{yz} + \frac{1}{2}\beta_1 y^2 + \frac{1}{2}\gamma_1 y = -\frac{\partial F}{\partial x}
$$

这里 F 为待定函数. 把这两个式子改写为

$$
\begin{aligned}
\tau_{xz} &= \frac{\partial F}{\partial y} - \frac{1}{2}\alpha_1 x^2 - \frac{1}{2}\gamma_1 x \\
\tau_{yz} &= -\frac{\partial F}{\partial y} - \frac{1}{2}\beta_1 y^2 - \frac{1}{2}\gamma_1 y
\end{aligned}
\tag{2.3}
$$

再将这两个式子代入(2.2)的后两个式子又得

$$
\frac{\partial}{\partial y}(\nabla^2 F) = \frac{\nu}{1+\nu}\alpha_1
$$

$$
\frac{\partial}{\partial x}(\nabla^2 F) = -\frac{\nu}{1+\nu}\beta_1
$$

将上述两个式子中的$\nabla^2 F$ 积分出来可得

$$
\nabla^2 F = -\frac{\nu}{1+\nu}\beta_1 x + \frac{\nu}{1+\nu}\alpha_1 y - 2\mu\alpha \tag{2.4}
$$

这里 μ 取为剪切模量, α 为待定常数.

由(2.4)令

$$
F = \frac{\nu}{6(1+\nu)}(-\beta_1 x^3 + \alpha_1 y^3) - \frac{1}{2}\mu\alpha(x^2 + y^2) + f(x,y) \tag{2.5}
$$

这里 $f(x,y)$ 为另一待定函数. 将上式回代入(2.4)可得

$$\nabla^2 f = 0$$

即 $f(x,y)$ 为调和函数. 设 $g(x,y)$ 为 $f(x,y)$ 的共轭调和函数,即有

$$\frac{\partial g}{\partial x} = -\frac{\partial f}{\partial y}, \quad \frac{\partial g}{\partial y} = \frac{\partial f}{\partial x}$$

把式(2.5)代入式(2.3),并利用上式可得

$$\tau_{xz} = -\frac{\partial g}{\partial x} - \frac{\alpha_1}{2(1+\nu)}[(1+\nu)x^2 - \nu y^2] - \frac{1}{2}\gamma_1 x - \mu\alpha y$$

$$\tau_{yz} = -\frac{\partial g}{\partial y} - \frac{\beta_1}{2(1+\nu)}[(1+\nu)y^2 - \nu x^2] - \frac{1}{2}\gamma_1 y + \mu\alpha x$$

把上面两个式子代入侧面边条件(1.6)的第三式,可得 $g(x,y)$ 满足如下的边条件

$$\begin{aligned}\frac{\mathrm{d}g}{\mathrm{d}n} = &-\mu\alpha[y\cos(n,x) - x\cos(n,y)] \\ &- \frac{\alpha_1}{2(1+\nu)}[(1+\nu)x^2 - \nu y^2]\cos(n,x) \\ &- \frac{\beta_1}{2(1+\nu)}[(1+\nu)y^2 - \nu x^2]\cos(n,y) \\ &- \frac{\gamma_1}{2}[x\cos(n,x) + y\cos(n,y)]\end{aligned} \tag{2.6}$$

式中 $\frac{\mathrm{d}g}{\mathrm{d}n}$ 表示 g 在 G 的边界上的法向导数.

令

$$\begin{aligned}g(x,y) = &-\mu\alpha\varphi - \frac{\alpha_1}{2(1+\nu)}\varphi_1 \\ &- \frac{\beta_1}{2(1+\nu)}\varphi_2 - \frac{\gamma_1}{2}\varphi_3\end{aligned} \tag{2.7}$$

其中 $\varphi, \varphi_1, \varphi_2, \varphi_3$ 是 4 个调和函数. 根据叠加原理,我们自然地就把前面提出的问题(求满足边条件(2.6)的调和函数 $g(x,y)$)化归为如下的 4 个问题:

$$\begin{cases}\nabla^2\varphi = 0 & (x,y)\in G \\ \dfrac{d\varphi}{dn} = y\cos(n,x) - x\cos(n,y) & (x,y)\in L\end{cases} \tag{2.8}$$

$$\begin{cases}\nabla^2\varphi_1 = 0 & (x,y)\in G \\ \dfrac{d\varphi_1}{dn} = [(1+\nu)x^2 - \nu y^2]\cos(n,x) & (x,y)\in L\end{cases} \tag{2.9}$$

$$\begin{cases}\nabla^2\varphi_2 = 0 & (x,y)\in G \\ \dfrac{d\varphi_2}{dn} = [(1+\nu)y^2 - \nu x^2]\cos(n,y) & (x,y)\in L\end{cases} \tag{2.10}$$

$$\begin{cases}\nabla^2\varphi_3 = 0 & (x,y)\in G \\ \dfrac{d\varphi_3}{dn} = x\cos(n,x) + y\cos(n,y) & (x,y)\in L\end{cases} \tag{2.11}$$

这 4 个问题都是边界上给出法向导数的 Neumann 问题. 我们知道 Neumann 问题的可解性是以它的边界上法向导数沿边界积分等于零作为先决条件的. 现在就来逐个验证它们是否满足这一条件，即问题是否可解.

利用 Green 公式：

$$\oint_L [A\cos(n,x) + B\cos(n,y)]ds = \iint_G \left(\frac{\partial A}{\partial x} + \frac{\partial B}{\partial y}\right)dxdy$$

我们有

$$\oint_L [y\cos(n,x) - x\cos(n,y)]ds = \iint_G (0-0)dxdy = 0$$

$$\oint_L [(1+\nu)x^2 - \nu y^2]\cos(n,x)ds = 2(1+\nu)\iint_G xdxdy = 0$$

$$\oint_L [(1+\nu)y^2 - \nu x^2]\cos(n,y)ds = 2(1+\nu)\iint_G ydxdy = 0$$

$$\oint_L [x\cos(n,x) + y\cos(n,y)]ds = 2\iint_G dxdy \neq 0$$

这里第二、三个积分为零，是因为坐标原点选在截面的重心上，第四个积分不为零，表示问题(2.11)是不可解的. 因此，要求函数

$g(x,y)$存在，从(2.7)可看出，只有在

$$\gamma_1 = 0 \tag{2.12}$$

时才可能.

总结以上讨论，最后得到 Saint-Venant 问题的全部应力的解为

$$\begin{aligned}
&\sigma_x = \sigma_y = \tau_{xy} = 0 \\
&\sigma_z = \alpha_0 x + \beta_0 y + \gamma_0 - (\alpha_1 x + \beta_1 y)(l - z) \\
&\tau_{xz} = \mu\alpha\left(\frac{\partial\varphi}{\partial x} - y\right) + \frac{\alpha_1}{2(1+\nu)}\left[\frac{\partial\varphi_1}{\partial x} + \nu y^2\right. \\
&\qquad \left. - (1+\nu)x^2\right] + \frac{\beta_1}{2(1+\nu)}\frac{\partial\varphi_2}{\partial x} \\
&\tau_{yz} = \mu\alpha\left(\frac{\partial\varphi}{\partial y} + x\right) + \frac{\alpha_1}{2(1+\nu)}\frac{\partial\varphi_1}{\partial y} \\
&\qquad + \frac{\beta_1}{2(1+\nu)}\left[\frac{\partial\varphi_2}{\partial y} + \nu x^2 - (1+\nu)y^2\right]
\end{aligned} \tag{2.13}$$

其中 φ 由(2.8)给出，称为截面的扭转函数或翘曲函数，它只与截面的几何形状有关. 而 φ_1 和 φ_2 分别由 Neumann 问题(2.9)与(2.10)给出，称为截面的弯曲函数，它与截面的几何形状以及材料性质有关. 而 $\alpha_0,\alpha_1,\beta_0,\beta_1,\gamma_0,\alpha$ 为 6 个待定的常数.

2.2 常数的确定

现在利用 $z=l$ 的端面边条件来确定(2.13)中 6 个待定常数 $\alpha_0,\alpha_1,\beta_0,\beta_1,\gamma_0$ 和 α.

将(2.13)中 σ_z 的表达式代入式(1.9)后得

$$R_z = \iint_G \sigma_z \mathrm{d}x\mathrm{d}y = \iint_G (\alpha_0 x + \beta_0 y + \gamma_0)\mathrm{d}x\mathrm{d}y = \gamma_0 A$$

$$M_x = \iint_G y\sigma_z \mathrm{d}x\mathrm{d}y = \iint_G \beta_0 y^2 \mathrm{d}x\mathrm{d}y = \beta_0 I_x$$

$$M_y = -\iint_G x\sigma_z \mathrm{d}x\mathrm{d}y = -\iint_G \alpha_0 x^2 \mathrm{d}x\mathrm{d}y = -\alpha_0 I_y$$

于是有

$$\alpha_0 = -\frac{M_y}{I_y}, \quad \beta_0 = \frac{M_x}{I_x}, \quad \gamma_0 = \frac{R_z}{A} \tag{2.14}$$

式中 A 为 G 的面积，I_x 与 I_y 为对 x 和对 y 轴的惯性矩.

为了确定常数 α_1 和 β_1，将式(2.13)代入(1.9)得

$$\begin{aligned} R_x = & \iint_G \tau_{xz} \mathrm{d}x\mathrm{d}y \\ = & \iint_G \left\{ \mu\alpha\left(\frac{\partial\varphi}{\partial x} - y\right) + \frac{\alpha_1}{2(1+\nu)}\left[\frac{\partial\varphi_1}{\partial x} + \nu y^2 \right.\right. \\ & \left.\left. - (1+\nu)x^2\right] + \frac{\beta_1}{2(1+\nu)}\frac{\partial\varphi_2}{\partial x}\right\}\mathrm{d}x\mathrm{d}y \end{aligned}$$

上式的右端可以作如下化简. 首先，我们有

$$\begin{aligned} & \iint_G \left(\frac{\partial\varphi}{\partial x} - y\right)\mathrm{d}x\mathrm{d}y \\ & = \iint_G \left\{\frac{\partial}{\partial x}\left[x\left(\frac{\partial\varphi}{\partial x} - y\right)\right] + \frac{\partial}{\partial y}\left[x\left(\frac{\partial\varphi}{\partial y} + x\right)\right]\right\}\mathrm{d}x\mathrm{d}y \\ & = \oint_L x\left\{\left[\frac{\partial\varphi}{\partial x}\cos(n,x) + \frac{\partial\varphi}{\partial y}\cos(n,y)\right]\right. \\ & \qquad \left. - [y\cos(n,x) - x\cos(n,y)]\right\}\mathrm{d}s = 0 \end{aligned}$$

其次，

$$\begin{aligned} \iint_G \frac{\partial\varphi_1}{\partial x}\mathrm{d}x\mathrm{d}y = & \iint_G \left[\frac{\partial}{\partial x}\left(x\frac{\partial\varphi_1}{\partial x}\right) + \frac{\partial}{\partial y}\left(x\frac{\partial\varphi_1}{\partial y}\right)\right]\mathrm{d}x\mathrm{d}y \\ = & \oint_L x\left[\frac{\partial\varphi_1}{\partial x}\cos(n,x) + \frac{\partial\varphi_1}{\partial y}\cos(n,y)\right]\mathrm{d}s \\ = & \oint_L x[(1+\nu)x^2 - \nu y^2]\cos(n,x)\mathrm{d}s \\ = & \iint_G [3(1+\nu)x^2 - \nu y^2]\mathrm{d}x\mathrm{d}y \end{aligned}$$

和上式相类似，又有

$$\iint_G \frac{\partial \varphi_2}{\partial x}\mathrm{d}x\mathrm{d}y = \oint_L x[(1+\nu)y^2 - \nu x^2]\cos(n,y)\mathrm{d}s$$

$$= \iint_G 2(1+\nu)xy\,\mathrm{d}x\mathrm{d}y = 0$$

在推导这些式子时利用了 φ,φ_1 与 φ_2 的边界条件(2.8)、(2.9)与(2.10). 把这些式子代入前面 R_x 的表达式得

$$R_x = \alpha_1 I_y$$

根据同样的道理，可得

$$R_y = \beta_1 I_x$$

这两个式子给出了

$$\alpha_1 = R_x/I_y, \qquad \beta_1 = R_y/I_x \tag{2.15}$$

现在我们来确定常数 α. 将(2.13)最后的两式代入(1.9)得

$$M_z = \iint_G (x\tau_{yz} - y\tau_{xz})\mathrm{d}x\mathrm{d}y$$

$$= \mu\alpha\iint_G \left[x\left(\frac{\partial\varphi}{\partial y} + x\right) - y\left(\frac{\partial\varphi}{\partial x} - y\right)\right]\mathrm{d}x\mathrm{d}y$$

$$+ \frac{\alpha_1}{2(1+\nu)}\iint_G \left[x\frac{\partial\varphi_1}{\partial y} - y\frac{\partial\varphi_1}{\partial x} + (1+\nu)x^2y - \nu y^3\right]\mathrm{d}x\mathrm{d}y$$

$$+ \frac{\beta_1}{2(1+\nu)}\iint_G \left[x\frac{\partial\varphi_2}{\partial y} - y\frac{\partial\varphi_2}{\partial x} - (1+\nu)xy^2 + \nu x^3\right]\mathrm{d}x\mathrm{d}y$$

再引入如下三个常数

$$D = \iint_G \left[x\left(\frac{\partial\varphi}{\partial y} + x\right) - y\left(\frac{\partial\varphi}{\partial x} - y\right)\right]\mathrm{d}x\mathrm{d}y$$

$$J_1 = \iint_G \left[x\frac{\partial\varphi_1}{\partial y} - y\frac{\partial\varphi_1}{\partial x} + (1+\nu)x^2y - \nu y^3\right]\mathrm{d}x\mathrm{d}y$$

$$J_2 = \iint_G \left[x\frac{\partial\varphi_2}{\partial y} - y\frac{\partial\varphi_2}{\partial x} - (1+\nu)xy^2 + \nu x^3\right]\mathrm{d}x\mathrm{d}y$$

(2.16)

这样一来，就有

$$M_z = \mu\alpha D + \frac{\alpha_1}{2(1+\nu)}J_1 + \frac{\beta_1}{2(1+\nu)}J_2 \tag{2.17}$$

即有

$$\alpha = \frac{1}{\mu D}\left[M_z - \frac{1}{2(1+\nu)}\frac{J_1 R_x}{I_y} - \frac{J_2 R_y}{2(1+\nu)I_x}\right] \tag{2.18}$$

至此，我们确定了全部待定常数. 全部过程说明，在 $\sigma_x=\sigma_y=\tau_{xy}=0$ 的假定下，如果 Saint-Venant 问题有解，则它的形式一定是(2.13)，其中的常数由(2.14)、(2.15)和(2.18)给出. 而且这种形式的解是唯一的. 反过来，由(2.13)给出的解，不难验证，它是满足 Saint-Venant 问题的.

2.3 位移的确定

在前面得到的应力表达式的基础上，再利用 Hooke 定律可以得到应变表达式，最后利用位移通过应变的积分表达式就可求得位移.

应力张量是

$$\mathbf{T} = \begin{pmatrix} 0 & 0 & \tau_{xz} \\ 0 & 0 & \tau_{yz} \\ \tau_{xz} & \tau_{yz} & \sigma_z \end{pmatrix}$$

由 Hooke 定律，

$$\boldsymbol{\Gamma} = \frac{1}{E}[(1+\nu)\mathbf{T} - \nu\Theta\mathbf{I}]$$

即

$$\boldsymbol{\Gamma} = \frac{1}{E}\begin{bmatrix} -\nu\sigma_z & 0 & (1+\nu)\tau_{xz} \\ 0 & -\nu\sigma_z & (1+\nu)\tau_{yz} \\ (1+\nu)\tau_{xz} & (1+\nu)\tau_{yz} & \sigma_z \end{bmatrix}$$

位移的积分表达式为

$$\boldsymbol{u}(P) = \boldsymbol{u}(P_0) + \boldsymbol{\omega}(P_0) \times (\boldsymbol{r} - \boldsymbol{r}_0) + \int_{P_0}^{P} \mathrm{d}\boldsymbol{\rho} \cdot \boldsymbol{B} \tag{2.19}$$

式中,P 为柱体内任一点,其矢径 $\boldsymbol{r}=x\boldsymbol{i}+y\boldsymbol{j}+z\boldsymbol{k}$;$P_0$为上底的重心,其矢径 $\boldsymbol{r}_0=l\boldsymbol{k}$. 而

$$\mathbf{B}=\boldsymbol{\Gamma}-(\nabla\times\boldsymbol{\Gamma})^{\mathrm{T}}\times(\boldsymbol{\rho}-\boldsymbol{r})$$

其中 $\boldsymbol{\rho}=\xi\boldsymbol{i}+\eta\boldsymbol{j}+\zeta\boldsymbol{k}$,是积分变量,$\boldsymbol{\Gamma}$ 了解为 ξ,η,ζ 的函数. 令 $\mathbf{B}$ 的各分量为 B_{ij},则经直接计算可得

$$\begin{aligned}
B_{11}&=\gamma_{11}-(\zeta-z)\left(\frac{\partial\gamma_{11}}{\partial\zeta}-\frac{\partial\gamma_{31}}{\partial\xi}\right)+(\eta-y)\left(\frac{\partial\gamma_{21}}{\partial\xi}-\frac{\partial\gamma_{11}}{\partial\eta}\right)\\
B_{12}&=\gamma_{12}-(\zeta-z)\left(\frac{\partial\gamma_{21}}{\partial\zeta}-\frac{\partial\gamma_{31}}{\partial\eta}\right)+(\xi-x)\left(\frac{\partial\gamma_{11}}{\partial\eta}-\frac{\partial\gamma_{21}}{\partial\xi}\right)\\
B_{21}&=\gamma_{21}-(\zeta-z)\left(\frac{\partial\gamma_{12}}{\partial\zeta}-\frac{\partial\gamma_{32}}{\partial\xi}\right)+(\eta-y)\left(\frac{\partial\gamma_{22}}{\partial\xi}-\frac{\partial\gamma_{12}}{\partial\eta}\right)
\end{aligned}\tag{2.20}$$

对上式采用 $1\to2\to3\to1,\xi\to\eta\to\zeta\to\xi,x\to y\to z\to x$ 的轮换可以得到 B 的其余 6 个分量的表达式.

将 $\boldsymbol{\Gamma}$ 的分量表达式代入上面 $\mathbf{B}$ 的分量表达式,并注意 τ_{xz},τ_{yz} 与 ζ 无关可得

$$\left.\begin{aligned}
B_{11}&=-\frac{\nu}{E}\sigma_z-\left(-\frac{\nu}{E}\frac{\partial\sigma_z}{\partial\zeta}-\frac{1+\nu}{E}\frac{\tau_{xz}}{\partial\xi}\right)(\zeta-z)\\
&\quad+\frac{\nu}{E}\frac{\partial\sigma_z}{\partial\eta}(\eta-y)\\
B_{21}&=\frac{1+\nu}{E}\frac{\partial\tau_{yz}}{\partial\xi}(\zeta-z)-\frac{\nu}{E}\frac{\partial\sigma_z}{\partial\xi}(\eta-y)\\
B_{31}&=\frac{1+\nu}{E}\tau_{xz}+\frac{1}{E}\frac{\partial\sigma_z}{\partial\xi}(\zeta-z)\\
&\quad+\frac{1+\nu}{E}\left(\frac{\partial\tau_{yz}}{\partial\xi}-\frac{\partial\tau_{xz}}{\partial\eta}\right)(\eta-y)\\
B_{12}&=-\frac{\nu}{E}\frac{\partial\sigma_z}{\partial\eta}(\xi-x)+\frac{1+\nu}{E}\frac{\partial\tau_{xz}}{\partial\eta}(\zeta-z)\\
B_{22}&=-\frac{\nu}{E}\sigma_z+\frac{\nu}{E}\frac{\partial\sigma_z}{\partial\xi}(\xi-x)
\end{aligned}\right|$$

$$
\left.\begin{aligned}
&\quad + \left(\frac{1+\nu}{E}\frac{\tau_{yz}}{\partial\eta} + \frac{\nu}{E}\frac{\partial\sigma_z}{\partial\zeta}\right)(\zeta - z) \\
&B_{32} = \frac{1+\nu}{E}\tau_{yz} - \frac{1+\nu}{E}\left(\frac{\partial\tau_{yz}}{\partial\xi} - \frac{\partial\tau_{xz}}{\partial\eta}\right)(\xi - x) \\
&\qquad + \frac{1}{E}\frac{\partial\sigma_z}{\partial\eta}(\zeta - z) \\
&B_{13} = \frac{1+\nu}{E}\tau_{xz} - \frac{1+\nu}{E}\frac{\partial\tau_{xz}}{\partial\eta}(\eta - y) \\
&\quad + \left(-\frac{\nu}{E}\frac{\partial\sigma_z}{\partial\zeta} - \frac{1+\nu}{E}\frac{\partial\tau_{xz}}{\partial\xi}\right)(\xi - x) \\
&B_{23} = \frac{1+\nu}{E}\tau_{yz} - \left(\frac{1+\nu}{E}\frac{\partial\tau_{yz}}{\partial\eta} + \frac{\nu}{E}\frac{\partial\sigma_z}{\partial\zeta}\right)(\eta - y) \\
&\quad - \frac{1+\nu}{E}\frac{\partial\tau_{yz}}{\partial\xi}(\xi - x) \\
&B_{33} = \frac{1}{E}\sigma_z - \frac{1}{E}\frac{\partial\sigma_z}{\partial\eta}(\eta - y) - \frac{1}{E}\frac{\partial\sigma_z}{\partial\xi}(\xi - x)
\end{aligned}\right\} \tag{2.21}
$$

由于讨论的是柱体，因此，(2.19)的线积分可以沿如下的特殊路径进行：先在 $z=l$ 平面上由 $(0,0,l)$ 点到 (x,y,l) 点，然后平行于 z 轴由 (x,y,l) 到 (x,y,z) 点. 也就是说，我们先进行在 $z=l$ 平面内的线积分，然后再进行沿 z 轴的定积分.

这样一来，(2.19)积分的 x 轴向分量可写为

$$
\begin{aligned}
u &= u_0 + \omega_{0y}(z-l) - \omega_{0z}y + \int_{P_0}^{P} B_{11}\mathrm{d}\xi + B_{21}\mathrm{d}\eta + B_{31}\mathrm{d}\zeta \\
&= u_0 + \omega_{0y}(z-l) - \omega_{0z}y + K_1 + K_2
\end{aligned}
$$

式中

$$
K_1 = \int_{(0,0)}^{(x,y)} B_{11}\mathrm{d}\xi + B_{21}\mathrm{d}\eta, \quad K_2 = \int_l^z B_{31}\mathrm{d}\zeta
$$

为了计算积分 K_1，将(2.21)代入 K_1 的被积函数，并注意此时 $\zeta=l$，我们有

$$K_1 = \int_{(0,0)}^{(x,y)} \Big[-\frac{\nu}{E}(\alpha_0\xi + \beta_0\eta + \gamma_0) + \frac{\nu}{E}(\alpha_1\xi + \beta_1\eta)(l - z)$$

$$+ \frac{1+\nu}{E}\frac{\partial\tau_{xz}}{\partial\xi}(l - z) + \frac{\nu}{E}\beta_0(\eta - y)\Big]\mathrm{d}\xi$$

$$+ \left[\frac{1+\nu}{E}\frac{\partial\tau_{yz}}{\partial\xi}(l - z) - \frac{\nu}{E}\alpha_0(\eta - y)\right]\mathrm{d}\eta$$

利用(2.13)的最后两式有

$$\frac{\partial\tau_{xz}}{\partial\xi}\mathrm{d}\xi + \frac{\partial\tau_{yz}}{\partial\xi}\mathrm{d}\eta = \mathrm{d}\tau_{xz} + \left(\frac{\partial\tau_{yz}}{\partial\xi} - \frac{\partial\tau_{xz}}{\partial\eta}\right)\mathrm{d}\eta$$

$$= \mathrm{d}\tau_{xz} + \left(2\mu\alpha + \frac{\nu\beta_1}{1+\nu}\xi - \frac{\nu\alpha_1}{1+\nu}\eta\right)\mathrm{d}\eta$$

于是

$$K_1 = \int_{(0,0)}^{(x,y)} \Big[-\frac{\nu}{E}\alpha_0\xi - \frac{\nu}{E}\beta_0 y - \frac{\nu}{E}\gamma_0$$

$$+ \frac{\nu}{E}\alpha_1\xi(l - z) + \frac{\nu}{E}\beta_1\eta(l - z)\Big]\mathrm{d}\xi$$

$$+ \Big[\alpha(l - z) + \frac{\nu}{E}\beta_1\xi(l - z) - \frac{\nu}{E}\alpha_1\eta(l - z)$$

$$- \frac{\nu}{E}\alpha_0(\eta - y)\Big]\mathrm{d}\eta + \frac{1+\nu}{E}(l - z)\mathrm{d}\tau_{xz}$$

这个线积分可直接计算得

$$K_1 = -\frac{\nu}{2E}\alpha_0(x^2 - y^2) - \frac{\nu}{E}\beta_0 xy$$

$$- \frac{\nu}{E}\gamma_0 x - \frac{\nu}{2E}\alpha_1(y^2 - x^2)(l - z)$$

$$+ \frac{\nu}{E}\beta_1 xy(l - z) - \alpha y(z - l)$$

$$+ \frac{1+\nu}{E}[\tau_{xz} - \tau_{xz}(0,0)](l - z)$$

现在再来计算 K_2，注意这时 $\xi = x, \eta = y$，有

$$K_2 = \frac{1}{E}\int_l^z [(1+\nu)\tau_{xz} + (\alpha_0 + \alpha_1(\zeta - l))(\zeta - z)]\mathrm{d}\zeta$$

注意 τ_{xz}与 ζ 无关,将上式积分得

$$K_2 = \frac{1}{E}\left[-(1+\nu)\tau_{xz}(l-z) - \frac{1}{2}\alpha_0(l-z)^2 + \frac{\alpha_1}{6}(l-z)^3\right]$$

把 K_1 与 K_2 的表达式代入 μ 的表达式,可得

$$\begin{aligned} u =& -\alpha yz - \frac{\alpha_1}{2E}\left[-\frac{1}{3}(l-z)^3 + \nu(y^2-x^2)(l-z)\right] \\ &+ \frac{\nu}{E}\beta_1 xy(l-z) - \frac{\alpha_0}{2E}[(l-z)^2 + \nu(x^2-y^2)] \\ &- \frac{\nu}{E}\beta_0 xy - \frac{\nu}{E}\gamma_0 x + u_0 \\ &- \left[\omega_{0y} + \frac{1+\nu}{E}\tau_{xz}(0,0)\right](l-z) - (\omega_{0z} - \alpha l)y \end{aligned}$$

对于 y 方向的位移分量可经过完全类似的计算得到

$$\begin{aligned} v =& \alpha xz + \frac{\nu}{E}\alpha_1 xy(l-z) \\ &- \frac{\beta_1}{2E}\left[-\frac{1}{3}(l-z)^3 + \nu(x^2-y^2)(l-z)\right] \\ &- \frac{\nu}{E}\alpha_0 xy - \frac{\beta_0}{2E}[(l-z)^2 + \nu(y^2-x^2)] - \frac{\nu}{E}\gamma_0 y \\ &+ v_0 + (\omega_{0z} - \alpha l)x + \left[\omega_{0x} - \frac{1+\nu}{E}\tau_{yz}(0,0)\right](l-z) \end{aligned}$$

现在来计算 z 方向上的位移分量 w,由(2.19)得

$$\begin{aligned} w =& w_0 + \omega_{0x}y - \omega_{0y}x + \int_{P_0}^{P} B_{13}\mathrm{d}\xi + B_{23}\mathrm{d}\eta + B_{33}\mathrm{d}\zeta \\ =& w_0 + \omega_{0x}y - \omega_{0y}x + K_3 + K_4 \end{aligned}$$

这里

$$K_3 = \int_{(0,0)}^{(x,y)} B_{13}\mathrm{d}\xi + B_{23}\mathrm{d}\eta, \quad K_4 = \int_l^z B_{33}\mathrm{d}\zeta$$

先来计算 K_3. 将(2.21)有关的 B_{13}与 B_{23}的表达式代入得

$$K_3 = \int_{(0,0)}^{(x,y)}\left\{\frac{1+\nu}{E}\left[\tau_{xz} - \frac{\partial\tau_{xz}}{\partial\eta}(\eta-y) - \frac{\partial\tau_{xz}}{\partial\xi}(\xi-x)\right]\right.$$

$$- \frac{\nu}{E}(\alpha_1 \xi + \beta_1 \eta)(\xi - x)\Big\} d\xi$$

$$+ \Big\{ \frac{1+\nu}{E} \Big[\tau_{yz} - \frac{\partial \tau_{yz}}{\partial \eta}(\eta - y) - \frac{\partial \tau_{yz}}{\partial \xi}(\xi - x) \Big]$$

$$- \frac{\nu}{E}(\alpha_1 \xi + \beta_1 \eta)(\eta - y)\Big\} d\eta$$

将上式略加变化可得

$$K_3 = \frac{1}{E}\int_{(0,0)}^{(x,y)} \Big\{ (1+\nu)\Big[2\tau_{xz} + \Big(\frac{\partial \tau_{yz}}{\partial \xi} - \frac{\partial \tau_{xz}}{\partial \eta} \Big)(\eta - y) \Big]$$

$$- \nu(\alpha_1 \xi + \beta_1 \eta)(\xi - x)\Big\} d\xi$$

$$+ \Big\{ (1+\nu)\Big[2\tau_{yz} - \Big(\frac{\partial \tau_{yz}}{\partial \xi} - \frac{\partial \tau_{xz}}{\partial \eta} \Big)(\xi - x) \Big]$$

$$- \nu(\alpha_1 \xi + \beta_1 \eta)(\eta - y)\Big\} d\eta$$

$$- (1+\nu) d[\tau_{xz}(\xi - x) + \tau_{yz}(\eta - y)]$$

将 τ_{xz} 和 τ_{yz} 的表达式(2.13)代入得

$$K_3 = \frac{1}{E}\int_{(0,0)}^{(x,y)} E\alpha d\varphi + \alpha_1 d\varphi_1 + \beta_1 d\varphi_2$$

$$+ \{ -E\alpha\eta + \alpha_1[\nu\eta^2 - (1+\nu)\xi^2] - \nu(\alpha_1\xi + \beta_1\eta)(\xi - x)$$

$$+ (E\alpha + \nu\beta_1\xi - \nu\alpha_1\eta)(\eta - y)\} d\xi$$

$$+ \{ E\alpha\xi + \beta_1[\nu\xi^2 - (1+\nu)\eta^2] - \nu(\alpha_1\xi + \beta_1\eta)(\eta - y)$$

$$- (E\alpha + \nu\beta_1\xi - \nu\alpha_1\eta)(\xi - x)\} d\eta$$

$$- (1+\nu) d[\tau_{xz}(\xi - x) + \tau_{yz}(\eta - y)]$$

将上式进行积分,得到

$$K_3 = \alpha\varphi + \frac{1}{E}\alpha_1 \Big[\varphi_1 - \frac{1}{3}\Big(1 + \frac{\nu}{2}\Big)x^3 + \frac{1}{2}\nu x y^2 \Big]$$

$$+ \frac{1}{E}\beta_1 \Big[\varphi_2 - \frac{1}{3}\Big(1 + \frac{\nu}{2}\Big)y^3 + \frac{1}{2}\nu x^2 y \Big]$$

$$- \frac{1+\nu}{E}[\tau_{xz}(0,0)x + \tau_{yz}(0,0)y]$$

在积分时我们采用了假定

$$\varphi(0,0)=\varphi_1(0,0)=\varphi_2(0,0)=0$$

这是因为 $\varphi,\varphi_1,\varphi_2$ 由(2.8)～(2.10)确定，可以差一个任意常数.

K_4 是比较容易计算的，即

$$\begin{aligned}K_4&=\frac{1}{E}\int_l^z\sigma_z\mathrm{d}\zeta\\&=\frac{1}{E}\int_l^z[\alpha_0x+\beta_yy+\gamma_0-(\alpha_1x+\beta_1y)(l-\zeta)]\mathrm{d}\zeta\\&=-\frac{1}{E}(\alpha_0x+\beta_0y+\gamma_0)(l-z)+\frac{1}{2E}(\alpha_1x+\beta_1y)(l-z)^2\end{aligned}$$

将 K_3 与 K_4 的表达式代入 w 的表达式中得

$$\begin{aligned}w=\alpha\varphi&+\frac{\alpha_1}{E}\left[\varphi_1-\frac{1}{3}\left(1+\frac{\nu}{2}\right)x^3+\frac{1}{2}\nu xy^2+\frac{1}{2}x(l-z)^2\right]\\&+\frac{\beta_1}{E}\left[\varphi_2-\frac{1}{3}\left(1+\frac{\nu}{2}\right)y^3+\frac{1}{2}\nu x^2y+\frac{1}{2}y(l-z)^2\right]\\&-\frac{1}{E}(\alpha_0x+\beta_0y+\gamma_0)(l-z)+w_0\\&+\left[\omega_{0x}-\frac{1+\nu}{E}\tau_{yz}(0,0)\right]y-\left[\omega_{0y}+\frac{1+\nu}{E}\tau_{xz}(0,0)\right]x\end{aligned}$$

至此我们求出了位移场 $\boldsymbol{u}$ 的一般表达式.若引进新的常数 a_1, a_2,a_3,b_1,b_2,b_3，由它们组成矢量

$$\boldsymbol{a}=a_1\boldsymbol{i}+a_2\boldsymbol{j}+a_3\boldsymbol{k},\quad\boldsymbol{b}=b_1\boldsymbol{i}+b_2\boldsymbol{j}+b_3\boldsymbol{k}$$

则位移场可以改写为

$$\left.\begin{aligned}u=&-\alpha yz+\frac{\alpha_1}{E}\left[\frac{1}{2}\nu(x^2-y^2)(l-z)-\frac{1}{6}z^3+\frac{1}{2}lz^2\right]\\&+\frac{\nu}{E}\beta_1xy(l-z)-\frac{1}{2E}\alpha_0[\nu(x^2-y^2)+z^2]\\&-\frac{\nu}{E}\beta_0xy-\frac{\nu}{E}\gamma_0x+a_1+b_2z-b_3y\\v=&\,\alpha xz+\frac{\nu}{E}\alpha_1xy(l-z)+\frac{1}{E}\beta_1\left[\frac{1}{2}\nu(y^2-x^2)(l-z)\right.\end{aligned}\right|$$

$$
\left.\begin{aligned}
&-\frac{1}{6}z^3+\frac{1}{2}lz^2\Big]-\frac{\nu}{E}\alpha_0 xy-\frac{1}{2E}\beta_0[\nu(y^2-x^2)+z^2]\\
&-\frac{\nu}{E}\gamma_0 y+a_2+b_3x-b_1z\\
w=\alpha\varphi&+\frac{\alpha_1}{E}\Big[\varphi_1-x\Big(lz-\frac{1}{2}z^2\Big)-\frac{1}{6}(2+\nu)x^3+\frac{1}{2}\nu xy^2\Big]\\
&+\frac{\beta_1}{E}\Big[\varphi_2-y\Big(lz-\frac{1}{2}z^2\Big)-\frac{1}{6}(2+\nu)y^3+\frac{1}{2}\nu x^2y\Big]\\
&+\frac{1}{E}\alpha_0 xz+\frac{1}{E}\beta_0 yz+\frac{1}{E}\gamma_0 z+a_3+b_1y-b_2x
\end{aligned}\right\}
\tag{2.22}
$$

上式中 a_i 与 $b_i(i=1,2,3)$都是常数,与它们相对应的项是表示整个弹性体的刚性位移.我们用如下办法来确定它们:

首先,假定坐标原点不动,即下底面的形心没有位移.于是有 $x=y=z=0$ 时, $u=v=w=0$. 由此有

$$a_1=a_2=a_3=0$$

其次,设坐标原点处 z 轴没有转动,即

$$u(0,0,\mathrm{d}z)=v(0,0,\mathrm{d}z)=0$$

但

$$u(0,0,\mathrm{d}z)=\frac{\partial u}{\partial z}\mathrm{d}z,\quad v(0,0,\mathrm{d}z)=\frac{\partial v}{\partial z}\mathrm{d}z$$

于是在原点有 $\frac{\partial u}{\partial z}=\frac{\partial v}{\partial z}=0$,由此 $b_1=b_2=0$.

最后,假定 x-z 面无转动.因为已假定 z 轴无转动,故只要假定 x 轴在 y 方向不转动.于是有

$$v(\mathrm{d}x,0,0)=\frac{\partial v}{\partial x}\mathrm{d}x=0$$

即在原点 $\frac{\partial v}{\partial x}=0$,因此 $b_3=0$.

今后在利用(2.21)时,总假定 $a_i=b_i=0\ (i=1,2,3)$.

在上面的推导中,假定截面的形心在截面上.如果不是这样,在前面的推导中需将点$(0,0,l)$换成上底的任一点.不难看出,其

结果对(2.22)式的影响仅限于常数 a_i 和 $b_i(i=1,2,3)$.

另外,如果截面 G 是多连通的,设其边界为

$$\partial G = L = L_0 + L_1 + \cdots + L_n$$

L_i 包含在 L_0 内 $(i=1,\cdots,n)$,则前面的推导必须补充一个条件,即位移单值性条件. 这个条件仅对计算 K_3 有影响. 不难看出,单值性条件为

$$\oint_{L_i} \mathrm{d}\left[\alpha\varphi + \frac{1}{E}\alpha_1\varphi_1 + \frac{1}{E}\beta_1\varphi_2\right] = 0 \quad (i = 1,2,\cdots,n) \tag{2.23}$$

§3 Saint-Venant 问题的分解

3.1 问题的分解

前面,我们一般地讨论了 Saint-Venant 问题的提法和求解. 但是在多数情形下,人们碰到的是它的特殊情形. 另一方面,根据叠加原理,Saint-Venant 问题又可以先分解为这些特殊情形进行求解,然后再叠加起来得到解的最一般的表达式.

按照柱体端面上作用的合力和合力矩的特点,Saint-Venant 问题可以分解为 4 个问题的叠加. 由于在一般情况下端面上的合力与合力矩可以分解为

$$\boldsymbol{R} = R_z\,\boldsymbol{k} + \boldsymbol{R}', \quad \boldsymbol{R} = M_z\,\boldsymbol{k} + \boldsymbol{M}'$$

其中 $\boldsymbol{R}'$,$\boldsymbol{M}'$ 分别是 $\boldsymbol{R}$ 与 $\boldsymbol{M}$ 在端面内的分解. 显然,上两个式子中右端的任何一个力或力矩,若单独作用都构成问题的一种特殊情形. 而这 4 种情形叠加又可得到任意的端面载荷.

这 4 种情形分别称为:

(1) 简单拉伸. 这时 $\boldsymbol{k}\times\boldsymbol{R}=\boldsymbol{0}$, $\boldsymbol{M}=\boldsymbol{0}$.

(2) 力偶下弯曲. 这时 $\boldsymbol{R}=\boldsymbol{0}$, $\boldsymbol{k}\cdot\boldsymbol{M}=\boldsymbol{0}$.

(3) 扭转. 这时 $\boldsymbol{R}=\boldsymbol{0}$, $\boldsymbol{k}\times\boldsymbol{M}=\boldsymbol{0}$.

(4) 横力作用下的弯曲. 这时 $\boldsymbol{k}\cdot\boldsymbol{R}=\boldsymbol{0}$, $\boldsymbol{M}=\boldsymbol{0}$.

下面我们要分别对这 4 种情形加以仔细地讨论. 前两个问题比较简单,后两个比较复杂.

3.2 简单拉伸

这时端面所受外力是

$$R_x = R_y = 0, \quad R_z \neq 0, \quad M_x = M_y = M_z = 0$$

根据式(2.14)、(2.15)与(2.18)可知,式(2.13)中的常数应为

$$\gamma_0 = \frac{R_z}{A}, \quad \alpha_0 = \beta_0 = \alpha_1 = \beta_1 = \alpha = 0$$

其中 A 为截面面积,于是应力场为

$$\sigma_x = \sigma_y = \tau_{xy} = \tau_{xz} = \tau_{yz} = 0, \quad \sigma_z = R_z/A \tag{3.1}$$

又由(2.22)知,位移场为

$$u = -\frac{\nu R_z}{EA}x, \quad v = -\frac{\nu R_z}{EA}y, \quad w = \frac{R_z}{EA}z \tag{3.2}$$

由这组式子可看出,当 $R_z > 0$ 时,柱体受拉,纵向伸长而横向收缩,其收缩比为 ν. 实际上弹性常数 ν 与 E 可以从这个拉伸实验得到.

3.3 力偶下弯曲

这时端面所受外力为

$$R_x = R_y = R_z = 0$$

$$M_x \neq 0, \quad M_y \neq 0, \quad M_z = 0$$

根据式(2.14)、(2.15)与(2.18)知,式(2.13)中的常数为

$$\alpha_0 = -\frac{M_y}{I_y}, \quad \beta_0 = \frac{M_x}{I_x}, \quad \gamma_0 = \alpha_1 = \beta_1 = \alpha = 0$$

于是应力场为

$$\begin{gathered}\sigma_x = \sigma_y = \tau_{xy} = \tau_{xz} = \tau_{yz} = 0 \\ \sigma_z = -\frac{M_y}{I_y}x + \frac{M_x}{I_x}y\end{gathered} \tag{3.3}$$

位移场为

$$u = -\frac{M_y}{2EI_y}[-z^2 + \nu(y^2 - x^2)] - \frac{\nu M_x}{EI_x}xy$$

$$v = \frac{\nu M_y}{EI_y}xy + \frac{M_x}{2EI_x}[-z^2 + \nu(x^2 - y^2)] \tag{3.4}$$

$$w = -\frac{M_y}{EI_y}xz + \frac{M_x}{EI_x}yz$$

现在将这里得到的结果与材料力学中的结果作一比较. 不妨设 $M_x=0$. 考虑中性线的弯曲. 所谓中性线即柱截面重心组成的直线,即 $x = y = 0$ 所决定的直线. 这条直线上点的位移是

$$u = \frac{M_y}{2EI_y}z^2, \quad v = 0, \quad w = 0$$

假定中性线上的点 (x,y,z) 经变形后变到点 (x',y',z') 处,则

$$x' = \frac{M_y}{2EI_y}z^2, \quad y' = 0, \quad z' = z$$

这是一条抛物线. 设它的曲率半径为 R,则

$$\frac{1}{R} = \frac{\dfrac{d^2x'}{dz^2}}{\left[1 + \left(\dfrac{dx'}{dz}\right)^2\right]^{\frac{3}{2}}} = \frac{\dfrac{M_y}{EI_y}}{\left[1 + \left(\dfrac{M_y}{EI_y}\right)^2 z^2\right]^{\frac{3}{2}}}$$

当 $\left|\dfrac{EI_y}{M_y}\right| \gg |z|$ 时,有

$$\frac{1}{R} \approx \frac{M_y}{EI_y} \quad 或 \quad M_y = \frac{EI_y}{R}$$

这就是 Bernoulli-Euler 定律.

考虑 $z=\text{const}$ 的截面,经变形后它变到

$$z' = z + w = z\left(1 - \frac{M_y}{EI_y}x\right)$$

就是说平截面假定在这个问题中近似成立.

3.4 扭转

这时，底面所受外力为

$$R_x = R_y = R_z = 0,\quad M_x = M_y = 0,\quad M_z \neq 0$$

根据式(2.14)、(2.15)、(2.18)知，式(2.13)中的常数为

$$\alpha_0 = \beta_0 = \gamma_0 = \alpha_1 = \beta_1 = 0,\quad \alpha = \frac{M_z}{\mu D}$$

式中 D 由(2.16)给出，称为几何扭转刚度(后面，简称为扭转刚度). 由此应力场为

$$\begin{aligned}
&\sigma_x = \sigma_y = \tau_{xy} = \sigma_z = 0 \\
&\tau_{xz} = \mu\alpha\left(\frac{\partial\varphi}{\partial x} - y\right) \\
&\tau_{yz} = \mu\alpha\left(\frac{\partial\varphi}{\partial y} + x\right)
\end{aligned} \tag{3.5}$$

这里 φ 为下述 Neumann 问题的解

$$\begin{cases}\nabla^2\varphi = 0 \\ \left.\dfrac{\mathrm{d}\varphi}{\mathrm{d}n}\right|_L = y\cos(n,x) - x\cos(n,y)\end{cases}$$

柱体内的位移场为

$$u = -\alpha yz,\quad v = \alpha xz,\quad w = \alpha\varphi \tag{3.6}$$

易于看出，求解扭转问题的关键在于解 Neumann 问题(2.8). 如果一旦求出了扭转函数 φ，则从(2.16)的第一式可计算出 D，由(2.18)可算出 α，最后应力与位移就可以从(3.5)与(3.6)得到.

Neumann 问题(2.8)有时换为另一个边值问题，此时求解更为方便. 这件事是很容易办到的，只要引进 φ 的共轭调和函数 ψ

$$\frac{\partial\varphi}{\partial x} = \frac{\partial\psi}{\partial y},\quad \frac{\partial\varphi}{\partial y} = -\frac{\partial\psi}{\partial x} \tag{3.7}$$

又注意到

$$\cos(n,x) = \frac{\mathrm{d}x}{\mathrm{d}n} = \frac{\mathrm{d}y}{\mathrm{d}s} = \cos(s,y)$$

$$\cos(n,y) = \frac{\mathrm{d}y}{\mathrm{d}n} = -\frac{\mathrm{d}x}{\mathrm{d}s} = -\cos(s,x)$$

这里 $\boldsymbol{n}$ 为曲线的外法矢量，$\boldsymbol{s}$ 为曲线的切矢量，且由 $\boldsymbol{n}$ 到 $\boldsymbol{s}$ 呈右旋. 于是

$$\frac{\mathrm{d}\varphi}{\mathrm{d}n} = \frac{\partial\varphi}{\partial x}\frac{\mathrm{d}x}{\mathrm{d}n} + \frac{\partial\varphi}{\partial y}\frac{\mathrm{d}y}{\mathrm{d}n} = \frac{\partial\psi}{\partial y}\frac{\mathrm{d}y}{\mathrm{d}s} + \frac{\partial\psi}{\partial x}\frac{\mathrm{d}x}{\mathrm{d}s} = \frac{\mathrm{d}\psi}{\mathrm{d}s}$$

而

$$y\cos(n,x) - x\cos(n,y) = y\frac{\mathrm{d}x}{\mathrm{d}n} - x\frac{\mathrm{d}y}{\mathrm{d}n}$$

$$= y\frac{\mathrm{d}y}{\mathrm{d}s} + x\frac{\mathrm{d}x}{\mathrm{d}s} = \frac{1}{2}\frac{\mathrm{d}}{\mathrm{d}s}(x^2 + y^2)$$

这样(2.8)的边条件相当于

$$\frac{\mathrm{d}\psi}{\mathrm{d}s} = \frac{1}{2}\frac{\mathrm{d}}{\mathrm{d}s}(x^2 + y^2)$$

由此，我们就把 Neumann 问题(2.8)换为如下等价的 Dirichlet 边值问题

$$\begin{cases}\nabla^2\psi = 0 \\ \psi|_L = \dfrac{1}{2}(x^2 + y^2) + \text{const}\end{cases} \tag{3.8}$$

其中常数，对于单连通区域可取为零；对于多连通区域只有一个可以任意给定，通常取外边界的常数为零.

现在，我们引进一个应力函数

$$\Psi = \psi - \frac{1}{2}(x^2 + y^2) \tag{3.9}$$

显然，Ψ 应满足边值问题

$$\begin{cases}\nabla^2\Psi = -2 \\ \Psi|_L = \text{const}\end{cases} \tag{3.10}$$

利用(3.5)与(3.7)以及(3.9)可得

$$\tau_{xz} = \mu\alpha \frac{\partial \Psi}{\partial y}$$

$$\tau_{yz} = -\mu\alpha \frac{\partial \Psi}{\partial x} \tag{3.11}$$

扭转刚度 D 也可以用应力函数 Ψ 来表示，由(2.16)、(3.7)与(3.9)可得

$$\begin{aligned} D &= -\iint_G \left(x\frac{\partial \Psi}{\partial x} + y\frac{\partial \Psi}{\partial y} \right) \mathrm{d}x\mathrm{d}y \\ &= -\iint_G \left[\frac{\partial}{\partial x}(x\Psi) + \frac{\partial}{\partial y}(y\Psi) - 2\Psi \right] \mathrm{d}x\mathrm{d}y \\ &= 2\iint_D \Psi \mathrm{d}x\mathrm{d}y - \oint_L \Psi [x\cos(n,x) + y\cos(n,y)] \mathrm{d}s \end{aligned} \tag{3.12}$$

假如区域 G 是 $n+1$ 连通的，设

$$L = L_0 + L_1 + \cdots + L_n$$

周界 L_0 为最外的周界，周界 $L_i(i=1,\cdots,n)$ 在 L_0 内. 并设 $\Psi|_{L_i} = C_i(i=0,1,\cdots,n)$，可取 $C_0=0$. 于是(3.12)可写成

$$D = 2\iint_G \Psi \mathrm{d}x\mathrm{d}y + 2\sum_{i=1}^{n} C_i A_i \tag{3.13}$$

式中 A_i 为 L_i 所围成之平面区域 G_i 的面积. 在计算(3.13)过程中，注意(3.12)中的外法矢量 $\boldsymbol{n}$，对于 $G_i(i=1,\cdots,n)$ 而言，则是内法矢量.

3.5 扭转问题的几个一般性质

现在我们要来证明扭转问题的如下三个一般性质：

(1) 扭转刚度 D 恒正；

(2) 扭转问题的最大剪应力发生在 G 的边界上；

(3) 剪应力方向为等 Ψ 线的方向.

首先证明扭转刚度恒正. 为此把(2.16)的第一式改写为

$$D=\iint_G\left[\left(x+\frac{\partial\varphi}{\partial y}\right)^2+\left(y-\frac{\partial\varphi}{\partial x}\right)^2\right]\mathrm{d}x\mathrm{d}y-I$$

这里

$$I=\iint_G\left[\left(\frac{\partial\varphi}{\partial x}\right)^2+\left(\frac{\partial\varphi}{\partial y}\right)^2+x\frac{\partial\varphi}{\partial y}-y\frac{\partial\varphi}{\partial x}\right]\mathrm{d}x\mathrm{d}y$$

现在我们证明积分 $I=0$. 事实上

$$\begin{aligned}I=&\iint_G\left[\frac{\partial}{\partial x}\left(\varphi\frac{\partial\varphi}{\partial x}\right)+\frac{\partial}{\partial y}\left(\varphi\frac{\partial\varphi}{\partial y}\right)\right.\\&\left.+\frac{\partial}{\partial y}(x\varphi)-\frac{\partial}{\partial x}(y\varphi)\right]\mathrm{d}x\mathrm{d}y\\=&\oint_L\varphi\left[\frac{\mathrm{d}\varphi}{\mathrm{d}n}+x\cos(n,y)-y\cos(n,x)\right]\mathrm{d}s\end{aligned}$$

由方程式(2.8)中 φ 的边界条件，得 $I=0$. 故

$$D=\iint_G\left[\left(x+\frac{\partial\varphi}{\partial y}\right)^2+\left(y-\frac{\partial\varphi}{\partial x}\right)^2\right]\mathrm{d}x\mathrm{d}y\geqslant 0$$

并且上式中等号不可能成立，否则就有

$$\frac{\partial\varphi}{\partial y}=-x,\quad \frac{\partial\varphi}{\partial x}=y$$

于是由前一式得 $\frac{\partial^2\varphi}{\partial x\partial y}=-1$，而由后一式得 $\frac{\partial^2\varphi}{\partial x\partial y}=1$，这显然是不可能的. 因而 $D>0$.

为了证明剪应力的最大值发生在边界上，先来证明一个引理.

引理 设函数 $V(x,y)$ 为上调和函数，即

$$\nabla^2V>0,\quad (x,y)\in G \tag{3.14}$$

则 V 的最大值在边界 L 上达到.

证明 用反证法. 设 $V(x,y)$ 在点 $(x_0,y_0)\in G$ 达到极大值，根据多元函数极值条件必有

$$\left.\frac{\partial^2V}{\partial x^2}\right|_{(x_0,y_0)}\leqslant 0,\quad \left.\frac{\partial^2V}{\partial y^2}\right|_{(x_0,y_0)}\leqslant 0$$

而这与(3.14)矛盾. 所以 V 不可能在 G 上取极大值，即仅在边界

上达到.

现将上述引理应用于剪应力 τ. 我们有

$$\tau^2=\tau_{xz}^2+\tau_{yz}^2=\mu^2\alpha^2\left[\left(\frac{\partial\varphi}{\partial x}-y\right)^2+\left(\frac{\partial\varphi}{\partial y}+x\right)^2\right]$$

由此

$$\nabla^2\tau^2=2\mu^2\alpha^2\left[2+\left(\frac{\partial^2\varphi}{\partial x^2}\right)^2+\left(\frac{\partial^2\varphi}{\partial y^2}\right)^2+2\left(\frac{\partial^2\varphi}{\partial x\partial y}\right)^2\right]$$

故有

$$\nabla^2\tau^2\geqslant 4\mu^2\alpha^2>0$$

这表明 τ^2是上调和函数,按引理剪应力的最大值取在边界上.

最后,我们来指出等 Ψ 线与剪应力的关系. 所谓等 Ψ 线是指 Ψ 相等的点的轨迹.

令图 6.1 所示的曲线为等 Ψ 线. 考虑剪应力

$$\boldsymbol{\tau}=\boldsymbol{i}\tau_{xz}+\boldsymbol{j}\tau_{yz}$$

在等 Ψ 线的切线方向的投影和法线方向的投影分别为

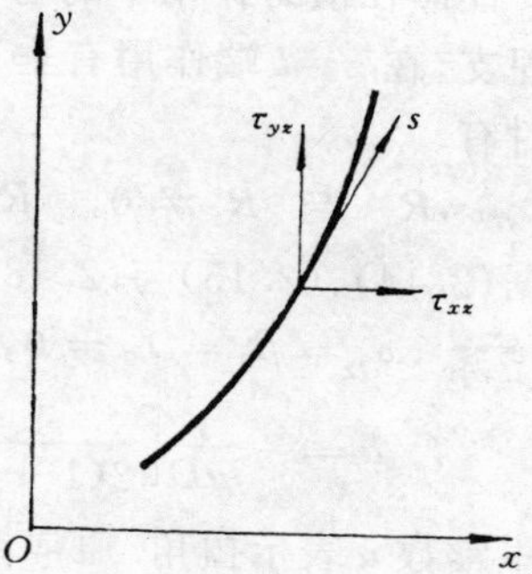

图 6.1

$$\tau_s=\tau_{xz}\cos(s,x)+\tau_{yz}\cos(s,y)=\alpha\mu\left(\frac{\partial\Psi}{\partial y}\frac{\mathrm{d}x}{\mathrm{d}s}-\frac{\partial\Psi}{\partial x}\frac{\mathrm{d}y}{\mathrm{d}s}\right)$$

$$=-\alpha\mu\left(\frac{\partial\Psi}{\partial y}\frac{\mathrm{d}y}{\mathrm{d}n}+\frac{\partial\Psi}{\partial x}\frac{\mathrm{d}x}{\mathrm{d}n}\right)=-\alpha\mu\frac{\mathrm{d}\Psi}{\mathrm{d}n}$$

$$\tau_n=\tau_{xz}\cos(n,x)+\tau_{yz}\cos(n,y)=\alpha\mu\left(\frac{\partial\Psi}{\partial y}\frac{\mathrm{d}x}{\mathrm{d}n}-\frac{\partial\Psi}{\partial x}\frac{\mathrm{d}y}{\mathrm{d}n}\right)$$

$$=\alpha\mu\left(\frac{\partial\Psi}{\partial y}\frac{\mathrm{d}y}{\mathrm{d}s}+\frac{\partial\Psi}{\partial x}\frac{\mathrm{d}x}{\mathrm{d}s}\right)=\alpha\mu\frac{\mathrm{d}\Psi}{\mathrm{d}s}=0$$

这两个式子说明:(1) 剪应力的合力沿等 Ψ 线;(2) 剪应力的大小和等 Ψ 线外法线方向的微商成正比.

由式(3.10)知,区域 G 的边界也是一条等 Ψ 线. 两条等 Ψ 线之间的区域称为剪力管. 任一剪力管区域上也可以提出边值问题(3.10). 显然,区域 G 上的边值问题(3.10)的解也必满足任一剪力管上的同一边值问题.

此外,还有所谓等 φ 线. 从(3.6)最后一式可知,在等 φ 线上,位移 w 也相等,且与 φ 的值成比例. 故等 φ 线为变形后截面的等高线.

3.6 悬臂梁的弯曲

柱体在横力作用下的弯曲体现了悬臂梁的弯曲. 设梁的 $z=0$ 端固支,在 $z=l$ 端作用有垂直于轴线的力,当合力通过 $z=l$ 的重心时有

$$R_x \text{ 与 } R_y \neq 0, \quad R_z = 0, \quad M_x = M_y = M_z = 0$$

根据(2.14)、(2.15)与(2.18)式知,(2.13)中的常数为

$$\alpha_0 = \beta_0 = \gamma_0 = 0, \quad \alpha_1 = R_x/I_y, \quad \beta_1 = R_y/I_x$$

$$\alpha = -\frac{1}{\mu D}\left[\frac{1}{2(1+\nu)}\frac{J_1}{I_y}R_x + \frac{1}{2(1+\nu)}\frac{J_2}{I_x}R_y\right]$$

这里常数 α 表示扭角. 通常希望在弯曲时没有扭转效应,这时要求

$$\alpha = 0$$

设想作用在底面的合力不过截面的重心,而作用在某点(x_{cf}, y_{cf})上,这时端面的合力与合力矩应当是

$$R_x \text{ 与 } R_y \neq 0, \quad R_z = 0, \quad M_x = M_y = 0$$

$$M_z = x_{\mathrm{cf}} R_y - y_{\mathrm{cf}} R_x$$

相应的(2.13)中的常数为

$$\alpha_0 = \beta_0 = \gamma_0 = 0, \quad \alpha_1 = \frac{R_x}{I_y}, \quad \beta_1 = \frac{R_y}{I_x}$$

$$\mu D\alpha = -\left(y_{\mathrm{cf}} + \frac{1}{2(1+\nu)}\frac{J_1}{I_y}\right)R_x + \left(x_{\mathrm{cf}} - \frac{1}{2(1+\nu)}\frac{J_2}{I_x}\right)R_y$$

倘若对任意大小的 R_x 和 R_y,都有 $\alpha=0$. 则由上式可知,应有

$$x_{\mathrm{cf}} = \frac{1}{2(1+\nu)}\frac{J_2}{I_x}, \quad y_{\mathrm{cf}} = -\frac{1}{2(1+\nu)}\frac{J_1}{I_y} \tag{3.15}$$

点(x_{cf}, y_{cf})称为截面的弯曲中心. 当外力的作用线通过弯曲中心时,没有扭转效应. 弯曲中心的计算,在工程实践中相当重要.

现考虑 $R_x \neq 0, R_y = 0$. 这时应力为

$$\begin{aligned}
&\sigma_x = \sigma_y = \tau_{xy} = 0 \\
&\sigma_z = -\frac{R_x}{I_y}(l-z)x \\
&\tau_{xz} = \frac{1}{2(1+\nu)}\frac{R_x}{I_y}\left[\frac{\partial \varphi_1}{\partial x} + \nu y^2 - (1+\nu)x^2\right] \\
&\tau_{yz} = \frac{1}{2(1+\nu)}\frac{R_x}{I_y}\frac{\partial \varphi_1}{\partial y}
\end{aligned} \tag{3.16}$$

位移场为

$$\begin{aligned}
u &= \frac{1}{E}\frac{R_x}{I_y}\left[z^2\left(\frac{l}{2} - \frac{1}{6}z\right) + \frac{\nu}{2}(x^2 - y^2)(l-z)\right] \\
v &= \frac{\nu}{E}\frac{R_x}{I_y}xy(l-z) \\
w &= \frac{1}{E}\frac{R_x}{I_y}\left[\varphi_1 + \frac{1}{2}\nu x y^2 - \frac{1}{3}\left(1 + \frac{\nu}{2}\right)x^3 \right. \\
&\quad \left. - xz\left(l - \frac{1}{2}z\right)\right]
\end{aligned} \tag{3.17}$$

其中 φ_1 为 Neumunn 问题(2.9)的解. 由此可见,解弯曲问题的关键在于求解(2.9). 如果求出了 φ_1,则由(3.16)可以得应力场,由(3.17)可以得位移场.

考虑 $x=y=0$ 的中性线在弯曲下的变形. 设变形后中性线上点的坐标为(x', y', z'),按(3.17)有

$$x' = \frac{R_x}{EI_y}\left(\frac{1}{2}lz^2 - \frac{1}{6}z^3\right), \quad y' = 0, \quad z' = z$$

由此有

$$\frac{\mathrm{d}^2 x'}{\mathrm{d}z^2} = \frac{1}{EI_y}R_x(l-z)$$

这就是 Bernoulli-Euler 定律.

§ 4　Saint-Venant 问题的若干典型例子

4.1　椭圆截面杆的扭转

在上一节，我们研究了 Saint-Venant 问题的各种情况. 在这一节，我们来讨论若干典型例子. 首先来讨论椭圆截面杆的扭转.

设截面的周界 L 的方程为

$$\frac{x^2}{a^2} + \frac{y^2}{b^2} = 1$$

我们在 G 上求解问题(3.8)，即在椭圆域上解方程组

$$\begin{cases} \nabla^2 \psi = 0 \\ \psi|_L = \dfrac{1}{2}(x^2 + y^2) \end{cases}$$

我们知道，复变解析函数的实部和虚部都是调和函数. 今考虑 $z^n = (x + \mathrm{i}y)^n$ 的实部和虚部：

$n = 1$ 时，$z = x + \mathrm{i}y$；

$n = 2$ 时，$z^2 = x^2 - y^2 + 2\mathrm{i}xy$；

$n = 3$ 时，$z^3 = x^3 - 3xy^2 - \mathrm{i}(y^3 - 3x^2 y)$.

考虑到 ψ 必须满足的边界条件，令

$$\psi = c_1(x^2 - y^2) + c_2$$

其中 c_1 与 c_2 为待定常数. 显然 ψ 是调和的，故只需选择适当的 c_1 与 c_2 使 ψ 满足边值. 由于在边界上

$$y^2 = b^2\left(1 - \frac{x^2}{a^2}\right)$$

因此，在边界上我们有

$$\psi|_L = c_1\left[x^2 - b^2\left(1 - \frac{x^2}{a^2}\right)\right] + c_2 = \frac{1}{2}\left[x^2 + b^2\left(1 - \frac{x^2}{a^2}\right)\right]$$

此即

$$c_1\left(1 + \frac{b^2}{a^2}\right)x^2 + c_2 - c_1 b^2 = \frac{1}{2}\left(1 - \frac{b^2}{a^2}\right)x^2 + \frac{1}{2}b^2$$

比较上式 x 的系数得

$$c_1=\frac{a^2-b^2}{2(a^2+b^2)},\quad c_2=\frac{a^2b^2}{a^2+b^2}$$

最后，我们得到

$$\psi=\frac{a^2-b^2}{2(a^2+b^2)}(x^2-y^2)+\frac{a^2b^2}{a^2+b^2}$$

利用(3.9)可得到应力函数 Ψ 为

$$\Psi=\frac{a^2b^2}{a^2+b^2}\left(1-\frac{x^2}{a^2}-\frac{y^2}{b^2}\right)$$

由此经计算，应力为

$$\tau_{xz}=\alpha\mu\frac{\partial\Psi}{\partial y}=-\frac{2\alpha\mu a^2}{a^2+b^2}y,\quad \tau_{yz}=-\alpha\mu\frac{\partial\Psi}{\partial x}=\frac{2\alpha\mu b^2}{a^2+b^2}x \tag{4.1}$$

扭转刚度为

$$D=2\iint_G\Psi\,\mathrm{d}x\mathrm{d}y=\frac{\pi a^3b^3}{a^2+b^2}$$

再由(2.18)知

$$\alpha=\frac{M_z}{\mu D}$$

由于 ψ 为 φ 的共轭调和函数，因此扭转函数 φ 为

$$\varphi=-\frac{a^2-b^2}{a^2+b^2}xy$$

我们又可得位移为

$$u=-\alpha yz,\quad v=\alpha xz,\quad w=-\alpha\frac{a^2-b^2}{a^2+b^2}xy$$

至此，我们全部求解了此问题. 下面在此基础上做一些讨论.

在上一节中，我们得到了剪应力最大值发生在边界上. 对于椭圆截面，利用式(4.1)易于算出最大剪应力的位置位于短轴的两端. 即位于图 6.2 所示的 A 与 B 两点. 图中的虚线是等 Ψ 线，这种等 Ψ 线也是在 A,B 两点附近密度最大. 这与 §3.5 中的结论

是一致的.

除了椭圆截面之外，还有一些截面的最大剪应力也发生在边界上离形心最近的点上. 但这个结论并不一般地成立. 例如，如图 6.3 所示的“圣维南钢轨”的图形，其最大剪应力不发生在离形心最近的点上，而发生在 F 点上. 即便是凸形截面上述结论也可能不成立，其反例参见参考文献[55].

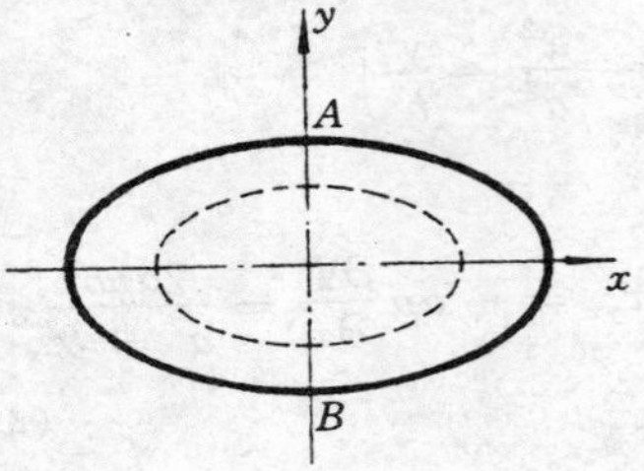

图 6.2

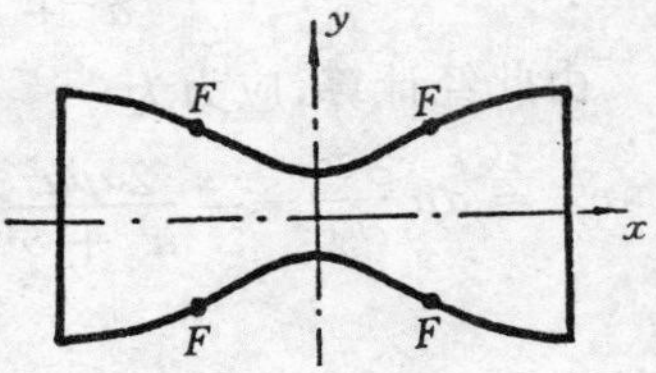

图 6.3

现在来考察一下 α 的意义，为简单计，设 $b=a$，即考虑圆柱体.

设 $P(x,y,z)$ 点经扭转后移到了 $P'(x',y',z')$ 点. 于是有

$$x' = x - \alpha yz, \quad y' = y + \alpha xa, \quad z' = z$$

把上述表达式变换在极坐标内，并设 α 充分小. 这时

$$\sin(\alpha z) = \alpha z, \quad \cos(\alpha z) = 1$$

这样一来，

$$x' = r\cos(\theta + \alpha z), \quad y' = r\sin(\theta + \alpha z), \quad z' = z$$

这些式子说明，经过扭转后，P 点转过了角 αz. 对于 $z=\text{const}$ 的截面上，所转过的角相同，且转角大小与 z 成比例. 比例系数 α 可看作单位长度柱体的转角.

现在来讨论另一个问题. 当扭矩 M_z 和材料给定时，要减小变形，即减小 α 应该怎样选择截面的几何形状.

显然应当选择 D 较大的截面形状. 考察 D 的表达式

$$D = \frac{\pi a^3 b^3}{a^2 + b^2}$$

如果截面积 $\pi ab=A$ 是给定的，即为给定量的材料. 这时，当 $a=b=R$ 时，D 取极大值，即

$$D=\frac{1}{2}\pi R^4=\frac{A^2}{2\pi}$$

也就是说，当面积给定时，所有椭圆截面中，以圆的抗扭刚度最大.

Saint-Venant 曾猜测，当面积给定时，所有单连通凸的平面图形中，以圆的抗扭刚度最大. 这个命题已由 G. Pólya 用所谓对称化方法证明.

如果不限于单连通区域，考虑同心圆环域，即考虑圆筒的扭转问题. 设内圆半径为 R_1，外圆半径为 R_2，仍假定截面积为 A，即

$$\pi R_2^2-\pi R_1^2=A$$

而这时的扭转刚度为

$$D=\frac{1}{2}\pi R_2^4-\frac{1}{2}\pi R_1^4=\frac{A^2}{2\pi}+AR_1^2$$

当充分加大内圆半径 R_1，圆筒壁将越来越薄，从上述表达式可看出，扭转刚度亦将越来越大. 当然，薄的程度要受到其他因素的制约. 在扭转问题中薄壁杆件比较能充分发挥材料的能力.

对于薄壁杆的扭转问题，可以利用薄壁的特点进行近似计算，读者可参阅钱伟长等著《弹性力学》[13].

4.2 矩形截面杆的扭转

设矩形的边界为

$$x=\pm a,\quad y=\pm b$$

现在我们在以它围成的矩形上求解边值问题(3.8). 这时，调和函数 ψ 的边值为

$$\psi(\pm a,y)=\frac{1}{2}(a^2+y^2),\quad \psi(x,\pm b)=\frac{1}{2}(x^2+b^2)$$

为了应用分离变量法进行求解，我们引进新的未知函数 $f(x,y)$，以便将一个对边的边条件化为齐次的

$$f(x,y)=\psi-\frac{1}{2}(x^2-y^2)-b^2$$

显然，$f(x,y)$是调和函数，即

$$\nabla^2 f(x,y)=0 \tag{4.2}$$

而它的边条件为

$$f(\pm a,y)=y^2-b^2,\quad f(x,\pm b)=0 \tag{4.3}$$

为了求解 f，设

$$f=\sum_{n=0}^{\infty}a_n X_n(x)Y_n(y)$$

且其每一项都是(4.2)的解，a_n 为待定常数. 把这种形式的 $f(x,y)$ 代入(4.2)得

$$X_n''(x)Y_n(y)+X_n(x)Y_n''(y)=0$$

即

$$\frac{X''(x)}{X(x)}=-\frac{Y''(y)}{Y(y)}$$

上式一边是 x 的函数，另一边是 y 的函数，所以它应当是一个常数，设为 K_n^2，便可得

$$X''(x)-K_n^2X_n(x)=0$$

$$Y''(y)+K_n^2Y_n(y)=0$$

解之，得到这两个方程各自的两个线性无关解

$$X_n=\begin{cases}\mathrm{ch}k_nx,\\ \mathrm{sh}k_nx,\end{cases}\qquad Y_n=\begin{cases}\cos k_ny\\ \sin k_ny\end{cases}$$

由边条件(4.3)看出，解应当对于 x 轴和 y 轴都是对称的，所以可取

$$f(x,y)=\sum_{n=0}^{\infty}a_n\mathrm{ch}(k_nx)\cos(k_ny) \tag{4.4}$$

将式(4.4)代入(4.3)的第二式得

$$\sum_{n=0}^{\infty}a_n\mathrm{ch}(k_nx)\cos(k_nb)=0$$

令 $\cos(k_nb)=0$，代入上式使之成立，即有

$$k_n = \frac{(2n+1)\pi}{2b} \quad (n = 0,1,2,\cdots)$$

再将式(4.4)代入(4.3)的第一式得

$$\sum_{n=0}^{\infty} a_n \mathrm{ch}(k_n a)\cos(k_n y) = y^2 - b^2$$

将上式的右端在 $-b \leqslant y \leqslant b$ 上展为只含 $\cos(k_n y)$ 的 Fourier 级数,比较两边的系数可得

$$a_n = (-1)^{n+1} \frac{32b^2}{(2n+1)^3\pi^3} \frac{1}{\mathrm{ch}(k_n a)}$$

最后我们求得

$$f(x,y) = \sum_{n=0}^{\infty} (-1)^{n+1} \frac{32b^2}{(2n+1)^3\pi^3} \frac{\mathrm{ch}(k_n x)}{\mathrm{ch}(k_n a)} \cos(k_n y)$$

这个级数是收敛的,因而 $f(x,y)$ 是有意义的. 由 f 可求出 ψ 为

$$\psi = b^2 + \frac{1}{2}(x^2 - y^2)$$

$$- \frac{32b^2}{\pi^3} \sum_{n=0}^{\infty} (-1)^n \frac{1}{(2n+1)^3} \frac{\mathrm{ch}(k_n x)}{\mathrm{ch}(k_n a)} \cos(k_n y)$$

函数 φ 为

$$\varphi(x,y) = -xy + \frac{32b^2}{\pi^3} \sum_{n=0}^{\infty} (-1)^n \frac{1}{(2n+1)^3} \frac{\mathrm{sh}(k_n x)}{\mathrm{ch}(k_n a)} \sin(k_n y)$$

应力分布为

$$\tau_{xz} = \alpha\mu\left[-2y + \frac{16b}{\pi^2} \sum_{n=0}^{\infty} (-1)^n \frac{1}{(2n+1)^2} \frac{\mathrm{ch}(k_n x)}{\mathrm{ch}(k_n a)} \sin(k_n y) \right]$$

$$\tau_{yz} = \frac{16\alpha\mu b}{\pi^2} \sum_{n=0}^{\infty} (-1)^n \frac{1}{(2n+1)^2} \frac{\mathrm{sh}(k_n x)}{\mathrm{ch}(k_n a)} \cos(k_n y)$$

位移场为

$$u = -\alpha yz, \quad v = \alpha xz, \quad w = \alpha\varphi$$

扭转刚度为

$$D = 2\iint_G \Psi \mathrm{d}x\mathrm{d}y = \frac{16}{3}ab^3 - \sum_{n=0}^{\infty} \frac{1024b^4}{(2n+1)^5\pi^5} \mathrm{th}(k_n a)$$

现在,我们来考察剪应力的最大值. 已经知道它的最大值必须

发生在矩形的周边上. 如图 6.4,即在边界段 AB 上,其方程为 $y=+b$. 这时

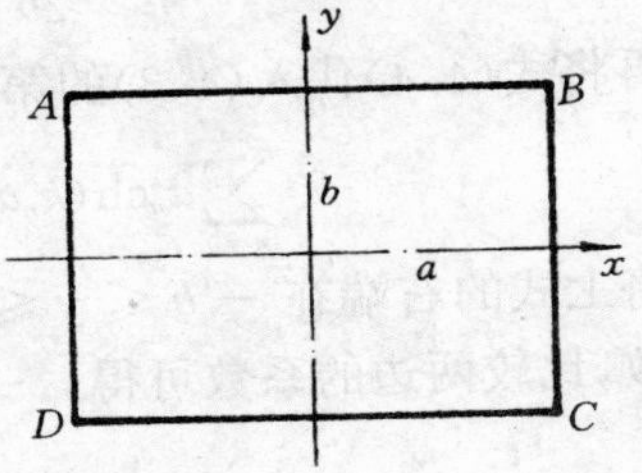

图 6.4

$$\cos(k_n b)=\cos\left(n+\frac{1}{2}\right)\pi=0$$

$$\sin(k_n b)=\sin\left(n+\frac{1}{2}\right)\pi=(-1)^n$$

故有 $\tau_{yz}=0$. 而

$$|\tau_{xz}|=2\alpha\mu b\left[1-\frac{8}{\pi^2}\sum_{n=0}^{\infty}\frac{1}{(2n+1)^2}\frac{\operatorname{ch}(k_n x)}{\operatorname{ch}(k_n a)}\right]$$

利用

$$\sum_{n=0}^{\infty}\frac{1}{(2n+1)^2}=\frac{\pi^2}{8}$$

可有

$$|\tau_{xz}|=\frac{16\alpha\mu b}{\pi^2}\sum_{n=0}^{\infty}\frac{1}{(2n+1)^2}\left[1-\frac{\operatorname{ch}(k_n x)}{\operatorname{ch}(k_n a)}\right]$$

由此式可看出: 在 $x=0$ 时, τ_{xz} 取最大值. 即在边界 AB 上,剪应力最大值是在 AB 的中点达到,其大小为

$$\tau_{AB}=\frac{16\alpha\mu b}{\pi^2}\sum_{n=0}^{\infty}\frac{1}{(2n+1)^2}\left[1-\frac{1}{\operatorname{ch}\left[\left(n+\frac{1}{2}\right)\pi\frac{a}{b}\right]}\right]$$

按照截面的对称性,在边界段 BC 上,剪应力最大值也在它的中点达到,其值为

$$\tau_{BC}=\frac{16\alpha\mu b}{\pi^2}\sum_{n=0}^{\infty}\frac{(-1)^n}{(2n+1)^2}\operatorname{th}\left[\left(n+\frac{1}{2}\right)\pi\frac{a}{b}\right]$$

我们从上面 τ_{AB} 与 τ_{BC} 的表达式知道: 当 b 固定, a 增加时, 则 τ_{AB}/α 增加得快, τ_{BC}/α 增加得慢. 而当 $a=b$ 时,由截面的对称性可以看出: $\tau_{AB}=\tau_{BC}$. 因此当 $a\geqslant b$ 时

$$\tau_{AB}\geqslant\tau_{BC}$$

也就是说,最大剪应力发生在长边的中点.

当 $ab=1$ 时,即矩形面积为 4 时,扭转刚度与 τ_{AB}/τ_{BC} 及 a/b 的关系如下表所示.

a/b	1	1.5	2	5	10	20
τ_{AB}/τ_{BC}	1	2.0	2.5	6.7	13.8	27.6
D	2.25	2.08	1.83	0.93	0.50	0.26

由上表可看出,当 a/b 增大时,τ_{AB}/τ_{BC} 增大,而 D 减小.

4.3 圆柱的弯曲

对于圆柱的横弯曲,显然截面的圆心就是弯曲中心. 设

$$R_x \neq 0, \quad R_y = 0$$

令截面周界的方程为

$$x^2 + y^2 = a^2 \tag{4.5}$$

按照 § 3.6 的讨论,弯曲问题归结于求解问题(2.9). 为了更便于求解,改写 φ_1 的边界条件为

$$\frac{\partial \varphi_1}{\partial x}\frac{\mathrm{d}y}{\mathrm{d}s} - \frac{\partial \varphi_1}{\partial y}\frac{\mathrm{d}x}{\mathrm{d}s} = [(1+\nu)x^2 - \nu y^2]\frac{\mathrm{d}y}{\mathrm{d}s} \tag{4.6}$$

微分式(4.5)得

$$x\frac{\mathrm{d}x}{\mathrm{d}s} + y\frac{\mathrm{d}y}{\mathrm{d}s} = 0$$

将式(4.6)两边乘以 y,并利用上式可得

$$x\frac{\partial \varphi_1}{\partial x} + y\frac{\partial \varphi_1}{\partial y} = (1+2\nu)x^3 - \nu a^2 x$$

令 $\varphi_1 = c_1(x^3 - 3xy^2) + c_2 x$,并代入上式,再利用式(4.5)进行简化得

$$12c_1x^3 + (-9c_1a^2 + c_2)x = (1+2\nu)x^3 - \nu a^2 x$$

比较上式等号两边同次项的系数得

$$c_1 = \frac{1+2\nu}{12}, \quad c_2 = \frac{3+2\nu}{4}a^2$$

于是得到

$$\varphi_1 = \frac{1+2\nu}{12}(x^3 - 3xy^2) + \frac{3+2\nu}{4}a^2 x \tag{4.7}$$

由此可算出应力与位移

$$\begin{aligned} \tau_{xz} &= \frac{3+2\nu}{8(1+\nu)}\frac{R_x}{I_y}\left(a^2 - x^2 - \frac{1-2\nu}{3+2\nu}y^2\right) \\ \tau_{yz} &= -\frac{(1+2\nu)R_x}{4(1+\nu)I_y}xy \end{aligned} \tag{4.8}$$

$$\begin{aligned} u &= \frac{1}{E}\frac{R_x}{I_y}\left[z^2\left(\frac{l}{2} - \frac{1}{6}z\right) + \frac{\nu}{2}(x^2 - y^2)(l - z)\right] \\ v &= \frac{\nu}{E}\frac{R_x}{I_y}xy(l - z) \\ w &= \frac{R_x}{EI_y}\left[-\frac{1}{4}x^3 - \frac{1}{4}xy^2 + \frac{3+2\nu}{4}a^2 x - xz\left(l - \frac{1}{2}z\right)\right] \end{aligned} \tag{4.9}$$

从圆截面悬臂梁的弯曲解可导出半圆截面柱体的一个 Saint-Venant 问题的解.

事实上,由式(4.8)给出的应力分布对半圆来说也满足式(2.2).如图 6.5,在半圆的边界 ABC 上显然满足式(1.6);在边界 AOC 上,即 $y=0$,式(4.8)给出

$$\tau_{yz} = 0$$

也恰好满足(1.6).

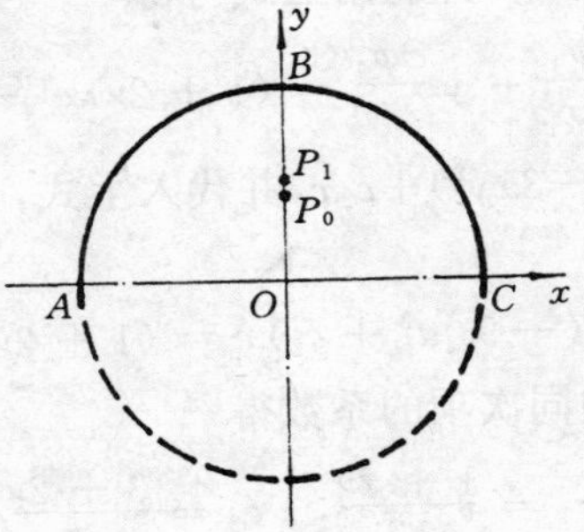

图 6.5

现在，我们来计算关于半圆的端部的合力与合力矩，其应力分布由式(4.8)给出，得

$$R_x \neq 0, \quad R_y = R_z = 0, \quad M_x = M_y = 0,$$

$$M_2 = \iint\limits_{\substack{x^2+y^2 \leqslant a \\ y \geqslant 0}} [x\tau_{yz} - (y - y_0)\tau_{xz}]\mathrm{d}x\mathrm{d}y \tag{4.10}$$

$$= -\frac{8(3+4\nu)}{15(1+\nu)\pi} aR_x + y_0 R_x$$

式中 $y_0 = \frac{4}{3\pi}a$，是半圆的形心 P_0 的纵坐标.

由此我们计算半圆的弯曲中心，设其为 P_1，其坐标为 $(0, y_1)$. 由式(2.17)和(3.15)，我们有

$$M_z = \alpha\mu D - (y_1 - y_0)R_x \tag{4.11}$$

这里 D 为半圆的扭转刚度，可以算出(参见钱伟长等著《弹性柱体的扭转理论》[12]第 80 页)为

$$D = \frac{\pi^2 - 8}{2\pi} a^4 \tag{4.12}$$

式(4.11)中常数 α 可由位移求出，为此我们将式(4.9)的坐标原点移到半圆的重心上. 对于 v 有

$$v = -\frac{\nu R_x}{EI_y} y_0 xz + \frac{\nu R_x}{EI_y} x[(y - y_0)(l - z) + y_0 l]$$

将此式和(2.22)对比得

$$\alpha = -\frac{\nu y_0}{EI_y} R_x$$

将(4.10)、(4.12)与上式同时代入式(4.11)，又注意到

$$I_y = \frac{\pi}{8} a^4$$

由此我们算出半圆截面的弯曲中心为

$$y_1 = \frac{8(3+4\nu)}{15(1+\nu)\pi} a - \frac{8(\pi^2 - 8)\nu}{3(1+\nu)\pi^3} a \tag{4.13}$$

当 $\nu = 0.3$ 时，上式给出

$$y_1 = 0.548a - 0.037a = 0.511a$$

4.4 圆筒的弯曲

设圆筒的外半径为 r_1,内半径为 r_2.

复函数 $\frac{1}{\zeta}$ 的实部与虚部是调和函数

$$\frac{1}{\zeta}=\frac{x}{x^2+y^2}-\mathrm{i}\frac{y}{x^2+y^2}$$

这里 $\zeta=x+\mathrm{i}y$. 再令

$$\varphi_1=c_1(x^3-3xy^2)+c_2x+c_3\frac{x}{x^2+y^2}$$

利用圆周上微分关系式

$$x\frac{\mathrm{d}x}{\mathrm{d}s}+y\frac{\mathrm{d}y}{\mathrm{d}s}=0$$

可以分别得到在外圆与内圆上的等式

$$12c_1x^3+\left(-9c_1r_1^2+c_2-\frac{c_3}{r_1^2}\right)x=(1+2\nu)x^3-\nu r_1^2x$$

$$12c_1x^3+\left(-9c_1r_2^2+c_2-\frac{c_3}{r_2^2}\right)x=(1+2\nu)x^3-\nu r_2^2x$$

比较等式两边的系数可得

$$12c_1=1+2\nu$$

$$-9c_1r_i^2+c_2-\frac{c_3}{r_i^2}=-\nu r_i^2\quad(i=1,2)$$

解之得

$$c_1=\frac{1+2\nu}{12},\quad c_2=\frac{3+2\nu}{4}(r_1^2+r_2^2),\quad c_3=\frac{3+2\nu}{4}r_1^2r_2^2$$

因此

$$\varphi_1=\frac{1+2\nu}{12}(x^3-3xy^2)+\frac{3+2\nu}{4}\left[(r_1^2+r_2^2)x+r_1^2r_2^2\frac{x}{x^2+y^2}\right]\tag{4.14}$$

由于圆筒截面实际上是一个复连通区域,所以我们必须验证位移单值性条件(2.23)是否被满足.事实上由式(4.14)所确定的

φ_1 满足

$$\oint_{x^2+y^2=r_2^2} \mathrm{d}\varphi_1(x,y) = 0$$

这便是 $\varphi_1(x,y)$的单值性条件.

根据公式(3.16)与(3.17),由 $\varphi_1(x,y)$可算出应力和位移分别为

$$\tau_{xz} = \frac{R_x}{8(1+\nu)I_y}\left\{(2\nu-1)y^2 + (3+2\nu)\left[r_1^2 + r_2^2 - x^2 + \frac{r_1^2 r_2^2(y^2-x^2)}{(x^2+y^2)^2}\right]\right\}$$

$$\tau_{yz} = -\frac{R_x}{4(1+\nu)I_y}\left[(1+2\nu) + (3+2\nu)\frac{r_1^2 r_2^2}{(x^2+y^2)^2}\right]xy$$

$$u = \frac{1}{E}\frac{R_x}{I_y}\left[z^2\left(\frac{l}{2} - \frac{1}{6}z\right) + \frac{\nu}{2}(x^2-y^2)(l-z)\right]$$

$$v = \frac{\nu}{E}\frac{R_x}{I_y}xy(l-z)$$

$$w = \frac{1}{E}\frac{R_x}{I_y}\left[-\frac{1}{4}(x^3 - xy^2) + \frac{3+2\nu}{4}(r_1^2+r_2^2)x + \frac{3+2\nu}{4}r_1^2 r_2^2\frac{x}{x^2+y^2} - xz\left(l - \frac{1}{2}z\right)\right]$$

当然,完全类似,从上式出发也可以讨论半圆环的弯曲中心问题.

4.5 弯曲中心的 Новожилов 公式

对于多连通区域 G,其弯曲中心$(x_{\mathrm{cf}},y_{\mathrm{cf}})$有如下表达:

$$x_{\mathrm{cf}} = -\frac{1}{I_x}\iint_G y\varphi\,\mathrm{d}x\mathrm{d}y + \frac{\nu}{1+\nu}\frac{1}{I_x}\iint_G x\Psi\mathrm{d}x\mathrm{d}y + \frac{\nu}{1+\nu}\frac{1}{I_x}\sum_{i=1}^{n}C_iA_ix_i$$

$$y_{\mathrm{cf}} = \frac{1}{I_y}\iint_G x\varphi\,\mathrm{d}x\mathrm{d}y + \frac{\nu}{1+\nu}\frac{1}{I_y}\iint_G y\Psi\mathrm{d}x\mathrm{d}y + \frac{\nu}{1+\nu}\frac{1}{I_y}\sum_{i=1}^{n}C_iA_iy_i \tag{4.15}$$

其中(x_i, y_i)为G_i的形心.

证明 先把(2.16)式中的J_1写成两部分:

$$J_1 = I_1 + \iint_G [(1+\nu)x^2 y - \nu y^3] \mathrm{d}x\mathrm{d}y \tag{4.16}$$

其中

$$I_1 = \iint_G \left(x \frac{\partial \varphi_1}{\partial y} - y \frac{\partial \varphi_1}{\partial x} \right) \mathrm{d}x\mathrm{d}y \tag{4.17}$$

利用 Green 公式,(4.17)可写成

$$I_1 = \oint_L \varphi_1 [x\cos(n, y) - y\cos(n, x)] \mathrm{d}s \tag{4.18}$$

考虑到φ的边界条件(2.8)第二式,(4.18)变成

$$I_1 = -\oint_L \varphi_1 \frac{\mathrm{d}\varphi}{\mathrm{d}n} \mathrm{d}s \tag{4.19}$$

或者

$$I_1 = -\oint_L \left[\varphi_1 \frac{\partial \varphi}{\partial x} \cos(n, x) + \varphi_1 \frac{\partial \varphi}{\partial y} \cos(n, y) \right] \mathrm{d}s$$

对上式再应用一次 Green 公式,考虑到φ为调和函数,则有

$$I_1 = -\iint_G \left(\frac{\partial \varphi_1}{\partial x} \frac{\partial \varphi}{\partial x} + \frac{\partial \varphi_1}{\partial y} \frac{\partial \varphi}{\partial y} \right) \mathrm{d}x\mathrm{d}y \tag{4.20}$$

由于(4.20)对于φ_1和φ是对称的,而且φ_1也是调和函数,这样从(4.20),类似于(4.19)和(4.18),再由φ_1的边界条件(2.9)第二式,可得

$$\begin{aligned} I_1 &= -\oint_L \varphi \frac{\mathrm{d}\varphi_1}{\mathrm{d}n} \mathrm{d}s \\ &= -\oint_L \varphi [(1+\nu)x^2 - \nu y^2] \cos(n, x) \mathrm{d}s \end{aligned}$$

将此式代入(4.16)得

$$J_1 = -2(1+\nu) \iint_G x\varphi \, \mathrm{d}x\mathrm{d}y - \iint_G \left(\frac{\partial \varphi}{\partial x} - y \right) [(1+\nu)x^2 - \nu y^2] \mathrm{d}x\mathrm{d}y$$

考虑到

$$\frac{\partial \varphi}{\partial x} - y = \frac{\partial \Psi}{\partial y}$$

再经过一些计算得到

$$J_1 = -2(1+\nu)\iint_G x\varphi\,\mathrm{d}x\mathrm{d}y - 2\nu\iint_G y\Psi\mathrm{d}x\mathrm{d}y - 2\nu\sum_{i=1}^{n} C_i A_i x_i \tag{4.21}$$

同理

$$J_2 = -2(1+\nu)\iint_G y\varphi\,\mathrm{d}x\mathrm{d}y + 2\nu\iint_G x\Psi\mathrm{d}x\mathrm{d}y + 2\nu\sum_{i=1}^{n} C_i A_i x_i \tag{4.22}$$

将(4.21)和(4.22)代入(3.15),就得到(4.15)式.

Новожилов[61]于1957年得到单连通区域的弯曲中心公式.公式(4.15)的特点在于弯曲中心可通过扭转问题的翘曲函数 φ 和应力函数 Ψ 来得到,而不需解弯曲问题.

习　题

1. 在柱体表面 $\partial\mathscr{D}$ 上的应力为 $\boldsymbol{t}$,证明 Saint-Venant 问题的应力场(2.13)满足

$$\int_{\partial\mathscr{D}} \boldsymbol{t}\mathrm{d}\pi = \boldsymbol{0}$$

$$\int_{\partial\mathscr{D}} \boldsymbol{r}\times\boldsymbol{t}\mathrm{d}\pi = \boldsymbol{0}$$

即合力、合力矩为零.

2. 试证:若式(1.3)、(1.6)与(1.9)皆成立,则式(1.10)也成立.

3. 如果坐标原点不取在重心上,问题可解吗?

4. 如果坐标轴不取在惯性主轴上,问题的解有什么变化?

5. 试用其他方法确定常数 γ_1.

6. Saint-Venant 问题的解是近似解还是准确解?

7. 试证扭转问题中,如果材料力学的平截面假定成立,则柱体的横截面必为圆或圆环.

8. 试求圆筒的扭转解.

9. 已知截面边界为椭圆 $\frac{x^2}{a^2}+\frac{y^2}{b^2}=1$ 的杆，扭转刚度为 $D=\frac{\pi a^3 b^3}{a^2+b^2}$，求该椭圆边界与椭圆

$$\frac{x^2}{a^2}+\frac{y^2}{b^2}=\frac{1}{\lambda^2}\quad(\lambda^2>1)$$

所围成的空心截面杆的扭转刚度.

10. 试求截面为等边三角形的柱体的扭转解.

11. 试求截面为椭圆的柱体在横力作用下的弯曲解.

12. 试证对称截面的弯曲中心在对称轴上.

13. 试证对称截面的一个弯曲解必是半截面的一个 Saint-Venant 问题的解.

第七章　弹性力学的平面问题

§1　平面问题的提法

1.1　平面应变问题

弹性力学平面问题是弹性力学问题中具有广泛实用价值的一大类问题. 它又可以分为平面应变与平面应力两大类,不过从求解方法上却是共同的. 现在我们就从平面应变问题入手展开我们的讨论.

考虑一个弹性柱体,取 z 轴平行于母线,如果应变场满足条件:

(1) $\varepsilon_x,\varepsilon_y,\varepsilon_{xy}$ 仅仅是 x,y 的函数;

(2) $\varepsilon_{xz}=\varepsilon_{yz}=\varepsilon_z=0$.

则称为平面应变. 符合这一条件的弹性力学问题称为平面应变问题. 即应变张量

$$\boldsymbol{\Gamma}=\varepsilon_x(x,y)\boldsymbol{ii}+\varepsilon_y(x,y)\boldsymbol{jj}+\frac{1}{2}\varepsilon_{xy}(x,y)(\boldsymbol{ij}+\boldsymbol{ji}) \tag{1.1}$$

在现在的情况下,利用第二章的位移的积分表达式(4.11),可直接计算得(若不计刚体运动)位移

$$u=u(x,y),\quad v=v(x,y),\quad w=0 \tag{1.2}$$

按照 Hooke 定律,应力为

$$\begin{aligned}\sigma_x&=\lambda\theta+2\mu\varepsilon_x\\ \sigma_y&=\lambda\theta+2\mu\varepsilon_y\\ \sigma_z&=\lambda\theta\\ \tau_{xy}&=\mu\varepsilon_{xy}\\ \tau_{xz}&=\tau_{yz}=0\end{aligned} \tag{1.3}$$

式中 $\theta=\varepsilon_x+\varepsilon_y$. 由此,$\sigma_x,\sigma_y,\tau_{xy}$ 也仅仅是 x,y 的函数. 反解(1.3)得

$$\varepsilon_x = \frac{1-\nu^2}{E}\sigma_x - \frac{\nu(1+\nu)}{E}\sigma_y$$

$$\varepsilon_y = \frac{\nu(1+\nu)}{E}\sigma_x + \frac{1-\nu^2}{E}\sigma_y \tag{1.4}$$

$$\varepsilon_{xy} = \frac{2(1+\nu)}{E}\tau_{xy}$$

和
$$\sigma_z = \nu(\sigma_x + \sigma_y) \tag{1.5}$$

平衡方程为

$$\begin{cases} \dfrac{\partial \sigma_x}{\partial x} + \dfrac{\partial \tau_{xy}}{\partial y} + f_x = 0 \\ \dfrac{\partial \tau_{xy}}{\partial x} + \dfrac{\partial \sigma_y}{\partial y} + f_y = 0 \end{cases} \tag{1.6}$$

由此知体力 f_x, f_y 只是 x, y 的函数，$f_z = 0$.

应变协调方程中有 5 个变为恒等式，只剩下一个方程，即

$$\frac{\partial^2 \varepsilon_x}{\partial y^2} + \frac{\partial^2 \varepsilon_y}{\partial x^2} = \frac{\partial^2 \varepsilon_{xy}}{\partial x \partial y} \tag{1.7}$$

利用(1.4)和(1.6)可以把(1.7)改写为

$$\nabla^2(\sigma_x + \sigma_y) = -\frac{1}{1-\nu}\left(\frac{\partial f_x}{\partial x} + \frac{\partial f_y}{\partial y}\right) \tag{1.8}$$

侧面上的应力条件为

$$\begin{cases} \sigma_x \cos(n,x) + \tau_{xy}\cos(n,y) = X_n \\ \tau_{xy}\cos(n,x) + \sigma_y \cos(n,y) = Y_n \\ \qquad\qquad\qquad\qquad\qquad 0 = Z_n \end{cases} \tag{1.9}$$

由这三个式子可推出 X_n, Y_n 与 z 无关，$Z_n = 0$.

总结上面所述，如果问题是平面应变的，则体力 f_x, f_y 与面力 X_n, Y_n 皆与 z 无关，而 $f_z = 0, Z_n = 0$. 应力 $\sigma_x, \sigma_y, \tau_{xy}$ 是 x 与 y 的函数，它们满足如下的边值问题：

$$\begin{cases} \dfrac{\partial \sigma_x}{\partial x} + \dfrac{\partial \tau_{xy}}{\partial y} + f_x = 0 \\ \dfrac{\partial \tau_{xy}}{\partial x} + \dfrac{\partial \sigma_y}{\partial y} + f_y = 0 \end{cases} \quad (x,y) \in G \tag{1.10}$$

$$\nabla^2(\sigma_x + \sigma_y) = -\frac{1}{1-\nu}\left(\frac{\partial f_x}{\partial x} + \frac{\partial f_y}{\partial y}\right) \tag{1.11}$$

$$\begin{cases} \sigma_x \cos(n,x) + \tau_{xy}\cos(n,y) = X_n \\ \tau_{xy}\cos(n,x) + \sigma_y \cos(n,y) = Y_n \end{cases} \quad (x,y) \in L_1 \tag{1.12}$$

$$u,v\big|_{L_2} = \text{给定值} \tag{1.13}$$

其中 G 为柱面的横截面，$\partial G = L, L_1 + L_2 = L$.

边值问题(1.10)、(1.11)、(1.12)与(1.13)解的存在唯一性是已被证明的事实(参阅第五章§3与第九章§7，读者不难平行地对于平面应变问题进行证明). 因此，应力 σ_x, σ_y 和 τ_{xy} 可以唯一地求出. 而 $\tau_{xz} = \tau_{yz} = 0, \sigma_z = \nu(\sigma_x + \sigma_y)$. 这样得到了应力场，从而可求出应变场与位移场. 也就是说，只要 f_x, f_y 与 z 无关，$f_z = 0$，面力 X_n, Y_n 与 z 无关，$Z_n = 0$，平面应变问题总是成立的.

需要注意的是，柱体两端的边条件必须是

$$X_n = Y_n = 0, \quad Z_n = \nu(\sigma_x + \sigma_y) \tag{1.14}$$

这表示在端面上横向外力为零，纵向外载恰恰等于 $\nu(\sigma_x + \sigma_y)$. 如果条件(1.14)满足，则平面应变问题的解就是该问题的精确解；否则，我们可以在平面应变问题的解的基础上叠加一个适当的 Saint-Venant 问题的解，结果得到一个近似解，当然这时必须是长柱体.

也可以给出柱体的两底面的混合边值，例如

$$X_n = Y_n = 0, \quad w = 0 \tag{1.15}$$

这表示弹性柱体介于两个刚性光滑板之间.

1.2 平面应力问题

考虑弹性薄板，它的中面取为 x-y 平面，而法向为 z 轴的方向. 如果应力满足条件：

(1) $\sigma_x, \sigma_y, \tau_{xy}$ 仅是 x, y 的函数；

(2) $\tau_{xz} = \tau_{yz} = \sigma_z = 0$.

则这样的应力状态称为平面应力，所解的弹性力学问题称为平面

应力问题. 即应力张量

$$\mathbf{T}=\sigma_x(x,y)\boldsymbol{ii}+\sigma_y(x,y)\boldsymbol{jj}+\tau_{xy}(x,y)(\boldsymbol{ij}+\boldsymbol{ji}) \tag{1.16}$$

按照 Hooke 定律,应变为

$$\varepsilon_x=\frac{1}{E}(\sigma_x-\nu\sigma_y),\quad \varepsilon_y=\frac{1}{E}(\sigma_y-\nu\sigma_x)$$

$$\varepsilon_{xy}=\frac{2(1+\nu)}{E}\tau_{xy} \tag{1.17}$$

$$\varepsilon_{xz}=\varepsilon_{yz}=0,\qquad \varepsilon_z=-\frac{\nu}{E}(\sigma_x+\sigma_y)$$

或者把式(1.17)反解出来得

$$\sigma_x=\frac{\nu E}{1-\nu^2}\theta+\frac{E}{1+\nu}\varepsilon_x$$

$$\sigma_y=\frac{\nu E}{1-\nu^2}\theta+\frac{E}{1+\nu}\varepsilon_y \tag{1.18}$$

$$\tau_{xy}=\frac{E}{2(1+\nu)}\varepsilon_{xy}$$

其中 $\theta=\varepsilon_x+\varepsilon_y$.

平面方程与式(1.6)一样,不再另写.

对于协调方程,可将式(1.17)代入(1.7)而得

$$\nabla^2(\sigma_x+\sigma_y)=-(1+\nu)\left(\frac{\partial f_x}{\partial x}+\frac{\partial f_y}{\partial y}\right) \tag{1.19}$$

如果令

$$E_1=\frac{E}{1-\nu^2},\quad \nu_1=\frac{\nu}{1-\nu} \tag{1.20}$$

则式(1.4)与(1.8)可写为

$$\varepsilon_x=\frac{1}{E_1}(\sigma_x-\nu_1\sigma_y)$$

$$\varepsilon_y=\frac{1}{E_1}(\sigma_y-\nu_1\sigma_x) \tag{1.3$'$}$$

$$\varepsilon_{xy}=\frac{2(1+\nu_1)}{E_1}\tau_{xy}$$

$$\nabla^2(\sigma_x + \sigma_y) = -(1+\nu_1)\left(\frac{\partial f_x}{\partial x} + \frac{\partial f_y}{\partial y}\right) \tag{1.8}'$$

这样一来,式(1.3)′与(1.17),式(1.8)′与(1.19)就成了有完全相同形式的两组关系式.因此,平面应力问题的求解可以与平面应变问题完全一致起来,只是常数 E 和 E_1,ν 和 ν_1 的差别罢了.

对于平面应力问题,其体力 f_x, f_y 必须与 z 无关,而 $f_z=0$;其侧面力 X_n, Y_n 必须与 z 无关,而 $Z_n=0$.另外,在板的上下底面上有 $\sigma_z = \tau_{xz} = \tau_{yz} = 0$,当板比较薄时,可以认为在整个板上近似的成立,即平面应力的假定是近似成立的.

1.3 Airy 应力函数

考虑体积力不存在的情形,不管是平面应变问题还是平面应力问题,其方程皆归结为

$$\begin{cases} \dfrac{\partial \sigma_x}{\partial x} + \dfrac{\partial \tau_{xy}}{\partial y} = 0 \\ \dfrac{\partial \tau_{xy}}{\partial x} + \dfrac{\partial \sigma_y}{\partial y} = 0 \end{cases} \tag{1.21}$$

$$\nabla^2(\sigma_x + \sigma_y) = 0 \tag{1.22}$$

我们暂时考虑 G 为单连通区域的情形,至于多连通区域将在后面讨论.

注意一次微分形

$$\alpha = \sigma_x \,\mathrm{d}y - \tau_{xy}\,\mathrm{d}x$$

由(1.21)的第一式给出了 $\mathrm{d}\alpha=0$.由第一章§4 定理 2 知,存在函数 $A(x,y)$,使 $\mathrm{d}A=\alpha$,即

$$\sigma_x = \frac{\partial A}{\partial y}, \quad \tau_{xy} = -\frac{\partial A}{\partial x}$$

同理,由(1.21)的第二式知,有函数 $B(x,y)$,使

$$\mathrm{d}B = \tau_{xy}\,\mathrm{d}y - \sigma_y\,\mathrm{d}x$$

即

$$\tau_{xy} = \frac{\partial B}{\partial y}, \quad \sigma_y = -\frac{\partial B}{\partial x}$$

由上述 τ_{xy} 的两种表达式而得

$$\frac{\partial A}{\partial x} + \frac{\partial B}{\partial y} = 0$$

根据完全同样的道理，可知在单连通区域 G 上存在单值函数 $U(x,y)$，使

$$\mathrm{d}U = A\mathrm{d}y - B\mathrm{d}x$$

即

$$A = \frac{\partial U}{\partial y}, \quad B = -\frac{\partial U}{\partial x}$$

把 A 与 B 的这两个表达式回代入 $\sigma_x, \sigma_y, \tau_{xy}$ 的表达式中，可得

$$\sigma_x = \frac{\partial^2 U}{\partial y^2}, \quad \tau_{xy} = -\frac{\partial^2 U}{\partial x \partial y}, \quad \sigma_y = \frac{\partial^2 U}{\partial x^2} \tag{1.23}$$

把式(1.23)代入(1.22)得

$$\nabla^2 \nabla^2 U = 0 \tag{1.24}$$

其中

$$\begin{aligned}\nabla^2 \nabla^2 = \Delta^2 &= \left(\frac{\partial^2}{\partial x^2} + \frac{\partial^2}{\partial y^2}\right)\left(\frac{\partial^2}{\partial x^2} + \frac{\partial^2}{\partial y^2}\right) \\ &= \frac{\partial^4}{\partial x^4} + 2\frac{\partial^4}{\partial x^2 \partial y^2} + \frac{\partial^4}{\partial y^4}\end{aligned}$$

为双调和算子.

通过上述讨论我们得到这样的结论：如果应力 σ_x, σ_y 及 τ_{xy} 满足(1.21)与(1.22)，则必存在双调和函数 U 使(1.23)成立. 反之，任给一个双调和函数 U，由(1.23)给出的应力将满足(1.21)和(1.22).

函数 U 称为 Airy 应力函数，它是一个双调和函数. 从以上讨论可知：关于无体力的平面问题的求解，归结为求解双调和方程(1.24).

§2　平面问题的复数表示

2.1　双调和函数的复数表示

既然弹性力学平面问题归结为求解方程(1.24)，现在首先看(1.24)的通解.

设 U 为双调和函数，令

$$P=\nabla^2 U$$

则 P 是一个调和函数. 设 Q 是它的共轭调和函数，即有

$$\frac{\partial P}{\partial x}=\frac{\partial Q}{\partial y},\quad \frac{\partial P}{\partial y}=-\frac{\partial Q}{\partial x}$$

令

$$f(z)=P(x,y)+\mathrm{i}Q(x,y)$$

这里 $f(z)$ 是复变量 $z=x+\mathrm{i}y$ 的解析函数. 今后不妨把复平面上对应于 $(x,y)\in G$ 的区域仍记为 G. 又令

$$\varphi(z)=\frac{1}{4}\int f(z)\mathrm{d}z=p+\mathrm{i}q$$

即有

$$\varphi'(z)=\frac{1}{4}f(z)$$

$$\frac{\partial p}{\partial x}=\frac{\partial q}{\partial y}=\frac{1}{4}P,\quad \frac{\partial p}{\partial y}=-\frac{\partial q}{\partial x}=-\frac{1}{4}Q$$

易于验证

$$\nabla^2(U-px-qy)=0$$

故有

$$U=px+qy+p_1$$

这里 p_1 是新的调和函数. 令 $\chi(z)=p_1+\mathrm{i}q_1$ 为解析函数，则有

$$U=\mathrm{Re}[\bar{z}\varphi(z)+\chi(z)] \tag{2.1}$$

或者

$$2U=\bar{z}\varphi(z)+z\overline{\varphi(z)}+\chi(z)+\overline{\chi(z)} \tag{2.1$'$}$$

式(2.1)或(2.1)′表明,对任何一个双调和函数都存在两个解析函数 $\varphi(z)$ 与 $\chi(z)$,使 $U(x,y)$ 可以按式(2.1)表出.反之,不难验证,任给两个解析函数 $\varphi(z)$ 和 $\chi(z)$,按式(2.1)或式(2.1)′得到的函数是双调和的.

公式(2.1)或(2.1)′就是双调和函数的复数表达式.

2.2 应力的复数表示

首先利用式(2.1)′直接算出

$$2\frac{\partial U}{\partial x}=\overline{\varphi(z)}+\varphi(z)+\bar{z}\varphi'(z)+z\overline{\varphi'(z)}+\chi'(z)+\overline{\chi'(z)}$$

$$2\frac{\partial U}{\partial y}=\mathrm{i}[\overline{\varphi(z)}-\varphi(z)+\bar{z}\varphi'(z)-z\overline{\varphi'(z)}+\chi'(z)-\overline{\chi'(z)}]$$

把这两个式子再微商一次得

$$2\frac{\partial^2 U}{\partial x^2}=2\varphi'(z)+2\overline{\varphi'(z)}+\bar{z}\varphi''(z)+z\overline{\varphi''(z)}+\chi''(z)+\overline{\chi''(z)}$$

$$2\frac{\partial^2 U}{\partial y^2}=2\varphi'(z)+2\overline{\varphi'(z)}-\bar{z}\varphi''(z)-z\overline{\varphi''(z)}-\chi''(z)-\overline{\chi''(z)}$$

$$2\frac{\partial^2 U}{\partial x\partial y}=\mathrm{i}[\bar{z}\varphi''(z)-z\overline{\varphi''(z)}+\chi''(z)-\overline{\chi''(z)}]$$

为了方便,记

$$\Phi(z)=\varphi'(z),\quad \Psi(z)=\chi''(z) \tag{2.2}$$

就有

$$\sigma_x=\frac{\partial^2 U}{\partial y^2}=2\mathrm{Re}\Phi(z)-\mathrm{Re}[\bar{z}\Phi'(z)+\Psi(z)]$$

$$\sigma_y=\frac{\partial^2 U}{\partial x^2}=2\mathrm{Re}\Phi(z)+\mathrm{Re}[\bar{z}\Phi'(z)+\Psi(z)]$$

$$\tau_{xy}=-\frac{\partial^2 U}{\partial x\partial y}=\mathrm{Im}[\bar{z}\Phi'(z)+\Psi(z)]$$

我们将上式改写成如下常用的形式

$$\begin{aligned}&\sigma_x+\sigma_y=4\mathrm{Re}\Phi(z)\\&\sigma_y-\sigma_x+2\mathrm{i}\tau_{xy}=2[\bar{z}\Phi'(z)+\Psi(z)]\end{aligned} \tag{2.3}$$

这就是应力的复数表示.

2.3 位移的复数表示

对于平面应力状态

$$\frac{\partial u}{\partial x}=\varepsilon_x=\frac{1}{E}(\sigma_x-\nu\sigma_y)=\frac{1}{E}\frac{\partial^2 U}{\partial y^2}-\frac{\nu}{E}\frac{\partial^2 U}{\partial x^2}$$
$$=\frac{1}{E}\nabla^2 U-\frac{1+\nu}{E}\frac{\partial^2 U}{\partial x^2}=\frac{1}{E}P-\frac{1+\nu}{E}\frac{\partial^2 U}{\partial x^2}$$
$$=-\frac{1+\nu}{E}\frac{\partial^2 U}{\partial x^2}+\frac{4}{E}\frac{\partial p}{\partial x}$$

把这个式子积分得

$$u=\frac{4}{E}p-\frac{1+\nu}{E}\frac{\partial U}{\partial x}+f_1(y)$$

这里 $f_1(y)$为待定函数.

同理可得

$$v=\frac{4}{E}q-\frac{1+\nu}{E}\frac{\partial U}{\partial y}+g_1(x)$$

另一方面有

$$\frac{\partial u}{\partial y}+\frac{\partial v}{\partial x}=\frac{2(1+\nu)}{E}\tau_{xy}=-\frac{2(1+\nu)}{E}\frac{\partial^2 U}{\partial x\partial y}$$

将前面得到的 u,v 的表达式代入上式得

$$f_1'(y)+g_1'(x)=0$$

这说明 $f_1(y)$与 $g_1(x)$都是线性函数,即

$$f_1(y)=c_1y+c_2,\quad g_1(x)=-c_1x+c_3$$

上面两式所代表的位移场为刚体运动,可以不计入,最后可得

$$u=-\frac{1+\nu}{E}\frac{\partial U}{\partial x}+\frac{4}{E}p$$

$$v=-\frac{1+\nu}{E}\frac{\partial U}{\partial y}+\frac{4}{E}q$$

或即

$$2\mu u = -\frac{\partial U}{\partial x} + \frac{4}{1+\nu} p$$

$$2\mu v = -\frac{\partial U}{\partial y} + \frac{4}{1+\nu} q$$

以 $\frac{\partial U}{\partial x}$ 与 $\frac{\partial U}{\partial y}$ 的复数表示式代入上式得

$$2\mu u = \frac{3-\nu}{1+\nu} \mathrm{Re}\varphi - \mathrm{Re}(z\bar{\varphi}' + \bar{\chi}')$$

$$2\mu v = \frac{3-\nu}{1+\nu} \mathrm{Im}\varphi - \mathrm{Im}(z\bar{\varphi}' + \bar{\chi}')$$

最后得

$$2\mu(u + \mathrm{i}v) = \frac{3-\nu}{1+\nu} \varphi(z) - z\overline{\varphi'(z)} - \overline{\psi(z)} \quad (2.4)$$

这里 $\psi(z) = \chi'(z)$.

应该指出的是,这里从应变分量得到位移的积分方法,是通常对平面问题的一种简便的方法.一般从第二章位移积分表达式(4.11)总可以直接积分得到.

对于平面应变问题,将(2.4)中的 ν 换为 $\nu_1 = \nu/(1-\nu)$,即有

$$\frac{3-\nu_1}{1+\nu_1} = \frac{3 - \frac{\nu}{1-\nu}}{1 + \frac{\nu}{1-\nu}} = 3 - 4\nu$$

故对平面应变问题的位移为

$$2\mu(u + \mathrm{i}v) = (3-4\nu)\varphi(z) - z\overline{\varphi'(z)} - \overline{\psi(z)} \quad (2.5)$$

或者将(2.4)与(2.5)统一地写为

$$2\mu(u + \mathrm{i}v) = \alpha\varphi(z) - z\overline{\varphi'(z)} - \overline{\psi(z)} \quad (2.6)$$

其中

$$\alpha = \begin{cases} (3-\nu)/(1+\nu), & \text{平面应力} \\ 3-4\nu, & \text{平面应变} \end{cases}$$

公式(2.4)、(2.5)或(2.6)是常用的位移的复数表示式.

2.4 合力和合力矩的复数表示

设区域的边界为 L,外法矢量为 $\boldsymbol{n}$,那么有

$$X_n = \sigma_x \cos(n,x) + \tau_{xy}\cos(n,y)$$

$$= \frac{\partial^2 U}{\partial y^2}\frac{\mathrm{d}y}{\mathrm{d}s} + \frac{\partial^2 U}{\partial x \partial y}\frac{\mathrm{d}x}{\mathrm{d}s} = \frac{\mathrm{d}}{\mathrm{d}s}\frac{\partial U}{\partial y}$$

$$Y_n = \tau_{xy}\cos(n,x) + \sigma_y \cos(n,y)$$

$$= -\frac{\partial^2 U}{\partial x \partial y}\frac{\mathrm{d}y}{\mathrm{d}s} - \frac{\partial^2 U}{\partial x^2}\frac{\mathrm{d}x}{\mathrm{d}s} = -\frac{\mathrm{d}}{\mathrm{d}s}\frac{\partial U}{\partial x}$$

设 P_0 为 L 上某定点，P 为任意一点，现在我们求在弧 P_0P 上的合力 F_x 与 F_y

$$F_x + \mathrm{i}F_y = \int_{P_0}^{P}(X_n + \mathrm{i}Y_n)\mathrm{d}s = \int_{P_0}^{P}\frac{\mathrm{d}}{\mathrm{d}s}\left(\frac{\partial U}{\partial y} - \mathrm{i}\frac{\partial U}{\partial x}\right)\mathrm{d}s$$

$$= \left(\frac{\partial U}{\partial y} - \mathrm{i}\frac{\partial U}{\partial x}\right)\Bigg|_{P_0}^{P} = -\mathrm{i}\left(\frac{\partial U}{\partial x} + \mathrm{i}\frac{\partial U}{\partial y}\right)\Bigg|_{P_0}^{P}$$

把 $\frac{\partial U}{\partial x}$，$\frac{\partial U}{\partial y}$ 的复数表示式代入可得

$$F_x + \mathrm{i}F_y = -\mathrm{i}[\varphi(z) + z\overline{\varphi'(z)} + \overline{\psi(z)}]_{P_0}^{P} \tag{2.7}$$

这就是在弧 P_0P 上的合力复数表示式.

现在来推导在弧 P_0P 上应力对坐标原点的合力矩 M：

$$M = \int_{P_0}^{P}(xY_n - yX_n)\mathrm{d}s = -\int_{P_0}^{P}\left(x\mathrm{d}\frac{\partial U}{\partial x} + y\mathrm{d}\frac{\partial U}{\partial y}\right)$$

$$= -\left[x\frac{\partial U}{\partial x} + y\frac{\partial U}{\partial y}\right]_{P_0}^{P} + \int_{P_0}^{P}\frac{\partial U}{\partial x}\mathrm{d}x + \frac{\partial U}{\partial y}\mathrm{d}y$$

$$= -\left[x\frac{\partial U}{\partial x} + y\frac{\partial U}{\partial y}\right]_{P_0}^{P} + [U]_{P_0}^{P}$$

由于

$$x\frac{\partial U}{\partial x} + y\frac{\partial U}{\partial y} = \mathrm{Re}\left[z\left(\frac{\partial U}{\partial x} - \mathrm{i}\frac{\partial U}{\partial y}\right)\right]$$

而

$$\frac{\partial U}{\partial x} - \mathrm{i}\frac{\partial U}{\partial y} = \overline{\varphi(z)} + \bar{z}\varphi'(z) + \psi(z)$$

最后可由上式与(2.1)式得

$$M = \mathrm{Re}[\chi(z) - z\psi(z) - z\bar{z}\varphi'(z)]_{P_0}^{P} \tag{2.8}$$

这就是弧 P_0P 上合力矩的公式.

假设区域 G 是单连通的,则函数 $\varphi(z),\psi(z),\chi(z)$ 在 G 上单值. 因此若 P_0 与 P 重合,即弧 P_0P 为整个周界,则上述函数在 P 与 P_0 值相同,因而有

$$F_x = F_y = M = 0$$

这个式子表示作用在周界上的外力总和是自相平衡的.

2.5 φ,ψ 等函数的确定程度

如果应力状态给定,按照式(2.3)有

$$\sigma_x + \sigma_y = 4\mathrm{Re}\Phi(z)$$

$$\sigma_y - \sigma_x + 2\mathrm{i}\tau_{xy} = 2[\bar{z}\Phi'(z) + \Psi(z)]$$

若应力还有另一种复数表示

$$\sigma_x + \sigma_y = 4\mathrm{Re}\Phi_1(z)$$

$$\sigma_y - \sigma_x + 2\mathrm{i}\tau_{xy} = 2[\bar{z}\Phi_1'(z) + \Psi_1(z)]$$

对于由式(2.2)与(2.4)定义的 φ 与 ψ,我们有

$$\varphi(z) = \int\Phi(z)\mathrm{d}z, \quad \psi(z) = \int\Psi(z)\mathrm{d}z$$

$$\varphi_1(z) = \int\Phi_1(z)\mathrm{d}z, \quad \psi_1(z) = \int\Psi_1(z)\mathrm{d}z$$

将上述应力的两组复数表示的第一式相减,我们得

$$\mathrm{Re}[\Phi_1(z) - \Phi(z)] = 0$$

故有

$$\Phi_1(z) = \Phi(z) + \mathrm{i}C \tag{2.9}$$

这里 C 为任意实数. 于是

$$\varphi_1(z) = \varphi(z) + \mathrm{i}Cz + \gamma$$

这里 $\gamma = a + \mathrm{i}b$ 为任意复数.

同理,将第二式相减,又得

$$\bar{z}[\Phi_1'(z) - \Phi'(z)] + \Psi_1(z) - \Psi(z) = 0$$

考虑式(2.9),上式简化为

$$\Psi_1(z) = \Psi(z)$$
$$\psi_1(z) = \psi(z) + \gamma'$$

式中 $\gamma' = a' + ib'$ 为任意复数.

总起来,我们得到如下两组函数

$$\begin{cases}\varphi(z) \\ \psi(z)\end{cases}$$
$$\begin{cases}\varphi(z) + iCz + \gamma = \varphi_1 \\ \psi(z) + \gamma' = \psi_1\end{cases} \tag{2.10}$$

它们都是以公式(2.3)确定应力,因此可以取

$$\varphi(0) = 0, \quad \psi(0) = 0, \quad \mathrm{Im}\varphi'(0) = 0 \tag{2.11}$$

且不会影响应力的值.

如果位移给定,设有 φ,ψ 和 φ_1,ψ_1 给出同样的位移. 显然,也应给出同样的应力. 有

$$2\mu(u + iv) = \alpha\varphi(z) - z\overline{\varphi'(z)} - \overline{\psi(z)}$$
$$2\mu(u + iv) = \alpha\varphi_1(z) - z\overline{\varphi_1'(z)} - \overline{\psi_1(z)}$$

将这两个式相减,并利用(2.10)得

$$(\alpha + 1)Ciz + \alpha\gamma - \bar{\gamma}' = 0$$

故

$$C = 0, \quad \alpha\gamma - \bar{\gamma}' = 0$$

即下述两组函数

$$\begin{cases}\varphi(z) \\ \psi(z)\end{cases}$$
$$\begin{cases}\varphi(z) + \gamma \\ \psi(z) + \gamma'\end{cases} \quad (\alpha\gamma - \bar{\gamma}' = 0)$$

产生同样的位移. 故可令

$$\varphi(0) = 0 \quad 或 \quad \psi(0) = 0 \tag{2.12}$$

2.6 多连通区域的情形

前面的讨论都假定 G 是单连通的. 现设 G 为多连通的. 这时

虽然应力和位移是单值的，但 Airy 应力函数可能是多值的. 因之复变函数 $\varphi(z)$，$\psi(z)$ 也将可能是多值的.

设区域 G 的边界为 $L_0, L_1, \cdots, L_m$，其中 $L_1, L_2, \cdots, L_m$ 在 L_0 内. z_i 是 L_i 内的任一点(图 7.1).

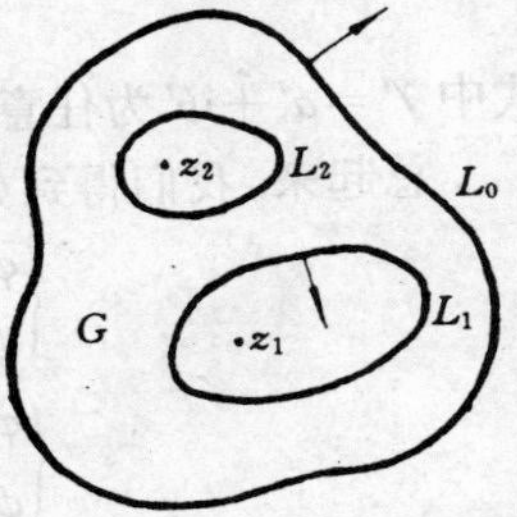

图 7.1

首先，从公式

$$\sigma_x + \sigma_y = 4\mathrm{Re}\Phi(z)$$

可看出 $\Phi(z)$ 的实部是单值的. $\Phi(z)$ 的虚部一般讲可以是多值的，设绕 L_k 一周增加 $\mathrm{i}2\pi A_k$，这里 A_k 为实常数. 注意到函数 $A_k\ln(z-z_k)$ 绕过 L_k 一周也增加同一数值，则函数

$$\Phi^*(z) = \Phi(z) - \sum_{k=1}^{m} A_k \ln(z - z_k)$$

将是 G 上的单值函数，或者改写为

$$\Phi(z) = \Phi^*(z) + \sum_{k=1}^{m} A_k \ln(z - z_k) \tag{2.13}$$

将(2.13)积分得

$$\varphi(z) = \int_{z_0}^{z} \Phi^*(z)\mathrm{d}z + \sum_{k=1}^{m} A_k\{(z - z_k)[\ln(z - z_k) - 1]\}$$
$$+ \text{const}$$

其次，尽管 $\Phi^*(z)$ 是 G 上的单值解析函数，但其积分可以是多值函数. 和上面一样，有

$$\int_{z_0}^{z} \Phi^*(z)\mathrm{d}z = \sum_{k=1}^{m} c_k \ln(z - z_k) + \text{单值解析函数}$$

其中 c_k 为复常数. 故

$$\varphi(z) = \varphi^*(z) + z\sum_{k=1}^{m} A_k \ln(z - z_k) + \sum_{k=1}^{m} \gamma_k \ln(z - z_k) \tag{2.14}$$

这里 $\gamma_k = c_k - A_k$ 为复常数.

最后，根据公式

$$\sigma_y - \sigma_x + \mathrm{i}2\tau_{xy} = 2[\bar{z}\Phi'(z) + \Psi(z)]$$

可以断言，$\Psi(z)$是 G 上单值解析函数，于是

$$\psi(z) = \psi^*(z) + \sum_{k=1}^{m}\gamma_k{}'\ln(z - z_k) \qquad (2.15)$$

其中 $\psi^*(z)$为 G 上的单值解析函数，γ_k' 为复常数. 由此可写出

$$\chi(z) = \chi^*(z) + z\sum_{k=1}^{m}\gamma_k'\ln(z - z_k) + \sum_{k=1}^{m}\gamma_k''\ln(z - z_k) \qquad (2.16)$$

其中 $\chi^*(z)$为 G 上的单值解析函数，γ_k'' 为复常数.

以上仅考虑了应力的单值性，现在考虑位移的单值性. 将下述公式

$$2\mu(u + \mathrm{i}v) = \alpha\varphi(z) - z\overline{\varphi'(z)} - \overline{\psi(z)}$$

绕 L_k 一周，并利用式(2.14)与(2.15)可得

$$0 = 2\pi\mathrm{i}[(\alpha + 1)A_k z + \alpha\gamma_k + \bar{\gamma}_k{}']$$

故有

$$A_k = 0, \quad \alpha\gamma_k + \bar{\gamma}_k{}' = 0 \qquad (2.17)$$

于是

$$\varphi(z) = \varphi^*(z) + \sum_{k=1}^{m}\gamma_k\ln(z - z_k)$$

$$\psi(z) = \psi^*(z) - \alpha\sum_{k=1}^{m}\bar{\gamma}_k\ln(z - z_k)$$

现在我们求常数 γ_k. 设在 L_k 上的合力为 $F_x^{(k)}, F_y^{(k)}$(在利用公式(2.7)时，L_k 应取顺时针方向)，应有

$$F_x^{(k)} + \mathrm{i}F_y^{(k)} = -\mathrm{i}[\varphi(z) + z\overline{\varphi'(z)} + \overline{\psi(z)}]_{L_k} = -2\pi(\gamma_k - \bar{\gamma}_k{}')$$

由上式与式(2.17)得

$$\gamma_k = -\frac{F_x^{(k)} + \mathrm{i}F_y^{(k)}}{2\pi(1 + \alpha)}, \quad \gamma_k{}' = \alpha\frac{F_x^{(k)} - \mathrm{i}F_y^{(k)}}{2\pi(1 + \alpha)}$$

最后得

$$\varphi(z) = -\frac{1}{2\pi(1+\alpha)}\sum_{k=1}^{m}[F_x^{(k)} + \mathrm{i}F_y^{(k)}]\ln(z - z_k) + \varphi^*(z)$$

$$\psi(z) = \frac{\alpha}{2\pi(1+\alpha)}\sum_{k=1}^{m}[F_x^{(k)} - \mathrm{i}F_y^{(k)}]\ln(z - z_k) + \psi^*(z)$$

(2.18)

其中 $\varphi^*(z)$,$\psi^*(z)$为单值函数.

2.7 无穷区域的情形

设 L_0 趋向于无穷,我们研究当 z 充分大时的性质.设坐标原点为 $z=0$,且不位于区域之内.将 $\ln(z-z_k)$进行级数展开得

$$\begin{aligned}\ln(z - z_k) &= \ln z + \ln\left(1 - \frac{z_k}{z}\right)\\ &= \ln z - \frac{z_k}{z} - \frac{1}{2}\left(\frac{z_k}{z}\right)^2 - \cdots\\ &= \ln z + \text{在无穷远处全纯函数}\end{aligned}$$

又记

$$F_x = \sum_{k=1}^{m}F_x^{(k)},\quad F_y = \sum_{k=1}^{m}F_y^{(k)}$$

由(2.18)得

$$\varphi(z) = -\frac{F_x + \mathrm{i}F_y}{2\pi(1+\alpha)}\ln z + \varphi^{**}(z)$$

$$\psi(z) = \frac{\alpha(F_x - \mathrm{i}F_y)}{2\pi(1+\alpha)}\ln z + \psi^{**}(z)$$

式中 $\varphi^{**}(z)$,$\psi^{**}(z)$为单值解析函数. $\varphi^{**}(z)$,$\psi^{**}(z)$可以在原点展成罗朗(Laurent)级数

$$\varphi^{**}(z) = \sum_{-\infty}^{\infty}a_n z^n,\quad \psi^{**}(z) = \sum_{-\infty}^{\infty}a_n' z^n$$

为了保证无穷远处应力有界,则必须有

$$a_n = a_n' = 0 \quad (n \geqslant 2)$$

记

$$\varphi^{**}(z) = \Gamma z + \varphi_0(z), \quad \psi^{**}(z) = \Gamma' z + \psi_0(z)$$

其中

$$\varphi_0(z) = a_0 + \frac{a_1}{z} + \cdots, \quad \psi_0(z) = a_0' + \frac{a_1'}{z} + \cdots$$

$$\Gamma = B + \mathrm{i}C, \quad \Gamma' = B' + \mathrm{i}C'$$

按照(2.11)可令

$$a_0 = a_0' = 0, \quad C = 0$$

为了说明 B, B', C' 的物理意义，在公式

$$\sigma_x + \sigma_y = 2[\varphi'(z) + \overline{\varphi'(z)}]$$

$$\sigma_y - \sigma_x + \mathrm{i}2\tau_{xy} = 2[\bar{z}\varphi''(z) + \psi'(z)]$$

中，令 $z \to \infty$ 得

$$\sigma_x(\infty) + \sigma_y(\infty) = 4B$$

$$\sigma_y(\infty) - \sigma_x(\infty) + \mathrm{i}2\tau_{xy}(\infty) = 2(B' + \mathrm{i}C')$$

由此我们就有

$$B = \frac{\sigma_x(\infty) + \sigma_y(\infty)}{4}, \quad B' = \frac{\sigma_y(\infty) - \sigma_x(\infty)}{2}$$

$$C' = \tau_{xy}(\infty)$$

于是最后得

$$\varphi(z) = -\frac{F_x + \mathrm{i}F_y}{2\pi(1+\alpha)}\ln z + \frac{\sigma_y(\infty) + \sigma_x(\infty)}{4} z + \varphi_0(z)$$

$$\psi(z) = \frac{\alpha(F_x - \mathrm{i}F_y)}{2\pi(1+\alpha)}\ln z + \left[\frac{\sigma_y(\infty) - \sigma_x(\infty)}{2} + \mathrm{i}\tau_{xy}(\infty)\right] z + \psi_0(z) \qquad (2.19)$$

其中

$$\varphi_0(z) = \frac{a_1}{z} + \frac{a_2}{z^2} + \cdots$$

$$\psi_0(z) = \frac{a_1'}{z} + \frac{a_2'}{z^2} + \cdots$$

2.8 边值问题

我们知道,一个完全的弹性力学问题是在给定的边界条件下,求满足方程的解. 前面我们仅讨论了满足平衡方程和协调方程时,应力所具备的形式以及相应的位移所具备的形式,尚未涉及边界条件. 现在就要讨论边界条件的复数表示以及边值问题的复数提法.

首先,如果区域 G 的边界 L 上给定外力 X_n 与 Y_n,由 §2.4 知,在弧 P_0P 上的合力为

$$F_x + \mathrm{i}F_y = \int_{t_0}^{t} (X_n + \mathrm{i}Y_n)\mathrm{d}s$$

其中 t_0 和 t 分别为点 P_0 与 P 的复数表示. 于是复数力 $F_x+\mathrm{i}F_y$ 是 t 的已知函数. 由(2.7)知,当 $t\in L$ 时有

$$\varphi(t) + t\,\overline{\varphi'(t)} + \overline{\psi(t)} = \mathrm{i}[F_x(t) + \mathrm{i}F_y(t)] + \text{const} \tag{2.20}$$

其次,如果在边界上位移是给定的,即设 $t\in L$ 时,

$$u=g_1(t), \quad v=g_2(t)$$

为已知,那么,当 $t\in L$ 时由式(2.6)又有

$$\alpha\varphi(t) - t\,\overline{\varphi'(t)} - \overline{\psi(t)} = 2\mu[g_1(t) + \mathrm{i}g_2(t)] \tag{2.21}$$

式(2.20)与(2.21)分别称为应力边条件和位移边条件.

综上所述,平面弹性力学的边值问题,用复变函数的语言可如下叙述:

应力边值问题 在 G 内求两个解析函数 $\varphi(z)$和 $\psi(z)$,使得在边界 L 上式(2.20)成立.

位移边值问题 在 G 内求两个解析函数 $\varphi(z)$和 $\psi(z)$,使得在边界 L 上式(2.21)成立.

当然,也可以叙述混合边值问题. 为节省篇幅起见,我们就不

在这儿讨论了.

§3 狭长的矩形梁

考察一梁,梁的截面为一单位宽度的狭矩形,如图 7.2. 假定梁长为 l,高为 $2a$,并设 $l \gg a$.

设在 $y=\pm a$ 的边界上作用着给定的 n 次多项式分布的外力.

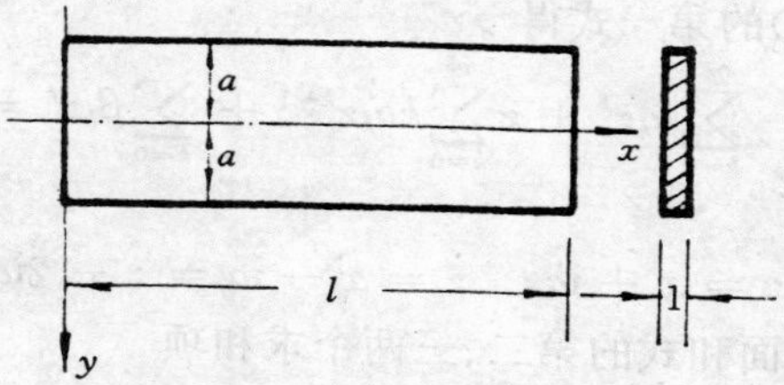

图 7.2

故可设

$$\begin{aligned} y = a \text{ 时}, &\quad \sigma_y + \mathrm{i}\tau_{xy} = \sum_{k=0}^{n} A_k (x + \mathrm{i}a)^k \\ y = -a \text{ 时}, &\quad \sigma_y + \mathrm{i}\tau_{xy} = \sum_{k=0}^{n} B_k (x - \mathrm{i}a)^k \end{aligned} \tag{3.1}$$

这里 A_k, B_k 为给定的常数.

在 $x=0, l$ 边上,设满足 Saint-Venant 边条件. 对于这样一个特殊问题,我们采用如下的方法来求解.

按公式(2.7)有

$$\sigma_x + \sigma_y = 2(\Phi + \overline{\Phi})$$

$$\sigma_y - \sigma_x + 2\mathrm{i}\tau_{xy} = 2(\bar{z}\Phi' + \Psi)$$

将这两式相加得

$$\sigma_y + \mathrm{i}\tau_{xy} = \Phi + \overline{\Phi} + \bar{z}\Phi' + \Psi$$

把此式与式(3.1)相比较,可以将问题化归于求解析函数 $\Phi(z)$ 和 $\Psi(z)$,并满足下式

$$\Phi + \overline{\Phi} + \bar{z}\Phi' + \Psi = \begin{cases} \sum\limits_{k=0}^{n} A_k (x + \mathrm{i}a)^k & (y = a) \\ \sum\limits_{k=0}^{n} B_k (x - \mathrm{i}a)^k & (y = -a) \end{cases} \tag{3.2}$$

为此令

$$\Phi(z) = \sum_{k=0}^{n} \alpha_k z^k, \quad \Psi(z) = \sum_{k=0}^{m} \beta_k z^k$$

将上式代入(3.2)以确定待定常数 α_k, β_k 与整数 m.

代入(3.2)的第一式得

$$\sum_{k=0}^{m} \alpha_k z^k + \sum_{k=0}^{m} \bar{\alpha}_k \bar{z}^k + \bar{z} \sum_{k=0}^{m} k\alpha_k z^{k-1} + \sum_{k=0}^{m} \beta_k z^k = \sum_{k=0}^{m} A_k z^k$$

对于 $y=a$ 时

$$z = x + \mathrm{i}a, \quad \bar{z} = x - \mathrm{i}a = z - 2\mathrm{i}a$$

现变换上面和式的第二、三两个求和项

$$\begin{aligned} \sum_{k=0}^{m} \bar{\alpha}_k \bar{z}^k &= \sum_{k=0}^{m} \bar{\alpha}_k (z - 2\mathrm{i}a)^k \\ &= \sum_{k=0}^{m} \bar{\alpha}_k \Big[\sum_{s=0}^{m} C_k^s (-2\mathrm{i}a)^{k-s} z^s \Big] \\ &= \sum_{s=0}^{m} \Big[\sum_{k=s}^{m} C_k^s (-2\mathrm{i}a)^{k-s} \bar{\alpha}_k \Big] z^s \end{aligned}$$

$$\begin{aligned} \bar{z} \sum_{k=0}^{m} k\alpha_k z^{k-1} &= (z - 2\mathrm{i}a) \sum_{k=0}^{m} k\alpha_k z^{k-1} \\ &= \sum_{k=0}^{m} k\alpha_k z^k - 2\mathrm{i}a \sum_{k=0}^{m-1} (k+1)\alpha_{k+1} z^k \end{aligned}$$

将上述两式代入原式得

$$\begin{aligned} &\sum_{k=0}^{m} \alpha_k z^k + \sum_{k=0}^{m} \Big[\sum_{s=k}^{m} C_s^k (-2\mathrm{i}a)^{s-k} \bar{\alpha}_s \Big] z^k \\ &\quad + \sum_{k=0}^{m} k\alpha_k z^k - 2\mathrm{i}a \sum_{k=0}^{m-1} (k+1)\alpha_{k+1} z^k \\ &\quad + \sum_{k=0}^{m} \beta_k z^k = \sum_{k=0}^{m} A_k z^k \end{aligned}$$

比较等式两边的系数得

$$(k+1)\alpha_k+\beta_k-2\mathrm{i}a(k+1)\alpha_{k+1}+\sum_{s=k}^{m}C_s^k(-2\mathrm{i}a)^{s-k}\bar{\alpha}_s=A_k \tag{3.3}$$

同理,对 $y=-a$ 可得

$$(k+1)\alpha_k+\beta_k+2\mathrm{i}a(k+1)\alpha_{k+1}+\sum_{s=k}^{m}C_s^k(2\mathrm{i}a)^{s-k}\bar{\alpha}_s=B_k \tag{3.4}$$

将(3.3)与(3.4)两式相加、相减后分别得

$$(k+1)\alpha_k+\beta_k+\sum_{s=k}^{m}C_s^k\frac{(2\mathrm{i}a)^{s-k}+(-2\mathrm{i}a)^{s-k}}{2}\bar{\alpha}_s=\frac{1}{2}(A_k+B_k)$$

$$2\mathrm{i}a(k+1)\alpha_{k+1}+\sum_{s=k}^{m}C_s^k\frac{(2\mathrm{i}a)^{s-k}-(-2\mathrm{i}a)^{s-k}}{2}\bar{\alpha}_s=\frac{1}{2}(B_k-A_k)$$

将此两式具体地写出来得

$$\begin{aligned}&\beta_k+(k+1)\alpha_k+\bar{\alpha}_k+2(\mathrm{i}a)^2C_{k+2}^2\bar{\alpha}_{k+2}\\&\qquad+(2\mathrm{i}a)^4C_{k+1}^4\bar{\alpha}_{k+4}+\cdots=\frac{1}{2}(A_k+B_k)\\&(2\mathrm{i}a)(k+1)(\alpha_{k+1}+\bar{\alpha}_{k+1})+(2\mathrm{i}a)^3C_{k+3}^3\bar{\alpha}_{k+3}\\&\qquad+(2\mathrm{i}a)^5C_{k+5}^5\bar{\alpha}_{k+5}+\cdots=\frac{1}{2}(B_k-A_k)\end{aligned} \tag{3.5}$$

不难看出,(3.5)的第二式仅含 α_k. 由第二式解出 α_k,再回代到第一式可得 β_k.

首先来解 α_k. 不妨令 $m=n+3$,则有

$k=n+3$: $0=0$,

$k=n+2$: $2\mathrm{i}a(n+3)(\alpha_{n+3}+\bar{\alpha}_{n+3})=0$,

$k=n+1$: $2\mathrm{i}a(n+2)(\alpha_{n+2}+\bar{\alpha}_{n+2})=0$,

$k=n$: $2\mathrm{i}a(n+1)(\alpha_{n+1}+\bar{\alpha}_{n+1})+(2\mathrm{i}a)^3C_{n+3}^3\bar{\alpha}_{n+3}=\frac{1}{2}(B_n-A_n)$,

由上面的第二式可求出 α_{n+3} 的实部;从第四式可求出 α_{n+3} 的虚

部.如此继续下去:

$$\vdots$$

$$k = 2:6ia(\alpha_3 + \overline{\alpha}_3) + (2ia)^3 C_5^3 \overline{\alpha}_5 + \cdots = \frac{1}{2}(B_2 - A_2),$$

$$k = 1:4ia(\alpha_2 + \overline{\alpha}_2) + (2ia)^3 C_4^3 \overline{\alpha}_4 + \cdots = \frac{1}{2}(B_1 - A_1),$$

$$k = 0:2ia(\alpha_1 + \overline{\alpha}_1) + (2ia)^3 C_3^3 \overline{\alpha}_3 + \cdots = \frac{1}{2}(B_0 - A_0).$$

由此,待定常数 $\alpha_{n+3},\cdots,\alpha_3$ 均可求出,α_2 和 α_1 的实部也可求出.

按 § 2.5 的讨论,α_0 的虚部对应力没有影响,故仅剩下三个常数,即 α_2 和 α_1 的虚部以及 α_0 的实部尚待定出.

下面指出,这三个数可以从梁的左端 $x=0$ 边上的合力和合力矩定出:

$$F_x + iF_y = -i\{\varphi + z\overline{\varphi'(z)} + \overline{\psi(z)}\}_{y=a}^{y=-a}$$

$$M = \mathrm{Re}\{\chi(z) - z\psi(z) - z\bar{z}\varphi'(z)\}_{y=a}^{y=-a}$$

由于前面已假定

$$\Phi(z) = \sum_{k=0}^{m} \alpha_k z^k, \quad \Psi(z) = \sum_{k=0}^{m} \beta_k z^k$$

有

$$\varphi(z) = \sum_{k=0}^{m} \frac{1}{k+1} \alpha_k z^{k+1} + \alpha$$

$$\psi(z) = \sum_{k=0}^{m} \frac{1}{k+1} \beta_k z^{k+1} + \beta$$

$$\chi(z) = \sum_{k=0}^{m} \frac{1}{(k+1)(k+2)} \beta_k z^{k+2} + \beta z + \beta'$$

这里 α,β,β' 为新的常数.将上述三个式子代入 F_x+iF_y 与 M 的表达式,并令 $x=0$,可得

$$F_x + iF_y = -4a(\alpha_0 + \overline{\alpha}_0) + \frac{8}{3}a^3(\alpha_2 - \overline{\alpha}_2) + \cdots$$

$$M = -\frac{8}{3}a^3 \mathrm{Im}\alpha_1 + \cdots$$

其中省略号"…"所表各项都是已知数.由上面第一式可求出 α_0 的实部与 α_2 的虚部;由第二式可求出 α_1 的虚部.

总结上述讨论,$\alpha_0, \alpha_1, \cdots, \alpha_{n+3}$都已求出.再由式(3.5)可求出系数 $\beta_0, \beta_1, \cdots, \beta_{n+3}$.由此函数 $\Phi(z)$与 $\Psi(z)$都已求出,代入式(2.3),即可算出应力.

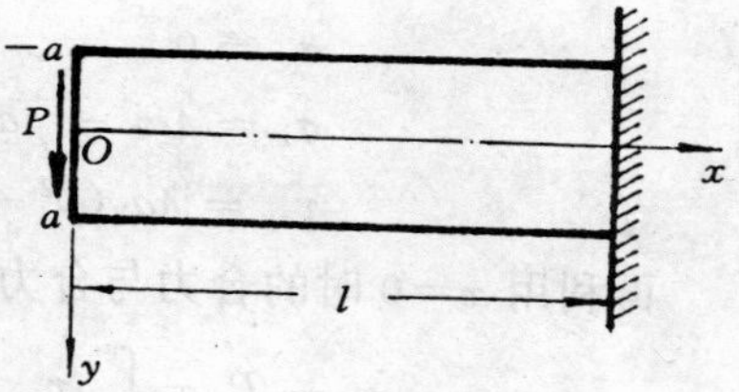

图 7.3

作为例子,求解图 7.3 所示的悬臂梁的弯曲.设 $x=l$ 端固定;$x=0$ 的端面上作用切向力 P;在 $y=\pm a$ 上无外力作用.这时 $n=0$.取 $m=3$,有方程组

$$\begin{cases} 6\mathrm{i}a(\alpha_3 + \bar{\alpha}_3) = 0 \\ 4\mathrm{i}a(\alpha_2 + \bar{\alpha}_2) = 0 \\ 2\mathrm{i}a(\alpha_1 + \bar{\alpha}) + (2\mathrm{i}a)^3 \bar{\alpha}_3 = 0. \end{cases}$$

故

$$\alpha_3 = 0, \quad \alpha_2 = \mathrm{i}a_2, \quad \alpha_1 = \mathrm{i}a_1, \quad \alpha_0 = a_0$$

其中 a_0, a_1, a_2 皆为实数.

又有

$$\begin{cases} \beta_3 + 4\alpha_3 + \bar{\alpha}_3 = 0 \\ \beta_2 + 3\alpha_2 + \bar{\alpha}_2 = 0 \\ \beta_1 + 2\alpha_1 + \bar{\alpha}_1 + (2\mathrm{i}a)^2 C_3^2 \bar{\alpha}_3 = 0 \\ \beta_0 + \alpha_0 + \bar{\alpha}_0 + (2\mathrm{i}a)^2 C_2^2 \bar{\alpha}_2 = 0 \end{cases}$$

故

$$\beta_3 = 0, \quad \beta_2 = -2\mathrm{i}a_2, \quad \beta_1 = -\mathrm{i}a_1, \quad \beta_0 = -2a_0 - \mathrm{i}4a^2 a_2$$

因此

$$\Phi = \mathrm{i}a_2 z^2 + \mathrm{i}a_1 z + a_0$$

$$\Psi = 2ia_2z^2 - ia_1z - 2a_0 - 4a^2a_2$$

于是,我们得

$$\sigma_x + \sigma_y = 4a_0 - 4a_1y - 8a_2xy$$

$$\sigma_y - \sigma_x + i2\tau_{xy} = -4a_0 + 4a_1y + 8a_2xy + i8a_2(y^2 - a^2)$$

即

$$\sigma_y = 0$$

$$\sigma_x = 4a_0 - 4a_1y - 8a_2xy$$

$$\tau_{xy} = 4a_2(y^2 - a^2)$$

再利用 $x=0$ 时的合力与合力矩以定常数 a_0, a_1 和 a_2,即

$$-P = \int_{-a}^{a} \tau_{xy}\,dy = -8Ia_2$$

$$0 = \int_{-a}^{a} \sigma_x\,dy = 8a_0a$$

$$0 = \int_{-a}^{a} y\sigma_x\,dy = -4Ia_1$$

其中 $I=2a^3/3$. 即得 $a_2=P/(8I)$, $a_0=a_1=0$. 最后得应力

$$\sigma_x = -\frac{P}{I}xy, \quad \sigma_y = 0$$

$$\tau_{xy} = -\frac{P}{2I}(a^2 - y^2)$$

本节的解法由本书作者给出.

§4 保角变换解法

4.1 圆域问题的解

设 G 为圆:$|z|<R$,边界 L 为 $|z|=R$. 在 L 上给定外力. 于是

$$f(\sigma) = i(F_x + iF_y)$$

为已知函数,其中 $\sigma=Re^{i\theta}(0\leqslant\theta\leqslant 2\pi)$.

我们的问题是求两个解析函数 $\varphi(z)$ 和 $\psi(z)$, $z\in G$,使在 L 上满足

$$\varphi(\sigma) + \sigma\overline{\varphi'(\sigma)} + \overline{\psi(\sigma)} = f(\sigma) \tag{4.1}$$

以 $2\pi i(\sigma - z)$除式(4.1),这里 $z \in G$; 并在 L 上积分得

$$\frac{1}{2\pi i}\oint_L \frac{\varphi(\sigma)}{\sigma - z}d\sigma + \frac{1}{2\pi i}\oint_L \frac{\sigma\overline{\varphi'(\sigma)}}{\sigma - z}d\sigma + \frac{1}{2\pi i}\oint_L \frac{\overline{\psi(\sigma)}}{\sigma - z}d\sigma = \frac{1}{2\pi i}\oint_L \frac{f(\sigma)}{\sigma - z}d\sigma \tag{4.2}$$

现在逐个计算上式各积分. 由复变函数的 Cauchy 积分公式有

$$\frac{1}{2\pi i}\oint_L \frac{\varphi(\sigma)}{\sigma - z}d\sigma = \varphi(z) \tag{4.3}$$

由于 $\varphi(z)$和 $\psi(z)$在圆内解析,故可令

$$\varphi(z) = \sum_{n=0}^{\infty}\alpha_n z^n, \quad \psi(z) = \sum_{n=0}^{\infty}\beta_n z^n \tag{4.4}$$

于是

$$\frac{1}{2\pi i}\oint_L \frac{\sigma\overline{\varphi'(\sigma)}}{\sigma - z}d\sigma = \frac{1}{2\pi i}\oint_L \frac{\sigma}{\sigma - z}\sum_{n=0}^{\infty}n\bar{\alpha}_n\bar{\sigma}^{n-1}d\sigma$$

由于 $\bar{\sigma} = Re^{-i\theta} = R^2/\sigma$,代入上式得

$$\frac{1}{2\pi i}\oint_L \frac{\sigma\overline{\varphi'(\sigma)}}{\sigma - z}d\sigma = \frac{1}{2\pi i}\oint_L \frac{\sigma}{\sigma - z}\sum_{n=0}^{\infty}n\bar{\alpha}_n\frac{R^{2(n-1)}}{\sigma^{n-1}}d\sigma = \bar{\alpha}_1 z + 2R^2\bar{\alpha}_2 \tag{4.5}$$

这里用了当 $n \geqslant 1$ 时,

$$\frac{1}{2\pi i}\oint_L \frac{d\sigma}{\sigma^n(\sigma - z)} = 0$$

同理,有

$$\frac{1}{2\pi i}\oint_L \frac{\overline{\psi(\sigma)}}{\sigma - z}d\sigma = \frac{1}{2\pi i}\oint_L \frac{1}{\sigma - z}\sum_{n=0}^{\infty}\bar{\beta}_n\frac{R^{2n}}{\sigma^n}d\sigma = \bar{\beta}_0 = \overline{\psi(0)} \tag{4.6}$$

把式(4.3)、(4.5)和(4.6)代入(4.2)得

$$\varphi(z) = \frac{1}{2\pi i}\oint_L \frac{f(\sigma)}{\sigma - z}d\sigma - \bar{\alpha}_1 z - 2R^2\bar{\alpha}_2 - \overline{\psi(0)} \tag{4.7}$$

现在来求常数 α_1. 由式(4.4)知,$\alpha_1 = \varphi'(0)$,再对式(4.7)微商

后，令 $z=0$ 代入得

$$\alpha_1+\bar{\alpha}_1=\frac{1}{2\pi i}\oint_L\frac{f}{\sigma^2}d\sigma$$

由于 α_1 的虚部为任意选取，且并不影响应力分布，今取 α_1 的虚部为零，由上式得

$$\alpha_1=\frac{1}{4\pi i}\oint_L\frac{f(\sigma)}{\sigma^2}d\sigma \tag{4.8}$$

由式(4.8)可看出，如果我们的问题有解，则式(4.8)的右端积分必为实数. 这一点恰好等价于外力的合力矩为零，证明留给读者去完成.

式(4.7)已给出了 $\varphi(z)$ 的表达式，现在就剩下求 $\psi(z)$ 了. 为此将式(4.1)取共轭得

$$\overline{\varphi(\sigma)}+\bar{\sigma}\varphi'(\sigma)+\psi(\sigma)=\overline{f(\sigma)}$$

把这个式子除以 $2\pi i$，并沿 L 积分得

$$\frac{1}{2\pi i}\oint_L\frac{\overline{\varphi(\sigma)}}{\sigma-z}d\sigma+\frac{1}{2\pi i}\oint_L\frac{\bar{\sigma}\varphi'(\sigma)}{\sigma-z}d\sigma$$

$$+\frac{1}{2\pi i}\oint_L\frac{\psi(\sigma)}{\sigma-z}d\sigma=\frac{1}{2\pi i}\oint_L\frac{\overline{f(\sigma)}}{\sigma-z}d\sigma$$

现在我们逐项计算上式各积分. 利用式(4.4)可得

$$\frac{1}{2\pi i}\oint_L\frac{\overline{\varphi(\sigma)}}{\sigma-z}d\sigma=\frac{1}{2\pi i}\oint_L\frac{1}{\sigma-z}\sum_{n=0}^{\infty}\bar{\alpha}_n\frac{R^{2n}}{\sigma^n}d\sigma=\overline{\varphi(0)}$$

$$\begin{aligned}\frac{1}{2\pi i}\oint_L\frac{\bar{\sigma}\varphi'(\sigma)}{\sigma-z}d\sigma&=\frac{1}{2\pi i}\oint_L\frac{R^2\varphi'(\sigma)}{\sigma(\sigma-z)}d\sigma\\&=\frac{R^2}{2\pi i}\oint_L\left(\frac{1}{\sigma-z}-\frac{1}{\sigma}\right)\frac{\varphi'(\sigma)}{z}d\sigma\\&=R^2\frac{\varphi'(z)}{z}-R^2\frac{\alpha_1}{z}\end{aligned}$$

$$\frac{1}{2\pi i}\oint_L\frac{\psi(\sigma)}{\sigma-z}d\sigma=\psi(z)$$

将上述三个积分代入原式得

$$\psi(z) = \frac{1}{2\pi\mathrm{i}}\oint_L \frac{\overline{f(\sigma)}}{\sigma - z}\mathrm{d}\sigma - R^2\frac{\varphi'(z)}{z} + R^2\frac{\alpha_1}{z} - \overline{\varphi(0)} \tag{4.9}$$

既然已经求出了 $\varphi(z)$ 与 $\psi(z)$. 而且由于其余常数不影响应力分布，可将式(4.7)与(4.9)改写为

$$\begin{aligned}\varphi(z) &= \frac{1}{2\pi\mathrm{i}}\oint_L \frac{f(\sigma)}{\sigma - z}\mathrm{d}\sigma - \bar{\alpha}_1 z \\ \psi(z) &= \frac{1}{2\pi\mathrm{i}}\oint_L \frac{\overline{f(\sigma)}}{\sigma - z}\mathrm{d}\sigma - R^2\frac{\varphi'(z) - \alpha_1}{z}\end{aligned} \tag{4.10}$$

式中常数 α_1 由式(4.8)给出.

有了 $\varphi(z)$ 与 $\psi(z)$ 就可计算应力与位移了. 现在举一个具体例子说明上述计算的应用.

如图 7.4 所示，圆盘 $|z| \leqslant R$. 设在边界上两点

$$\sigma_1 = R\mathrm{e}^{\mathrm{i}\delta}, \quad \sigma_2 = R\mathrm{e}^{\mathrm{i}(\pi-\delta)}$$

受水平拉力 P 的作用. 于是

$$f(\sigma) = \begin{cases} 0, & \text{当 } 0 \leqslant \theta < \delta \\ \mathrm{i}P, & \text{当 } \delta \leqslant \theta < \pi - \delta \\ 0, & \text{当 } \pi - \delta \leqslant \theta < 2\pi \end{cases}$$

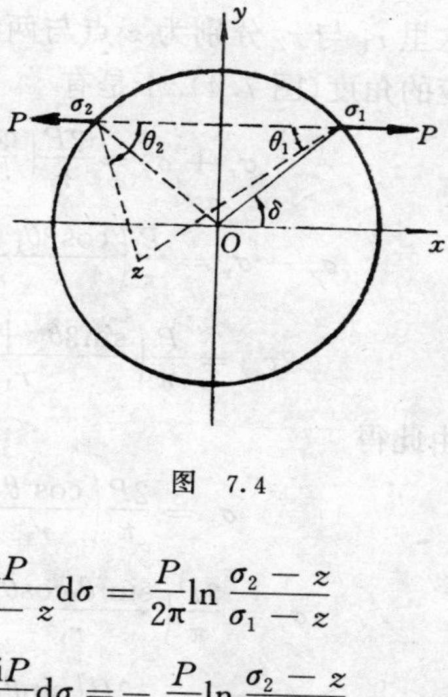

图 7.4

有

$$\frac{1}{2\pi\mathrm{i}}\oint_L \frac{f(\sigma)}{\sigma - z}\mathrm{d}\sigma = \frac{1}{2\pi\mathrm{i}}\int_{\sigma_1}^{\sigma_2} \frac{\mathrm{i}P}{\sigma - z}\mathrm{d}\sigma = \frac{P}{2\pi}\ln\frac{\sigma_2 - z}{\sigma_1 - z}$$

$$\frac{1}{2\pi\mathrm{i}}\oint_L \frac{\overline{f(\sigma)}}{\sigma - z}\mathrm{d}\sigma = \frac{1}{2\pi\mathrm{i}}\int_{\sigma_1}^{\sigma_2} \frac{-\mathrm{i}P}{\sigma - z}\mathrm{d}\sigma = -\frac{P}{2\pi}\ln\frac{\sigma_2 - z}{\sigma_1 - z}$$

$$\alpha_1 = \frac{1}{2\pi\mathrm{i}}\oint_L \frac{f(\sigma)}{\sigma^2}\mathrm{d}\sigma = \frac{1}{2\pi\mathrm{i}}\int_{\sigma_1}^{\sigma_2} \frac{\mathrm{i}P}{\sigma^2}\mathrm{d}\sigma = \frac{P}{4\pi}\frac{\bar{\sigma}_1 - \bar{\sigma}_2}{R^2}$$

因此，由式(4.10)有

$$\varphi(z) = -\frac{P}{2\pi}\left[\ln(\sigma_1 - z) - \ln(\sigma_2 - z) + \frac{\bar{\sigma}_1 - \bar{\sigma}_2}{2R^2}z\right]$$

$$\psi(z) = \frac{P}{2\pi}\left[\ln(\sigma_1 - z) - \ln(\sigma_2 - z) - \frac{\bar{\sigma}_1}{\sigma_1 - z} + \frac{\bar{\sigma}_2}{\sigma_2 - z}\right]$$

为了计算应力，我们先由上式算出

$$\Phi(z)=\varphi'(z)=\frac{P}{2\pi}\left(\frac{1}{\sigma_1-z}-\frac{1}{\sigma_2-z}-\frac{\bar{\sigma}_1-\bar{\sigma}_2}{2R^2}\right)$$

$$\Psi(z)=\psi'(z)=-\frac{P}{2\pi}\left[\frac{1}{\sigma_1-z}-\frac{1}{\sigma_2-z}+\frac{\bar{\sigma}_1}{(\sigma_1-z)^2}-\frac{\bar{\sigma}_2}{(\sigma_2-z)^2}\right]$$

再代入公式(2.3)，并令

$$\sigma_1-z=r_1e^{i\theta_1},\quad \sigma_2-z=-r_2e^{-i\theta_2}$$

这里 r_1 与 r_2 分别为 z 点与两个力的作用点之距离，θ_1 与 θ_2 为相应的角度(图 7.4). 于是有

$$\sigma_x+\sigma_y=\frac{2P}{\pi}\left(\frac{\cos\theta_1}{r_1}+\frac{\cos\theta_2}{r_2}-\frac{\cos\delta}{R}\right)$$

$$\sigma_x-\sigma_y=\frac{P}{\pi}\left(\frac{\cos3\theta_1+\cos\theta_1}{r_1}+\frac{\cos3\theta_2+\cos\theta_2}{r_2}\right)$$

$$2\tau_{xy}=\frac{P}{\pi}\left(\frac{\sin3\theta_1+\sin\theta_1}{r_1}-\frac{\sin3\theta_2+\sin\theta_2}{r_2}\right)$$

由此得

$$\sigma_x=\frac{2P}{\pi}\left(\frac{\cos^3\theta_1}{r_1}+\frac{\cos^3\theta_2}{r_2}\right)-\frac{P}{\pi R}\cos\delta$$

$$\sigma_y=\frac{2P}{\pi}\left(\frac{\sin^2\theta_1\cos\theta_1}{r_1}+\frac{\sin^2\theta_2\cos\theta_2}{r_2}\right)-\frac{P}{\pi R}\cos\delta$$

$$\tau_{xy}=\frac{2P}{\pi}\left(\frac{\sin\theta_1\cos^2\theta_1}{r_1}-\frac{\sin\theta_2\cos^2\theta_2}{r_2}\right)$$

4.2 保角变换的应用

对于非圆域上的平面问题，通常作保角变换

$$z=\omega(\zeta)\tag{4.11}$$

使 z 平面上的区域变为 ζ 平面上的单位圆. 这时，相应地有

$$\varphi(z)=\varphi(\omega(\zeta))=\varphi_1(\zeta)$$

$$\varphi'(z)=\frac{\mathrm{d}\varphi}{\mathrm{d}z}=\frac{\mathrm{d}\varphi}{\mathrm{d}\zeta}\frac{\mathrm{d}\zeta}{\mathrm{d}z}=\frac{\varphi_1'(\zeta)}{\omega'(\zeta)}$$

$$\psi(z)=\psi(\omega(\zeta))=\psi_1(\zeta)$$

今后,在不致引起混淆时,仍将 $\varphi_1(\zeta),\psi_1(\zeta)$ 记为 $\varphi(\zeta),\psi(\zeta)$.

对应于应力边条件,经保角映射后,在 ζ 平面上可写为

$$\varphi(\sigma)+\frac{\omega(\sigma)}{\overline{\omega'(\sigma)}}\overline{\varphi'(\sigma)}+\overline{\psi(\sigma)}=f(\sigma) \tag{4.12}$$

这里 σ 在单位圆上.

当 $\omega(\sigma)$ 给出时,原则上可以求出满足式(4.12)的解析函数 $\varphi(\zeta)$ 与 $\psi(\zeta)$. 当 $\omega(\zeta)$ 是有理解析函数时,可得到 $\varphi(\zeta)$ 与 $\psi(\zeta)$ 的显式形式的解.

4.3 椭圆孔

考虑一无限大板,板上有一长短轴分别为 a 与 b 的椭圆孔.

作保角映射

$$z=\omega(\zeta)=R\left(\zeta+\frac{m}{\zeta}\right) \tag{4.13}$$

这里 $a=R(1+m)$, $b=R(1-m)$, $R>0$, $0\leqslant m<1$. 式(4.13)将椭圆外变到单位圆外. 由(4.13)得

$$\frac{\omega(\sigma)}{\overline{\omega'(\sigma)}}=\frac{1}{\sigma}\frac{\sigma^2+m}{1-m\sigma^2}$$

$$\frac{\overline{\omega(\sigma)}}{\omega'(\sigma)}=\sigma\frac{1+m\sigma^2}{\sigma^2-m}$$

这时应力边条件(4.12)可改写为

$$\varphi(\sigma)+\frac{1}{\sigma}\frac{\sigma^2+m}{1-m\sigma^2}\overline{\varphi'(\sigma)}+\overline{\psi(\sigma)}=f(\sigma) \tag{4.14}$$

以 $2\pi\mathrm{i}(\sigma-\zeta)$ 除式(4.14),并在单位圆上积分得

$$\frac{1}{2\pi\mathrm{i}}\oint\frac{\varphi(\sigma)}{\sigma-\zeta}\mathrm{d}\sigma+\frac{1}{2\pi\mathrm{i}}\oint\frac{1}{\sigma}\frac{\sigma^2+m}{1-m\sigma^2}\frac{\overline{\varphi'(\sigma)}}{\sigma-\zeta}\mathrm{d}\sigma$$

$$+\frac{1}{2\pi i}\oint\frac{\overline{\psi(\sigma)}}{\sigma-\zeta}d\sigma=\frac{1}{2\pi i}\oint\frac{f(\sigma)}{\sigma-\zeta}d\sigma \tag{4.15}$$

这里ζ位于单位圆外，积分的方向是逆时针的.

我们首先假定$F_x=F_y=0,\Gamma=\Gamma'=0$(符号见§2.7). 即作用于围线上的外力的合力等于零，并且在无穷远处应力与转动皆为零. 按照公式(2.19)，可设

$$\begin{aligned}\varphi(\zeta)&=\frac{a_1}{\zeta}+\frac{a_2}{\zeta^2}+\cdots\\ \psi(\zeta)&=\frac{a_1'}{\zeta}+\frac{a_2'}{\zeta^2}+\cdots\end{aligned} \tag{4.16}$$

我们利用这一表达式来计算(4.15)中左端的各项积分. 首先有

$$\frac{1}{2\pi i}\oint\frac{\varphi(\sigma)}{\sigma-\zeta}d\sigma=\frac{1}{2\pi i}\oint\frac{\varphi(\sigma)}{\sigma\zeta\left(\dfrac{1}{\zeta}-\dfrac{1}{\sigma}\right)}d\sigma$$

注意到在单位圆上有

$$\sigma\bar{\sigma}=1,\quad \frac{d\bar{\sigma}}{\bar{\sigma}}=-\frac{d\sigma}{\sigma}$$

故式(4.15)中左端第一项积分为

$$\frac{1}{2\pi i}\oint\frac{\varphi(\sigma)}{\sigma-\zeta}d\sigma=\frac{1}{2\pi i\zeta}\oint\frac{1}{\bar{\sigma}-\dfrac{1}{\zeta}}\sum_{n=1}^{\infty}a_n\bar{\sigma}^{n-1}d\bar{\sigma}$$

对$\bar{\sigma}$来说，$\sum\limits_{n=1}^{\infty}a_n\bar{\sigma}^{n-1}$为单位圆内的解析函数. 对等号右端，利用Cauchy积分公式得

$$\frac{1}{2\pi i}\oint\frac{\varphi(\sigma)}{\sigma-\zeta}d\sigma=-\frac{1}{\zeta}\sum_{n=1}^{\infty}a_n\left(\frac{1}{\zeta}\right)^{n-1}=-\varphi(\zeta)$$

积分后所出现的负号是由于积分的定向不同而引起的.

根据同样的道理，对式(4.15)左端第二、三项积分分别有

$$\begin{aligned}&\frac{1}{2\pi i}\oint\frac{1}{\sigma}\,\frac{\sigma^2+m}{1-m\sigma^2}\,\frac{\overline{\varphi'(\sigma)}}{\sigma-\zeta}d\sigma\\ &=\frac{1}{2\pi i}\oint\frac{\sigma^2+m}{1-m\sigma^2}\,\frac{1}{\sigma-\zeta}\sum_{n=1}^{\infty}\bar{a}_n(-n)\sigma^n d\sigma=0\end{aligned}$$

$$\frac{1}{2\pi i}\oint\frac{\overline{\psi(\sigma)}}{\sigma-\zeta}d\sigma=\frac{1}{2\pi i}\oint\frac{1}{\sigma-\zeta}\sum_{n=1}^{\infty}\overline{a}'_n\sigma^n d\sigma=0$$

将上述三式代入(4.15)得

$$\varphi(\zeta)=-\frac{1}{2\pi i}\oint\frac{f(\sigma)}{\sigma-\zeta}d\sigma \tag{4.17}$$

这里ζ在单位圆外.

将式(4.14)取共轭,并除以$2\pi i(\sigma-\zeta)$,再在单位圆上求积分得

$$\frac{1}{2\pi i}\oint\frac{\overline{\varphi(\sigma)}}{\sigma-\zeta}d\sigma+\frac{1}{2\pi i}\oint\sigma\frac{1+m\sigma^2}{\sigma^2-m}\frac{\varphi'(\sigma)}{\sigma-\zeta}d\sigma$$

$$+\frac{1}{2\pi i}\oint\frac{\psi(\sigma)}{\sigma-\zeta}d\sigma=\frac{1}{2\pi i}\oint\frac{\overline{f(\sigma)}}{\sigma-\zeta}d\sigma$$

由于有

$$\frac{1}{2\pi i}\oint\frac{\overline{\varphi(\sigma)}}{\sigma-\zeta}d\sigma=0$$

$$\frac{1}{2\pi i}\oint\sigma\frac{1+m\sigma^2}{\sigma^2-m}\frac{\varphi'(\sigma)}{\sigma-\zeta}d\sigma=-\zeta\frac{1+m\zeta^2}{\zeta^2-m}\varphi'(\zeta)$$

$$\frac{1}{2\pi i}\oint\frac{\psi(\sigma)}{\sigma-\zeta}d\sigma=-\psi(\zeta)$$

故

$$\psi(\zeta)=-\frac{1}{2\pi i}\oint\frac{\overline{f(\sigma)}}{\sigma-\zeta}d\sigma-\zeta\frac{1+m\zeta^2}{\zeta^2-m}\varphi'(\zeta) \tag{4.18}$$

由式(2.19),对于F_x,F_y和Γ,Γ'不为零的情形,将$\varphi(\zeta)$,$\psi(\zeta)$取如下形式

$$\begin{aligned}\varphi(\zeta)&=\Gamma R\zeta-\frac{F_x+iF_y}{2\pi(1+\alpha)}\ln\zeta+\varphi_0(\zeta)\\ \psi(\zeta)&=\Gamma' R\zeta+\frac{\alpha(F_x-iF_y)}{2\pi(1+\alpha)}\ln\zeta+\psi_0(\zeta)\end{aligned} \tag{4.19}$$

其中$\varphi_0(\zeta)$,$\psi_0(\zeta)$有展开式(4.16).

将式(4.19)代入边条件(4.14)得

$$\varphi_0(\sigma)+\frac{1}{\sigma}\frac{\sigma^2+m}{1-m\sigma^2}\overline{\varphi'_0(\sigma)}+\psi_0(\sigma)=f_0(\sigma) \tag{4.20}$$

其中

$$\begin{aligned}f_0(\sigma)=&f(\sigma)-\Gamma R\left[\sigma+\frac{\sigma^2+m}{\sigma(1-m\sigma^2)}\right]-\frac{\overline{\Gamma'}R}{\sigma}\\&+\frac{F_x+\mathrm{i}F_y}{2\pi}\ln\sigma+\frac{F_x-\mathrm{i}F_y}{2\pi(1+\alpha)}\frac{\sigma^2+m}{1-m\sigma^2}\end{aligned} \tag{4.21}$$

比较(4.14)与(4.20),不难看出应有

$$\begin{aligned}\varphi_0(\zeta)&=-\frac{1}{2\pi\mathrm{i}}\oint\frac{f_0(\sigma)}{\sigma-\zeta}\mathrm{d}\sigma\\\psi_0(\zeta)&=-\frac{1}{2\pi\mathrm{i}}\oint\frac{\overline{f_0(\sigma)}}{\sigma-\zeta}\mathrm{d}\sigma-\zeta\frac{1+m\zeta^2}{\zeta^2-m}\varphi'_0(\zeta)\end{aligned} \tag{4.22}$$

将这两个式子代入(4.19),即得到最一般条件下的 $\varphi(\zeta)$ 与 $\psi(\zeta)$ 的表达式.

4.4 例子——带有椭圆孔的平板的拉伸

设孔的周边不受力作用,并设在无穷远处的应力状态是:其大小是 P 的拉应力,其方向与轴 Ox 成 α 的角度.这时有

$$\begin{aligned}&f(\sigma)=0,\quad F_x=F_y=0\\&\Gamma=\overline{\Gamma}=\frac{P}{4},\quad \Gamma'=-\frac{P}{2}\mathrm{e}^{-2\mathrm{i}\alpha}\end{aligned} \tag{4.23}$$

由式(4.21)有

$$f_0(\sigma)=-\frac{PR}{4}\left[\sigma+\frac{\sigma^2+m}{\sigma(1-m\sigma^2)}\right]+\frac{PR}{2\sigma}\mathrm{e}^{2\mathrm{i}\alpha} \tag{4.24}$$

和

$$\overline{f_0(\sigma)}=-\frac{PR}{4}\left[\frac{1}{\sigma}+\sigma\frac{(1+m\sigma^2)}{(\sigma^2-m)}\right]+\frac{PR}{2}\mathrm{e}^{-2\mathrm{i}\alpha}\sigma \tag{4.25}$$

为了计算 $\varphi_0(\zeta)$ 与 $\psi_0(\zeta)$,先算出

$$\frac{1}{2\pi\mathrm{i}}\oint\frac{\sigma^2+m}{\sigma(1-m\sigma^2)}\frac{\mathrm{d}\sigma}{\sigma-\zeta}=-\frac{m}{\zeta}$$

$$\frac{1}{2\pi i}\oint_\sigma \frac{1+m\sigma^2}{\sigma^2-m}\frac{d\sigma}{\sigma-\zeta}=-\frac{(1+m^2)\zeta}{\zeta^2-m}$$

$$\frac{1}{2\pi i}\oint\frac{\sigma d\sigma}{\sigma-\zeta}=0$$

$$\frac{1}{2\pi i}\oint\frac{d\sigma}{\sigma(\sigma-\zeta)}=-\frac{1}{\zeta}$$

把上述结果代入式(4.22)得

$$\varphi_0(\zeta)=-\frac{mPR}{4\zeta}+\frac{PR}{2\zeta}e^{2i\alpha}=PR\frac{2e^{2i\alpha}-m}{4\zeta}$$

$$\psi_0(\zeta)=-\frac{PR}{4\zeta}-\frac{PR(1+m^2)\zeta}{4(\zeta^2-m)}-\frac{\zeta(1+m\zeta^2)}{\zeta^2-m}\varphi_0'(\zeta)$$

根据式(4.19)得

$$\varphi(\zeta)=\frac{PR}{4}\left(\zeta+\frac{2e^{2i\alpha}-m}{\zeta}\right)$$

$$\psi(\zeta)=-\frac{PR}{2}\left[e^{-2i\alpha}\zeta+\frac{e^{2i\alpha}}{m\zeta}-\frac{(1+m^2)(e^{2i\alpha}-m)}{m}\frac{\zeta}{\zeta^2-m}\right] \tag{4.26}$$

现在利用式(4.26)来计算椭圆边界上的应力，得

$$\sigma_x+\sigma_y=4\text{Re}\frac{\varphi'(\zeta)}{\omega'(\zeta)}=\text{Re}\frac{\zeta^2+m-2e^{2i\alpha}}{\zeta^2-m}P$$

我们知道 $\sigma_n+\sigma_t=\sigma_x+\sigma_y$（$\sigma_n$ 和 σ_t 分别为椭圆周界上的法向和切向正应力），将上式换为极坐标得

$$\sigma_n+\sigma_t=P\frac{\rho^4-2\rho^2\cos 2(\theta-\alpha)-m^2+2m\cos 2\alpha}{\rho^4-2m\rho^2\cos 2\theta+m^2}$$

考虑边界上 $\rho=1$ 的情形，这时显然 $\sigma_n=0$，故有

$$\sigma_t|_{\rho=1}=P\frac{1-m^2+2m\cos 2\alpha-2\cos 2(\theta-\alpha)}{1-2m\cos 2\theta+m^2}$$

在 $\alpha=\pi/2$ 时，

$$\sigma_t|_{\rho=1}=P\frac{1-2m-m^2+2\cos 2\theta}{1-2m\cos 2\theta+m^2}$$

它的最大值，显然在 $\theta=0$ 和 $\theta=\pi$ 处达到，即在椭圆长轴的两端达到最大值，其值为

$$\sigma_{t\max}=P\frac{3-2m-m^2}{1-2m+m^2}=P\frac{3+m}{1-m}=P\left(1+2\frac{a}{b}\right)$$

系数 $\delta=1+2a/b$ 称为应力集中因子或应力集中系数.

现在，我们转而讨论椭圆孔的一种极限情形. 当短半轴 b 趋于零时，即当 $m\to 1$ 时，椭圆孔蜕化为一个长为 $2a$ 的裂缝. 我们现在考虑这种具有裂缝的平板的拉伸问题. 依然假定裂缝上没有外力作用.

当 $m\to 1$ 时，保角映射(4.13)变为

$$z=\frac{a}{2}\left(\zeta+\frac{1}{\zeta}\right) \tag{4.27}$$

这时 $R=a/2$. 而在 $m\to 1$ 时，式(4.26)变为

$$\begin{aligned}\varphi(\zeta)&=\frac{Pa}{8}\left(\zeta+\frac{2e^{2i\alpha}-1}{\zeta}\right)\\ \psi(\zeta)&=-\frac{Pa}{4}\left[e^{-2i\alpha}\zeta+\frac{e^{2i\alpha}}{\zeta}-2(e^{2i\alpha}-1)\frac{\zeta}{\zeta^2-1}\right]\end{aligned} \tag{4.28}$$

当拉力 P 垂直于裂缝时，$\alpha=\pi/2$，我们有

$$e^{2i\alpha}=e^{-2i\alpha}=e^{\pm\pi i}=-1$$

代入式(4.28)得

$$\begin{aligned}\varphi(\zeta)&=\frac{Pa}{8}\left(\zeta-\frac{3}{\zeta}\right)\\ \psi(\zeta)&=\frac{Pa}{4}\left(\zeta+\frac{1}{\zeta}-4\frac{\zeta}{\zeta^2-1}\right)\end{aligned} \tag{4.29}$$

为了便于求得直角坐标中的应力分量，将式(4.29)中的 ζ 用 z 来表示. 由式(4.27)解出 ζ

$$\zeta=\frac{z}{a}\pm\sqrt{\frac{z^2}{a^2}-1}$$

注意，z 平面上距孔口或裂缝无限远处的点是与 ζ 平面上无穷远点相对应的. 这就是说，当 $|z|$ 趋向无穷大时，$|\zeta|$ 也应当趋于无穷

大. 因此，上式中根号前的符号应当取正号而不应当取负号. 于是得

$$\zeta = \frac{z}{a} + \sqrt{\frac{z^2}{a^2} - 1} \tag{4.30}$$

将式(4.30)代入(4.29)得

$$\begin{aligned}\varphi(z) &= \frac{P}{4}(2\sqrt{z^2 - a^2} - z) \\ \psi(z) &= \frac{P}{2}\left(z - \frac{a^2}{\sqrt{z^2 - a^2}}\right)\end{aligned} \tag{4.31}$$

利用公式(2.3)可求得

$$\begin{aligned}\sigma_x + \sigma_y &= P\left(2\mathrm{Re}\frac{z}{\sqrt{z^2 - a^2}} - 1\right) \\ \sigma_y - \sigma_x + 2\mathrm{i}\tau_{xy} &= P\left[\frac{2\mathrm{i}a^2 y}{(z^2 - a^2)^{3/2}} + 1\right]\end{aligned} \tag{4.32}$$

在裂缝问题中，最重要的是分析裂缝端点附近的应力分布. 为此，引用以裂缝端点 B 为原点的极坐标(图 7.5). 将关系式

$$z = a + r\cos\theta + \mathrm{i}r\sin\theta$$

代入式(4.32)，即可得出用极坐标 r 和 θ 表示的 $\sigma_x, \sigma_y, \tau_{xy}$ 的表达式. 当然，这些表达式是相当冗长的，但由于在裂缝附近 r 远小于 a. 因此，可将上述表达式按 r/a 的幂次展开，且只保留其中的主项，得

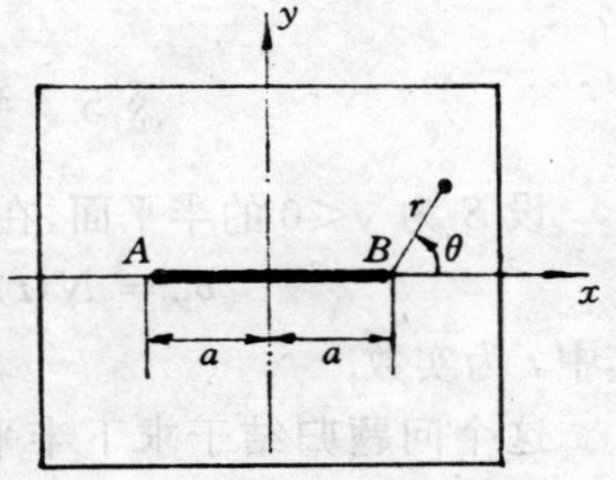

图 7.5

$$\sigma_x + \sigma_y = P\sqrt{\frac{2a}{r}}\cos\frac{\theta}{2}$$

$$\sigma_y - \sigma_x + 2\mathrm{i}\tau_{xy} = P\sqrt{\frac{2a}{r}}\sin\frac{\theta}{2}\cos\frac{\theta}{2}\left(\sin\frac{3\theta}{2} + \mathrm{i}\cos\frac{3\theta}{2}\right)$$

从而得

$$\sigma_x = \frac{K_{\mathrm{I}}}{(2\pi r)^{1/2}}\cos\frac{\theta}{2}\left(1 - \sin\frac{\theta}{2}\sin\frac{3\theta}{2}\right)$$

$$\sigma_y = \frac{K_{\mathrm{I}}}{(2\pi r)^{1/2}}\cos\frac{\theta}{2}\left(1 + \sin\frac{\theta}{2}\sin\frac{3\theta}{2}\right) \qquad (4.33)$$

$$\tau_{xy} = \frac{K_{\mathrm{I}}}{(2\pi r)^{1/2}}\sin\frac{\theta}{2}\cos\frac{\theta}{2}\cos\frac{3\theta}{2}$$

其中 $K_{\mathrm{I}} = P\sqrt{\pi a}$,称为第 I 型裂缝或 Griffith 裂缝在其尖端处的应力强度因子.

在断裂力学中已经证明,尽管裂缝的型式可以各种各样,受力状况不同,但裂缝尖端的应力值都与 $r^{1/2}$ 成反比. 这样,应力强度因子就成为表征裂缝尖端应力的一个重要参数.

应当指出,在式(4.33)中,当 $r \to 0$ 时,应力趋于无穷大. 一般说来这时已越出弹性范围. 因此,对于裂缝进一步研究,必须进行更为复杂的弹塑性分析.

§5 半平面问题

设 S 为 $y<0$ 的半平面,在边界 $y=0$ 上给定应力边条件

$$\sigma_y = N(t), \quad \tau_{xy} = T(t)$$

其中 t 为实数.

这个问题归结于求下半平面上的全纯函数 Φ 和 Ψ,它们在 $y=0$ 时满足

$$\Phi(t) + \overline{\Phi(t)} + \bar{t}\,\Phi'(t) + \Psi(t) = N(t) + \mathrm{i}T(t) \qquad (5.1)$$

对这个式子取共轭得

$$\Phi(t) + \overline{\Phi(t)} + t\,\overline{\Phi'(t)} + \overline{\Psi(t)} = N(t) - \mathrm{i}T(t) \qquad (5.2)$$

由上式又得

$$\frac{1}{2\pi\mathrm{i}}\int_{-\infty}^{\infty}\frac{\Phi(t)}{t-z}\mathrm{d}t + \frac{1}{2\pi\mathrm{i}}\int_{-\infty}^{\infty}\frac{\overline{\Phi(t)}}{t-z}\mathrm{d}t + \frac{1}{2\pi\mathrm{i}}\int_{-\infty}^{\infty}t\frac{\overline{\Phi'(t)}}{t-z}\mathrm{d}t$$
$$+ \frac{1}{2\pi\mathrm{i}}\int_{-\infty}^{\infty}\frac{\overline{\Psi(t)}}{t-z}\mathrm{d}t$$

$$= \frac{1}{2\pi i}\int_{-\infty}^{\infty} \frac{N(t) - iT(t)}{t - z} dt$$

为了保证无穷远处应力为零，当 z 充分大时应有渐近式

$$\Phi(z) = \frac{\alpha_1}{z} + \frac{\alpha_2}{z^2} + \cdots, \quad \Psi(z) = \frac{\beta_1}{z} + \frac{\beta_2}{z^2} + \cdots$$

因为

$$\frac{1}{2\pi i}\int_{-\infty}^{+\infty} \frac{\overline{\Psi(t)}}{t - z} dt = \frac{1}{2\pi i}\overline{\int_{-\infty}^{+\infty} \frac{\Psi(t)}{t - \bar{z}} dt} = 0$$

$$\frac{1}{2\pi i}\int_{-\infty}^{+\infty} \frac{\overline{\Phi(t)}}{t - z} dt = 0$$

$$\frac{1}{2\pi i}\int_{-\infty}^{+\infty} t\frac{\overline{\Phi'(t)}}{t - z} dt = 0$$

所以

$$\Phi(z) = -\frac{1}{2\pi i}\int_{-\infty}^{+\infty} \frac{N(t) - iT(t)}{t - z} dt$$

同理，由式(5.1)可得

$$\Psi(z) = -\frac{1}{2\pi i}\int_{-\infty}^{+\infty} \frac{N(t) + iT(t)}{t - z} dt - \Phi(z) - z\Phi'(z)$$

现把上述结果应用于 $z=0$ 有集中力 P 作用的特殊情形（图 7.6）. 这时

$$\Phi(z) = -\frac{1}{2\pi i}\lim_{\varepsilon \to 0}\int_{-\varepsilon}^{+\varepsilon} \frac{-P/2\varepsilon}{t - z} dt$$

$$= -\frac{1}{2\pi i}\frac{P}{z}$$

$$\Psi(z) = -\frac{1}{2\pi i}\frac{P}{z}$$

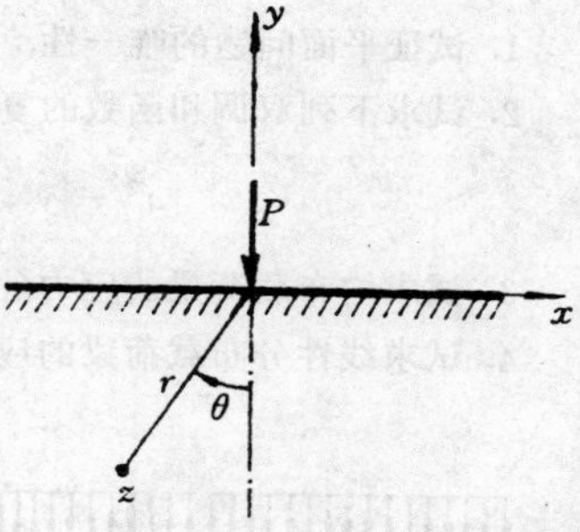

图 7.6

由此

$$\sigma_x + \sigma_y = -\frac{P}{\pi i}\left(\frac{1}{z} - \frac{1}{\bar{z}}\right) = \frac{2P}{\pi r^2} y,$$

$$\sigma_y - \sigma_x + 2i\tau_{xy} = -\frac{P}{\pi i}\left(-\bar{z}\frac{1}{z^2} + \frac{1}{z}\right) = -\frac{2P}{\pi r^4} y\bar{z}^2$$

把这个结果换成极坐标得

$$\sigma_x+\sigma_y=-\frac{2P}{\pi r}\cos\theta$$

$$\sigma_y-\sigma_x+2\mathrm{i}\tau_{xy}=\frac{2P}{\pi r}\cos\theta(-\cos^2\theta+\sin^2\theta-2\mathrm{i}\sin\theta\cos\theta)$$

即

$$\sigma_x=-\frac{2P}{\pi r}\cos\theta\sin^2\theta$$

$$\sigma_y=-\frac{2P}{\pi r}\cos^3\theta$$

$$\tau_{xy}=-\frac{2P}{\pi r}\sin\theta\cos^2\theta$$

这就是著名的 Boussinesq 解.

附记 本章利用复变函数方法来解平面问题. 为简单起见, 避开了一些繁杂问题. 有兴趣的读者可进一步参考 Н. М. Мусхилишвили 所著的《数学弹性力学的几个基本问题》.

习 题

1. 试证平面问题的唯一性.
2. 试求下列双调和函数的复变表达式.

$$x^2-y^2,\quad x^2,\quad y\arctan\frac{y}{x}$$

3. 试求均布载荷梁的应力(图 7.7).
4. 试求线性分布载荷梁的应力(图 7.8).

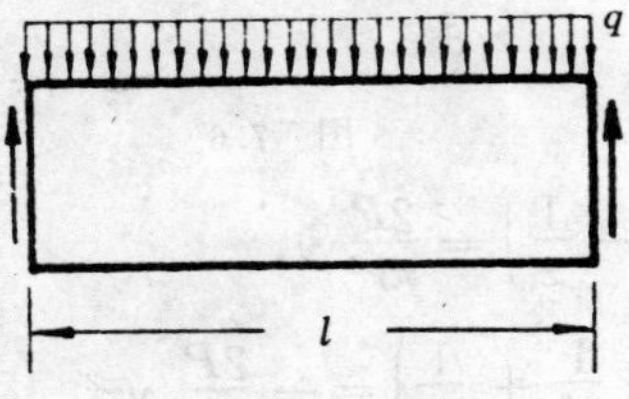

图 7.7

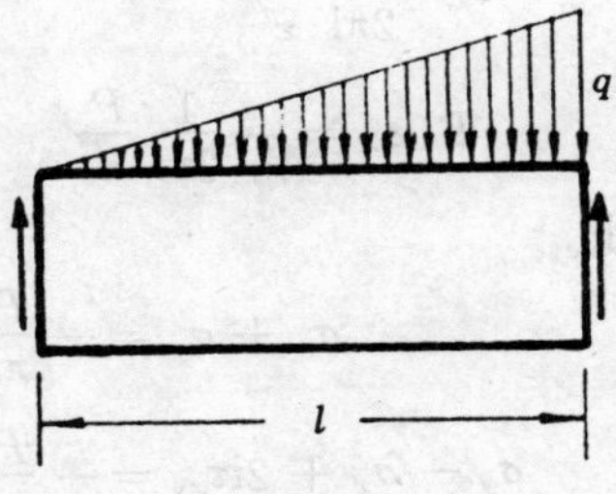

图 7.8

5. 试求均匀分布内压的圆筒中的应力(图 7.9).

6. 求具有椭圆孔无限大板均匀拉伸的应力集中系数(图 7.10).

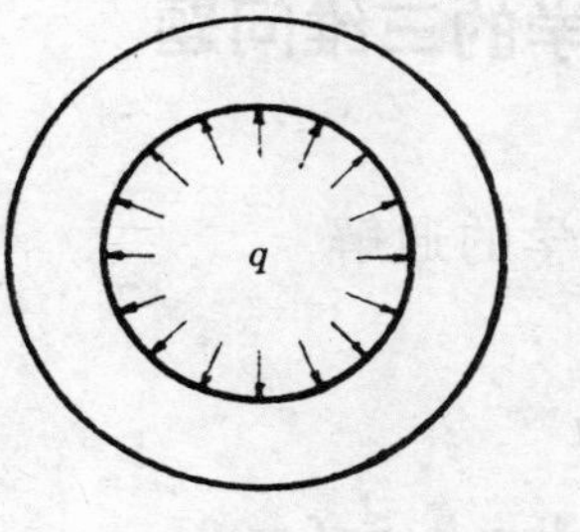

图 7.9

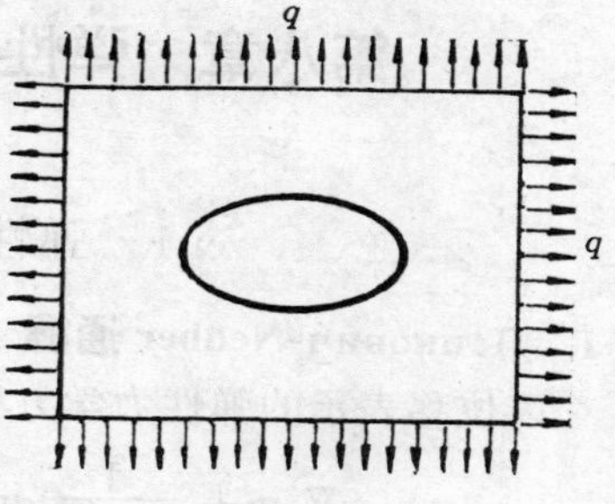

图 7.10

7. 试求具有裂缝的无限大板在两向均匀拉伸时的应力强度因子.

8. 半平面 $y<0$. 在 $y=0,|x|\leqslant a$ 上作用着均匀压力 p;当 $y=0,|x|>a$ 时自由. 求应力分布.

9. 试举一例,它既是 Saint-Venant 问题,又是平面问题.

10. 试证:下述式子为双调和函数

$$\varphi_1=xf_1+g_1$$

$$\varphi_2=xf_2+g_2$$

$$\varphi_3=r^2f_3+g_3$$

其中 $\nabla^2 f_i=0,\nabla^2 g_i=0,i=1,2,3$.

反之,任一双调和函数都可写成上述三种形式.

11. 半径为 R 的单位厚圆板,周边受三个大小均为 P 沿径向作用的集中力,作用点为圆周上的三等分点(图 7.11),求圆板中心的应力状态.

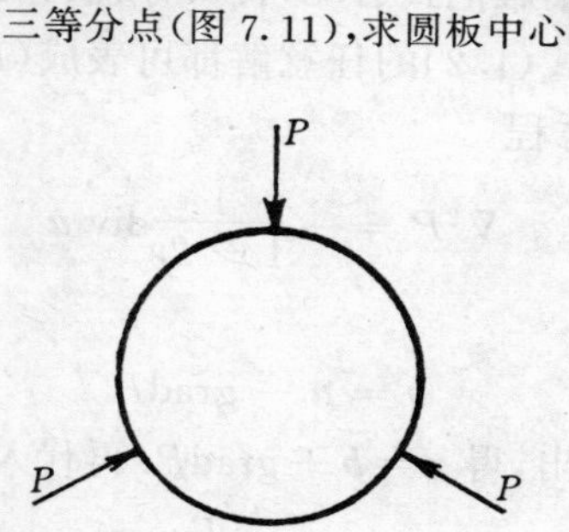

图 7.11

第八章 弹性力学的三维问题

§1 弹性力学的通解

1.1 Папкович-Neuber 通解

以位移表示的弹性力学方程为

$$\nabla^2 \boldsymbol{u} + \frac{1}{1-2\nu}\,\mathrm{grad\,div}\boldsymbol{u} + \frac{1}{\mu}\boldsymbol{f} = \boldsymbol{0} \tag{1.1}$$

当体力消失时,式(1.1)为

$$\nabla^2 \boldsymbol{u} + \frac{1}{1-2\nu}\,\mathrm{grad\,div}\boldsymbol{u} = \boldsymbol{0} \tag{1.2}$$

П. Ф. Папкович (1932)与 H. Neuber (1934)给出了方程(1.2)如下形式的解

$$\boldsymbol{u} = \boldsymbol{b} - \frac{1}{4(1-\nu)}\mathrm{grad}(b_0 + \boldsymbol{r}\cdot\boldsymbol{b}) \tag{1.3}$$

其中 $\boldsymbol{b}$ 与 b_0 满足 $\Delta\boldsymbol{b}=\boldsymbol{0}$,$\Delta b_0=0$. 而 $\boldsymbol{r}=x\boldsymbol{i}+y\boldsymbol{j}+z\boldsymbol{k}$.

我们有如下定理:

定理 解(1.3)是方程(1.2)的通解.

证明 首先,不难把式(1.3)代入方程(1.2)验证是解.

其次,要证明式(1.2)的任意解都可表成(1.3)的形式.

设函数 P 是方程

$$\nabla^2 P = -\frac{1}{1-2\nu}\mathrm{div}\,\boldsymbol{u} \tag{1.4}$$

的一个解,令

$$\boldsymbol{b} = \boldsymbol{u} - \mathrm{grad}P \tag{1.5}$$

将式(1.5)的 $\boldsymbol{u}$ 解出,得 $\boldsymbol{u}=\boldsymbol{b}+\mathrm{grad}P$. 再代入式(1.2),就可以得

$$\nabla^2\boldsymbol{b} + \mathrm{grad}\,\nabla^2 P + \frac{1}{1-2\nu}\,\mathrm{grad\,div}\boldsymbol{u} = \boldsymbol{0}$$

由式(1.4),上式又变为

$$\nabla^2 \boldsymbol{b} = \boldsymbol{0} \tag{1.6}$$

对于(1.5)取 div 得

$$\operatorname{div}\boldsymbol{b} = \operatorname{div}\boldsymbol{u} - \nabla^2 P = -2(1-\nu)\nabla^2 P$$

即

$$\nabla^2 P = -\frac{1}{2(1-\nu)}\operatorname{div}\boldsymbol{b} \tag{1.7}$$

由于

$$\nabla^2(\boldsymbol{r}\cdot\boldsymbol{b}) = 2\operatorname{div}\boldsymbol{b}$$

故从(1.7)可得

$$\nabla^2\left[P + \frac{1}{4(1-\nu)}\boldsymbol{r}\cdot\boldsymbol{b}\right] = \boldsymbol{0}$$

$$P = -\frac{1}{4(1-\nu)}(b_0 + \boldsymbol{r}\cdot\boldsymbol{b}) \tag{1.8}$$

其中

$$\nabla^2 b_0 = 0 \tag{1.9}$$

于是(1.5)可改写成

$$\boldsymbol{u} = \boldsymbol{b} - \frac{1}{4(1-\nu)}\operatorname{grad}(b_0 + \boldsymbol{r}\cdot\boldsymbol{b}) \tag{1.10}$$

其中 $\boldsymbol{b}$ 与 b_0 分别满足式(1.6)与(1.9),即皆为调和函数. 定理证完. 这个证明是 Слободянский 于 1954 年给出的.

1.2 Boussinesq-Галёркин 通解

Boussinesq-Галёркин 曾提出如下形式的弹性通解

$$\begin{cases} \boldsymbol{u} = \nabla^2\boldsymbol{a} - \dfrac{1}{2(1-\nu)}\operatorname{grad}\operatorname{div}\boldsymbol{a} \\ \nabla^4\boldsymbol{a} = \boldsymbol{0} \end{cases} \tag{1.11}$$

我们有如下定理:

定理 解(1.11)是方程(1.2)的通解.

证明 首先,不难直接代入验证(1.11)是(1.2)的解.

其次，要证明(1.2)的任何一个解可以写成(1.11)的形式. 由§1.1的定理知，方程(1.2)的任何一解可写成(1.3)的形式. 设 $\boldsymbol{u}$ 已写成(1.3)形式，令

$$\nabla^2 \boldsymbol{g} = \boldsymbol{b} \tag{1.12}$$

于是

$$\nabla^2(b_0 + \boldsymbol{r}\cdot\boldsymbol{b}) = 2\,\mathrm{div}\boldsymbol{b} = 2\nabla^2\mathrm{div}\boldsymbol{g}$$

由此得

$$b_0 + \boldsymbol{r}\cdot\boldsymbol{b} = 2(\mathrm{div}\boldsymbol{g} + F) \tag{1.13}$$

其中 F 满足

$$\nabla^2 F = 0 \tag{1.14}$$

令

$$\nabla^2 f = F \tag{1.15}$$

作函数

$$\boldsymbol{a} = \boldsymbol{g} - \frac{1}{1-2\nu}\,\mathrm{grad} f \tag{1.16}$$

由式(1.12)，(1.14)与(1.15)可证明

$$\nabla^4 \boldsymbol{a} = \boldsymbol{0} \tag{1.17}$$

而从式(1.3)可得

$$\boldsymbol{u} = \nabla^2\boldsymbol{g} - \frac{1}{2(1-\nu)}\,\mathrm{grad}(\mathrm{div}\boldsymbol{g} + F)$$

将(1.16)代入上式即得

$$\boldsymbol{u} = \nabla^2\boldsymbol{a} - \frac{1}{2(1-\nu)}\,\mathrm{grad\,div}\boldsymbol{a}$$

其中 $\boldsymbol{a}$ 满足式(1.17). 定理证毕.

在上面的证明中我们利用了(1.3)的完备性证明了(1.11)的完备性. 另外，从(1.11)的完备性也可以证明(1.3)的完备性. 这只要令

$$\boldsymbol{b} = \nabla^2\boldsymbol{a},\quad b_0 = 2\,\mathrm{div}\boldsymbol{a} - \boldsymbol{r}\cdot\nabla^2\boldsymbol{a}$$

即可.

§2 弹性力学问题中的势论

2.1 具有体力的特解

在有体力时，我们适当修改§1.1中定理的证明来求解. 这时式(1.6)变为

$$\nabla^2 \boldsymbol{b} = -\frac{1}{\mu}\boldsymbol{f} \tag{2.1}$$

而(1.7)变为

$$\nabla^2\left(P + \frac{1}{4(1-\nu)}\boldsymbol{r}\cdot\boldsymbol{b}\right) = \frac{1}{4(1-\nu)}\boldsymbol{r}\cdot\nabla^2\boldsymbol{b}$$

所以

$$\nabla^2 b_0 = \frac{1}{\mu}\boldsymbol{r}\cdot\boldsymbol{f} \tag{2.2}$$

式(2.1)与(2.2)都是 Poisson 方程. 根据数学物理方程中所熟悉的初等势论，可取它们的特解为

$$\boldsymbol{b} = \frac{1}{4\pi\mu}\iiint_{\mathscr{D}}\frac{\boldsymbol{f}(\boldsymbol{x}')}{r'}\mathrm{d}V' \tag{2.3}$$

$$b_0 = -\frac{1}{4\pi\mu}\iiint_{\mathscr{D}}\frac{(\boldsymbol{i}x' + \boldsymbol{j}y' + \boldsymbol{k}z')\cdot\boldsymbol{f}(\boldsymbol{x}')}{r'}\mathrm{d}V' \tag{2.4}$$

式中 $r' = [(x-x')^2 + (y-y')^2 + (z-z')^2]^{1/2}$，$\boldsymbol{x} = (x,y,z)$，$\boldsymbol{x}' = (x',y',z')$，$\mathrm{d}V' = \mathrm{d}x'\mathrm{d}y'\mathrm{d}z'$.

将式(2.3)和(2.4)代入(1.3)得

$$\begin{aligned}\boldsymbol{u} &= \boldsymbol{b} - \frac{1}{4(1-\nu)}\mathrm{grad}(b_0 + \boldsymbol{r}\cdot\boldsymbol{b}) \\ &= \frac{1}{4\pi\mu}\iiint_{\mathscr{D}}\frac{\boldsymbol{f}}{r'}\mathrm{d}V' - \frac{1}{16\pi\mu(1-\nu)}\mathrm{grad}\Big[\boldsymbol{r}\cdot\iiint_{\mathscr{D}}\frac{\boldsymbol{f}}{r'}\mathrm{d}V' \\ &\quad - \iiint_{\mathscr{D}}\frac{(\boldsymbol{i}x' + \boldsymbol{j}y' + \boldsymbol{k}z')\cdot\boldsymbol{f}}{r'}\mathrm{d}V'\Big]\end{aligned}$$

$$= \frac{1}{4\pi\mu}\iiint\limits_{\mathscr{D}} \frac{\boldsymbol{f}}{r'}\mathrm{d}V' - \frac{1}{16\pi\mu(1-\nu)}\,\mathrm{grad}\iiint\limits_{\mathscr{D}} \frac{\boldsymbol{r}'\cdot\boldsymbol{f}}{r'}\mathrm{d}V'$$

即

$$\boldsymbol{u} = \frac{1}{16\pi\mu(1-\nu)}\left[(3-4\nu)\iiint\limits_{\mathscr{D}} \frac{\boldsymbol{f}}{r'}\mathrm{d}V' + \iiint\limits_{\mathscr{D}} \frac{\boldsymbol{r}'\cdot\boldsymbol{f}}{r'^3}\boldsymbol{r}'\mathrm{d}V'\right] \tag{2.5}$$

式中

$$\boldsymbol{r}' = \boldsymbol{i}(x-x') + \boldsymbol{j}(y-y') + \boldsymbol{k}(z-z')$$

式(2.5)称为 Kelvin 解.

2.2 弹性力学问题的基本解

现在我们转而讨论在 $\boldsymbol{\xi}=(\xi,\eta,\zeta)$ 作用有集中力 $\boldsymbol{p}$ 时，方程(1.1)的解. 为了强调体力的作用点，可将(2.5)式中的 $\boldsymbol{f}$ 记为 $\boldsymbol{f}(\boldsymbol{x}',\boldsymbol{\xi})$，并把它了解为广义函数，即满足条件

(1) $\boldsymbol{f}(\boldsymbol{x}',\boldsymbol{\xi})=\boldsymbol{0}$，当 $(x',y',z')\neq(\xi,\eta,\zeta)$ 时；

(2) 对于任意函数 $\varphi(x',y',z')$，有

$$\iiint\limits_{\mathscr{D}} \boldsymbol{f}(\boldsymbol{x}',\boldsymbol{\xi})\,\boldsymbol{\varphi}(\boldsymbol{x}')\mathrm{d}V' = \boldsymbol{p}\varphi(\boldsymbol{\xi})$$

这里积分是在全空间进行，对于我们的情形是在 $\mathscr{D}$ 上进行. 在特殊情形下取 $\varphi(x',y',z')\equiv 1$，有

$$\iiint\limits_{\mathscr{D}} \boldsymbol{f}(\boldsymbol{x}',\boldsymbol{\xi})\mathrm{d}V' = \boldsymbol{p}$$

把这样的 $\boldsymbol{f}$ 代入式(2.5)得

$$\boldsymbol{u}_p(\boldsymbol{x},\boldsymbol{\xi}) = \frac{1}{16\pi\mu(1-\nu)}\left[(3-4\nu)\,\frac{\boldsymbol{p}}{\rho} + \frac{\boldsymbol{\rho}\cdot\boldsymbol{p}}{\rho^3}\,\boldsymbol{\rho}\right] \tag{2.6}$$

其中

$$\boldsymbol{\rho} = \boldsymbol{i}(x-\xi) + \boldsymbol{j}(y-\eta) + \boldsymbol{k}(z-\zeta)$$

$$\rho = [(x-\xi)^2 - (y-\eta)^2 + (z-\zeta)^2]^{1/2}$$

如果取 $\boldsymbol{p}$ 为三个坐标矢量 $\boldsymbol{e}_i(i=1,2,3)$，我们可得到三个基

本解

$$\boldsymbol{u}_i = \frac{1}{16\pi\mu(1-\nu)}\left[(3-4\nu)\frac{\boldsymbol{e}_i}{\rho} + \frac{\boldsymbol{\rho}\cdot\boldsymbol{e}_i}{\rho^3}\boldsymbol{\rho}\right] \tag{2.7}$$

令张量

$$\mathbf{U} = \boldsymbol{e}_1\boldsymbol{u}_1 + \boldsymbol{e}_2\boldsymbol{u}_2 + \boldsymbol{e}_3\boldsymbol{u}_3 \tag{2.8}$$

则式(2.6)又可写为

$$\boldsymbol{u}_p = \boldsymbol{p}\cdot\mathbf{U}$$

张量(2.8)称为弹性力学问题的基本解张量.它在讨论弹性力学问题解的作用如同讨论 Laplace 方程中基本解 $1/\rho$ 一样,起着基本作用.从表达式(2.7)与(2.8)看出,显然 $\mathbf{U}$ 为对称张量,即有

$$\mathbf{U} = \mathbf{U}^{\mathrm{T}}$$

2.3 广义 Betti 公式

在数学物理方程中讨论 Laplace 方程时,借助于基本解 $1/\rho$ 建立了一整套位势理论.同样地,基于基本解(2.8)在弹性力学中也可平行地建立一套弹性力学的位势理论.

为了进行这种讨论,我们先建立下列的广义 Betti 公式(或称 Betti 互易定理).

$$\iiint_{\mathscr{D}}(\boldsymbol{u}\cdot\mathbf{L}\cdot\boldsymbol{v} - \boldsymbol{v}\cdot\mathbf{L}\cdot\boldsymbol{u})\mathrm{d}V = -\iint_{\partial\mathscr{D}}[\boldsymbol{u}\mathbf{T}(\boldsymbol{v}) - \boldsymbol{v}\cdot\mathbf{T}(\boldsymbol{u})]\cdot\mathrm{d}\boldsymbol{\pi} \tag{2.9}$$

其中 $\boldsymbol{u},\boldsymbol{v}$ 为两个任意的矢量场,$\mathrm{d}V=\mathrm{d}x\mathrm{d}y\mathrm{d}z$,算子 $\mathbf{L}$ 为第五章的(3.1)中所定义,算子 $\mathbf{T}$ 定义如下

$$\mathbf{T}(\boldsymbol{u}) = \lambda\mathbf{I}\,\nabla\cdot\boldsymbol{u} + \mu(\nabla\boldsymbol{u} + \boldsymbol{u}\nabla) \tag{2.10}$$

要证明(2.9) 并不困难,只要在第三章式(2,12) 中注意 $\mathbf{I}\overset{\times}{\cdot}\mathbf{T} = \mathbf{0}$, 得

$$(\nabla\cdot\mathbf{T})\cdot\boldsymbol{u}\,\mathrm{d}V = -\mathbf{T}:\boldsymbol{\Gamma}(\boldsymbol{u})\mathrm{d}V + \mathrm{d}(\mathrm{d}\boldsymbol{\pi}\cdot\mathbf{T}\cdot\boldsymbol{u}) \tag{2.11}$$

我们将上式中的 $\mathbf{T}$ 了解为 $\mathbf{T}(\boldsymbol{v})$,$\boldsymbol{\Gamma}(\boldsymbol{u})=(\nabla\boldsymbol{u}+\boldsymbol{u}\nabla)/2$, 而 $\mathbf{L}\cdot\boldsymbol{v} = -\nabla\cdot\mathbf{T}(\boldsymbol{v})$,此外将(2.11)中 $\boldsymbol{u}$ 与 $\boldsymbol{v}$ 互换,得到

$$-(\mathbf{L}\cdot\boldsymbol{u})\cdot\boldsymbol{v}\mathrm{d}V = -\mathbf{T}(\boldsymbol{u}):\boldsymbol{\Gamma}(\boldsymbol{v})\mathrm{d}V + \mathrm{d}[\mathrm{d}\boldsymbol{\pi}\cdot\mathbf{T}(\boldsymbol{u})\cdot\boldsymbol{v}]$$

此式与式(2.11)相减，考虑到 $\boldsymbol{\Gamma}(\boldsymbol{u}):\mathbf{T}(\boldsymbol{v}) = \boldsymbol{\Gamma}(\boldsymbol{v}):\mathbf{T}(\boldsymbol{u})$，可得

$$(\boldsymbol{u}\cdot\mathbf{L}\cdot\boldsymbol{v} - \boldsymbol{v}\cdot\mathbf{L}\cdot\boldsymbol{u})\mathrm{d}V = -\mathrm{d}[\mathrm{d}\boldsymbol{\pi}\cdot\mathbf{T}(\boldsymbol{v})\cdot\boldsymbol{u} - \mathrm{d}\boldsymbol{\pi}\cdot\mathbf{T}(\boldsymbol{u})\cdot\boldsymbol{v}]$$

然后再利用一次 Stokes 公式,即得(2.9)式.

2.4 Somigiliana 公式,边界积分方程

如果在(2.9)中,令其中的矢量 $\boldsymbol{v}$ 为基本解(2.7)的三个矢量之一,则(2.9)仍应成立.即然(2.9)对(2.7)任一矢量都成立,因而对基本解张量 $\mathbf{U}$ 的表达式(2.8)也应成立. 今将(2.8)式中的 $\boldsymbol{\xi}$ 和 $\boldsymbol{x}$ 互换，于是积分成为对 ξ,η 和 ζ 进行,则有

$$\iiint_{\mathscr{D}\backslash\Sigma_\varepsilon(\boldsymbol{x})}(\boldsymbol{u}\cdot\mathbf{L}\cdot\mathbf{U} - \mathbf{U}\cdot\mathbf{L}\cdot\boldsymbol{u})\mathrm{d}\xi\,\mathrm{d}\eta\,\mathrm{d}\zeta$$

$$= -\iint_{\partial(\mathscr{D}\backslash\Sigma_\varepsilon(\boldsymbol{x}))}[\boldsymbol{u}\cdot\mathbf{T}(\mathbf{U}) - \mathbf{U}\cdot\mathbf{T}(\boldsymbol{u})]\cdot\boldsymbol{n}\mathrm{d}s \quad (2.12)$$

其中 $\boldsymbol{n}$ 是曲面 $\partial(\mathscr{D}\backslash\Sigma_\varepsilon(\boldsymbol{x}))$的外法向,$\boldsymbol{n}\mathrm{d}s=\mathrm{d}\boldsymbol{\pi}$,$\Sigma_\varepsilon(\boldsymbol{x})$是以 $\boldsymbol{x}$ 为心,ε 为半径的球,而 $\mathbf{T}(\mathbf{U})$为如下表示的三阶张量:

$$\mathbf{T}(\mathbf{U}) = -\frac{1}{8\pi(1-\nu)}\left[3\frac{\boldsymbol{\rho\rho\rho}}{\rho^5} + (1-2\nu)\frac{\boldsymbol{\rho}\mathbf{I} + \mathbf{I}\boldsymbol{\rho} - \sum_i \boldsymbol{e}_i\,\boldsymbol{\rho}\,\boldsymbol{e}_i}{\rho^3}\right] \quad (2.13)$$

由于 $\mathbf{U}$ 在区域 $\mathscr{D}$ 中有奇点 $\boldsymbol{x}$,故在公式(2.12)中将区域 $\mathscr{D}$ 换成了 $\mathscr{D}$ 与球 $\Sigma_\varepsilon(\boldsymbol{x})$的差 $\mathscr{D}\backslash\Sigma_\varepsilon(\boldsymbol{x})$. 这样在新的积分区域中,(2.12)式中各量均无奇点,于是 Stokes 公式可以应用.

如果在(2.12)中假定,$\boldsymbol{u}$ 是弹性位移场,即 $\boldsymbol{u}$ 满足方程

$$\mathbf{L}\cdot\boldsymbol{u} = \boldsymbol{f} \quad (2.14)$$

再考虑到基本解 $\mathbf{U}$ 的性质,从(2.12)得到

$$\iiint_{\mathscr{D}\backslash\Sigma_\varepsilon(\boldsymbol{x})}\mathbf{U}\cdot\boldsymbol{f}\,\mathrm{d}\xi\,\mathrm{d}\eta\,\mathrm{d}\zeta = \iint_{\partial(\mathscr{D}\backslash\Sigma_\varepsilon(\boldsymbol{x}))}[\boldsymbol{u}\cdot\mathbf{T}(\mathbf{U}) - \mathbf{U}\cdot\mathbf{T}(\boldsymbol{u})]\cdot\boldsymbol{n}\mathrm{d}s \quad (2.15)$$

以下按 $\boldsymbol{x}$ 在空间中的位置分三种情况来讨论.

第一种情况. 如果 $\boldsymbol{x}$ 在区域 $\mathscr{D}$ 内,那么从(2.8)和(2.13)不难看出,在点(x,y,z)附近,$\mathbf{U}$ 有一阶奇性,$\mathbf{T}(\mathbf{U})$有二阶奇性. 于是对(2.15)式,当 ε 趋于零时,可得

$$\iiint_{\mathscr{D}} \mathbf{U}\cdot \boldsymbol{f}\mathrm{d}\xi\,\mathrm{d}\eta\,\mathrm{d}\zeta = \iint_{\partial\mathscr{D}} [\boldsymbol{u}\cdot\mathbf{T}(\mathbf{U}) - \mathbf{U}\cdot\mathbf{T}(\boldsymbol{u})]\cdot\boldsymbol{n}\mathrm{d}s + \boldsymbol{J} \tag{2.16}$$

其中

$$\boldsymbol{J} = -\lim_{\varepsilon\to 0}\iint_{\partial\Sigma_\varepsilon(\boldsymbol{x})} [\boldsymbol{u}\cdot\mathbf{T}(\mathbf{U}) - \mathbf{U}\cdot\mathbf{T}(\boldsymbol{u})]\cdot\boldsymbol{n}\mathrm{d}s \tag{2.17}$$

这里的 $\boldsymbol{n}$ 是 $\partial\Sigma_\varepsilon(\boldsymbol{x})$的外法向. (2.17)可改写为

$$\begin{aligned}\boldsymbol{J} = &-\lim_{\varepsilon\to 0}\iint_{\partial\Sigma_\varepsilon(\boldsymbol{x})} [\boldsymbol{u}(\boldsymbol{\xi}) - \boldsymbol{u}(\boldsymbol{x})]\cdot\mathbf{T}(\mathbf{U})\cdot\boldsymbol{n}\mathrm{d}s \\ &+\lim_{\varepsilon\to 0}\iint_{\partial\Sigma_\varepsilon(\boldsymbol{x})} \mathbf{U}\cdot\mathbf{T}(\boldsymbol{u})\cdot\boldsymbol{n}\mathrm{d}s \\ &-\boldsymbol{u}(\boldsymbol{x})\cdot\lim_{\varepsilon\to 0}\iint_{\partial\Sigma_\varepsilon(\boldsymbol{x})} \mathbf{T}(\mathbf{U})\cdot\boldsymbol{n}\mathrm{d}s\end{aligned} \tag{2.18}$$

由于 $\boldsymbol{u}$ 的连续性,第一项为零. 由于 ε 趋于零时 $\mathbf{U}$ 是一阶无穷大量,而面积元 $\mathrm{d}s$ 是二阶无穷小量,因此第二项亦为零. 由于积分对 $\boldsymbol{\xi}$ 进行,故积分时 $\boldsymbol{u}(\boldsymbol{x})$为常量,再将(2.13)代入,(2.18)成为

$$\boldsymbol{J} = \boldsymbol{u}(\boldsymbol{x})\cdot\lim_{\varepsilon\to 0}\frac{1}{8\pi(1-\nu)}\iint_{\partial\Sigma_\varepsilon(\boldsymbol{x})}\left[3\,\frac{\boldsymbol{\rho}\boldsymbol{\rho}}{\rho^4} + (1-2\nu)\,\frac{\mathbf{I}}{\rho^2}\right]\mathrm{d}s \tag{2.19}$$

这里用到了 $\boldsymbol{n} = \dfrac{1}{\rho}\boldsymbol{\rho}$, $\boldsymbol{\rho}\cdot\boldsymbol{\rho} = \rho^2$, $\boldsymbol{\rho}\cdot\mathbf{I} = \boldsymbol{\rho}$ 等恒等式. 注意到

$$\iint_{\partial\Sigma_\varepsilon(\boldsymbol{x})} \boldsymbol{\rho}\boldsymbol{\rho}\mathrm{d}s = \frac{4}{3}\pi\varepsilon^4\mathbf{I} \tag{2.20}$$

我们得到

$$J = \boldsymbol{u}(\boldsymbol{x}) \cdot \mathbf{I} = \boldsymbol{u}(\boldsymbol{x}) \tag{2.21}$$

再将(2.21)代入(2.16)得到

$$\boldsymbol{u}(\boldsymbol{x}) = -\iint_{\partial\mathscr{D}} [\boldsymbol{u} \cdot \mathbf{T}(\mathbf{U}) - \mathbf{U} \cdot \mathbf{T}(\boldsymbol{u})] \cdot \boldsymbol{n} \mathrm{d}s + \iiint_{\mathscr{D}} \mathbf{U} \cdot \boldsymbol{f} \mathrm{d}\xi \mathrm{d}\eta \mathrm{d}\zeta \quad (\boldsymbol{x} \in \mathscr{D}) \tag{2.22}$$

此即著名的 Somigiliana 公式.

(2.22)表明,当体力已知时,如果在边界上给定位移 $\boldsymbol{u}$ 和面力 $\mathbf{T}(\boldsymbol{u})\cdot\boldsymbol{n}$,则可以得到区域内任一点的位移.

然而,遗憾的是,边值问题的提法只能给出上述所需信息的一半,即只给定位移边界上的位移值和应力边界上的面力值.不过上述讨论是有意义的,这就是把弹性力学问题归结为求解边界上的位移或面力.

第二种情况. 如果 $\boldsymbol{x}$ 在边界 $\partial\mathscr{D}$ 上,并假定 ∂D 是光滑的,那么在上述讨论中以半球代替整个球的讨论,则不难得到

$$\frac{1}{2}\boldsymbol{u}(\boldsymbol{x}) = -\iint_{\partial\mathscr{D}} [\boldsymbol{u} \cdot \mathbf{T}(\mathbf{U}) - \mathbf{U} \cdot \mathbf{T}(\boldsymbol{u})] \cdot \boldsymbol{n} \mathrm{d}s + \iiint_{\mathscr{D}} \mathbf{U} \cdot \boldsymbol{f} \mathrm{d}\xi \mathrm{d}\eta \mathrm{d}\zeta \quad (\boldsymbol{x} \in \partial\mathscr{D}) \tag{2.23}$$

此即所谓边界积分方程.它表明,若边界上已知面力,则从(2.23)可以得到边界上的位移,若边界上已知位移,则从(2.23)可以求出面力.对于混合边值问题亦类似.总之从(2.23),我们能求出全部边界上的位移和面力,再从(2.22)即可得到区域 $\mathscr{D}$ 内的位移场.这是一个完整的解题方案.

将积分方程(2.23)离散化,就得到所谓的边界元素法.有时为了确切起见,我们称(2.23)为直接边界积分方程,其离散化为直接边界元素法.

综合(2.22)和(2.23),可以得到

$$\alpha u(x) = -\iint_{\partial\mathscr{D}} [u \cdot \mathbf{T}(\mathbf{U}) - \mathbf{U} \cdot \mathbf{T}(u)] \cdot n \mathrm{d}s$$

$$+ \iiint_{\mathscr{D}} \mathbf{U} \cdot f \,\mathrm{d}\xi \,\mathrm{d}\eta \,\mathrm{d}\zeta \tag{2.24}$$

其中

$$\alpha = \begin{cases} 1, & \text{当 } x \in \mathscr{D} \\ 1/2, & \text{当 } x \in \partial\mathscr{D} \\ 0, & \text{当 } x \overline{\in} \mathscr{D} \cup \partial\mathscr{D} \end{cases} \tag{2.25}$$

第三种情况. 如果 x 不在区域 $\mathscr{D}$ 及其边界 $\partial\mathscr{D}$ 上. 此时(2.15)中的 $\mathscr{D}\backslash\Sigma_\varepsilon(x)=\mathscr{D}$,因此(2.25)的第三式成立.

2.5 Green 函数

如前所述 Somigiliana 公式(2.22)中,由于其中包含未知量 u 和 $\mathbf{T}(u)$,在一般情形下积分难以进行. 现在我们介绍一个方法,可以消去(2.22)式中的 u 或 $\mathbf{T}(u)$中的某一个. 方法的思想很简单,就是在(2.12)中不用基本解 $\mathbf{U}$,而用所谓 Green 函数. 为方便起见,我们考虑无体力的弹性力学位移边值问题

$$\begin{cases} \mathbf{L} \cdot u = \mathbf{0} & (\text{在 } \mathscr{D} \text{ 内}) \\ u = \bar{u} & (\text{在 } \partial\mathscr{D} \text{ 上}) \end{cases} \tag{2.26}$$

设 $\mathbf{H}$ 为下列问题的解

$$\begin{cases} \mathbf{L} \cdot \mathbf{H} = \mathbf{0} & (\text{在 } \mathscr{D} \text{ 内}) \\ \mathbf{H} = -\mathbf{U} & (\text{在 } \partial\mathscr{D} \text{ 上}) \end{cases} \tag{2.27}$$

令

$$\mathbf{G} = \mathbf{U} + \mathbf{H} \tag{2.28}$$

在(2.9)中以 $\mathbf{G}$ 来代替 v,如同导出(2.22)的过程可以得到

$$u = -\iint_{\partial\mathscr{D}} \bar{u} \cdot \mathbf{T}(\mathbf{G}) \cdot n \mathrm{d}s \tag{2.29}$$

此式称为 Lauricella 公式. 它表明,一旦我们求得 $\mathbf{G}$,问题(2.26)就可以借助于积分(2.29)直接得到解决.

我们看到 Green 函数 $\mathbf{G}$ 依赖于区域 $\mathscr{D}$. 也就是说对于一定区域 $\mathscr{D}$,求得了它的 Green 函数以后,则不管问题(2.26)所给定边界值 $\bar{\boldsymbol{u}}$ 如何,都可由(2.29)来求出 $\boldsymbol{u}$. 于是利用 Green 函数求解只有对于那种需要不同的 $\bar{\boldsymbol{u}}$ 大量重复求解才显得特别有利. 因为在这种情形下,只要寻求一次 Green 函数,便可以重复应用积分(2.29)来进行求解.

然而求解 Green 函数本身也很复杂. 对半空间求得了它的有限形式,即所谓 Mindlin 解.

最后我们来证明 Green 函数的一个重要性质: Green 函数的对称性. 即对于一个问题的 Green 函数 $\mathbf{G}$ 成立等式

$$\mathbf{G}(\boldsymbol{x},\boldsymbol{y}) = \mathbf{G}(\boldsymbol{y},\boldsymbol{x}) \tag{2.30}$$

为此考虑两个 Green 函数 $\mathbf{G}(\boldsymbol{x},\boldsymbol{\xi})$ 和 $\mathbf{G}(\boldsymbol{y},\boldsymbol{\xi})$,将这两个函数代入 Betti 公式(2.9),其中积分是对 $\boldsymbol{\xi}$ 进行的. 用 $\mathbf{G}(\boldsymbol{x},\boldsymbol{\xi})$ 代 $\boldsymbol{u}$,用 $\mathbf{G}(\boldsymbol{y},\boldsymbol{\xi})$ 代 $\boldsymbol{v}$. 由于 Green 函数所满足的边界条件,显然代入后的右端恒为零,而方程的左端正好是

$$\mathbf{G}(\boldsymbol{x},\boldsymbol{y}) - \mathbf{G}(\boldsymbol{y},\boldsymbol{x})$$

这就证明了(2.30).

对于应力边值问题和混合边值问题,可以得到类似的一些结论. 此处不再重复了.

2.6 Купрадзе 势论

首先定义弹性位势如下:

$$\boldsymbol{w}_1(\boldsymbol{x}) = \iiint_{\mathscr{D}} \mathbf{U} \cdot \boldsymbol{\varphi}_1(\boldsymbol{\xi})\,\mathrm{d}\xi\mathrm{d}\eta\mathrm{d}\zeta \tag{2.31}$$

$$\boldsymbol{w}_2(\boldsymbol{x}) = \iint_{\partial\mathscr{D}} [\boldsymbol{n} \cdot \mathbf{T}(\mathbf{U}) \cdot \boldsymbol{\varphi}_2(\boldsymbol{\xi})]\,\mathrm{d}s \tag{2.32}$$

$$\boldsymbol{w}_3(\boldsymbol{x}) = \iint_{\partial\mathscr{D}} \mathbf{U} \cdot \boldsymbol{\varphi}_3(\boldsymbol{\xi})\,\mathrm{d}s \tag{2.33}$$

这里 $\boldsymbol{\varphi}_1,\boldsymbol{\varphi}_2,\boldsymbol{\varphi}_3$ 是积分区域上的函数. $\boldsymbol{w}_1$ 称为体位势,$\boldsymbol{w}_2$ 称为双

层位势,$\boldsymbol{w}_3$ 称为单层位势. 积分(2.32)在奇点附近了解为主值意义下的积分. 在下面的讨论中假设 $\mathscr{D}$ 是空间有界区域,$\partial\mathscr{D}$ 是足够光滑的曲面,$\boldsymbol{\varphi}_1,\boldsymbol{\varphi}_2,\boldsymbol{\varphi}_3$是所定义区域上的光滑函数. 这些假定当然是可以减弱的,这里我们就不讨论它了.

在这些条件下,位势 $\boldsymbol{w}_1,\boldsymbol{w}_2,\boldsymbol{w}_3$ 的主要性质可以归结为如下定理.

定理 1 体位势 $\boldsymbol{w}_1$ 在 $\mathscr{D}$ 内具有二阶连续的偏导数,且满足方程

$$\mathbf{L}\cdot\boldsymbol{w}_1=\boldsymbol{\varphi}_1 \tag{2.34}$$

定理 2 单层位势 $\boldsymbol{w}_3$ 与双层位势 $\boldsymbol{w}_2$ 除 $\partial\mathscr{D}$ 外在全空间满足

$$\mathbf{L}\cdot\boldsymbol{w}_2=\mathbf{0},\qquad \mathbf{L}\cdot\boldsymbol{w}_3=\mathbf{0} \tag{2.35}$$

定理 1 与定理 2 的证明仅仅是一个带参数的积分对参数的连续性与可微性问题,这里我们就不仔细讨论它们了. 假定对参数的微商可以直接在积分号下进行是已经得到了论证的,则不难直接验证

$$\mathbf{L}\cdot\boldsymbol{w}_1=\iiint_{\mathscr{D}}\mathbf{L}_r\cdot\mathbf{U}\cdot\boldsymbol{\varphi}_1\mathrm{d}\xi\,\mathrm{d}\eta\,\mathrm{d}\zeta$$

$$=\iiint_{\mathscr{D}}\mathbf{F}(\boldsymbol{x},\boldsymbol{\xi})\cdot\boldsymbol{\varphi}_1\mathrm{d}\xi\,\mathrm{d}\eta\,\mathrm{d}\zeta=\boldsymbol{\varphi}_1(\boldsymbol{x})$$

$$q\mathbf{L}\cdot\boldsymbol{w}_2=\iint_{\partial\mathscr{D}}[\mathbf{L}_r\cdot(\boldsymbol{n}\cdot\mathbf{T}(\mathbf{U}))]\cdot\boldsymbol{\varphi}_2\mathrm{d}s$$

$$=\iint_{\partial\mathscr{D}}\boldsymbol{n}\cdot\mathbf{T}(\mathbf{L}_r\cdot\mathbf{U})\cdot\boldsymbol{\varphi}_2\mathrm{d}s=\mathbf{0}$$

$$\mathbf{L}\cdot\boldsymbol{w}_3=\iint_{\partial\mathscr{D}}(\mathbf{L}_r\cdot\mathbf{U})\cdot\boldsymbol{\varphi}_3\mathrm{d}s=\mathbf{0}$$

式中被积函数中 $\mathbf{L}_r$ 的下标 r 是指 $\mathbf{L}$ 算子中的微商对变量 x,y,z 进行. 于是,定理 1 与定理 2 得到了证明.

为了证明下面的定理 3 和定理 4,我们需要证明一个公式

$$\iint_{\partial\mathscr{D}} \mathbf{T}(\mathbf{U}) \cdot \boldsymbol{n} \mathrm{d}s = \begin{cases} -\mathbf{I}, & \text{当 } \boldsymbol{x} \in \mathscr{D} \\ -\mathbf{I}/2, & \text{当 } \boldsymbol{x} \in \partial\mathscr{D} \\ \mathbf{0}, & \text{当 } \boldsymbol{x} \overline{\in} \mathscr{D} \cup \partial\mathscr{D} \end{cases} \tag{2.36}$$

先证第一个等式. 事实上,从力的平衡可知,当 $(x,y,z)\in\mathscr{D}$ 时,对任意的 ε 有

$$\iint_{\partial\mathscr{D}} \mathbf{T}(\mathbf{U}) \cdot \boldsymbol{n} \mathrm{d}s + \iint_{\partial\Sigma_\varepsilon(\boldsymbol{x})} \mathbf{T}(\mathbf{U}) \cdot \boldsymbol{n} \mathrm{d}s = \mathbf{0} \tag{2.37}$$

这是因为在 $\partial\mathscr{D}$ 和 $\partial\Sigma_\varepsilon(\boldsymbol{x})$ 之间的体积内无体力,故边界上合力为零. 既然 ε 任意,故有

$$\iint_{\partial\mathscr{D}} \mathbf{T}(\mathbf{U}) \cdot \boldsymbol{n} \mathrm{d}s = -\lim_{\varepsilon\to 0} \iint_{\partial\Sigma_\varepsilon(\boldsymbol{x})} \mathbf{T}(\mathbf{U}) \cdot \boldsymbol{n} \mathrm{d}s$$

从式(2.19)~(2.21)可知(2.36)第一式成立. 假定边界光滑,当 $(x,y,z)\in\partial\mathscr{D}$ 时以半球代替球,类似可知(2.36)的第二式成立. 至于第三式则是显然的.

定理 3 当点 (x,y,z) 从 $\mathscr{D}$ 内或 $\mathscr{D}$ 外趋向 $\partial\mathscr{D}$ 时,对双层位势(2.32)有

$$\boldsymbol{w}_2^{\pm}(\boldsymbol{x}) = \mp \frac{1}{2}\boldsymbol{\varphi}_2(\boldsymbol{x}) + \iint_{\partial\mathscr{D}} \boldsymbol{n} \cdot \mathbf{T}(\mathbf{U}) \cdot \boldsymbol{\varphi}_2(\boldsymbol{\xi}) \mathrm{d}s \tag{2.38}$$

式中"±"号分别表示当 (x,y,z) 从 $\mathscr{D}$ 内趋于 $\partial\mathscr{D}$ 时取上面的符号,从 $\mathscr{D}$ 外趋于 $\partial\mathscr{D}$ 时取下面的符号.

证明 把 $\boldsymbol{\varphi}_2(x,y,z)$ 连续开拓到全空间,并考虑函数

$$\begin{aligned} \boldsymbol{w}_2^0(\boldsymbol{x}) &= \iint_{\partial\mathscr{D}} \boldsymbol{n} \cdot \mathbf{T}(\mathbf{U}) \cdot \boldsymbol{\varphi}_2(\boldsymbol{x}) \mathrm{d}s \\ &= \boldsymbol{\varphi}_2(\boldsymbol{x}) \cdot \iint_{\partial\mathscr{D}} \mathbf{T}(\mathbf{U}) \cdot \boldsymbol{n} \mathrm{d}s \\ &= \begin{cases} -\boldsymbol{\varphi}_2(\boldsymbol{x}), & \text{当 } \boldsymbol{x} \in \mathscr{D} \\ -\boldsymbol{\varphi}_2(\boldsymbol{x})/2, & \text{当 } \boldsymbol{x} \in \partial\mathscr{D} \\ \mathbf{0}, & \text{当 } \boldsymbol{x} \overline{\in} \mathscr{D} \cup \partial\mathscr{D} \end{cases} \end{aligned}$$

这个式子中引用了(2.36)的结果.

进而考虑式(2.32)与 $\boldsymbol{w}_2^0(x,y,z)$的差,有

$$\boldsymbol{w}_2(\boldsymbol{x}) - \boldsymbol{w}_2^0(x) = \iint_{\partial\mathscr{D}} \boldsymbol{n} \cdot \mathbf{T}(\mathbf{U}) \cdot [\boldsymbol{\varphi}_2(\boldsymbol{\xi}) - \boldsymbol{\varphi}_2(\boldsymbol{x})] \mathrm{d}s$$

右端由积分所确定的 x,y,z 的函数是一个在整个空间的连续函数,这只要 $\boldsymbol{\varphi}_2(x,y,z)$在整个空间是连续的. 为了验证这一点,只要指出这个积分在积分区域上是一致收敛的就足够了.

可见 $\boldsymbol{w}_2(x,y,z)$和 $\boldsymbol{w}_2^0(x,y,z)$在 $\partial\mathscr{D}$ 上具有相同的间断性. 若令

$$\iint_{\partial\mathscr{D}} \boldsymbol{n} \cdot \mathbf{T}(\mathbf{U}) \cdot \boldsymbol{\varphi}_2 \mathrm{d}s$$

表示当$(x,y,z)\in\partial\mathscr{D}$ 时的函数值,则有

$$\boldsymbol{w}_2^{\pm}(\boldsymbol{x}) - \iint_{\partial\mathscr{D}} \boldsymbol{n} \cdot \mathbf{T}(\mathbf{U}) \cdot \boldsymbol{\varphi}_2 \mathrm{d}s = \mp \frac{1}{2} \boldsymbol{\varphi}_2(\boldsymbol{x})$$

而这正好是定理的结论(2.38).

定理 4 当点(x,y,z)分别从 $\mathscr{D}$ 内或 $\mathscr{D}$ 外趋于 $\partial\mathscr{D}$ 时,对单层位势(2.33)有

$$(\boldsymbol{n} \cdot \mathbf{T})_r (\boldsymbol{w}_3)^{\pm} = \pm \frac{1}{2} \boldsymbol{\varphi}_3 + \iint_{\partial\mathscr{D}} [(\boldsymbol{n} \cdot \mathbf{T})_r (\mathbf{U})] \cdot \boldsymbol{\varphi}_3 \mathrm{d}s \tag{2.39}$$

式中$(\boldsymbol{n}\cdot\mathbf{T})_r$ 的下标 r 表示其中 $\mathbf{T}$ 是对变量 x,y,z 作用的算子,而 $\boldsymbol{n}$ 是 $\partial\mathscr{D}$ 上点(x,y,z)的外法矢量. 不带下标 r 的仍表示对 ξ,η,ζ 作用的算子.

证明 考虑在 $\partial\mathscr{D}$ 上及 $\partial\mathscr{D}$ 外都有定义的函数

$$\begin{aligned} &\iint_{\partial\mathscr{D}} [(\boldsymbol{n} \cdot \mathbf{T})_r (\mathbf{U})] \cdot \boldsymbol{\varphi}_3 \mathrm{d}s \\ &\quad = \iint_{\partial\mathscr{D}} [(\boldsymbol{n} \cdot \mathbf{T})_r (\mathbf{U}) + \boldsymbol{n} \cdot \mathbf{T}(\mathbf{U})] \cdot \boldsymbol{\varphi}_3 \mathrm{d}s \\ &\quad\quad - \iint_{\partial\mathscr{D}} \boldsymbol{n} \cdot \mathbf{T}(\mathbf{U}) \cdot \boldsymbol{\varphi}_3 \mathrm{d}s \end{aligned} \tag{2.40}$$

首先来证明右端第一个积分是 $\partial\mathscr{D}$ 上的连续函数.

由基本解表达式(2.7)看出，对它进行偏微商时，由于 x,y,z 与 ξ,η,ζ 两组变量所处地位的对称性，对前者的任何偏微商都相应地是对后者偏微商的反号. 因而

$$(\boldsymbol{n}\cdot\mathbf{T})_r(\mathbf{U})+\boldsymbol{n}\cdot\mathbf{T}(\mathbf{U})=(\boldsymbol{n}-\boldsymbol{n}_r)\cdot\mathbf{T}(\mathbf{U}) \tag{2.41}$$

在边界足够光滑时，我们将 $\boldsymbol{n}$ 对于 $\boldsymbol{\rho}$ 展开，有

$$\boldsymbol{n}=\boldsymbol{n}_r+\boldsymbol{\rho}\cdot\nabla\boldsymbol{n}+\cdots$$

即有，在奇点 $\boldsymbol{\rho}=\mathbf{0}$ 邻近

$$\boldsymbol{n}-\boldsymbol{n}_r\approx c\boldsymbol{\rho} \tag{2.42}$$

此处 c 为常数. 由于 $\mathbf{T}(\mathbf{U})$含有$1/\rho^2$的奇性，考虑到式(2.42)，则(2.41)在 $\partial\mathscr{D}$ 上所含的奇性不到二阶，于是被积函数在 $\partial\mathscr{D}$ 邻近对 x,y,z 一致收敛. 这就证明了(2.40)右端第一个积分对 x,y,z 在 $\partial\mathscr{D}$ 上的连续性.

这一事实说明(2.40)的左端与右端的第二项在 $\partial\mathscr{D}$ 上有相同的间断特性，而后者是双层位势，由定理 3 我们有式(2.39). 定理 4 得证.

2.7 存在性

前面讨论的弹性力学位势理论允许把弹性力学的边值问题化归于积分方程来求解. 下面对位移边值问题和应力边值问题如何化归于积分方程作简单介绍.

设在 $\partial\mathscr{D}$ 上给了

$$\boldsymbol{u}=\boldsymbol{g}(\boldsymbol{x}) \tag{2.43}$$

或者

$$\boldsymbol{t}=\boldsymbol{n}\cdot\mathbf{T}(\boldsymbol{u})=\boldsymbol{h}(\boldsymbol{x}) \tag{2.44}$$

对于在边界上给定位移边条件(2.43)求解(1.2)，我们称为位移边值问题；对于给定应力边条件(2.44)求解(1.2)，称为应力边值问题.

对于非齐次方程(1.1)，可以通过体位势形式的解(2.5)把问题化归于求解齐次方程的问题. 于是归结于求解关于方程(1.2)的

位移边值问题和应力边值问题.

对于位移边值问题，设问题的解可表为双层位势，即

$$\boldsymbol{u} = \iint_{\partial\mathscr{D}} \boldsymbol{n} \cdot \mathbf{T}(\mathbf{U}) \cdot \boldsymbol{\varphi} \mathrm{d}s \tag{2.45}$$

对 $\partial\mathscr{D}$ 的内部或外部区域上的问题，根据定理 3 的结论(2.38)分别有

$$\boldsymbol{g}(\boldsymbol{x}) = \mp \frac{1}{2} \boldsymbol{\varphi}(\boldsymbol{x}) + \iint_{\partial\mathscr{D}} \boldsymbol{n} \cdot \mathbf{T}(\mathbf{U}) \cdot \boldsymbol{\varphi} \mathrm{d}s$$

即有积分方程

$$\boldsymbol{\varphi} - 2\iint_{\partial\mathscr{D}} \boldsymbol{n} \cdot \mathbf{T}(\mathbf{U}) \cdot \boldsymbol{\varphi} \mathrm{d}s = -2\boldsymbol{g} \quad (\text{对于 } \partial\mathscr{D} \text{ 内部问题}) \tag{2.46}$$

$$\boldsymbol{\varphi} + 2\iint_{\partial\mathscr{D}} \boldsymbol{n} \cdot \mathbf{T}(\mathbf{U}) \cdot \boldsymbol{\varphi} \mathrm{d}s = 2\boldsymbol{g} \quad (\text{对于 } \partial\mathscr{D} \text{ 外部问题}) \tag{2.47}$$

对于应力边值问题，设问题的解可表为单层位势，即

$$\boldsymbol{u} = \iint_{\partial\mathscr{D}} \mathbf{U} \cdot \boldsymbol{\varphi} \mathrm{d}s \tag{2.48}$$

把(2.48)代入边条件(2.44)中，考虑定理 4 的结论(2.39)有

$$\boldsymbol{h}(\boldsymbol{x}) = \pm \frac{1}{2} \boldsymbol{\varphi}(\boldsymbol{x}) + \iint_{\partial\mathscr{D}} [(\boldsymbol{n} \cdot \mathbf{T})_r(\mathbf{U})] \cdot \boldsymbol{\varphi} \mathrm{d}s$$

即对于 $\partial\mathscr{D}$ 内部或外部分别有积分方程

$$\boldsymbol{\varphi} + 2\iint_{\partial\mathscr{D}} [(\boldsymbol{n} \cdot \mathbf{T})_r(\mathbf{U})] \cdot \boldsymbol{\varphi} \mathrm{d}s = 2\boldsymbol{h} \quad (\text{对于 } \partial\mathscr{D} \text{ 内部问题}) \tag{2.49}$$

$$\boldsymbol{\varphi} - 2\iint_{\partial\mathscr{D}} [(\boldsymbol{n} \cdot \mathbf{T})_r(\mathbf{U})] \cdot \boldsymbol{\varphi} \mathrm{d}s = -2\boldsymbol{h} \quad (\text{对于 } \partial\mathscr{D} \text{ 外部问题}) \tag{2.50}$$

方程(2.46)、(2.47)、(2.49)和(2.50)是曲面 $\partial\mathscr{D}$ 上的第二类

奇异积分方程，这是因为它们的核都具有二阶奇性．我们知道曲面上的积分方程，如果其核的奇性小于二阶，就是所谓弱奇性积分方程．第二类弱奇性积分方程的存在性，已由 Fredholm 的二中择一定理完整地解决了．但是第二类奇异积分方程却比较复杂，根据 Михлин[34]和 Купрадзе[25]的研究，方程(2.46)、(2.47)、(2.49)和(2.50)都存在解．也就是说弹性力学的位移边值问题和应力边值问题的解都是存在的．这是对弹性力学的重大贡献．

此外，基于 Соболев 空间的理论，也可证明弹性力学边值问题的存在性[22]，此证明也可参见本书第九章§7.1．

§3 半空间问题与接触问题

3.1 半空间问题

设物体占有半空间 $z \geqslant 0$，边界为 $z = 0$．

在通解(1.3)中令

$$\begin{cases} \boldsymbol{b} = \dfrac{\partial \boldsymbol{b}'}{\partial z} + \alpha \boldsymbol{k}\, \mathrm{div}\boldsymbol{b}' \\ \nabla^2 \boldsymbol{b}' = \boldsymbol{0} \end{cases} \tag{3.1}$$

其中 $\alpha(\alpha \neq -1)$待定．当 $\boldsymbol{b}$ 给定且 $\nabla^2\boldsymbol{b} = \boldsymbol{0}$ 时，$\boldsymbol{b}'$ 可求出，且 $\nabla^2\boldsymbol{b}' = \boldsymbol{0}$；反之，若 $\nabla^2\boldsymbol{b}' = \boldsymbol{0}$，且由(3.1)给出的 $\boldsymbol{b}$ 亦调和．令

$$\begin{cases} b_0 = (1+\alpha)z\, \mathrm{div}\boldsymbol{b}' - \boldsymbol{r}\cdot\left(\dfrac{\partial \boldsymbol{b}'}{\partial z} + \boldsymbol{k}\alpha\, \mathrm{div}\boldsymbol{b}'\right) + (1+\alpha)\varphi \\ \nabla^2\varphi = 0 \end{cases} \tag{3.2}$$

则(1.3)变为

$$\boldsymbol{u} = \frac{\partial \boldsymbol{b}'}{\partial z} + \boldsymbol{k}\alpha\, \mathrm{div}\boldsymbol{b}' - \frac{1+\alpha}{4(1-\nu)}\mathrm{grad}(z\, \mathrm{div}\boldsymbol{b}' + \varphi) \tag{3.3}$$

问题 I　在 $z = 0$ 上给定 u, v, w．

在 $z = 0$ 时，式(3.3)变为

$$\boldsymbol{u} = \frac{\partial \boldsymbol{b}'}{\partial z} + \boldsymbol{k}\left[\alpha - \frac{1+\alpha}{4(1-\nu)}\right]\mathrm{div}\boldsymbol{b}' - \frac{1+\alpha}{4(1-\nu)}\,\mathrm{grad}\varphi \tag{3.4}$$

不难看出,在(3.4)中设

$$\begin{aligned} &\alpha - \frac{1+\alpha}{4(1-\nu)} = 0, \quad \text{即}\ \alpha = \frac{1}{3-4\nu} \\ &\varphi = 0 \\ &\boldsymbol{b}' = -\frac{1}{2\pi}\iint\limits_{-\infty}^{+\infty} \frac{\boldsymbol{u}(\xi,\eta,0)}{\rho}\mathrm{d}\xi\mathrm{d}\eta \end{aligned} \tag{3.5}$$

即可满足 $z=0$ 处的边条件,其中

$$\rho = [(x-\xi)^2 + (y-\eta)^2 + z^2]^{1/2}$$

于是问题 I 的解为

$$\boldsymbol{u} = \frac{\partial \boldsymbol{b}'}{\partial z} - \frac{1}{3-4\nu}\,z\,\mathrm{grad}\,\mathrm{div}\boldsymbol{b}'$$

式中 $\boldsymbol{b}'$ 由(3.5)给出.

问题 II 在 $z=0$ 上给定面力 X_n, Y_n, Z_n,即

$$\begin{aligned} X_n &= -\tau_{xz}|_{z=0} = -\mu\left(\frac{\partial u}{\partial z} + \frac{\partial w}{\partial x}\right)\bigg|_{z=0} \\ &= -\mu\Big[b'_{1,33} - \frac{1+\alpha}{4(1-\nu)}(z\,\mathrm{div}\boldsymbol{b}' + \varphi)_{,13} + b'_{3,31} \\ &\qquad + \alpha(\mathrm{div}\boldsymbol{b}')_{,1} - \frac{1+\alpha}{4(1-\nu)}(z\,\mathrm{div}\boldsymbol{b}' + \varphi)_{,31}\Big]_{z=0} \\ &= -\mu\Big\{b'_{1,33} + b'_{3,31} + \left[\alpha - \frac{1+\alpha}{2(1-\nu)}\right](\mathrm{div}\boldsymbol{b}')_{,1} \\ &\qquad - \frac{1+\alpha}{2(1-\nu)}\varphi_{,31}\Big\}_{z=0} \\ Y_n &= -\mu\Big\{b'_{2,33} + b'_{3,32} + \left[\alpha - \frac{1+\alpha}{2(1-\nu)}\right](\mathrm{div}\boldsymbol{b}')_{,2} \\ &\qquad - \frac{1+\alpha}{2(1-\nu)}\varphi_{,32}\Big\}_{z=0} \end{aligned}$$

$$Z_n = -\sigma_z|_{z=0} = -(\lambda\,\mathrm{div}\boldsymbol{u} + 2\mu w_{,3})|_{z=0}$$

$$= -\lambda\left[(\mathrm{div}\boldsymbol{b}')_{,3} + \alpha(\mathrm{div}\boldsymbol{b}')_{,3} - \frac{1+\alpha}{4(1-\nu)}\nabla^2(z\,\mathrm{div}\boldsymbol{b}' + \varphi)\right]_{z=0}$$

$$- 2\mu\left[b'_{3,33} + \alpha(\mathrm{div}\boldsymbol{b}')_{,3} - \frac{1+\alpha}{4(1-\nu)}(z\,\mathrm{div}\boldsymbol{b}' + \varphi)_{,33}\right]_{z=0}$$

$$= \left\{\mu(1-\alpha)(\mathrm{div}\boldsymbol{b}')_{,3} - 2\mu\left[b'_{3,33} - \frac{1+\alpha}{4(1-\nu)}\varphi_{,33}\right]\right\}_{z=0}$$

式中下标“,”后的 1,2,3 分别表对 x,y,z 的偏微商.

令

$$\frac{1+\alpha}{2(1-\nu)}\varphi = b'_3 + \beta\psi$$

其中

$$\frac{\partial\psi}{\partial z} = \mathrm{div}\boldsymbol{b}', \quad \nabla^2\psi = 0 \tag{3.6}$$

再令

$$\alpha - \frac{1+\alpha}{(1-\nu)} - \beta = 0, \quad 1 - \alpha + \beta = 0$$

则有

$$\alpha = 1 - 2\nu, \quad \beta = -2\nu, \quad \varphi = b'_3 - 2\nu\psi \tag{3.7}$$

这样一来

$$X_n = -\mu b'_{1,33}, \quad Y_n = -\mu b'_{2,33}, \quad Z_n = -\mu b'_{3,33}$$

令

$$\boldsymbol{b}' = \frac{1}{2\pi\mu}\iint_{-\infty}^{+\infty}\boldsymbol{t}_n\ln(z+\rho)\mathrm{d}\xi\mathrm{d}\eta \tag{3.8}$$

则可满足边条件

$$\boldsymbol{t}_n = X_n\boldsymbol{i} + Y_n\boldsymbol{j} + Z_n\boldsymbol{k}$$

此时,ψ 可取为

$$\psi = \frac{1}{2\pi\mu}\mathrm{div}\iint_{-\infty}^{+\infty}\boldsymbol{t}_n[z\ln(z+\rho) - \rho]\mathrm{d}\xi\mathrm{d}\eta \tag{3.9}$$

于是问题 Ⅱ 的解为

$$\boldsymbol{u} = \frac{\partial \boldsymbol{b}'}{\partial z} + \boldsymbol{k}(1-2\nu)\mathrm{div}\boldsymbol{b}' - \frac{1}{2}\mathrm{grad}(z\ \mathrm{div}\boldsymbol{b}' - 2\nu\psi + b_3') \tag{3.10}$$

其中 $\boldsymbol{b}'$,ψ 分别由式(3.8)与(3.9)给出.

例 1 令 $X_n=Y_n=0$, Z_n 在原点有集中力 P. 于是

$$b_1' = b_2' = 0,\quad b_3' = \frac{P}{2\pi\mu}\ln[z+(x^2+y^2+z^2)^{1/2}],\quad \psi = b_3'$$

这样

$$u = -\frac{1}{2}\frac{\partial}{\partial x}\left[z\frac{1}{2\pi\mu}\frac{P}{r} + (1-2\nu)\frac{P}{2\pi\mu}\ln(z+r)\right]$$

$$= \frac{P}{4\pi\mu}\left[\frac{xz}{r^3} - (1-2\nu)\frac{x}{r(r+z)}\right]$$

$$v = \frac{P}{4\pi\mu}\left[\frac{yz}{r^3} - (1-2\nu)\frac{y}{r(r+z)}\right]$$

$$w = \frac{P}{2\pi\mu}\frac{1}{r} + (1-2\nu)\frac{P}{2\pi\mu}\frac{1}{r} - \frac{P}{4\pi\mu}\left[\frac{1}{r} - \frac{z^2}{r^3} + (1-2\nu)\frac{1}{r}\right]$$

$$= \frac{P}{4\pi\mu}\left[\frac{z^2}{r^3} + 2(1-\nu)\frac{1}{r}\right]$$

这就是 Boussinesq 解.

例 2 令 $X_n=Y_n=0$. 记

$$\varphi_1 = \frac{1}{2}\frac{\partial b_3'}{\partial z},\quad b_3' = -2\int_z^\infty \varphi_1 \mathrm{d}z$$

则有

$$\varphi_1 = \frac{1}{4\pi\mu}\iint_{-\infty}^{+\infty}\frac{Z_n(\xi,\eta)}{\rho}\mathrm{d}\xi\mathrm{d}\eta \tag{3.11}$$

最后有

$$u = (1-2\nu)\int_z^{\infty}\frac{\partial\varphi_1}{\partial x}\mathrm{d}z - z\frac{\partial\varphi_1}{\partial x}$$

$$v = (1-2\nu)\int_z^{\infty}\frac{\partial\varphi_1}{\partial y}\mathrm{d}z - z\frac{\partial\varphi_1}{\partial y} \qquad (3.12)$$

$$w = 2(1-\nu)\varphi_1 - z\frac{\partial\varphi_1}{\partial z}$$

这个解是解接触问题的基础.

在半空间边界上给定法向力和切向力的边值问题，最初是由 Boussinesq 和 Cerruti 提出的，本节的解法系由本书作者给出.

3.2 两个接触球体之间的压力

假设两物体在接触处的半径为 R_1 和 R_2(见图 8.1). 设接触面之对称中心为 O，以接触面法线为 z 轴. 在 O 点附近的两物体上的点的坐标有

$$z_1 = \frac{r^2}{2R_1}, \quad z_2 = \frac{r^2}{2R_2}.$$

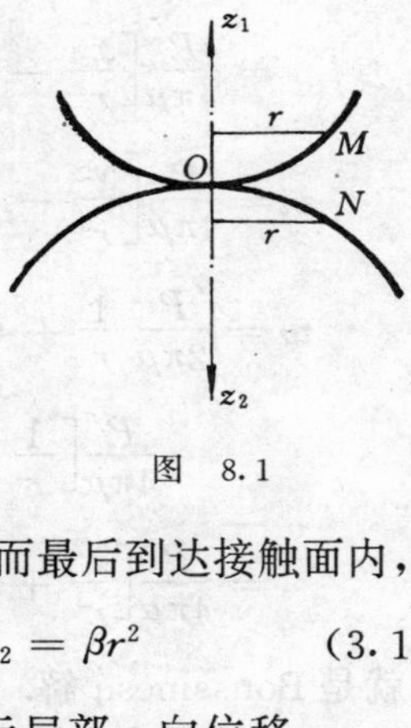

图 8.1

现假设两物体在受压后球心互相接近一距离 α. 而两点 M 与 N 的距离将减小 $\alpha-(w_1+w_2)$. 如果 M 和 N 两点经压缩而最后到达接触面内，则

$$\alpha - (w_1 + w_2) = z_1 + z_2 = \beta r^2 \qquad (3.13)$$

式中 $\beta = \dfrac{1}{2}\left(\dfrac{1}{R_1} + \dfrac{1}{R_2}\right)$，而 w_1 和 w_2 表示局部 z 向位移.

按(3.12)的第三式，令 $z=0$ 得

$$w_1 = \frac{1-\nu_1^2}{\pi E_1}\iint_{\Omega}\frac{q(\xi,\eta)}{[(x-\xi)^2+(y-\eta)^2]^{1/2}}\mathrm{d}\xi\mathrm{d}\eta$$

式中 E_1, ν_1 表示第一个物体的弹性常数，q 为接触处的压力分布，而 Ω 为接触面. 按对称性考虑 Ω 应为一圆，设半径为 a. 对第二个物体亦可写出第二个式子. 有

$$w_1 + w_2 = (k_1 + k_2)\iint_{\Omega} \frac{q(\xi,\eta)}{[(x-\xi)^2 + (y-\eta)^2]^{1/2}} \mathrm{d}\xi \mathrm{d}\eta \tag{3.14}$$

其中

$$k_1 = \frac{1-\nu_1^2}{\pi E_1}, \quad k_2 = \frac{1-\nu_2^2}{\pi E_2}$$

式(3.13)给出

$$(k_1 + k_2) \iint_{\xi^2+\eta^2 \leqslant a^2} \frac{q(\xi,\eta)}{[(x-\xi)^2 + (y-\eta)^2]^{1/2}} \mathrm{d}\xi \mathrm{d}\eta = \alpha - \beta r^2 \tag{3.15}$$

这是一个以 $q(\xi,\eta)$ 为未知函数的积分方程.

作变数替换

$$\xi = x + s\cos(\psi + \theta)$$
$$\eta = y + s\sin(\psi + \theta)$$

在新变数下式(3.15)变为

$$(k_1 + k_2)\iint q \mathrm{d}s \mathrm{d}\psi = \alpha - \beta r^2 \tag{3.16}$$

积分方程的未知函数可设为

$$q = \frac{q_0}{a}(a^2 - \xi^2 - \eta^2)^{1/2}$$

如图 8.2,DE 为 s 的变化范围,则在新变数下,式(3.16)的被积函数为

$$(a^2 - \xi^2 - \eta^2)^{1/2} = [(a^2 - r^2\sin^2\psi) - (s + r\cos\psi)^2]^{1/2}$$

右端方括号内第一项相当于弦 DE 的半长,即中点 O' 到 E 的距离的平方,第二项相当于 BO' 长度的平方. 所以整个被积函数相当于 DE 为直径的半圆上的线段 BC,$BC \perp DE$. 这就是说,积分

$$\int q \mathrm{d}s = \frac{q_0}{a}A$$

其中 A 是图中虚线半圆的面积,

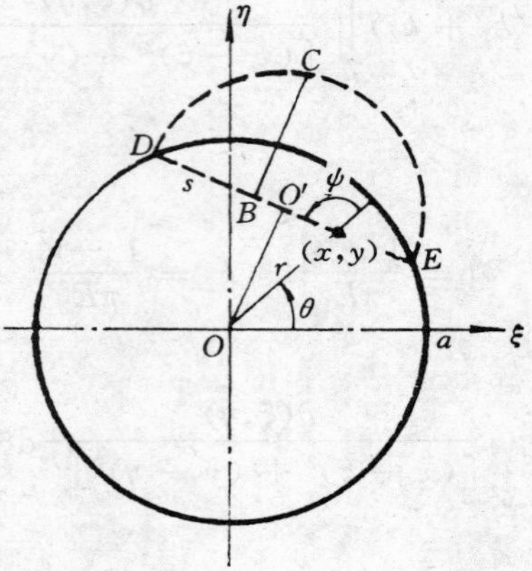

图 8.2

$$A = \frac{\pi}{2}(a^2 - r^2\sin^2\psi)$$

代入式(3.16)得

$$\frac{\pi(k_1 + k_2)}{a}q_0\int_0^{\pi/2}(a_2 - r^2\sin^2\psi)\mathrm{d}\psi = \alpha - \beta r^2$$

或即

$$(k_1+k_2)\frac{q_0\pi^2}{4a}(2a^2-r^2)=\alpha-\beta r^2$$

由此

$$\alpha = (k_1 + k_2)q_0\,\frac{\pi^2 a}{2}$$
$$\beta = (k_1 + k_2)q_0\,\frac{\pi^2}{4a} \tag{3.17}$$

设总压力为 P,对于 q 在接触面上的分布表达式在接触面上积分得

$$P = \frac{q_0}{a}\,\frac{2}{3}\pi a^3$$

由式(3.17)的第二式得

$$a = (k_1 + k_2)\frac{\pi^2 q_0}{4\beta} = \frac{(k_1 + k_2)R_1R_2}{2(R_1 + R_2)}\pi^2 q_0$$

最后得到

$$a = \left[\frac{3\pi}{4}\frac{P(k_1 + k_2)R_1R_2}{R_1 + R_2}\right]^{\frac{1}{3}}$$

$$q_0 = \frac{3}{2}\frac{P}{\pi a^2}$$

有了接触面的大小和作用在其上的压力分布,就可以计算应力分布.而这是前面半空间问题已经研究过的.有趣的是最大剪应力并不在边界上而是在接触面下之某一深度达到,关于这一点已有详尽的研究.

关于接触问题请参见《经典弹性理论中的接触问题》[3]和《弹性理论的接触问题》[5],方程(3.16)解的不唯一性问题可参见参考文献[37,44].

习 题

1. 试证:

$$\boldsymbol{u}(x,y,z) = \boldsymbol{F}(x,y,z) + \frac{1}{8\pi(1-\nu)}\nabla\iiint_{\mathscr{D}}\frac{\nabla\cdot\boldsymbol{F}(\xi,\eta,\zeta)}{\rho}\mathrm{d}\xi\,\mathrm{d}\eta\,\mathrm{d}\zeta$$

是

$$\nabla^2\boldsymbol{u} + \frac{1}{1-2\nu}\nabla\nabla\cdot\boldsymbol{u} = \boldsymbol{0}$$

的通解.其中$\nabla^2\boldsymbol{F}=0$,$\rho=[(x-\xi)^2+(y-\eta)^2+(z-\zeta)^2]^{1/2}$.

2. 圆柱体上作用轴对称外力,试提供一个可行的求解途径.

3. 试推导平面应变问题的弹性位势的表达式,并讨论它的性质.

4. 球体受一中心对称的温度分布$t(r)$,求球内的应力分布.

第九章　弹性力学的变分原理

§1　总势能与最小势能原理

1.1　弹性体的总势能

弹性体的总势能(或称为势能)了解为弹性体内力的势能加上作用于弹性体上外力的势能. 在把弹性体内应力表为应变的表达式的条件下,内力的势能就是我们在第五章§3中讨论过的变形能

$$\Pi_{内} = \int_{\mathscr{D}} W \mathrm{d}V = \frac{1}{2}\int_{\mathscr{D}} \mathbf{\Gamma} : \mathbf{T} \mathrm{d}V \tag{1.1}$$

为了理解作用于弹性体上外力的势能,而要做一点说明. 我们知道,所谓势能总是和场联在一起的. 例如,重力场$-mg\boldsymbol{j}$($\boldsymbol{j}$是铅直向上的单位矢量)的势能是mgy,它是对于空间每一点都定义了的力场$-mg\boldsymbol{j}$来说的,势和力场的关系是

$$-\nabla mgy = -mg\boldsymbol{j}$$

那么作用在弹性体上外力的势能是针对什么样的力场来说的呢? 设在弹性体的A点作用一个外力$\boldsymbol{f}$,在弹性体上全部外力作用下,A点可能产生各种各样的位移$\boldsymbol{u}_A$,于是A点所有可能移动到的点A'在A点的邻域内形成了一个三维区域. 我们把这个区域记为$D(A,\boldsymbol{u})$. 注意,$D(A,\boldsymbol{u})$中的点A'和三维空间中在未变形时A点附近的另一点是不同的. 前者每一点总是和外力$\boldsymbol{f}_A$相联系着;而后者可以作用着另外的外力矢量. 这样一来,在$D(A,\boldsymbol{u})$上就定义了一个均匀力场$\boldsymbol{f}_A$,所谓弹性体上外力势能就是指的这个力场的势能,对于$D(A,\boldsymbol{u})$而言是

$$-\boldsymbol{f}\cdot\boldsymbol{u}|_A$$

由于对于弹性体上每一点都有一个这样的力场,也都有各自的势

能. 把所有这些势能加起来,我们就得到 $\mathscr{D}$ 上的外力势能

$$\Pi_{外} = -\int_{\mathscr{D}} \boldsymbol{f} \cdot \boldsymbol{u} \mathrm{d}V \tag{1.2}$$

上式是只计入每一点体力 $\boldsymbol{f}$ 的情形,若弹性体的边界面 $\partial_t\mathscr{D}$ 上还有外力 $\boldsymbol{t}$ 的作用时,外力的势能也应当考虑进去 $\boldsymbol{t}$ 的作用. 因此,就得到

$$\Pi_{外} = -\int_{\mathscr{D}} \boldsymbol{f} \cdot \boldsymbol{u} \mathrm{d}V - \int_{\partial_t\mathscr{D}} \boldsymbol{t} \cdot \boldsymbol{u} \mathrm{d}\pi \tag{1.3}$$

总结上面的讨论,弹性体的总势能可以写为

$$\Pi = \frac{1}{2}\int_{\mathscr{D}} \mathbf{\Gamma} : \mathbf{T} \mathrm{d}V - \int_{\mathscr{D}} \boldsymbol{f} \cdot \boldsymbol{u} \mathrm{d}V - \int_{\partial_t\mathscr{D}} \boldsymbol{t} \cdot \boldsymbol{u} \mathrm{d}\pi \tag{1.4}$$

1.2 最小势能原理

弹性力学的最小势能原理 满足位移约束的位移,当且仅当它满足平衡条件时势能取极小. 也就是说,在位移场符合位移约束的前提下,满足平衡条件是势能极小的充分必要条件.

为了验证它,我们来讨论位移场 $\boldsymbol{u}$ 邻近的另一位移场 $\boldsymbol{u}'$. 在两种情形下的总势能分别是

$$\Pi(\boldsymbol{u}) = \frac{1}{2}\int_{\mathscr{D}} \mathbf{\Gamma}(\boldsymbol{u}) : \mathbf{T}(\boldsymbol{u}) \mathrm{d}V - \int_{\mathscr{D}} \boldsymbol{f} \cdot \boldsymbol{u} \mathrm{d}V - \int_{\partial_t\mathscr{D}} \boldsymbol{t} \cdot \boldsymbol{u} \mathrm{d}\pi$$

$$\Pi(\boldsymbol{u}') = \frac{1}{2}\int_{\mathscr{D}} \mathbf{\Gamma}(\boldsymbol{u}') : \mathbf{T}(\boldsymbol{u}') \mathrm{d}V - \int_{\mathscr{D}} \boldsymbol{f} \cdot \boldsymbol{u}' \mathrm{d}V - \int_{\partial_t\mathscr{D}} \boldsymbol{t} \cdot \boldsymbol{u}' \mathrm{d}\pi$$

将上面第二式减去第一式,并令 $\boldsymbol{u}' - \boldsymbol{u} = \delta\boldsymbol{u}$,即 $\boldsymbol{u}' = \boldsymbol{u} + \delta\boldsymbol{u}$. 由于

$$\frac{1}{2}\int_{\mathscr{D}} \mathbf{\Gamma}(\boldsymbol{u}') : \mathbf{T}(\boldsymbol{u}') \mathrm{d}V = \frac{1}{2}\int_{\mathscr{D}} \mathbf{\Gamma}(\boldsymbol{u}) : \mathbf{T}(\boldsymbol{u}) \mathrm{d}V + \int_{\mathscr{D}} \mathbf{T}(\boldsymbol{u}) : \mathbf{\Gamma}(\delta G\boldsymbol{u}) \mathrm{d}V + \frac{1}{2}\int_{\mathscr{D}} \mathbf{\Gamma}(\delta\boldsymbol{u}) : \mathbf{T}(\delta\boldsymbol{u}) \mathrm{d}V \tag{1.5}$$

引用记号

$$W(\boldsymbol{u}, \boldsymbol{v}) = \frac{1}{2} \mathbf{\Gamma}(\boldsymbol{u}) : \mathbf{T}(\boldsymbol{v}) = \frac{1}{2} \mathbf{\Gamma}(\boldsymbol{v}) : \mathbf{T}(\boldsymbol{u})$$

便有

$$\Pi(\boldsymbol{u}') - \Pi(\boldsymbol{u}) = \int_{\mathscr{D}} 2W(\boldsymbol{u},\delta\boldsymbol{u})\mathrm{d}V - \int_{\mathscr{D}} \boldsymbol{f}\cdot\delta\boldsymbol{u}\mathrm{d}V$$

$$- \int_{\partial_t\mathscr{D}} \boldsymbol{t}\cdot\delta\boldsymbol{u}\mathrm{d}\pi + \int_{\mathscr{D}} W(\delta\boldsymbol{u},\delta\boldsymbol{u})\mathrm{d}V$$

在进行外微分计算后(参看第三章 § 2 推导)可得

$$\begin{aligned}2W(\boldsymbol{u},\delta\boldsymbol{u})\mathrm{d}V &= \mathbf{T} : \delta\boldsymbol{\Gamma}\mathrm{d}V \\ &= -\operatorname{div}\mathbf{T}\cdot\delta\boldsymbol{u}\mathrm{d}V + \mathrm{d}[\mathrm{d}\boldsymbol{\pi}\cdot\mathbf{T}\cdot\delta\boldsymbol{u}] \\ &\quad + (\mathbf{I}\overset{\times}{\cdot}\mathbf{T})\cdot\delta\boldsymbol{\omega}\,\mathrm{d}V\end{aligned}$$

把这个式子积分后,再回代入势能差的表达式中进行整理就得到

$$\begin{aligned}&\Pi(\boldsymbol{u}') - \Pi(\boldsymbol{u}) \\ &= -\int_{\mathscr{D}} (\operatorname{div}\mathbf{T} + \boldsymbol{f})\cdot\delta\boldsymbol{u}\mathrm{d}V + \int_{\mathscr{D}} (\mathbf{I}\overset{\times}{\cdot}\mathbf{T})\cdot\delta\boldsymbol{\omega}\,\mathrm{d}V \\ &\quad + \int_{\partial_t\mathscr{D}} (\boldsymbol{n}\cdot\boldsymbol{T} - \boldsymbol{t})\cdot\delta\boldsymbol{u}\mathrm{d}\pi + \int_{\mathscr{D}} W(\delta\boldsymbol{u},\delta\boldsymbol{u})\mathrm{d}V \qquad (1.6)\end{aligned}$$

由于我们假定 $\boldsymbol{u}$ 是满足位移约束的,即在给定位移的边界段 $\partial_u\mathscr{D}$ 上,有 $\boldsymbol{u}'=\boldsymbol{u}$,即 $\delta\boldsymbol{u}=0$. 所以在推导上式时考虑到 $\partial\mathscr{D}=\partial_t\mathscr{D}+\partial_u\mathscr{D}$,从而边界积分只在 $\partial_t\mathscr{D}$ 上进行.

有了(1.6)就可以直接来论证最小势能原理了.

首先证明平衡条件使势能取极小的充分性. 由于满足平衡条件(包括 $\mathscr{D}$ 内的平衡方程与边界上的平衡条件)我们有

$$\operatorname{div}\mathbf{T} + \boldsymbol{f} = \mathbf{0},\quad \mathbf{I}\overset{\times}{\cdot}\mathbf{T} = \mathbf{0} \quad (\text{在 } \mathscr{D} \text{ 内})$$

$$\boldsymbol{n}\cdot\mathbf{T} = \boldsymbol{t} \quad (\text{在 } \partial_t\mathscr{D} \text{ 上})$$

所以,式(1.6)右端前三项恒为零. 即

$$\Pi(\boldsymbol{u}') - \Pi(\boldsymbol{u}) = \int_{\mathscr{D}} W(\delta\boldsymbol{u},\delta\boldsymbol{u})\mathrm{d}V \qquad (1.7)$$

但我们从第四章 § 2 的讨论知,当 $\delta\boldsymbol{u}\neq\mathbf{0}$ 时,且边条件又不允许物体产生刚体运动的条件下,总有

$$W(\delta\boldsymbol{u},\delta\boldsymbol{u}) > 0$$

故总有

$$\Pi(\boldsymbol{u}') - \Pi(\boldsymbol{u}) > 0$$

这就证明了在 $\boldsymbol{u}$ 上总势能取极小.

反过来,设总势能在 $\boldsymbol{u}$ 上取极小,即

$$\Pi(\boldsymbol{u}') - \Pi(\boldsymbol{u}) > 0$$

这时,不妨在式(1.6)中令 $\delta\boldsymbol{u}=\varepsilon\boldsymbol{v}$,这时 $\boldsymbol{v}$ 为任意取定的位移场,ε 为充分小的量. 把 $\delta\boldsymbol{u}$ 代入式(1.6)后,右端末一项是 ε^2 阶项,而前边各项皆是 ε 阶项. 这就是说当 ε 充分小,整个表达式的符号应由前边各项的符号决定. 事实上在 $\boldsymbol{v}$ 取定后,式(1.6)各项积分就是给定的常数. 不妨把(1.6)的右端记为

$$A\varepsilon + B\varepsilon^2$$

如果 $A\neq 0$,由于 $B>0$,只要取 $\varepsilon<\min\left(1,\dfrac{|A|}{B}\right)$. 这时,上式第二项小于 $|A|\varepsilon$,整个式子的符号就由 A 决定了.

但是,要求 A 总是大于零(因设 $\Pi(\boldsymbol{u}')-\Pi(\boldsymbol{u})>0$)是办不到的. 这因为 A 是 $\boldsymbol{v}$ 的线性函数. 考虑 $\boldsymbol{v}$ 的任意性,用 $-\boldsymbol{v}$ 代 $\boldsymbol{v}$ 就可以使 A 变号. 于是,要求在任何 $\boldsymbol{u}'$ 的条件下,都有

$$\Pi(\boldsymbol{u}') - \Pi(\boldsymbol{u}) > 0$$

只有唯一的可能,即上式 $A=0$. 即有

$$\int_{\mathscr{D}} (\mathrm{div}\mathbf{T} + \boldsymbol{f}) \cdot \delta\boldsymbol{u}\, \mathrm{d}V - \int_{\mathscr{D}} (\mathbf{I} \overset{\times}{\cdot} \mathbf{T}) \cdot \delta\boldsymbol{\omega}\, \mathrm{d}V - \int_{\partial_t\mathscr{D}} (\boldsymbol{n} \cdot \mathbf{T} - \boldsymbol{t}) \cdot \delta\boldsymbol{u}\, \mathrm{d}\pi = 0$$

在这个式子中考虑 $\delta\boldsymbol{u}$ 的任意性和 $\mathbf{T}$ 的对称性,必有

$$\begin{cases} \mathrm{div}\mathbf{T} + \boldsymbol{f} = \mathbf{0}, \quad \mathbf{I} \overset{\times}{\cdot} \mathbf{T} = \mathbf{0} & (\text{在 } \mathscr{D} \text{ 内}) \\ \boldsymbol{n} \cdot \mathbf{T} = \boldsymbol{t} \quad (\text{在 } \partial_t\mathscr{D} \text{ 上}) \end{cases} \tag{1.8}$$

这就是最小势能原理的结论.

附带说明,由于弹性力学解的唯一性定理,上面关于位移场 $\boldsymbol{u}'$ 与 $\boldsymbol{u}$ 之差,$\delta\boldsymbol{u}=\varepsilon\boldsymbol{v}$ 中 ε 是充分小的假定是不必要的. 即对于任意位移场 $\boldsymbol{u}'$,它所对应的总势能总比真实位移场产生的总势能要大.

§2 最小总余能原理

2.1 总余能

在上一节中，我们把总势能看为以位移 $\boldsymbol{u}$ 为自变函数的泛函. 我们同样可以定义弹性体的总余能 Π^{c}，它是以应力张量与外力为自变函数的泛函. 和总势能 Π 的组成相类似，它是由余应变能与外力的余能组成.

弹性体的余应变能是

$$\int_{\mathscr{D}} W^{c}(\mathbf{T})\mathrm{d}V = \frac{1}{2}\int_{\mathscr{D}} \mathbf{\Gamma}(\mathbf{T}) : \mathbf{T}\mathrm{d}V$$

在数值上它是和式(1.1)所表示的应变能没有区别的，只不过利用 Hooke 定律将其中自变函数换为应力张量了. 这里我们用 W^{c} 表余应变能密度. 位移场 $\boldsymbol{u}$ 的余能是

$$-\int_{\partial_{\boldsymbol{u}}\mathscr{D}} \boldsymbol{t}\cdot\boldsymbol{u}\mathrm{d}\pi \tag{2.1}$$

把上述两个表达式相加可得总余能的表达式. 不过考虑到对总余能的应用主要是考虑它的极值性质，因之在同一条件下弹性体的总余能可以相差一个常数，这一点也是和总势能相类似的. 考虑到外力场 $\boldsymbol{f}$ 总是给定的，所以总余能的表达式中不包含它. 因此总余能的表达式自然地取

$$\Pi^{c} = \frac{1}{2}\int_{\mathscr{D}} \mathbf{\Gamma}(\mathbf{T}) : \mathbf{T}\mathrm{d}V - \int_{\partial_{\boldsymbol{u}}\mathscr{D}} \boldsymbol{u}\cdot\boldsymbol{t}\mathrm{d}\pi \tag{2.2}$$

2.2 最小总余能原理

弹性体的最小总余能原理 在满足平衡条件的各种应力状态中，在满足位移连续条件时系统的总余能取极小值.

为了验证这一原理，令 $\mathbf{T}$ 与 $\mathbf{T}'$ 是两个满足平衡条件的应力场，即有

$$
\begin{cases}
\mathrm{div}\mathbf{T} + \boldsymbol{f} = \mathbf{0} & (\text{在 } \mathscr{D} \text{ 内}) \\
\mathbf{I} \overset{\times}{\cdot} \mathbf{T} = \mathbf{0} & (\text{在 } \mathscr{D} \text{ 内}) \\
\boldsymbol{t} = \boldsymbol{n} \cdot \mathbf{T} & (\text{在 } \partial_t\mathscr{D} \text{ 上}) \\
\mathrm{div}\mathbf{T}' + \boldsymbol{f} = \mathbf{0} & (\text{在 } \mathscr{D} \text{ 内}) \\
\mathbf{I} \overset{\times}{\cdot} \mathbf{T}' = \mathbf{0} & \\
\boldsymbol{t}' = \boldsymbol{n} \cdot \mathbf{T}' & (\text{在 } \partial_t\mathscr{D} \text{ 上})
\end{cases} \tag{2.3}
$$

再令 $\mathbf{T}' = \mathbf{T} + \delta\mathbf{T}$，则由式(2.2)有

$$
\Pi^{c}(\mathbf{T}') = \frac{1}{2}\int_{\mathscr{D}} \boldsymbol{\Gamma}(\mathbf{T}') : \mathbf{T}' \mathrm{d}V - \int_{\partial_u\mathscr{D}} \boldsymbol{t}' \cdot \boldsymbol{u}^{*} \mathrm{d}\pi
$$

式中 $\boldsymbol{u}^{*}$ 表示在 $\partial_u\mathscr{D}$ 上 $\boldsymbol{u}$ 的给定矢量. 对上式经过整理可得

$$
\begin{aligned}
\Pi^{c}(\mathbf{T}') = & \frac{1}{2}\int_{\mathscr{D}} \boldsymbol{\Gamma}(\mathbf{T} + \delta\mathbf{T}) : (\mathbf{T} + \delta\mathbf{T}) \mathrm{d}V \\
& - \int_{\partial_u\mathscr{D}} (\boldsymbol{t} + \delta\boldsymbol{t}) \cdot \boldsymbol{u}^{*} \mathrm{d}\pi \\
= & \frac{1}{2}\int_{\mathscr{D}} \boldsymbol{\Gamma}(\mathbf{T}) : \mathbf{T} \mathrm{d}V - \int_{\partial_u\mathscr{D}} \boldsymbol{t} \cdot \boldsymbol{u}^{*} \mathrm{d}\pi \\
& + \int_{\mathscr{D}} \boldsymbol{\Gamma}(\mathbf{T}) : \delta\mathbf{T} \mathrm{d}V - \int_{\partial_u\mathscr{D}} \delta\boldsymbol{t} \cdot \boldsymbol{u}^{*} \mathrm{d}\pi \\
& + \frac{1}{2}\int_{\mathscr{D}} \boldsymbol{\Gamma}(\delta\mathbf{T}) : \delta\mathbf{T} \mathrm{d}V
\end{aligned}
$$

故有

$$
\begin{aligned}
\Pi^{c}(\mathbf{T}') - \Pi^{c}(\mathbf{T}) = & \int_{\mathscr{D}} \boldsymbol{\Gamma}(\mathbf{T}) : \delta\mathbf{T} \mathrm{d}V - \int_{\partial_u\mathscr{D}} \delta\boldsymbol{t} \cdot \boldsymbol{u}^{*} \mathrm{d}\pi \\
& + \frac{1}{2}\int_{\mathscr{D}} \boldsymbol{\Gamma}(\delta\mathbf{T}) : \delta\mathbf{T} \mathrm{d}V \\
= & \delta\Pi^{c} + \int_{\mathscr{D}} W^{c}(\delta\mathbf{T}, \delta\mathbf{T}) \mathrm{d}V
\end{aligned} \tag{2.4}
$$

上式 $\delta\Pi^{c}$ 部分又可以写为

$$
\delta\Pi^{c} = \int_{\mathscr{D}} \boldsymbol{\Gamma}(\mathbf{T}) : \delta\mathbf{T} \mathrm{d}V - \int_{\partial_u\mathscr{D}} \delta\boldsymbol{t} \cdot (\boldsymbol{u}^{*} - \boldsymbol{u}) \mathrm{d}\pi
$$

$$-\int_{\partial_u \mathscr{D}} \boldsymbol{n} \cdot \delta \mathbf{T} \cdot \boldsymbol{u} \mathrm{d}\pi$$

注意，上式右端我们引进的矢量场 $\boldsymbol{u}$，它和应力张量 $\mathbf{T}$ 有什么联系，我们暂时还不知道. 我们只知道对于这个引进的矢量场总有关系

$$\mathrm{d}\boldsymbol{u} = \mathrm{d}\boldsymbol{r} \cdot \boldsymbol{\Gamma} + \boldsymbol{\omega} \times \mathrm{d}\boldsymbol{r}$$

由此有

$$\begin{aligned}&\mathrm{d}(\boldsymbol{n} \cdot \delta \mathbf{T} \cdot \boldsymbol{u} \mathrm{d}\pi) \\ &\quad = \delta \mathbf{T} : \boldsymbol{\Gamma}(\boldsymbol{u}) \mathrm{d}V + \operatorname{div} \delta \mathbf{T} \cdot \boldsymbol{u} \mathrm{d}V - (\mathbf{I} \overset{\times}{\cdot} \delta \mathbf{T}) \cdot \boldsymbol{\omega} \mathrm{d}V\end{aligned}$$

又由于

$$\int_{\partial_u \mathscr{D}} \boldsymbol{n} \cdot \delta \mathbf{T} \cdot \boldsymbol{u} \mathrm{d}\pi = \int_{\partial \mathscr{D}} - \int_{\partial_t \mathscr{D}} \boldsymbol{n} \cdot \delta \mathbf{T} \cdot \boldsymbol{u} \mathrm{d}\pi$$

且在 $\partial_t \mathscr{D}$ 上 $\boldsymbol{n} \cdot \delta \mathbf{T} = \delta \boldsymbol{t} = \mathbf{0}$，故利用 Stokes 定理有

$$\begin{aligned}\delta \Pi^{c} = &\int_{\mathscr{D}} (\boldsymbol{\Gamma}(\mathbf{T}) - \boldsymbol{\Gamma}(\boldsymbol{u})) : \delta \mathbf{T} \mathrm{d}V \\ &- \int_{\mathscr{D}} \boldsymbol{u} \cdot \operatorname{div} \delta \mathbf{T} \mathrm{d}V + \int_{\mathscr{D}} (\mathbf{I} \overset{\times}{\cdot} \delta \mathbf{T}) \cdot \boldsymbol{\omega} \mathrm{d}V \\ &- \int_{\partial_u \mathscr{D}} \delta \boldsymbol{t} \cdot (\boldsymbol{u}^{*} - \boldsymbol{u}) \mathrm{d}\pi\end{aligned}$$

但由于假设 $\mathbf{T}'$ 和 $\mathbf{T}$ 满足式(2.3)，即有 $\operatorname{div} \delta \mathbf{T} = \mathbf{0}, \mathbf{I} \overset{\times}{\cdot} \delta \mathrm{T} = \mathbf{0}$. 这就得到(2.4)的最终形式

$$\begin{aligned}\Pi^{c}(\mathbf{T}') - \Pi^{c}(\mathbf{T}) = &\int_{\mathscr{D}} (\boldsymbol{\Gamma}(\mathbf{T}) - \boldsymbol{\Gamma}(\boldsymbol{u})) : \delta \mathbf{T} \mathrm{d}V \\ &- \int_{\partial_u \mathscr{D}} \delta \boldsymbol{t} \cdot (\boldsymbol{u}^{*} - \boldsymbol{u}) \mathrm{d}\pi \\ &+ \int_{\mathscr{D}} W^{c}(\delta \mathbf{T}, \delta \mathbf{T}) \mathrm{d}V\end{aligned} \qquad (2.5)$$

仔细考察式(2.5)，由于最后一项的正定性，余能 Π^{c} 在 $\mathbf{T}$ 取极小的充分条件是

$$\boldsymbol{\Gamma}(\boldsymbol{u}) \equiv \boldsymbol{\Gamma}(\mathbf{T}) \quad (\text{在 } \mathscr{D} \text{ 内})$$

$$\boldsymbol{u} = \boldsymbol{u}^* \quad (\text{在 } \partial_u \mathscr{D} \text{ 上})$$

注意,第一式右端是由 **T** 求得的应变,左端是由位移场 $\boldsymbol{u}$ 求得的应变,它和位移边条件一起正是位移的连续性条件. 这便是最小总余能原理的结论. 至于必要性也可以证明,可参看王龙甫著《弹性理论》[21].

§3 基于变分原理的近似方法

3.1 广义位移与广义力

在弹性体中,迄今为止,我们都是用位移场 $\boldsymbol{u}$ 来描述它变形后的状态. 现在,如果有若干个或无穷个已知的矢量场 $\boldsymbol{\varphi}_1(x_1, x_2, x_3)$, $\boldsymbol{\varphi}_2(x_1, x_2, x_3)$, $\boldsymbol{\varphi}_3(x_1, x_2, x_3)$, $\cdots$, $\boldsymbol{\varphi}_n(x_1, x_2, x_3)$,这里 n 可以是正整数或无穷大;而且又可以近似地把位移场 $\boldsymbol{u}$ 表为它们的线性组合

$$\boldsymbol{u}_n = \sum_{i=1}^{n} q_i \boldsymbol{\varphi}_i \tag{3.1}$$

这里我们假定 $\boldsymbol{\varphi}_i\ (i=1,2,\cdots,n)$ 线性无关, 且设问题的位移边条件是齐次的,即在 $\partial_u \mathscr{D}$ 上给定为 $\boldsymbol{u}^* = \boldsymbol{0}$. 我们还要求 $\boldsymbol{\varphi}_i$ 满足位移边条件,即在 $\partial_u \mathscr{D}$ 上有 $\boldsymbol{\varphi}_i(x_1, x_2, x_3) = \boldsymbol{0}\ (i=1,\cdots,n)$ 都成立. 显然,由于弹性力学问题的叠加原理,(3.1)确定的 $\boldsymbol{u}_n$ 亦满足位移边条件. 进而,我们还要求 $\boldsymbol{u}$ 能够通过 $\boldsymbol{\varphi}_i$ 线性表出(这个假定是相当强的,如果这个条件不能满足时,至少要求可以近似地表出). 显然,我们可以称 $q_i\ (i=1,\cdots,n)$ 为广义位移. 如果知道了 q_i 这组常数,则 $\boldsymbol{u}$ 也就由(3.1)完全给定了. 下面把 $q_i\ (i=1,\cdots,n)$ 记为 n 维列矢量 $\boldsymbol{q} = \{q_i\}$,于是(3.1)可记为

$$\boldsymbol{u}_n = \boldsymbol{q} \cdot \boldsymbol{\Phi}$$

这里 $\boldsymbol{\Phi}$ 代表矢量列 $\boldsymbol{\Phi} = \{\boldsymbol{\varphi}_1, \boldsymbol{\varphi}_2, \cdots, \boldsymbol{\varphi}_n\}$.

对于广义位移 $\boldsymbol{q}$ 来说,可以得到相应的广义外力矢量

$$\boldsymbol{Q} = \int_{\partial_t \mathscr{D}} \boldsymbol{t} \cdot \boldsymbol{\Phi} \mathrm{d}\pi + \int_{\mathscr{D}} \boldsymbol{f} \cdot \boldsymbol{\Phi} \mathrm{d}V \tag{3.2}$$

这里 Q 是 n 维矢量，$Q=\{Q_i\}$，其中

$$Q_i = \int_{\partial_t \mathscr{D}} \boldsymbol{t} \cdot \boldsymbol{\varphi}_i \mathrm{d}\pi + \int_{\mathscr{D}} \boldsymbol{f} \cdot \boldsymbol{\varphi}_i \mathrm{d}V$$

易于看出，这样定义的广义力是符合于分析力学中的定义的. 即广义力是在相应于单位广义位移上外力系所做的功.

3.2 基于最小势能原理的近似方法

显然，位移场 $\boldsymbol{u}_n$ 通过(3.1)表达式使其总满足连续性条件，这只要 $\boldsymbol{\varphi}_i$ 存在导数就行. 于是把(3.1)代入总势能的表达式(1.4)可得

$$\Pi = \frac{1}{2}\boldsymbol{q} \cdot \mathbf{K} \cdot q - Q \cdot q \tag{3.3}$$

这里 Q 即(3.2)表示的广义力；而 $\mathbf{K}$ 是 $n\times n$ 阶的矩阵，其元素为

$$K_{ij} = \int_{\mathscr{D}} \boldsymbol{\Gamma}(\boldsymbol{\varphi}_i) : \mathbf{T}(\boldsymbol{\varphi}_j) \mathrm{d}V$$

式中 $\boldsymbol{\Gamma}(\boldsymbol{\varphi}_i)$是位移 $\boldsymbol{\varphi}_i$ 产生的应变场，$\mathbf{T}(\boldsymbol{\varphi}_j)$是 $\boldsymbol{\varphi}_j$ 产生的应力场.

根据最小势能原理，弹性力学问题的解应当使总势能为极小，于是，我们求解 $\boldsymbol{q}$ 使二次函数(3.3)为极小. 这归结于求解一组代数方程

$$\frac{\partial \Pi}{\partial q_i} = 0 \quad (i = 1, 2, \cdots, n)$$

把(3.3)代入上式直接计算可得这组方程是

$$\mathbf{K} \cdot \boldsymbol{q} = \boldsymbol{Q} \tag{3.4}$$

由上述方程组求解得到的 $\boldsymbol{q}$ 就是所需要的近似解. 实际上，如果所求的位移场 $\boldsymbol{u}$ 可以通过 $\boldsymbol{\varphi}_i$ $(i=1,\cdots,n)$ 线性表出，则得到的 $\boldsymbol{q}$ 还可以是准确解. 上述这个方法就是通常所说的 Ritz 法.

3.3 伽辽金(Галёркин)法

在第五章曾经得到了以位移形式表出的平衡方程与边条件(3.1)：

$$\begin{cases} \mathbf{L} \cdot \boldsymbol{u} = \boldsymbol{f} & (\text{在 } \mathscr{D} \text{ 内}) \\ \mathbf{M} \cdot \boldsymbol{u} = \boldsymbol{g} & (\text{在 } \partial\mathscr{D} \text{ 上}) \end{cases} \tag{3.5}$$

这里不妨假定位移边条件是齐次的，即假定在 $\partial_u\mathscr{D}$ 上 $\mathbf{M} \cdot \boldsymbol{u} = \boldsymbol{g}$ 退化为 $\boldsymbol{u} = \mathbf{0}$.

仍采用表达式(3.1)，把位移场 $\boldsymbol{u}$ 通过广义位移来近似地表达. 把它代入(3.5)，在一般情形下 $\boldsymbol{u}_n$ 不满足方程，因而方程有余量. 我们要求所得的余量函数在 $\overline{\mathscr{D}} = \mathscr{D} + \partial\mathscr{D}$ 上与所取的坐标函数 $\boldsymbol{\varphi}_j$ 正交. 同时，注意到(3.5)中假定关于位移边条件是齐次的，而且 $\boldsymbol{\varphi}_j$ 是满足边条件的. 我们得到这组正交条件是

$$\int_{\mathscr{D}} (\mathbf{L} \cdot \boldsymbol{u}_n - \boldsymbol{f}) \cdot \boldsymbol{\varphi}_i \mathrm{d}V + \int_{\partial_t\mathscr{D}} (\mathbf{M} \cdot \boldsymbol{u}_n - \boldsymbol{g}) \cdot \boldsymbol{\varphi}_i \mathrm{d}\pi = 0$$

$$(i = 1, \cdots, n)$$

这个正交性条件不是别的，它正好表示系统在虚位移 $\boldsymbol{\varphi}_i$ 上所做的虚功为零. 考虑到 $\mathbf{L}$ 与 $\mathbf{M}$ 算子的线性性质，经过整理可得

$$\mathbf{K} \cdot \boldsymbol{q} = \boldsymbol{Q} \tag{3.6}$$

式中 $\mathbf{K}$ 是 $n \times n$ 阶矩阵，$\boldsymbol{Q}$ 即广义力，其元素为

$$\begin{aligned} K_{ij} &= \int_{\mathscr{D}} (\mathbf{L} \cdot \boldsymbol{\varphi}_i) \cdot \boldsymbol{\varphi}_j \mathrm{d}V + \int_{\partial_t\mathscr{D}} (\mathbf{M} \cdot \boldsymbol{\varphi}_i) \cdot \boldsymbol{\varphi}_j \mathrm{d}\pi \\ Q_i &= \int_{\partial_t\mathscr{D}} \boldsymbol{t} \cdot \boldsymbol{\varphi}_i \mathrm{d}\pi + \int_{\mathscr{D}} \boldsymbol{f} \cdot \boldsymbol{\varphi}_i \mathrm{d}V \end{aligned} \tag{3.7}$$

作为 Галёркин 法最终归结于求解代数方程组(3.6)来确定广义位移 $\boldsymbol{q}$.

值得指出的是，本小节的(3.6)与 § 3.2 讲的基于最小总势能原理的 Ritz 法是等价的. 首先，注意(3.7)中的 $\boldsymbol{Q}$ 的表达式和 Ritz 法的(3.4)中引进的广义力是一样的；其次，要说明这里的 $\mathbf{K}$ 也正好是(3.4)中的刚度矩阵 $\mathbf{K}$. 事实上，由于在 $\mathbf{T}$ 是对称张量的条件下，$\mathbf{I} \overset{\times}{\cdot} \mathbf{T} = \mathbf{0}$，我们有

$$\mathbf{T} : \mathbf{\Gamma} \mathrm{d}V = -\operatorname{div}\mathbf{T} \cdot \boldsymbol{u} \mathrm{d}V + \mathrm{d}(\boldsymbol{n} \cdot \mathbf{T} \cdot \boldsymbol{u} \mathrm{d}\pi)$$

故积分可得

$$K_{ij}=\int_{\mathscr{D}}(\mathbf{L}\cdot\boldsymbol{\varphi}_i)\cdot\boldsymbol{\varphi}_j\mathrm{d}V+\int_{\partial_t\mathscr{D}}(\mathbf{M}\cdot\boldsymbol{\varphi}_i)\cdot\boldsymbol{\varphi}_j\mathrm{d}\pi$$

$$=-\int_{\mathscr{D}}[\mathrm{div}\mathbf{T}(\boldsymbol{\varphi}_i)]\cdot\boldsymbol{\varphi}_j\mathrm{d}V+\int_{\partial_t\mathscr{D}}\boldsymbol{t}(\boldsymbol{\varphi}_i)\cdot\boldsymbol{\varphi}_j\mathrm{d}\pi$$

$$=\int_{\mathscr{D}}\mathbf{T}(\boldsymbol{\varphi}_i):\boldsymbol{\Gamma}(\boldsymbol{\varphi}_j)\mathrm{d}V$$

这就验证了我们的结论.

应当指出,Галёркин 法是比 Ritz 法应用范围更广的方法.前者是从方程和边条件直接进行近似计算,后者是利用能量极小进行计算.在线性弹性系统的情形,即当方程组有对应的泛函极小条件时,两者是等价的.反过来,如果问题不存在对应的泛函极值问题,这时 Галёркин 法便显然方便多了.

附带指出,上述近似方法把 $\boldsymbol{u}$ 必须满足的边条件分为二类,一类是在 $\partial_u\mathscr{D}$ 上给出的几何边条件,即 $\boldsymbol{\varphi}_i$ 必须满足的边条件;另一类是 $\partial_t\mathscr{D}$ 上给出的力边条件,即 $\boldsymbol{\varphi}_i$ 不必满足但却在近似求解中达到近似满足,后者也称为自然边条件.

§4 变分原理的进一步讨论

4.1 拉格朗日(Lagrange)原理和卡斯提也诺(Castigliano)原理

上一节引进广义位移的概念,即用(3.1)近似表示位移场的方法,使讨论问题大大简化.借助于它,可以把一个连续问题简化为一个有限自由度或离散的无限自由度问题.从而给近似计算开辟了广阔的道路.在这里要指出,上节的方程(3.4)还有它另外的形式.这就是,如果对(3.3)取极值条件,把(3.3)中的二次项记为

$$U=\frac{1}{2}\boldsymbol{q}\cdot\mathbf{K}\cdot\boldsymbol{q}$$

U 称为变形能,则(3.4)的各方程等价于

$$Q_i=\frac{\partial U}{\partial q_i}\quad(i=1,\cdots,n)\tag{4.1}$$

也就是说：应变能对广义位移的微商等于广义力.事实上，这个式子并不是什么新东西.读者还记得在理论力学中对于有限自由度的第二类拉格朗日方程是

$$\frac{\mathrm{d}}{\mathrm{d}t}\frac{\partial L}{\partial \dot{q}_i}-\frac{\partial L}{\partial q_i}=Q_i \quad (i=1,\cdots,n) \tag{4.2}$$

这里 L 是拉格朗日函数，$L=T-U$，T 为系统的动能，U 为势能，U 直接可以看为变形能.式(4.1)实际上是(4.2)在 $T=0$ 时的特殊情形.由于这种原因，(4.1)也称为拉格朗日原理.

如果由(3.4)中反解出

$$\boldsymbol{q}=\mathbf{K}^{-1}\cdot\boldsymbol{Q} \tag{4.3}$$

并代入到(3.3)中去就可得

$$\Pi=\frac{1}{2}\boldsymbol{Q}\cdot\mathbf{K}^{-1}\cdot\boldsymbol{Q}-\boldsymbol{Q}\cdot\boldsymbol{q} \tag{4.4}$$

注意在§2 中余能的表达式实际上和§1 中的势能的表达式是一样的.差别只在于有一项

$$\int_{\mathscr{D}}\boldsymbol{f}\cdot\boldsymbol{u}\mathrm{d}V$$

但注意到余能是对以力为自变函数的泛函，而其中 $\boldsymbol{f}$ 为已知函数，所以它是无关紧要的，因为在对力变分时它等于零.于是(4.4)也可以看为余能的表达式，只不过这时广义力 $\boldsymbol{Q}$ 就是自变量了.根据最小余能原理，如果记

$$U^{\mathrm{c}}=\frac{1}{2}\boldsymbol{Q}\cdot\mathbf{K}\cdot\boldsymbol{Q}$$

则有

$$q_i=\frac{\partial U^{\mathrm{c}}}{\partial Q_i} \quad (i=1,\cdots,n) \tag{4.5}$$

其中 U^{c} 也称为余应变能.(4.5)说明余应变能对广义力的微商等于广义位移.这就是结构力学中常用的所谓 Castigliano 原理.

事实上，在杆系结构力学中卡斯提也诺原理用得比较广泛，主要原因是在杆件系统中静力平衡方程在局部上，即对于杆件的无

限小微元的平衡条件来说是静定的，可以求解，因而 U^c 也易于直接写成广义力 Q_i 的函数. 设有 m 根杆组成的杆系. 系统上作用着 n 个广义力 $Q_i(i=1,\cdots,n)$，则一般讲，第 j 根杆的轴力 $N_j(x)$ 与弯矩 $M_j(x)$ 分别表为

$$\begin{aligned} N_j(x) &= \sum_{i=1}^{n} Q_i N_{ji}(x) \\ M_j(x) &= \sum_{i=1}^{n} Q_i M_{ji}(x) \end{aligned} \tag{4.6}$$

我们知道杆系的余变形能是

$$U^c = \frac{1}{2}\sum_{j=1}^{m}\left(\int_0^{l_j}\frac{N_j^2}{EJ_j}\mathrm{d}x + \int_0^{l_j}\frac{N_j^2}{EF_j}\mathrm{d}x\right) \tag{4.7}$$

式中 l_j, J_j, F_j 分别为第 j 根杆的长度、惯性矩与截面积. 如果把(4.6)代入(4.7)，并计算 $\dfrac{\partial U^c}{\partial Q_i}$，再应用(4.5)就得到

$$q_i = \sum_{j=1}^{m}\left(\int_0^{l_j}\frac{M_jM_{ji}}{EJ_j}\mathrm{d}x + \int_0^{l_j}\frac{N_jN_{ji}}{EF_j}\mathrm{d}x\right) \tag{4.8}$$

这个式子就是著名的杆系位移积分公式. 作为式(4.8)的应用，我们举一个简单的例子如下：

如图 9.1，简支梁两端受力矩 M 作用，求中点 A 的挠度.

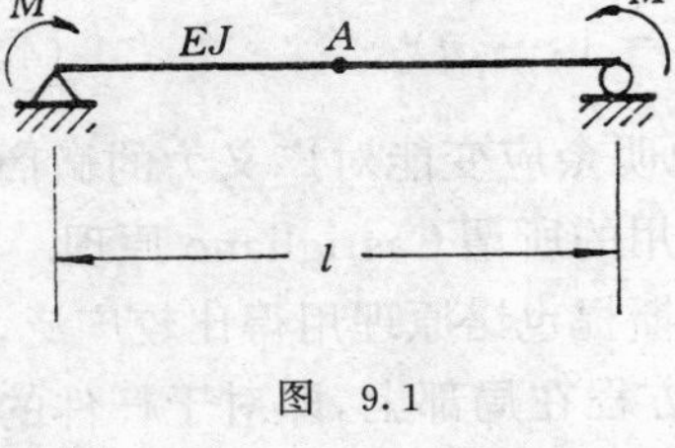

图 9.1

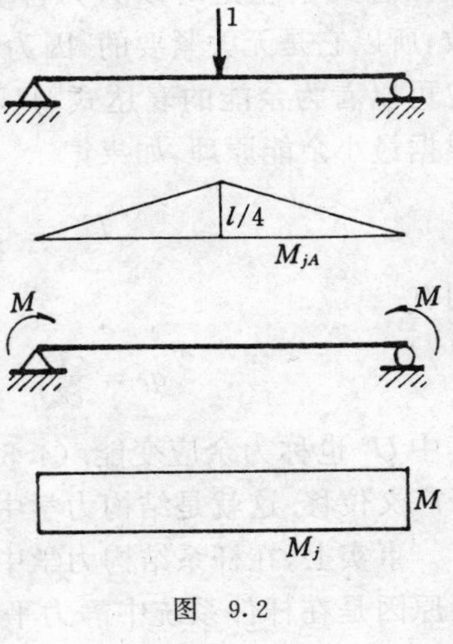

图 9.2

在式(4.6)中,在点 A 作用单位集中力的弯矩图为 M_{jA},总弯矩图为 M_j,都表示在图 9.2 上. 根据(4.8),挠度为

$$q_A = \frac{1}{EJ}\int_0^l M_j M_{jA} \mathrm{d}x = \frac{l^2 M}{8EJ}.$$

4.2 勒让德(Legendre)变换

在前面的讨论中,我们导出了广义力与广义位移之间有线性关系(3.4). 事实上,在非线性问题中,也有类似的结论. 为了进行更一般的讨论,现在引进 Legendre 变换.

设有 n 个自变量 $q_1,\cdots,q_n$ 的函数

$$U = U(q_1, q_2, \cdots, q_n)$$

它具有对自变量的直到二阶连续偏微商. 取新的一组变量

$$Q_i = \frac{\partial U}{\partial q_i} \quad (i = 1, 2, \cdots, n) \tag{4.9}$$

它组成了对 q_i 的一组变数替换,设它的 Jacobi 行列式

$$\left\| \frac{\partial Q_i}{\partial q_j} \right\| = \left\| \frac{\partial^2 U}{\partial q_i \partial q_j} \right\| \neq 0$$

则可以从(4.9)把原变量反解出来得

$$q_i = q_i(Q_1, Q_2, \cdots, Q_n) \quad (i = 1, \cdots, n) \tag{4.10}$$

考虑新的函数

$$U^c = \sum_{i=1}^n Q_i q_i - U = \boldsymbol{Q} \cdot \boldsymbol{q} - U \tag{4.11}$$

这里把 U 看为 $\boldsymbol{q}$ 的函数,把 U^c 看为 $\boldsymbol{Q}$ 的函数. 如果我们知道了函数 U,借助于(4.11)就可以定义余函数 U^c. 而且,如果(4.1)成立,则由(4.11)与(4.1)就可直接推出(4.5).

事实上

$$\begin{aligned} \delta U^c &= \sum \frac{\partial U^c}{\partial Q_i}\delta Q_i = \sum (Q_i \delta q_i + q_i \delta Q_i) - \sum \frac{\partial U}{\partial q_i}\delta q_i \\ &= \sum \left(Q_i - \frac{\partial U}{\partial q_i} \right) \delta q_i + \sum q_i \delta Q_i \end{aligned}$$

根据(4.9),上式右端第一项恒为零,于是恒有

$$q_i = \frac{\partial U^c}{\partial Q_i} \quad (i = 1,2,\cdots,n) \tag{4.12}$$

如果把 $1,2,\cdots,n$ 重新排列为 $i_1,i_2,\cdots,i_n$,并且考虑整数 $m<n$,我们只引进 m 个新变数

$$Q_{i_j} = \frac{\partial U}{\partial q_{i_j}} \quad (j = 1,2,\cdots,m) \tag{4.13}$$

它和原变数 $q_{i_{m+1}},\cdots,q_{i_n}$ 一起组成一组新的变量. 考虑新函数

$$U^c = \sum_{j=1}^{m} Q_{i_j} q_{i_j} - U \tag{4.14}$$

同样可以通过微分验证

$$\begin{aligned} \frac{\partial U^c}{\partial q_{i_j}} &= q_{i_j} \quad (j = 1,2,\cdots,m) \\ \frac{\partial U^c}{\partial q_{i_j}} &= Q_{i_j} \quad (j = m+1,\cdots,n) \end{aligned} \tag{4.15}$$

我们看到,Legendre 变换是一个这样的变换,当我们已经知道在一组自变量下的系统的势函数时,它可以使我们得到另一个势函数,这新的势函数自变量是相应的对偶变量(即新自变量与对应的原自变量的乘积是功. 在我们现在的情形下,已把广义位移自变量变换成广义力了). 事实上,这个变换对我们并不生疏. 例如,在本书第四章 §1 中的内能 U 与自由能 F 之间的关系式(1.10)就是一个 Legendre 变换. 回忆在理论力学中 Lagrange 函数与 Hamilton 函数之间的关系有

$$H(\boldsymbol{p},\boldsymbol{q},t) = \sum \dot{q}_i p_i - L(\boldsymbol{q},\dot{\boldsymbol{q}},t)$$

也是一个 Legendre 变换,其中新的正则变数 p_i 满足

$$p_i = \frac{\partial L}{\partial \dot{q}_i} \quad (i = 1,\cdots,n)$$

本章 §1与 §2 讲的 Π 与 Π^c,即总势能与总余能,其间也差一个 Legendre 变换. 可见 Legendre 变换是一个在力学中有广泛应

用的变换.

4.3 广义变分原理

我们在§1讨论最小总势能原理时,实际上是讨论一个条件极值原理.即在满足协调条件下,满足平衡方程的位移使总势能极小.同样,最小余能原理也是一个条件极值问题.怎样把这个条件极值问题转化为一个无条件极值问题呢?或者换句话说,怎样寻求一个泛函,使应力和位移都作为自变函数,由这个泛函的变分为零,可以得到弹性力学相应的方程.这样的新的提法称为推广了的变分原理,或弹性力学广义变分原理.

1. Hellinger-Prange-Reissner 变分原理

考虑总余能

$$\Pi^c = \frac{1}{2}\int_{\mathscr{D}} \mathbf{\Gamma} : \mathbf{T} \mathrm{d}V - \int_{\partial_u \mathscr{D}} \boldsymbol{t} \cdot \boldsymbol{u}^* \mathrm{d}\pi$$

对最小余能原理的前提条件是 $\mathbf{T}$ 与 $\boldsymbol{t}$ 满足平衡条件,即有

$$\begin{cases} \mathrm{div}\mathbf{T} + \boldsymbol{f} = \mathbf{0}, \quad \mathbf{I} \overset{\times}{\cdot} \mathbf{T} = \mathbf{0} & (\text{在 } \mathscr{D} \text{ 内}) \\ \boldsymbol{t} = \boldsymbol{n} \cdot \mathbf{T} & (\text{在 } \partial\mathscr{D} \text{ 上}) \end{cases} \tag{4.16}$$

若将(4.16)看为条件,引进 Lagrange 待定乘子即得新的泛函

$$\Pi_1 = \Pi^c + \int_{\mathscr{D}} (\mathrm{div}\mathbf{T} + \boldsymbol{f}) \cdot \boldsymbol{u} \mathrm{d}V + \int_{\partial_t \mathscr{D}} (\boldsymbol{t}^* - \boldsymbol{n} \cdot \mathbf{T}) \cdot \boldsymbol{u} \mathrm{d}\pi \tag{4.17}$$

式中待定乘子直接根据它的物理意义写为 $\boldsymbol{u}$. 但我们知道

$$(\mathrm{div}\mathbf{T}) \cdot \boldsymbol{u} \mathrm{d}V = -\mathbf{T} : \mathbf{\Gamma}(\boldsymbol{u}) \mathrm{d}V + \mathrm{d}(\mathrm{d}\boldsymbol{\pi} \cdot \mathbf{T} \cdot \boldsymbol{u}) + (\mathbf{I} \overset{\times}{\cdot} \mathbf{T}) \cdot \boldsymbol{\omega} \mathrm{d}V$$

再考虑到 $\mathbf{T}$ 的对称性,即 $\mathbf{I} \overset{\times}{\cdot} \mathbf{T} = \mathbf{0}$. 于是(4.17)可改写为

$$\Pi_1 = \Pi^c - \int_{\mathscr{D}} \mathbf{T} : \mathbf{\Gamma}(\boldsymbol{u}) \mathrm{d}V + \int_{\mathscr{D}} \boldsymbol{f} \cdot \boldsymbol{u} \mathrm{d}V$$

$$+ \int_{\partial\mathscr{D}} \boldsymbol{n} \cdot \mathbf{T} \cdot \boldsymbol{u} \mathrm{d}\pi + \int_{\partial_t \mathscr{D}} (\boldsymbol{t}^* - \boldsymbol{n} \cdot \mathbf{T}) \cdot \boldsymbol{u} \mathrm{d}\pi \tag{1.18}$$

上式中把 $\boldsymbol{u}$ 与 $\mathbf{T}$ 都看为自变泛函.

Hellinger-Prange-Reissner 变分原理 在(4.18)中把 $\boldsymbol{u}$ 与 $\mathbf{T}$ 看为自变函数时,Π_1 的变分 $\delta\Pi_1=0$ 的充分必要条件是,在 $\mathscr{D}$ 上有

$$\mathbf{\Gamma}=\mathbf{\Gamma}(\boldsymbol{u}), \quad \operatorname{div}\mathbf{T}+\boldsymbol{f}=\mathbf{0}$$

和在 $\partial_u\mathscr{D}$ 上有 $\boldsymbol{u}=\boldsymbol{u}^*$

在 $\partial_t\mathscr{D}$ 上有 $\boldsymbol{t}^*=\boldsymbol{n}\cdot\mathbf{T}$

证明 由(2.5)的右端线性部分,我们有

$$\delta\Pi^c=\int_{\mathscr{D}}(\mathbf{\Gamma}-\mathbf{\Gamma}(\boldsymbol{u})):\delta\mathbf{T}\,dV-\int_{\partial_u\mathscr{D}}\delta\boldsymbol{t}\cdot(\boldsymbol{u}^*-\boldsymbol{u})d\pi$$

故对(4.18)取变分可得

$$\delta\Pi_1=\int_{\mathscr{D}}(\mathbf{\Gamma}-\mathbf{\Gamma}(\boldsymbol{u})):\delta\mathbf{T}\,dV-\int_{\partial_u\mathscr{D}}\boldsymbol{n}\cdot\delta\mathbf{T}\cdot(\boldsymbol{u}^*-\boldsymbol{u})d\pi$$
$$+\int_{\mathscr{D}}(\operatorname{div}\mathbf{T}+\boldsymbol{f})\cdot\delta\boldsymbol{u}\,dV+\int_{\partial_t\mathscr{D}}(\boldsymbol{t}^*-\boldsymbol{n}\cdot\mathbf{T})\cdot\delta\boldsymbol{u}\,d\pi \tag{4.19}$$

由于 $\delta\boldsymbol{u}$ 与 $\delta\mathbf{T}$ 的任意性,可知(4.19)为零的充分必要条件是

$$\begin{cases}\mathbf{\Gamma}=\mathbf{\Gamma}(\boldsymbol{u}), \quad \operatorname{div}\mathbf{T}+\boldsymbol{f}=\mathbf{0} & (\text{在 } \mathscr{D} \text{ 内})\\ \boldsymbol{u}=\boldsymbol{u}^* & (\text{在 } \partial_u\mathscr{D} \text{ 上})\\ \boldsymbol{n}\cdot\mathbf{T}=\boldsymbol{t}^* & (\text{在 } \partial_t\mathscr{D} \text{ 上})\end{cases} \tag{4.20}$$

这就是结论.

2. 胡海昌-Washizu 原理

在 1954 年与 1955 年,先后由我国的胡海昌教授和日本人 Washizu(鷲津久一郎)提出了一个新的以 $\boldsymbol{u},\mathbf{T},\mathbf{\Gamma}$ 为自变函数的泛函,它变分为零的充分必要条件,除了(4.20)外,还有

$$\frac{\partial W}{\partial \gamma_{ij}}=\sigma_{ij}$$

这里 W 是单位体积的变形能.

他们引进的泛函是

$$\Pi_2=\int_{\mathscr{D}}W(\mathbf{\Gamma})dV-\int_{\mathscr{D}}\mathbf{\Gamma}:\mathbf{T}dV-\int_{\mathscr{D}}(\operatorname{div}\mathbf{T}+\boldsymbol{f})\cdot\boldsymbol{u}dV$$

$$+\int_{\partial_u\mathscr{D}} \boldsymbol{n}\cdot\boldsymbol{T}\cdot\boldsymbol{u}^*\mathrm{d}\pi+\int_{\partial_t\mathscr{D}}(\boldsymbol{n}\cdot\mathbf{T}-\boldsymbol{t}^*)\cdot\boldsymbol{u}\mathrm{d}\pi \qquad (4.21)$$

现在来证明他们的结论.

对(4.21)进行变分得

$$\begin{aligned}\delta\Pi_2=&\int_{\mathscr{D}}\left(\sum_{i,j}\frac{\partial W}{\partial\gamma_{ij}}\boldsymbol{e}_i\boldsymbol{e}_j-\boldsymbol{T}\right):\delta\boldsymbol{\Gamma}\mathrm{d}V-\int_{\mathscr{D}}\boldsymbol{\Gamma}:\delta\mathbf{T}\,\mathrm{d}V\\&-\int_{\mathscr{D}}(\mathrm{div}\mathbf{T}+\boldsymbol{f})\cdot\delta\boldsymbol{u}\mathrm{d}V-\int_{\mathscr{D}}(\mathrm{div}\,\delta\mathbf{T})\cdot\boldsymbol{u}\mathrm{d}V\\&+\int_{\partial_u\mathscr{D}}\boldsymbol{n}\cdot\delta\mathbf{T}\cdot\boldsymbol{u}^*\mathrm{d}\pi+\int_{\partial_t\mathscr{D}}(\boldsymbol{n}\cdot\mathbf{T}-\boldsymbol{t}^*)\cdot\delta\boldsymbol{u}\,\mathrm{d}\pi\\&+\int_{\partial_t\mathscr{D}}\boldsymbol{n}\cdot\delta\mathbf{T}\cdot\boldsymbol{u}\mathrm{d}\pi\\=&\int_{\mathscr{D}}\left(\sum_{i,j}\frac{\partial W}{\partial\gamma_{ij}}\boldsymbol{e}_i\boldsymbol{e}_j-\mathbf{T}\right):\delta\boldsymbol{\Gamma}\mathrm{d}V\\&-\int_{\mathscr{D}}(\mathrm{div}\mathbf{T}+\boldsymbol{f})\cdot\delta\boldsymbol{u}\,\mathrm{d}V-\int_{\mathscr{D}}(\boldsymbol{\Gamma}-\boldsymbol{\Gamma}(\boldsymbol{u}))\cdot\delta\mathbf{T}\mathrm{d}V\\&-\int_{\mathscr{D}}(\mathbf{I}\overset{\times}{\cdot}\delta\mathbf{T})\cdot\boldsymbol{\omega}\,\mathrm{d}V-\int_{\partial_u\mathscr{D}}\boldsymbol{n}\cdot\delta\mathbf{T}\cdot(\boldsymbol{u}-\boldsymbol{u}^*)\mathrm{d}\pi\\&+\int_{\partial_t\mathscr{D}}(\boldsymbol{n}\cdot\mathbf{T}-\boldsymbol{t}^*)\cdot\delta\boldsymbol{u}\,\mathrm{d}\pi\end{aligned}$$

由 $\delta\boldsymbol{u}$、$\delta\boldsymbol{\Gamma}$ 和 $\delta\mathbf{T}$ 的任意性,可知上式变分为零的充分必要条件是

$$\begin{cases}\dfrac{\partial W}{\partial\gamma_{ij}}=\sigma_{ij},\quad \mathrm{div}\mathbf{T}+\boldsymbol{f}=\mathbf{0},\quad \boldsymbol{\Gamma}=\boldsymbol{\Gamma}(\boldsymbol{u}) & (\text{在 }\mathscr{D}\text{ 上})\\ \boldsymbol{u}=\boldsymbol{u}^* & (\text{在 }\partial_u\mathscr{D}\text{ 上})\\ \boldsymbol{n}\cdot\mathbf{T}=\boldsymbol{t}^* & (\text{在 }\partial_t\mathscr{D}\text{ 上})\end{cases}$$

这就是结论.

附带说明,上述两个广义变分原理由于结论只对于泛函的变分为零而言,一般讲没有极值的性质.

4.4 对胡海昌-Washizu 原理的推广

1985 年武际可[43]对胡海昌-Washizu 原理给出了两个推广定

理：定理 1 是这个原理的一个一般的数学提法；定理 2 是作为这个一般提法的具体应用，给出了一个在弹性力学中更为广义的变分原理. 下面就是该文的结果.

令

$$\boldsymbol{u} = (u_1, u_2, \cdots, u_n)$$
$$\boldsymbol{v} = (v_1, v_2, \cdots, v_m) \tag{4.22}$$
$$\boldsymbol{w} = (w_1, w_2, \cdots, w_m)$$

是分别定义在某区域 $\mathscr{D} \subset \boldsymbol{R}^n$ 上的 n 维和 m 维函数矢量. 它们的自变量是 $\boldsymbol{x} = (x_1, x_2, \cdots, x_n) \in \mathscr{D}$.

令

$$\mathbf{L} = (L_{ij})_{n\times m} \tag{4.23}$$

是定义在 $\mathscr{D}$ 上的线性微分算子矩阵，定义 $\mathbf{L}$ 的共轭算子 $\mathbf{L}^*$ 如下

$$\int_{\mathscr{D}} \mathbf{L}\boldsymbol{v} \cdot \boldsymbol{u} \mathrm{d}\Omega = \sum_{i=0}^{n_d - 1} \int_{\partial\mathscr{D}} \mathbf{K}^i \boldsymbol{v} \cdot \mathbf{D}^i \boldsymbol{u} \mathrm{d}S + \int_{\mathscr{D}} \boldsymbol{v} \cdot \mathbf{L}^* \boldsymbol{u} \mathrm{d}\Omega \tag{4.24}$$

这里 $\mathrm{d}\Omega, \mathrm{d}S$ 分别为 $\mathscr{D}$ 的体元和面元，n_d 为算子 $\mathbf{L}$ 中最高阶微商阶数，$\mathbf{K}^i, \mathbf{D}^i$ 为 $\mathscr{D}$ 上的算子.

设

$$\boldsymbol{f} = (f_1, f_2, \cdots, f_n)$$
$$\boldsymbol{q}^i = (q_1^i, q_2^i, \cdots, q_n^i) \quad (i = 0, 1, \cdots, n_d - 1)$$
$$\boldsymbol{p}^i = (p_1^i, p_2^i, \cdots, p_n^i) \quad (i = 0, 1, \cdots, n_d - 1)$$

分别为定义在 $\mathscr{D}, \partial_u\mathscr{D}, \partial_v\mathscr{D}$ 上的已知函数矢量. 式中我们有

$$\partial_u\mathscr{D} \cup \partial_v\mathscr{D} = \partial\mathscr{D}$$

考虑待求函数矢量 $\boldsymbol{u}, \boldsymbol{v}, \boldsymbol{w}$ 满足的边值问题

$$\mathbf{L}\boldsymbol{v} + \boldsymbol{f} = \mathbf{0} \tag{4.25}$$
$$\boldsymbol{w} = \mathbf{L}^* \boldsymbol{u} \tag{4.26}$$
$$\boldsymbol{v} = \boldsymbol{F}(\boldsymbol{w}) \tag{4.27}$$
$$\mathbf{D}^i \boldsymbol{u}\big|_{\partial_u\mathscr{D}} = \boldsymbol{q}^i \quad (i = 1, 2, \cdots, n_d - 1) \tag{4.28}$$
$$\mathbf{K}^i \boldsymbol{v}\big|_{\partial_v\mathscr{D}} = \boldsymbol{p}^i \quad (i = 1, 2, \cdots, n_d - 1) \tag{4.29}$$

(4.27)式中的 $\boldsymbol{F}$ 是 $\boldsymbol{R}^m$ 上的可微函数矢量,并且满足

$$\frac{\partial F_i}{\partial w_j} = \frac{\partial F_j}{\partial w_i} \quad (i, j = 1, 2, \cdots, m) \tag{4.30}$$

我们有如下定理.

定理 1 边值问题(4.25)～(4.29)和下述以 $\boldsymbol{u}, \boldsymbol{v}, \boldsymbol{w}$ 为自变函数的泛函取驻值是等价的

$$\Pi = \int_{\mathscr{D}} [W(\boldsymbol{w}) - \boldsymbol{w} \cdot \boldsymbol{v} + (\mathbf{L}\boldsymbol{v} + \boldsymbol{f}) \cdot \boldsymbol{u}] \mathrm{d}\Omega - \sum_{i=0}^{n_d - 1} \int_{\partial_u \mathscr{D}} \mathbf{K}^i \boldsymbol{v} \cdot \boldsymbol{q}^i \mathrm{d}s - \sum_{i=0}^{n_d - 1} \int_{\partial_v \mathscr{D}} (\mathbf{K}^i \boldsymbol{v} - \boldsymbol{p}^i) \cdot \mathbf{D}^i \boldsymbol{u} \, \mathrm{d}S \tag{4.31}$$

式中

$$W(\boldsymbol{w}) = \int_{\mathbf{0}}^{\boldsymbol{w}} \boldsymbol{F} \cdot \mathrm{d}\boldsymbol{w}$$

是定义在 $\boldsymbol{R}^m$ 上的曲线积分. 由条件(4.30)我们知道单值函数 W 是存在的,且有

$$\delta W(\boldsymbol{w}) = \boldsymbol{F} \cdot \delta \boldsymbol{w}$$

证明 将(4.31)对自变函数 $\boldsymbol{u}, \boldsymbol{v}, \boldsymbol{w}$ 变分,可知

$$\begin{aligned} \delta \Pi = & \int_{\mathscr{D}} [(\boldsymbol{F}(\boldsymbol{w}) - \boldsymbol{v}) \cdot \delta \boldsymbol{w} + (\mathbf{L}^* \boldsymbol{u} - \boldsymbol{w}) \cdot \delta \boldsymbol{v} \\ & + (\mathbf{L}\boldsymbol{v} + \boldsymbol{f}) \cdot \delta \boldsymbol{u}] \mathrm{d}\Omega \\ & + \sum_{i=0}^{n_d - 1} \int_{\partial_u \mathscr{D}} \delta \mathbf{K}^i \boldsymbol{v} \cdot (\mathbf{D}^i \boldsymbol{u} - \boldsymbol{q}^i) \mathrm{d}S \\ & - \sum_{i=0}^{n_d - 1} \int_{\partial_v \mathscr{D}} (\mathbf{K}^i \boldsymbol{v} - \boldsymbol{p}^i) \cdot \delta \mathbf{D}^i \boldsymbol{u} \, \mathrm{d}S = 0 \end{aligned} \tag{4.32}$$

由于 $\delta \boldsymbol{u}, \delta \boldsymbol{v}, \delta \boldsymbol{w}, \delta \mathbf{D}^i \boldsymbol{u}, \delta \mathbf{K}^i \boldsymbol{v}$ 的任意性,可知(4.32)和(4.25)～(4.29)是等价的.

上述推广定理给出了广义变分原理的十分一般的表述形式. 弹性力学和弹性结构力学中的问题：诸如三维、二维弹性力学问

题、板壳理论及梁，以及厚板等问题的方程和边条件都可以是这个定理形式的具体体现. 直接令 $\boldsymbol{u}$ 为问题的广义位移场，$\boldsymbol{v}$ 为问题的广义内力分量，$\boldsymbol{w}$ 为问题的广义变形分量，即得胡海昌所称的广义变分原理.

但这一定理还有更为广泛的解释，下面的定理涉及弹性力学中各种关系式，它可以看为定理1的一个特殊情形.

令 $\boldsymbol{u}=(u,v,w)$ 表示位移矢量；$\mathbf{\Phi}^0=(\Phi_{ij}^0)$，$\mathbf{T}=(\sigma_{ij})$，$\widetilde{\mathbf{T}}=(\widetilde{\sigma}_{ij})$，$\mathbf{\Phi}=(\Phi_{ij})$，$\mathbf{E}=(\varepsilon_{ij})$，$\widetilde{\mathbf{E}}=(E_{ij})$，$\mathbf{Q}=(Q_{ij})$是 7 个三维二阶对称张量；$\boldsymbol{f}=(f_1,f_2,f_3)$为作用在弹性体上的体力矢量.

再令 W 和 V 是定义在 $\mathbf{E}$ 和 $\widetilde{\mathbf{T}}$ 上的标量函数，则我们有

定理 2 以 $\boldsymbol{u},\mathbf{\Phi}^0,\mathbf{T},\widetilde{\mathbf{T}},\mathbf{\Phi},\mathbf{E},\widetilde{\mathbf{E}},\mathbf{Q}$ 等 8 组未知量为自变函数的泛函

$$\begin{aligned}\Pi_8=&\int_{\mathscr{D}}[W(\mathbf{E})+V(\widetilde{\mathbf{T}})-\mathbf{T}:\mathbf{E}-\widetilde{\mathbf{T}}:\widetilde{\mathbf{E}}-\mathbf{\Phi}:\mathbf{Q}\\&-(\nabla\cdot\mathbf{T}+\boldsymbol{f})\cdot\boldsymbol{u}+(\mathbf{Q}-\nabla\times\widetilde{\mathbf{E}}\times\nabla):\mathbf{\Phi}^0]\mathrm{d}\Omega\\&+\int_{\partial_{\boldsymbol{u}}\mathscr{D}}\boldsymbol{n}\cdot\mathbf{T}\cdot\boldsymbol{u}^0\mathrm{d}S+\int_{\partial_{\boldsymbol{v}}\mathscr{D}}(\boldsymbol{n}\cdot\mathbf{T}-\boldsymbol{p}^0)\cdot\boldsymbol{u}\mathrm{d}S\\&+\int_{\partial_{\boldsymbol{u}}\mathscr{D}}(\widetilde{\mathbf{E}}\times\nabla):\mathbf{R}_1\mathrm{d}S-\int_{\partial_{\boldsymbol{u}}\mathscr{D}}(\widetilde{\mathbf{E}}\times\boldsymbol{n}):\mathbf{R}_2\mathrm{d}S\\&+\int_{\partial_{\boldsymbol{v}}\mathscr{D}}(\widetilde{\mathbf{E}}\times\nabla-\mathbf{P}_1):(\mathbf{\Phi}\times\boldsymbol{n})\mathrm{d}S\\&-\int_{\partial_{\boldsymbol{v}}\mathscr{D}}(\widetilde{\mathbf{E}}\times\boldsymbol{n}-\mathbf{P}_2):(\mathbf{\Phi}\times\nabla)\mathrm{d}S\end{aligned}\tag{4.33}$$

取驻值的充分必要条件是，在弹性力学中这些量所应遵守的各项关系. 式中 $\boldsymbol{u}^0,\boldsymbol{p}^0$ 是分别定义在 $\partial_{\boldsymbol{u}}\mathscr{D}$ 上和 $\partial_{\boldsymbol{v}}\mathscr{D}$ 上的已知矢量函数，而 $\mathbf{R}_1,\mathbf{R}_2,\mathbf{P}_1,\mathbf{P}_2$则分别是定义在 $\partial_{\boldsymbol{u}}\mathscr{D}$ 和 $\partial_{\boldsymbol{v}}\mathscr{D}$ 上的张量函数. $\boldsymbol{n}$ 是 $\partial\mathscr{D}$ 的外法向单位矢量.

为了说明定理的成立，只要将$(u,v,w,\Phi_{11}^0,\Phi_{22}^0,\Phi_{33}^0,\Phi_{23}^0,\Phi_{13}^0,\Phi_{12}^0)$看为定理1中的 $\boldsymbol{u}$，将$(\sigma_{11},\sigma_{22},\sigma_{33},\sigma_{23},\sigma_{13},\sigma_{12},Q_{11},Q_{22},Q_{33},Q_{23},Q_{13},Q_{12},\widetilde{E}_{11},\widetilde{E}_{22},\widetilde{E}_{33},\widetilde{E}_{23},\widetilde{E}_{13},\widetilde{E}_{12})$看为定理1中的$\boldsymbol{v}$，将$(\varepsilon_{11},\varepsilon_{22},$

$\varepsilon_{33},\varepsilon_{23},\varepsilon_{13},\varepsilon_{12},\Phi_{11},\Phi_{22},\Phi_{33},\Phi_{23},\Phi_{13},\Phi_{12},\tilde{\sigma}_{11},\tilde{\sigma}_{22},\tilde{\sigma}_{33},\tilde{\sigma}_{23},\tilde{\sigma}_{13},\tilde{\sigma}_{12}$)看为$\boldsymbol{w}$，则算子 **L** 可写为

$$\mathbf{L}=\begin{bmatrix}\mathbf{A} & 0 & 0\\ 0 & \mathbf{B} & \mathbf{C}\end{bmatrix}_{9\times 18}$$

其中 **B** 是 6×6 的单位矩阵，而 **A** 和 **C** 分别为：

$$\mathbf{A}=\begin{bmatrix}\dfrac{\partial}{\partial x_1} & 0 & 0 & 0 & \dfrac{\partial}{\partial x_3} & \dfrac{\partial}{\partial x_2}\\ 0 & \dfrac{\partial}{\partial x_2} & 0 & \dfrac{\partial}{\partial x_3} & 0 & \dfrac{\partial}{\partial x_1}\\ 0 & 0 & \dfrac{\partial}{\partial x_3} & \dfrac{\partial}{\partial x_2} & \dfrac{\partial}{\partial x_1} & 0\end{bmatrix}$$

$$\mathbf{C}=-\begin{bmatrix}0 & -\dfrac{\partial^2}{\partial x_3^2} & -\dfrac{\partial^2}{\partial x_2^2} & \dfrac{\partial^2}{\partial x_2\partial x_3} & 0 & 0\\ -\dfrac{\partial^2}{\partial x_3^2} & 0 & -\dfrac{\partial^2}{\partial x_1^2} & 0 & \dfrac{\partial^2}{\partial x_1\partial x_3} & 0\\ -\dfrac{\partial^2}{\partial x_2^2} & -\dfrac{\partial^2}{\partial x_1^2} & 0 & 0 & 0 & \dfrac{\partial^2}{\partial x_1\partial x_2}\\ \dfrac{\partial^2}{\partial x_2\partial x_3} & 0 & 0 & \dfrac{1}{2}\dfrac{\partial^2}{\partial x_1^2} & -\dfrac{1}{2}\dfrac{\partial^2}{\partial x_1\partial x_2} & -\dfrac{1}{2}\dfrac{\partial^2}{\partial x_1\partial x_3}\\ 0 & \dfrac{\partial^2}{\partial x_1\partial x_3} & 0 & -\dfrac{1}{2}\dfrac{\partial^2}{\partial x_1\partial x_2} & \dfrac{1}{2}\dfrac{\partial^2}{\partial x_2^2} & -\dfrac{1}{2}\dfrac{\partial^2}{\partial x_2\partial x_3}\\ 0 & 0 & \dfrac{\partial^2}{\partial x_1\partial x_2} & -\dfrac{1}{2}\dfrac{\partial^2}{\partial x_1\partial x_3} & -\dfrac{1}{2}\dfrac{\partial^2}{\partial x_2\partial x_3} & \dfrac{1}{2}\dfrac{\partial^2}{\partial x_3^2}\end{bmatrix}$$

在我们现在的情况下，可把相当于(4.25)的方程写成如下张量形式

$$\begin{bmatrix}\nabla\cdot(\ ) & 0 & 0\\ 0 & \mathbf{T}(\ ) & -\nabla\times(\ )\times\nabla\end{bmatrix}\begin{Bmatrix}\mathbf{T}\\ \mathbf{Q}\\ \mathbf{E}\end{Bmatrix}+\begin{Bmatrix}\boldsymbol{f}\\ \mathbf{0}\end{Bmatrix}=\mathbf{0}$$

根据这些假定对(4.33)进行变分并取零，我们可以得到如下的方程组

$$
\begin{cases}
\nabla\cdot \mathbf{T}+\boldsymbol{f}=\mathbf{0} \\
\mathbf{Q}=\nabla\times\widetilde{\mathbf{E}}\times\nabla \\
\boldsymbol{\Phi}^{0}=\boldsymbol{\Phi} \\
\mathbf{Q}\equiv\mathbf{0} \\
\widetilde{\mathbf{T}}=-\nabla\times\boldsymbol{\Phi}^{0}\times\nabla \qquad (\text{在 } \mathscr{D} \text{ 上}) \\
\dfrac{\partial W}{\partial\varepsilon_{ij}}=\sigma_{ij} \\
\dfrac{\partial V}{\partial\tilde{\sigma}_{ij}}=\tilde{\varepsilon}_{ij} \\
\varepsilon_{ii}=\dfrac{\partial u_i}{\partial x_i},\quad \varepsilon_{ij}=\dfrac{\partial u_i}{\partial x_j}+\dfrac{\partial u_j}{\partial x_i}\quad (i\neq j)
\end{cases}
\tag{4.34}
$$

式中 u_i 在 $i=1,2,3$ 时分别为 $\boldsymbol{u}$ 的分量 u,v,w. 在边界上有

$$
\begin{cases}
\boldsymbol{u}=\boldsymbol{u}^{0} \\
\boldsymbol{\Phi}\times\boldsymbol{n}=\mathbf{R}_1 \qquad (\text{在 } \partial_{u}\mathscr{D} \text{ 上}) \\
\boldsymbol{\Phi}\times\nabla=\mathbf{R}_2
\end{cases}
\tag{4.35}
$$

$$
\begin{cases}
\boldsymbol{n}\cdot\mathbf{T}=\boldsymbol{p}^{0} \\
\widetilde{\mathbf{E}}\times\nabla=\mathbf{P}_1 \qquad (\text{在 } \partial_{v}\mathscr{D} \text{ 上}) \\
\widetilde{\mathbf{E}}\times\boldsymbol{n}=\mathbf{P}_2
\end{cases}
\tag{4.36}
$$

附带说明,在变分后进行分部积分时,我们用到了下述等式:

$$
\begin{aligned}
\int_{\mathscr{D}}(\nabla\times\widetilde{\mathbf{E}}\times\nabla):\boldsymbol{\Phi}^{0}\mathrm{d}\Omega &= \int_{\partial\mathscr{D}}(\widetilde{\mathbf{E}}\times\nabla):(\boldsymbol{\Phi}^{0}\times\boldsymbol{n})\mathrm{d}S \\
&\quad -\int_{\partial\mathscr{D}}(\boldsymbol{\Phi}^{0}\times\nabla):(\widetilde{\mathbf{E}}\times\boldsymbol{n})\mathrm{d}S+\int_{\mathscr{D}}(\nabla\times\boldsymbol{\Phi}^{0}\times\nabla):\widetilde{\mathbf{E}}\mathrm{d}\Omega
\end{aligned}
\tag{4.37}
$$

由上面讨论可知,(4.33)取驻值与(4.34),(4.35)和(4.36)是等价的,从而包含了弹性力学最重要的各种方程和边条件.

4.5 变分问题近似解法的进一步讨论

前面在§3中讨论了基于最小势能原理的近似方法.实际上,基于不同的变分原理可以同样地运用类似于 Ritz 法的近似方法.

只不过在最小余能原理中，我们的坐标函数应当取 $\mathbf{T}_i$，它们要满足平衡方程和应力边条件（相应地，应力边条件应当假设为齐次的，即在 $\partial_t\mathscr{D}$ 上给定 $\boldsymbol{n}\cdot\mathbf{T}=\mathbf{0}$）. 这时以下述式子近似地表出应力张量

$$\mathbf{T}=\sum_i Q_i\mathbf{T}_i \tag{4.38}$$

把它代入 § 4.3 中 Π^c 的表达式中，并对广义力 Q_i 求极小就可以得到一组线性代数方程.

若将(4.38)和(3.1)代入(4.18)，只不过令 q_i 与 Q_i 可以任意变化，再利用 $\delta\Pi_1=0$ 的条件，也可以得到一组线性代数方程组，从而可求得近似解.

同样地，对于(4.21)，也可进行类似的讨论.

上述各种近似方法中不论哪一种，都依于坐标函数的选取，选得愈接近真实情况，则求解的计算工作量愈少. 这就是说，变分法具有明显的优点，它可以把人们对于问题解的预先的了解结合进去，从而减少计算工作量. 而且得到的是一个近似表达式. 我们知道，表达式比起数字结果多少有些优点，它给人们提供了解的全局性的概念. 这些优点正是多年来它被工程实践广泛采用的道理.

§ 5 有限单元法简介

5.1 从古典变分法到有限单元法

前面讲的基于变分原理的各种近似计算方法，现在称为古典变分法. 在上一节，我们介绍了它的优点. 随着电子计算机的出现，事情就产生了变化，古典变分法多少表现得有些不方便了. 第一，古典变分法近似的好坏依赖于基函数的选取. 为了达到较好的效果，最好不同问题采用不同的基函数. 但这一点便要导致极大的不方便，即针对不同基函数要编不同的程序，大大增加了程序工作量. 第二，在有些问题中，由于区域的过分复杂使得人工选取基函

数计算量太大.这就需要将古典变分法加以改造.于是从 50 年代起,随着电子计算机的发展,有限单元法也便蓬勃发展了起来.

有限单元法究竟是怎样解决问题的呢?简单讲它也是一种变分法,但它与古典变分法又稍许有点不同.这不同点就在于:

(1) 在有限单元法中,基函数不像古典变分法在整个区域上给定.它是把区域 $\mathscr{D}$ 剖分为有限个子区域(例如在平面问题中把它剖分为三角形),而在每一个子区域上采用统一的基函数表达式.

(2) 古典变分法中要达到较好的近似,是依靠基函数选得好和个数取得多($n\to\infty$).而在有限单元法中只依赖于剖分的细密,即在每个子域的直径趋于零(当然,对子域的形状也有一定要求,不能过分狭长),则近似程度愈来愈好.

由于有限单元法的这些特点,它比较地适用于在电子计算机上进行计算.所以才得到广泛的应用.

5.2 最简单的平面问题有限单元

为了更具体地说明有限单元法解决问题的途径,我们以平面应变问题为例叙述它的计算方法.

在平面应变问题中位移矢量 $\boldsymbol{u}$ 是二维矢量.我们首先把区域 $\mathscr{D}$ 剖分为小三角形(如图 9.3).并且把各节点编号,不妨设有 n 个点.令在直角坐标系中 $\boldsymbol{u}$ 分解为:

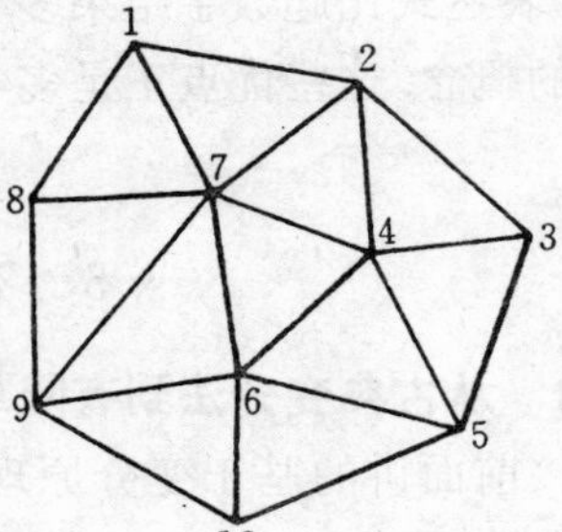

图 9.3

$$\boldsymbol{u}=(u,v)$$

各节点的坐标为(x_i,y_i).

取函数 $\varphi_i(x,y)$是这样的:

$$\varphi_i(x_i,y_i)=1,\quad \varphi_i(x_j,y_j)=0\quad (当\ j\neq i)$$

这两个表达式综合给出了 $\varphi_i(x,y)$ 在每一个剖分节点的值.进而在任一三角形内部可利用 φ_i 在三个顶点的函数值的线性插值得到. 显然,如果三角形和 i 点没有公共点(即 i 点不是它的一个顶点)时,$\varphi_i(x,y)=0$;而对于 i 点属于三角形一个顶点时,$\triangle ijk$ 内部有

$$\varphi_i(x,y)=\frac{1}{\triangle}\begin{vmatrix}1 & x & y\\ 1 & x_j & y_j\\ 1 & x_k & y_k\end{vmatrix} \tag{5.1}$$

这里

$$\triangle=\begin{vmatrix}1 & x_i & y_i\\ 1 & x_j & y_j\\ 1 & x_k & y_k\end{vmatrix}$$

显然,对于任一点 i,在全域 $\mathscr{D}$ 上定义了一个二元函数 $\varphi_i(x,y)$. 我们把 $\boldsymbol{u}$ 表为

$$\boldsymbol{u}=\sum_{i=1}^{n}\boldsymbol{u}_i\,\varphi_i(x,y)=\sum_{i=1}^{n}\left(u_i\begin{Bmatrix}\varphi_i\\0\end{Bmatrix}+v_i\begin{Bmatrix}0\\\varphi_i\end{Bmatrix}\right) \tag{5.2}$$

其中 $\boldsymbol{u}_i=(u_i,v_i)$. 如果把矢量 $\begin{Bmatrix}\varphi_i\\0\end{Bmatrix}$ 与 $\begin{Bmatrix}0\\\varphi_i\end{Bmatrix}$ 分别了解为不同的基函数矢量 $\boldsymbol{\varphi}_{2i-1},\boldsymbol{\varphi}_{2i}$, 把 u_i 与 v_i 了解为广义位移 q_{2i-1} 与 q_{2i}, 并且统一从 $i=1,2,\cdots,2n$ 编号,则(5.2)可记为

$$\boldsymbol{u}=\sum_{i=1}^{2n}q_i\,\boldsymbol{\varphi}_i$$

整个问题简化为一个含有 $2n$ 个未知广义位移的问题. 把它代入(3.7)并求解(3.6),就可得到问题的近似解.

应当指出,在上述基函数之下还有一个明显的优点. 这就是(3.6)的矩阵 $\mathbf{K}$ 是稀疏矩阵, 即有许多元素是零的矩阵. 由于 $\boldsymbol{\varphi}_i$ 的定义, 如果在图 9.3 的剖分中,第 i 点与第 j 点之间没有连线(例如 $i=2,j=6$ 便是这样),则代入(3.7)中显然有 $K_{ij}=0$. 这就是说,有大量刚度系数为零,这对用电子计算机求解问题带来很大方便. 利用这种性质不仅可节约机器内存,也可以加快计算速度.

上面介绍的只是最简单情形的单元.随着有限单元的发展，人们逐渐构造出不同的较复杂的单元，除三角形外，还有矩形、曲边四边形；对应函数选取上，有二、三、四、五各次插值以及等参单元等.

此外，人们逐渐把有限元法推广应用到各种复杂的结构力学问题，以及其他力学问题中，例如应用于板、壳、非线性变形问题、流体力学，以及断裂力学等方面.

相应于有限单元应用的推广，在程序工作上配合软件工程的出现，出现了愈来愈大规模的有限单元的通用程序，其工作量需要数十乃至数百人·年才能编制成功.从而又极大地推动了它的发展.

最后，由于有限单元法的发展，相应的理论工作也逐渐完善并且产生了与之有关的大量新课题.早在60年代初期，简单有限单元法的收敛性得到了证明.随后，由于有限单元法的各种推广，例如混合单元、杂交单元等，人们又逐渐来讨论它的收敛性.此外，样条函数单元、无限单元，以及半分析解单元等新的改进不断提出，相应于线代数方程求解的要求，人们大量研究稀疏矩阵求解；相应于单元讯息加工，人们大量研究单元的自动剖分和数据错误的自动检查.所有这些都不断地推进了有限单元法的发展.

§6　弹性体位移场的性质

6.1　预备说明

在§1中我们讨论了弹性力学总势能原理.这个原理把弹性力学用位移表示的方程(1.8)的解与总势能 Π 的极值函数等价起来.这就为我们打开了另一条讨论解的性质的途径.即从讨论总势能 Π 与位移 $\boldsymbol{u}$ 的依从关系来引伸出位移场的性质.本章的最后这两节就是顺着这一线索来讨论的.而在这一节，我们首先引进几个对今后讨论起着关键作用的定理.下一节我们将利用这些定理来解决弹性力学解的存在唯一性、Ritz 法解的收敛性，以及有限单元法解的收敛性等重要问题.

为了使讨论叙述得简单明确，引进下述概念和符号：

(1) 记

$$B(\boldsymbol{u},\boldsymbol{u}) = \int_{\mathscr{D}} \boldsymbol{\Gamma}(\boldsymbol{u}) : \mathbf{T}(\boldsymbol{u}) \mathrm{d}V \tag{6.1}$$

则 $\frac{1}{2}B(\boldsymbol{u},\boldsymbol{u})$对应于位移场 $\boldsymbol{u}$ 在 $\mathscr{D}$ 内产生的变形能.

(2) 为了不使所讨论的问题过份复杂化，我们限定 $\mathscr{D}$ 是有界区域. 并且在 $\partial_u\mathscr{D}$ 上给定位移边条件

$$\boldsymbol{u} \equiv \mathbf{0} \quad (\text{在 } \partial_u\mathscr{D} \text{ 上}) \tag{6.2}$$

在这两节的讨论中，假定 $\partial_u\mathscr{D}=\partial\mathscr{D}$. 其实结论对于 $\partial_u\mathscr{D}$ 是 $\partial\mathscr{D}$ 的一部分的情形也是成立的. 又考虑 $\boldsymbol{u}$ 使

$$B(\boldsymbol{u},\boldsymbol{u}) < \infty \tag{6.3}$$

我们把全部定义在 $\mathscr{D}$ 内满足(6.2)与(6.3)的位移场 $\boldsymbol{u}$ 的集合记为 $\mathscr{U}$.

(3) 对于 $\mathscr{D}$ 中的两个位移场 $\boldsymbol{u},\boldsymbol{v}$，定义两种内积如下：

$$(\boldsymbol{u},\boldsymbol{v})_1 = \int_{\mathscr{D}} (\boldsymbol{u}\cdot\boldsymbol{v} + \nabla\boldsymbol{u} : \boldsymbol{v}\nabla) \mathrm{d}V \tag{6.4}$$

$$(\boldsymbol{u},\boldsymbol{v})_0 = \int_{\mathscr{D}} \boldsymbol{u}\cdot\boldsymbol{v} \mathrm{d}V \tag{6.5}$$

按照通常的了解，$\mathscr{U}$ 上定义了内积的空间称为 Hilbert 空间. 我们把定义了(6.4)与(6.5)的 Hilbert 空间分别记为 H_1^0 与 H_0^0.

(4) 由内积(6.4)与(6.5)可以直接得到位移场 $\boldsymbol{u}$ 的相应的模

$$\|\boldsymbol{u}\|_1 = \sqrt{(\boldsymbol{u},\boldsymbol{u})_1}, \qquad \|\boldsymbol{u}\|_0 = \sqrt{(\boldsymbol{u},\boldsymbol{u})_0} \tag{6.6}$$

这种模称为均方根模.

(5) 有了不同模的定义，也就自然有了相应于这个模的收敛性的定义. 令 $\boldsymbol{u}_i(i=1,2,\cdots,n,\cdots)$是 H_1^0(或 H_0^0)中的位移场序列. 我们说它们在 H_1^0(或 H_0^0)中收敛到位移 $\boldsymbol{u}_0$ 是指

$$\|\boldsymbol{u}_n - \boldsymbol{u}_0\|_1 \to 0 \quad (n\to\infty)$$

$$(或者\ \|\boldsymbol{u}_n - \boldsymbol{u}_0\|_0 \to 0 \quad (n \to \infty))$$

(6) 既然在一般情况下有

$$B(\boldsymbol{u},\boldsymbol{u}) > 0 \quad (当\ \boldsymbol{u} \neq 0)$$

于是可以定义模

$$|\boldsymbol{u}| = \sqrt{B(\boldsymbol{u},\boldsymbol{u})}$$

称为 $\boldsymbol{u}$ 的能量模. 相应地也有在能量模意义下, $\boldsymbol{u}_n$ 收敛到 $\boldsymbol{u}_0$ 的定义为

$$|\boldsymbol{u}_n - \boldsymbol{u}_0| \to 0 \quad (n \to \infty)$$

6.2 Korn 不等式

现在我们来证明一个重要定理: Korn 不等式.

定理 1 设 $\boldsymbol{u}$ 在 $\mathscr{D}+\partial\mathscr{D}$ 上连续二阶可微, 且 $u \in \mathscr{U}$, 则存在正常数 m, 使

$$B(\boldsymbol{u},\boldsymbol{u}) > m\int_{\mathscr{D}} \nabla\boldsymbol{u} : \boldsymbol{u}\nabla \mathrm{d}V \tag{6.7}$$

证明 由于

$$\boldsymbol{\Gamma} : \mathbf{T} = \lambda(\varepsilon_{11}+\varepsilon_{22}+\varepsilon_{33})^2 + 2\mu(\varepsilon_{11}^2+\varepsilon_{22}^2+\varepsilon_{33}^2) + \mu(\varepsilon_{12}^2+\varepsilon_{23}^2+\varepsilon_{13}^2)$$

且由于 $\lambda(\varepsilon_{11}+\varepsilon_{22}+\varepsilon_{33})^2 \geqslant 0$, 故有

$$\begin{aligned} \boldsymbol{\Gamma} : \mathbf{T} &> 2\mu(\gamma_{11}^2 + \gamma_{22}^2 + \gamma_{33}^2 + 2\gamma_{12}^2 + 2\gamma_{23}^2 + 2\gamma_{13}^2) \\ &= 2\mu\boldsymbol{\Gamma} : \boldsymbol{\Gamma} \end{aligned} \tag{6.8}$$

另外, 我们还有

$$\begin{aligned} \boldsymbol{\Gamma} : \boldsymbol{\Gamma} &= \frac{1}{4}(\nabla\boldsymbol{u} + \boldsymbol{u}\nabla) : (\nabla\boldsymbol{u} + \boldsymbol{u}\nabla) \\ &= \frac{1}{4}(\nabla\boldsymbol{u} : \nabla\boldsymbol{u} + \boldsymbol{u}\nabla : \boldsymbol{u}\nabla + \nabla\boldsymbol{u} : \boldsymbol{u}\nabla + \boldsymbol{u}\nabla : \nabla\boldsymbol{u}) \end{aligned}$$

由于 $\nabla\boldsymbol{u} : \nabla\boldsymbol{u} = \boldsymbol{u}\nabla : \boldsymbol{u}\nabla$, $\nabla\boldsymbol{u} : \boldsymbol{u}\nabla = \boldsymbol{u}\nabla : \nabla\boldsymbol{u}$. 故有

$$\boldsymbol{\Gamma} : \boldsymbol{\Gamma} = \frac{1}{2}(\nabla\boldsymbol{u} : \nabla\boldsymbol{u} + \nabla\boldsymbol{u} : \boldsymbol{u}\nabla) \tag{6.9}$$

同样地计算可得

$$\boldsymbol{\omega}^2 = \boldsymbol{\omega} \cdot \boldsymbol{\omega} = \frac{1}{8}(\nabla \boldsymbol{u} - \boldsymbol{u}\nabla) : (\nabla \boldsymbol{u} - \boldsymbol{u}\nabla)^{\mathrm{T}}$$

$$= -\frac{1}{4}(\nabla \boldsymbol{u} : \nabla \boldsymbol{u} - \nabla \boldsymbol{u} : \boldsymbol{u}\nabla) \tag{6.10}$$

进而,我们又有

$$\nabla \boldsymbol{u} : \nabla \boldsymbol{u} = \operatorname{div}[(\boldsymbol{u}\nabla) \cdot \boldsymbol{u} - (\operatorname{div}\boldsymbol{u})\boldsymbol{u}] + (\operatorname{div}\boldsymbol{u})^2 \tag{6.11}$$

只要直接通过计算验证下述两个式子

$$\operatorname{div}[(\operatorname{div}\boldsymbol{u})\boldsymbol{u}] = (\nabla \operatorname{div}\boldsymbol{u}) \cdot \boldsymbol{u} + (\operatorname{div}\boldsymbol{u})^2$$

$$\operatorname{div}[(\boldsymbol{u}\nabla) \cdot \boldsymbol{u}] = \nabla \boldsymbol{u} : \nabla \boldsymbol{u} + (\nabla \operatorname{div}\boldsymbol{u}) \cdot \boldsymbol{u}$$

再把两个式子相减,不难验证(6.11).

考虑到在 $\partial\mathscr{D}$ 上 $\boldsymbol{u}=\mathbf{0}$,故有

$$\int_{\mathscr{D}} \operatorname{div}[(\boldsymbol{u}\nabla) \cdot \boldsymbol{u} - (\operatorname{div}\boldsymbol{u})\boldsymbol{u}] \mathrm{d}V$$

$$= \int_{\partial\mathscr{D}} [(\boldsymbol{u}\nabla) \cdot \boldsymbol{u} - (\operatorname{div}\boldsymbol{u})\boldsymbol{u}] \cdot \mathrm{d}\boldsymbol{\pi} = 0$$

故由(6.11)对 $\mathscr{D}$ 上积分可得

$$\int_{\mathscr{D}} \nabla \boldsymbol{u} : \nabla \boldsymbol{u} \mathrm{d}V = \int_{\mathscr{D}} (\operatorname{div}\boldsymbol{u})^2 \mathrm{d}V \tag{6.12}$$

由(6.9)减去(6.10)的二倍,并在 $\mathscr{D}$ 上积分,引用(6.12)的结果得

$$\int_{\mathscr{D}} \boldsymbol{\Gamma} : \boldsymbol{\Gamma} \mathrm{d}V - 2\int_{\mathscr{D}} \boldsymbol{\omega}^2 \mathrm{d}V = \int_{\mathscr{D}} (\operatorname{div}\boldsymbol{u})^2 \mathrm{d}V \geqslant 0$$

即

$$\int_{\mathscr{D}} \boldsymbol{\Gamma} : \boldsymbol{\Gamma} \mathrm{d}V \geqslant 2\int_{\mathscr{D}} \boldsymbol{\omega}^2 \mathrm{d}V \tag{6.13}$$

再把(6.9)与(6.10)相加后积分得

$$\int_{\mathscr{D}} \nabla \boldsymbol{u} : \boldsymbol{u}\nabla \mathrm{d}V = \int_{\mathscr{D}} (\boldsymbol{\Gamma} : \boldsymbol{\Gamma} + \boldsymbol{\omega}^2) \mathrm{d}V \leqslant 2\int_{\mathscr{D}} \boldsymbol{\Gamma} : \boldsymbol{\Gamma} \mathrm{d}V$$

引用(6.8)于上式就得到

$$B(\boldsymbol{u},\boldsymbol{u}) > m\int_{\mathscr{D}} \nabla \boldsymbol{u} : \boldsymbol{u}\nabla \mathrm{d}V$$

这里取 $\mu>m>0$,即满足定理所要求的条件. 定理得证.

6.3 椭圆性条件和能量模与方均根模的等价性

弹性力学位移场所满足的方程组是一个椭圆型偏微分方程组. 所谓方程组的椭圆型的定义是指存在正常数 m_1,使

$$B(\boldsymbol{u},\boldsymbol{u}) > m_1 \|\boldsymbol{u}\|_1^2 \tag{6.14}$$

成立. 这个不等式构成了下述定理:

定理 2 设 $\mathscr{D}$ 为空间有界区域,$\boldsymbol{u}\in\mathscr{U}$,则(6.14)成立.

证明 由于 $\mathscr{D}$ 有界,则存在一个平行六面体区域 $\mathscr{D}^0=\{a_i\leqslant x_i\leqslant b_i; i=1,2,3\}$,把 $\mathscr{D}$ 包含于 $\mathscr{D}^0$ 内部. 故对于在 $\partial\mathscr{D}$ 上为零,在 $\mathscr{D}$ 内定义的任意函数 $f(x_1,x_2,x_3)$ 可以开拓到 $\mathscr{D}^0$ 上,只要在 $\mathscr{D}$ 外的点上定义它的函数值为零. 这时,我们有

$$f(x_1,x_2,x_3)=\int_{a_i}^{x_i}\frac{\partial f}{\partial x_i}\mathrm{d}x_i=\int_{a_i}^{x_i}1\cdot\frac{\partial f}{\partial x_i}\mathrm{d}x_i$$

由 Schwarz 不等式①

$$f^2\leqslant\int_{a_i}^{x_i}1\mathrm{d}x_i\int_{a_i}^{x_i}\left(\frac{\partial f}{\partial x_i}\right)^2\mathrm{d}x_i\leqslant(b_i-a_i)\int_{a_i}^{b_i}\left(\frac{\partial f}{\partial x_i}\right)^2\mathrm{d}x_i$$

于是对于上述不等式在 $\mathscr{D}^0$ 上积分得

---

① Schwarz 不等式是

$$\left[\int_a^b f(x)g(x)\mathrm{d}x\right]^2\leqslant\int_a^b f^2\mathrm{d}x\int_a^b g^2\mathrm{d}x$$

证明 令 u 的二次函数

$$\Psi(u)=Au^2+2Bu+C\geqslant 0$$

它的判别式 $\Delta=B^2-AC\leqslant 0$,即 $B^2\leqslant AC$.

令 $\Psi(u)=\int_a^b(uf+g)^2\mathrm{d}x$,显然有 $\Psi(u)\geqslant 0$. 展开得 $A=\int_a^b f^2\mathrm{d}x$,$C=\int_a^b g^2\mathrm{d}x$,$B=\int_a^b fg\mathrm{d}x$. 得证.

如果积分在 $\mathscr{D}$ 上进行,用矢量场 $\boldsymbol{f},\boldsymbol{g}$ 代替函数 f,g,用 $\boldsymbol{f}\cdot\boldsymbol{g}$ 代替 fg,则下述不等式

$$\left(\int_{\mathscr{D}}\boldsymbol{f}\cdot\boldsymbol{g}\mathrm{d}V\right)^2\leqslant\int_{\mathscr{D}}\boldsymbol{f}^2\mathrm{d}V\int_{\mathscr{D}}\boldsymbol{g}^2\mathrm{d}V$$

成立.

$$\int_{\mathscr{D}} f^2 \mathrm{d}V = \int_{\mathscr{D}^0} f^2 \mathrm{d}V = \int_{a_1}^{b_1}\int_{a_2}^{b_2}\int_{a_3}^{b_3} f^2 \mathrm{d}V$$

$$< (b_i - a_i)^2 \int_{a_1}^{b_1}\int_{a_2}^{b_2}\int_{a_3}^{b_3} \left(\frac{\partial f}{\partial x_i}\right)^2 \mathrm{d}x_1 \mathrm{d}x_2 \mathrm{d}x_3$$

$$= (b_i - a_i)^2 \int_{\mathscr{D}} \left(\frac{\partial f}{\partial x_i}\right)^2 \mathrm{d}V \qquad (6.15)$$

由于

$$\nabla \boldsymbol{u} : \boldsymbol{u} \nabla = \sum_{i,j}^{3} \left(\frac{\partial u_j}{\partial x_i}\right)^2$$

对上式在 $\mathscr{D}$ 内积分,并逐项应用(6.15)得

$$\int_{\mathscr{D}} \nabla \boldsymbol{u} : \boldsymbol{u} \nabla \mathrm{d}V = \int_{\mathscr{D}} \sum_{i,j} \left(\frac{\partial u_j}{\partial x_i}\right)^2 \mathrm{d}V > \sum_{i,j} \frac{1}{(b_i - a_i)^2} \int_{\mathscr{D}} u_j^2 \mathrm{d}V$$

$$= c \int_{\mathscr{D}} \boldsymbol{u} \cdot \boldsymbol{u} \mathrm{d}V \qquad (6.16)$$

式中记 $c = \sum_i \frac{1}{(b_i - a_i)^2}$.

由上式可得

$$\int_{\mathscr{D}} \nabla \boldsymbol{u} : \boldsymbol{u} \nabla \mathrm{d}V = \frac{1}{2}\int_{\mathscr{D}} \nabla \boldsymbol{u} : \boldsymbol{u} \nabla \mathrm{d}V + \frac{1}{2}\int_{\mathscr{D}} \nabla \boldsymbol{u} : \boldsymbol{u} \nabla \mathrm{d}V$$

$$> \frac{1}{2}\int_{\mathscr{D}} \nabla \boldsymbol{u} : \boldsymbol{u} \nabla \mathrm{d}V + \frac{1}{2} c \int_{\mathscr{D}} \boldsymbol{u}^2 \mathrm{d}V$$

$$> \frac{m_1}{m}\left[\int_{\mathscr{D}} (\nabla \boldsymbol{u} : \boldsymbol{u} \nabla + \boldsymbol{u} \cdot \boldsymbol{u}) \mathrm{d}V\right] \qquad (6.17)$$

式中取 $\frac{m_1}{m} = \min\left(\frac{1}{2}, \frac{1}{2}c\right)$,其中 m 即(6.7)中的常数.

把(6.7)与(6.17)连用就得到

$$B(\boldsymbol{u}, \boldsymbol{u}) > m_1 \| \boldsymbol{u} \|_1^2$$

而这正好是不等式(6.14).定理证毕.

附带说明,由于显然有 $\| \boldsymbol{u} \|_1 > \| \boldsymbol{u} \|_0$,故由(6.14)可得

$$B(\boldsymbol{u}, \boldsymbol{u}) > m_1 \| \boldsymbol{u} \|_0^2 \qquad (6.18)$$

有时也把这个不等式称为椭圆型条件.

在今后的讨论中，还要用到一个重要概念，这就是两个模等价的概念. 设在 $\mathscr{U}$ 上定义了两个模，不妨例如 $|\boldsymbol{u}|$ 和 $\|\boldsymbol{u}\|_1$，我们说这两个模是等价的，即指成立不等式

$$m_2\|\boldsymbol{u}\|_1^2 > |\boldsymbol{u}|^2 > m_1\|\boldsymbol{u}\|_1^2 \tag{6.19}$$

其中 m_1 与 m_2 是二个正常数. 对于等价的模，如果一个序列按一个模收敛，则可推出按另一模也收敛. 即

$$\|\boldsymbol{u}_n - \boldsymbol{u}_0\|_1 \to 0 \quad (n \to \infty)$$

和

$$|\boldsymbol{u}_n - \boldsymbol{u}_0| \to 0 \quad (n \to \infty)$$

可以互相推出.

实际上，在弹性力学问题中，我们最关心的正是 $\|\boldsymbol{u}\|_1$ 与 $|\boldsymbol{u}|$ 是否等价的问题. 为此引进下述定理：

定理 3 在 $\mathscr{U}$ 上定义的模 $\|\boldsymbol{u}\|_1$ 与 $|\boldsymbol{u}|$ 是等价的，即不等式(6.19)成立.

证明 不等式后一半已包含在不等式(6.14)中了. 剩下只要证明(6.19)的前一半. 这是比较简单的，只要注意不等式

$$(3\lambda + 2\mu)(\boldsymbol{u}\cdot\boldsymbol{u} + \nabla\boldsymbol{u} : \boldsymbol{u}\nabla) \geqslant (3\lambda + 2\mu)(\nabla\boldsymbol{u} : \boldsymbol{u}\nabla \geqslant \boldsymbol{\Gamma} : \mathbf{T}$$

把它在 $\mathscr{D}$ 上积分就知(6.19)是成立的.

6.4 泛函 $B(\boldsymbol{u},\boldsymbol{u})$ 的下凸性

所谓一个泛函 $B(\boldsymbol{u},\boldsymbol{u})$ 是下凸的定义是指，如果在 $\mathscr{U}$ 内给定两个位移 $\boldsymbol{u}_1$，$\boldsymbol{u}_0$，且无论 t 取[0,1]上的任何值，令

$$\boldsymbol{u}_t = t\boldsymbol{u}_1 + (1-t)\boldsymbol{u}_0 \tag{6.20}$$

总有

$$B(\boldsymbol{u}_t,\boldsymbol{u}_t) \leqslant tB(\boldsymbol{u}_1,\boldsymbol{u}_1) + (1-t)B(\boldsymbol{u}_0,\boldsymbol{u}_0) \tag{6.21}$$

则称 $B(\boldsymbol{u},\boldsymbol{u})$ 为定义在 $\mathscr{U}$ 上的下凸的泛函. 我们有

定理 4 由(6.1)定义的 $B(\boldsymbol{u},\boldsymbol{u})$ 在 $\mathscr{U}$ 上是下凸的.

证明 把 $\boldsymbol{u}_t$ 的表达式(6.20)直接代入 $B(\boldsymbol{u},\boldsymbol{u})$ 得

$$B(\boldsymbol{u}_t,\boldsymbol{u}_t)=\int_{\mathscr{D}}[t\boldsymbol{\Gamma}(\boldsymbol{u}_1-\boldsymbol{u}_0)+\boldsymbol{\Gamma}(\boldsymbol{u}_0)]:[t\mathbf{T}(\boldsymbol{u}_1-\boldsymbol{u}_0)+\mathbf{T}(\boldsymbol{u}_0)]\mathrm{d}V$$
$$=t^2B(\boldsymbol{u}_1-\boldsymbol{u}_0,\boldsymbol{u}_1-\boldsymbol{u}_0)+2tB(\boldsymbol{u}_1-\boldsymbol{u}_0,\boldsymbol{u}_0)+B(\boldsymbol{u}_0,\boldsymbol{u}_0) \tag{6.22}$$

将(6.21)右端:

$$tB(\boldsymbol{u}_1,\boldsymbol{u}_1)+(1-t)B(\boldsymbol{u}_0,\boldsymbol{u}_0)$$
$$=t[B(\boldsymbol{u}_1,\boldsymbol{u}_1)-\boldsymbol{B}(\boldsymbol{u}_0,\boldsymbol{u}_0)]+B(\boldsymbol{u}_0,\boldsymbol{u}_0)$$
$$=t[B(\boldsymbol{u}_1-\boldsymbol{u}_0,\boldsymbol{u}_1-\boldsymbol{u}_0)+2B(\boldsymbol{u}_1-\boldsymbol{u}_0,\boldsymbol{u}_0)]+B(\boldsymbol{u}_0,\boldsymbol{u}_0)$$

减去(6.22)得

$$tB(\boldsymbol{u}_1,\boldsymbol{u}_1)+(1-t)B(\boldsymbol{u}_0,\boldsymbol{u}_0)-B(\boldsymbol{u}_t,\boldsymbol{u}_t)$$
$$=(t-t^2)B(\boldsymbol{u}_1-\boldsymbol{u}_0,\boldsymbol{u}_1-\boldsymbol{u}_0)\geqslant 0 \tag{6.23}$$

由于 $t\in[0,1]$,故 $t-t^2=t(1-t)\geqslant 0$. 且 $B(\boldsymbol{u}_1-\boldsymbol{u}_0,\boldsymbol{u}_1-\boldsymbol{u}_0)\geqslant 0$,故不等式(6.23)成立. 从而(6.21)成立. 定理得证.

附带说明,由(6.22)所定义的 t 的二次三项式大于等于零的性质,我们知道它的判别式应当不大于零,即

$$[B(\boldsymbol{u}_1-\boldsymbol{u}_0,\boldsymbol{u}_0)]^2\leqslant B(\boldsymbol{u}_1-\boldsymbol{u}_0,\boldsymbol{u}_1-\boldsymbol{u}_0)B(\boldsymbol{u}_0,\boldsymbol{u}_0)$$

令 $\boldsymbol{u}_1-\boldsymbol{u}_0=\boldsymbol{u}$, $\boldsymbol{u}_0=\boldsymbol{v}$. 则上式可写为

$$[B(\boldsymbol{u},\boldsymbol{v})]^2\leqslant|\boldsymbol{u}|^2|\boldsymbol{v}|^2 \tag{6.24}$$

这个式子是很有用的.

§7 解的存在性及能量方法的收敛性

7.1 弹性力学问题解的存在性

在第八章中,曾经讨论过利用势论来建立的弹性力学边值问题的存在性,现在用另一种方法来讨论存在性问题. 由于我们把弹性力学位移方程的求解等价于定义在 $\mathscr{U}$ 上的泛函

$$\Pi(\boldsymbol{u})=\frac{1}{2}B(\boldsymbol{u},\boldsymbol{u})-(\boldsymbol{u},\boldsymbol{f}) \tag{7.1}$$

的极值问题. 现在就从讨论 Π 的极值位移场 $\boldsymbol{u}$ 的存在问题来回答

弹性力学问题解的存在问题.

定理 1 定义在 $\mathscr{U}$ 上的泛函 $\Pi(\boldsymbol{u})$，在 $\mathscr{U}$ 内存在一个唯一的位移场 $\boldsymbol{u}_0$，使 $\Pi(\boldsymbol{u}_0)$ 取极小值.

证明 对 $\mathscr{D}$ 上体积分的 Schwarz 不等式为

$$(\boldsymbol{u},\boldsymbol{f})=\int_{\mathscr{D}}\boldsymbol{u}\cdot\boldsymbol{f}\mathrm{d}V\leqslant\sqrt{\int_{\mathscr{D}}\boldsymbol{u}\cdot\boldsymbol{u}\mathrm{d}V\int_{\mathscr{D}}\boldsymbol{f}\cdot\boldsymbol{f}\mathrm{d}V}\leqslant\|\boldsymbol{u}\|_1\|\boldsymbol{f}\|_0$$

将上式及(6.19)应用于(7.1)，取 $\gamma^2=m_1/2$，有

$$\begin{aligned}\Pi(\boldsymbol{u})&\geqslant\gamma^2\|\boldsymbol{u}\|_1^2-\|\boldsymbol{u}\|_1\|\boldsymbol{f}\|_0\\&=\left(\gamma\|\boldsymbol{u}\|_1-\frac{1}{2\gamma}\|\boldsymbol{f}\|_0\right)^2-\frac{1}{4\gamma^2}\|\boldsymbol{f}\|_0^2\\&\geqslant-\frac{1}{4\gamma^2}\|\boldsymbol{f}\|_0^2\end{aligned}$$

故在给定 $\boldsymbol{f}$，且 $\boldsymbol{f}$ 平方可积的条件下，$\Pi(\boldsymbol{u})$是一个有下界的实数集合，所以它一定有下确界，不妨记为 d.

由下确界定义，对任意 $1/n$（n 为自然数），总有位移场 $\boldsymbol{u}_n$ 存在使得

$$d\leqslant\Pi(\boldsymbol{u}_n)\leqslant d+\frac{1}{n}$$

由此，对任 $\varepsilon>0$，取 N，使当 $m>N$，$n>N$，且 $\frac{1}{m}<\frac{\varepsilon}{8}$，$\frac{1}{n}<\frac{\varepsilon}{8}$，总有 $\boldsymbol{u}_m$ 与 $\boldsymbol{u}_n$ 满足

$$d\leqslant\Pi(\boldsymbol{u}_m)<d+\frac{\varepsilon}{8},\quad d\leqslant\Pi(\boldsymbol{u}_n)\leqslant d+\frac{\varepsilon}{8}\tag{7.2}$$

我们称满足这一条件的序列$\{\boldsymbol{u}_n\}$为$\Pi(\boldsymbol{u})$的极小化序列.

另外，对 $\boldsymbol{u}_m$ 与 $\boldsymbol{u}_n$ 应用不等式(6.21)，并取定 $t=1/2$，则有

$$\begin{aligned}&\frac{1}{2}B\left(\frac{\boldsymbol{u}_m+\boldsymbol{u}_n}{2},\frac{\boldsymbol{u}_m+\boldsymbol{u}_n}{2}\right)-\left(\frac{\boldsymbol{u}_m+\boldsymbol{u}_n}{2},\boldsymbol{f}\right)\\&\quad=\Pi\left(\frac{\boldsymbol{u}_m+\boldsymbol{u}_n}{2}\right)\leqslant\frac{1}{2}(\Pi(\boldsymbol{u}_m)+\Pi(\boldsymbol{u}_n))\\&\quad=\frac{1}{4}[B(\boldsymbol{u}_m,\boldsymbol{u}_m)+B(\boldsymbol{u}_n,\boldsymbol{u}_n)]-\left(\frac{\boldsymbol{u}_m+\boldsymbol{u}_n}{2},\boldsymbol{f}\right)\end{aligned}$$

把(7.2)应用于上式的右端可得

$$d \leqslant \Pi\left(\frac{\boldsymbol{u}_m + \boldsymbol{u}_n}{2}\right) < d + \frac{\varepsilon}{8} \tag{7.3}$$

但我们有

$$\begin{aligned}
&\Pi(\boldsymbol{u}_m) + \Pi(\boldsymbol{u}_n) - 2\Pi\left(\frac{\boldsymbol{u}_m + \boldsymbol{u}_n}{2}\right) \\
&\quad = \frac{1}{2}B(\boldsymbol{u}_n, \boldsymbol{u}_n) + \frac{1}{2}B(\boldsymbol{u}_m, \boldsymbol{u}_m) - \frac{1}{4}B(\boldsymbol{u}_m + \boldsymbol{u}_n, \boldsymbol{u}_m + \boldsymbol{u}_n) \\
&\quad = \frac{1}{4}B(\boldsymbol{u}_n - \boldsymbol{u}_m, \boldsymbol{u}_n - \boldsymbol{u}_m)
\end{aligned}$$

把(7.2)与(7.3)应用于上式的左端有

$$\begin{aligned}
&\frac{1}{4}B(\boldsymbol{u}_n - \boldsymbol{u}_m, \boldsymbol{u}_n - \boldsymbol{u}_m) \\
&\qquad \leqslant \left|\Pi(\boldsymbol{u}_m) + \Pi(\boldsymbol{u}_n) - 2\Pi\left(\frac{\boldsymbol{u}_m + \boldsymbol{u}_n}{2}\right)\right| < \frac{\varepsilon}{4}
\end{aligned}$$

所以

$$B(\boldsymbol{u}_n - \boldsymbol{u}_m, \boldsymbol{u}_n - \boldsymbol{u}_m) < \varepsilon$$

即是说，序列 $\boldsymbol{u}_n$，当 N 充分大时有

$$|\boldsymbol{u}_n - \boldsymbol{u}_m|^2 < \varepsilon$$

这说明 $\boldsymbol{u}_n$ 是一个以能量模收敛的哥西序列，它只能有唯一的一个极限. 这个极限记为 $\boldsymbol{u}_0$.

再由 §6 定理 3 知，$\boldsymbol{u}_n$ 也是模 $\| \boldsymbol{u}_n \|_1$ 收敛的. 即 $\boldsymbol{u}_n$ 是平均收敛的.

7.2　Ritz 法的收敛性

为了证明 Ritz 法的收敛性，我们引进无穷矢量组的完备性概念.

设在 $\mathscr{U}$ 中给了一个无穷的位移场组 $\{\boldsymbol{\varphi}_i\}$，我们说它在 $\mathscr{U}$ 上是完备的，是指对任意位移场 $\boldsymbol{v} \in \mathscr{U}$ 和任意的 $\varepsilon > 0$，总存在整数 n 和常数组 $a_1, a_2, \cdots, a_n$，使

$$\boldsymbol{v}_n = \sum_{i=1}^{n} a_i \boldsymbol{\varphi}_i$$

且有

$$\| \boldsymbol{v}_n - \boldsymbol{v} \|_1 < \varepsilon \tag{7.4}$$

定理 2 设 $\mathscr{U}$ 中的一个位移场组$\{\boldsymbol{\varphi}_i\}$是完备的，则由 Ritz 法按(3.4)解所得的

$$\boldsymbol{u}_n = \sum_{i=1}^{n} q_i \boldsymbol{\varphi}_i$$

当 $n \to \infty$ 时，有

$$\| \boldsymbol{u}_n - \boldsymbol{u}_0 \|_1 \to 0.$$

证明 由下确界定义，对任给 $\varepsilon > 0$，总存在 $\boldsymbol{v}$，使

$$d \leqslant \Pi(\boldsymbol{v}) < d + \frac{\varepsilon}{2} \tag{7.5}$$

另一方面，由于 $\boldsymbol{u}_0$ 满足第五章中的方程(3.1)，我们有

$$\mathbf{L} \cdot \boldsymbol{u}_0 = - \operatorname{div} \mathbf{T}(\boldsymbol{u}_0) = \boldsymbol{f}$$

将上式与任意 $\boldsymbol{u}$ 点乘，再积分后得

$$\int_{\mathscr{D}} [- \operatorname{div} \mathbf{T}(\boldsymbol{u}_0)] \cdot \boldsymbol{u} \, \mathrm{d}V = \int_{\mathscr{D}} \boldsymbol{f} \cdot \boldsymbol{u} \, \mathrm{d}V$$

由于在 $\partial\mathscr{D}$ 上 $\boldsymbol{u} \equiv \mathbf{0}$，以及 $\mathbf{T}$ 的对称性，故上式的左端等于

$$\int_{\mathscr{D}} \mathbf{T}(\boldsymbol{u}_0) : \boldsymbol{\Gamma}(\boldsymbol{u}) \mathrm{d}V$$

所以，我们有

$$(\boldsymbol{f}, \boldsymbol{u})_0 = B(\boldsymbol{u}_0, \boldsymbol{u}) \tag{7.6}$$

于是有

$$\begin{aligned} \Pi(\boldsymbol{u}) &= \frac{1}{2} B(\boldsymbol{u}, \boldsymbol{u}) - B(\boldsymbol{u}_0, \boldsymbol{u}) \\ &= \frac{1}{2} B(\boldsymbol{u}, \boldsymbol{u}) - B(\boldsymbol{u}_0, \boldsymbol{u}) + \frac{1}{2} B(\boldsymbol{u}_0, \boldsymbol{u}_0) - \frac{1}{2} B(\boldsymbol{u}_0, \boldsymbol{u}_0) \\ &= \frac{1}{2} B(\boldsymbol{u} - \boldsymbol{u}_0, \boldsymbol{u} - \boldsymbol{u}_0) - \frac{1}{2} B(\boldsymbol{u}_0, \boldsymbol{u}_0) \end{aligned} \tag{7.7}$$

由上式可得

$$\Pi(\boldsymbol{v}_n)-\Pi(\boldsymbol{v})$$
$$=\frac{1}{2}[B(\boldsymbol{v}_n-\boldsymbol{u}_0,\boldsymbol{v}_n-\boldsymbol{u}_0)-B(\boldsymbol{v}-\boldsymbol{u}_0,\boldsymbol{v}-\boldsymbol{u}_0)]$$
$$=\frac{1}{2}(|\boldsymbol{v}_n-\boldsymbol{u}_0|+|\boldsymbol{v}-\boldsymbol{u}_0|)(|\boldsymbol{v}_n-\boldsymbol{u}_0|-|\boldsymbol{v}-\boldsymbol{u}_0|)$$
$$\leqslant\frac{1}{2}[|\boldsymbol{v}_n-\boldsymbol{u}_0|+|\boldsymbol{v}-\boldsymbol{u}_0|]|\boldsymbol{v}_n-\boldsymbol{v}| \tag{7.8}$$

上式推演中引用了三角不等式

$$|\boldsymbol{v}_n-\boldsymbol{v}|\geqslant|\boldsymbol{v}_n-\boldsymbol{u}_0|-|\boldsymbol{v}-\boldsymbol{u}_0| \tag{7.9}$$

事实上,应用(6.24)可得

$$|\boldsymbol{a}+\boldsymbol{b}|^2=|\boldsymbol{a}|^2+|\boldsymbol{b}|^2+2B(\boldsymbol{a},\boldsymbol{b})\leqslant(|\boldsymbol{a}|+|\boldsymbol{b}|)^2$$

故有 $|\boldsymbol{a}+\boldsymbol{b}|\leqslant|\boldsymbol{a}|+|\boldsymbol{b}|$. 上式中令

$$\boldsymbol{a}=\boldsymbol{v}_n-\boldsymbol{v},\quad \boldsymbol{b}=\boldsymbol{v}-\boldsymbol{u}_0$$

则 $\boldsymbol{a}+\boldsymbol{b}=\boldsymbol{v}_n-\boldsymbol{u}_0$, 即得(7.9).

既然 $\boldsymbol{\varphi}_i$ 是完备的,对任何 ε/k,可有

$$|\boldsymbol{v}_n-\boldsymbol{v}|<\varepsilon/k \tag{7.10}$$

(由于 $\|\cdot\|_1$ 与 $|\cdot|$ 的等价性,不难证明,由存在 n_1 与 $\boldsymbol{v}_{n_1}$ 使(7.4)成立, 从而可推出存在 n 与 $\boldsymbol{v}_n$ 使(7.10)成立). 这时应用三角不等式有

$$|\boldsymbol{v}_n|<|\boldsymbol{v}|+\varepsilon/k$$
$$|\boldsymbol{v}-\boldsymbol{u}_0|\leqslant|\boldsymbol{v}|+|\boldsymbol{u}_0|$$

把上述两式应用于(7.8)就可得

$$\Pi(\boldsymbol{v}_n)-\Pi(\boldsymbol{v})<\frac{1}{2}\left[2|\boldsymbol{v}|+2|\boldsymbol{u}_0|+\frac{\varepsilon}{k}\right]\frac{\varepsilon}{k}$$

又由于 $|\boldsymbol{v}|$ 与 $|\boldsymbol{u}_0|$ 的有界性,可选 k 使

$$\frac{1}{2k}\left[2|\boldsymbol{v}|+2|\boldsymbol{u}_0|+\frac{\varepsilon}{k}\right]<\frac{1}{2}$$

最后就有

$$\Pi(\boldsymbol{v}_n)-\Pi(\boldsymbol{v})<\varepsilon/2$$

用(7.5)的右端代替上式中的 $\Pi(\boldsymbol{v})$ 就可得

$$d \leqslant \Pi(\boldsymbol{v}_n) < d + \varepsilon$$

这式子说明 $\boldsymbol{v}_n$ 是 $\Pi(\boldsymbol{u})$的极小化序列. 又由于 $\boldsymbol{u}_n$ 是 Ritz 法的解，故有 $\Pi(\boldsymbol{u}_n) \leqslant \Pi(\boldsymbol{v}_n)$，知 $\boldsymbol{u}_n$ 收敛到唯一的解 $\boldsymbol{u}_0$.

7.3 有限单元法的收敛性

在§5 中，我们就平面应变问题为例，简单地介绍了有限元法的基本概念. 现在，我们也以这个简单的有限单元法为例来证明这个方法的收敛性. 不过证明的方法却对于一般的有限单元法的收敛性有普遍意义. 现在就来叙述这个证明本身.

令 $\boldsymbol{u}^I$ 是这样一个位移场，它在如§5 所述单元剖分的节点上的值等于精确解 $\boldsymbol{u}_0$ 的值，而在其余点的值由剖分点的值经过线性插值而得到，即(5.2)所表示的位移场，不过其中的 u_i, v_i 是 $\boldsymbol{u}_0$ 在节点 i 的位移分量而已.

令 $\boldsymbol{u}^N$ 是用有限单元法求得的近似解. 根据与(7.7)、(7.8)同样的推演，可有

$$\Pi(\boldsymbol{u}^I) - \Pi(\boldsymbol{u}^N) = \frac{1}{2}[B(\boldsymbol{u}^I - \boldsymbol{u}_0, \boldsymbol{u}^I - \boldsymbol{u}_0) - B(\boldsymbol{u}^N - \boldsymbol{u}_0, \boldsymbol{u}^N - \boldsymbol{u}_0)] \tag{7.11}$$

由于 $\boldsymbol{u}^N$ 是在形为(5.2)的全部位移类中使 $\Pi(\boldsymbol{u})$取极小的位移场. 所以，总是有

$$d \leqslant \Pi(\boldsymbol{u}^N) \leqslant \Pi(\boldsymbol{u}^I)$$

这样，考虑到(7.11)便可得

$$B(\boldsymbol{u}^N - \boldsymbol{u}_0, \boldsymbol{u}^N - \boldsymbol{u}_0) \leqslant B(\boldsymbol{u}^I - \boldsymbol{u}_0, \boldsymbol{u}^I - \boldsymbol{u}_0)$$

即

$$|\boldsymbol{u}^N - \boldsymbol{u}_0| \leqslant |\boldsymbol{u}^I - \boldsymbol{u}_0| \tag{7.12}$$

这个式子说明在剖分加密时，例如每一单元的最大尺寸 $h \to 0$ 时，只要

$$|\boldsymbol{u}^I - \boldsymbol{u}_0| \to 0$$

就有

$$|\boldsymbol{u}^N - \boldsymbol{u}_0| \to 0$$

这就是说，有限单元法求得的位移场 $\boldsymbol{u}^N$ 向精确解 $\boldsymbol{u}_0$ 的收敛性问题，归结于一个纯粹的 $\boldsymbol{u}_0$ 的插值函数 $\boldsymbol{u}^I$ 是否收敛到 $\boldsymbol{u}_0$ 的问题. 于是有：

定理 3 设在有限单元的一串剖分 $\{N\}$ 下，得到一串精确解 $\boldsymbol{u}_0$ 的插值函数 $\{\boldsymbol{u}_N^I\}$. 如果，当 $N\to\infty$ 时，剖分无限细密，$\boldsymbol{u}_N^I$ 是收敛到 $\boldsymbol{u}_0$ 的，则在这串剖分下得到的有限单元解 $\boldsymbol{u}^N$ 也收敛到 $\boldsymbol{u}_0$.

有了定理 3，我们便把有限单元解的收敛性问题归结为一个纯粹关于插值的数学问题了，而后者是一个解决得比较好的问题.

7.4 插值函数的精确度

既然定理 3 把有限单元解 $\boldsymbol{u}^N$ 是否收敛的问题归结为：当剖分加密后，$\boldsymbol{u}_0$ 的插值函数 $\boldsymbol{u}_N^I$ 是否收敛到 $\boldsymbol{u}_0$ 的问题. 现在我们就来讨论这个新问题.

由于插值函数对每一个单元上具有同一形式，所以可以取一个单元 i,j,k 来讨论，这里 i,j,k 为节点的编号.

令

$$\boldsymbol{v}^N = \boldsymbol{u}_0 - \boldsymbol{u}_N^I \tag{7.13}$$

显然，由于在三个顶点 $\boldsymbol{u}_N^I$ 取 $\boldsymbol{u}_0$ 的值，所以有

$$\boldsymbol{v}_i^N = \boldsymbol{v}_j^N = \boldsymbol{v}_k^N = \boldsymbol{0} \tag{7.14}$$

这里下标 i,j,k 表示所述点的值.

把在 $\boldsymbol{r}$ 点的 $\boldsymbol{v}^N$ 值 $\boldsymbol{v}^N(\boldsymbol{r})$ 在 i 点展开，有

$$\begin{aligned}\boldsymbol{v}^N(\boldsymbol{r}) &= \boldsymbol{v}_i^N + (\boldsymbol{r}-\boldsymbol{r}_i)\cdot(\nabla\boldsymbol{v}^N)_i + \frac{1}{2}(\boldsymbol{r}-\boldsymbol{r}_i)(\boldsymbol{r}-\boldsymbol{r}_i):(\nabla\nabla\boldsymbol{v}^N)_{i^\alpha}\\ &= (\boldsymbol{r}-\boldsymbol{r}_i)\cdot(\nabla\boldsymbol{v}^N)_i + \frac{1}{2}(\boldsymbol{r}-\boldsymbol{r}_i)(\boldsymbol{r}-\boldsymbol{r}_i):(\nabla\nabla\boldsymbol{v}^N)_{i^\alpha}\end{aligned} \tag{7.15}$$

式中下标 i 表示括号中的量在 i 点的值，下标 i^α 表示括号中的量在 $\boldsymbol{r}$ 点与 $\boldsymbol{r}_i$ 点矢径之间的某点 $\boldsymbol{r}^\alpha$ 的值. $(\boldsymbol{r}-\boldsymbol{r}_i)(\boldsymbol{r}-\boldsymbol{r}_i)$是一个并

矢. 事实上(7.15)即是通常矢量函数 $\boldsymbol{v}^N(\boldsymbol{r})$ 在 $\boldsymbol{r}_i$ 附近 Taylor 展式的并矢形式.

设 $\boldsymbol{u}_0$ 在 $\mathscr{D}$ 上具有连续有界的二阶偏微商. 考虑到 $\boldsymbol{u}_N^I$ 的二阶微商在三角形内部为零. 即存在 M 使

$$\left|\frac{1}{2}\nabla\nabla\boldsymbol{v}^N\right|^2 = \left(\frac{1}{2}\nabla\nabla\boldsymbol{v}^N\right):\left(\frac{1}{2}\nabla\nabla\boldsymbol{v}^N\right)^{\mathrm{T}} < M^2 \quad (7.16)$$

又设三角形 i 角为最大夹角. 则三角形最长边必为其对边, 它的长度记为 h. 则显然有

$$\begin{aligned}|(\boldsymbol{r}-\boldsymbol{r}_i)(\boldsymbol{r}-\boldsymbol{r}_i)|^2 &= (\boldsymbol{r}-\boldsymbol{r}_i)(\boldsymbol{r}-\boldsymbol{r}_i):(\boldsymbol{r}-\boldsymbol{r}_i)(\boldsymbol{r}-\boldsymbol{r}_i)^{\mathrm{T}} \\ &= r^2\boldsymbol{r}^0\boldsymbol{r}^0 : r^2\boldsymbol{r}^0\boldsymbol{r}^0 = r^4 < h^4 \end{aligned} \quad (7.17)$$

式中 r 为 $\boldsymbol{r}-\boldsymbol{r}_i$ 的长度, $\boldsymbol{r}^0$ 为这方向上的单位矢量. 于是有

$$\left|\frac{1}{2}(\boldsymbol{r}-\boldsymbol{r}_i)(\boldsymbol{r}-\boldsymbol{r}_i):(\nabla\nabla\boldsymbol{v}^N)_{i^\alpha}\right| < Mh^2 \quad (7.18)$$

把(7.15)的 $\boldsymbol{r}$ 值用 $\boldsymbol{r}_j, \boldsymbol{r}_k$ 代入, 考虑(7.14)的后两个条件可得

$$\begin{cases}(\boldsymbol{r}_j-\boldsymbol{r}_i)\cdot(\nabla\boldsymbol{v}^N)_i + \dfrac{1}{2}(\boldsymbol{r}_j-\boldsymbol{r}_i)(\boldsymbol{r}_j-\boldsymbol{r}_i):(\nabla\nabla\boldsymbol{v}^N)_{i^\beta} = \boldsymbol{0} \\ (\boldsymbol{r}_k-\boldsymbol{r}_i)\cdot(\nabla\boldsymbol{v}^N)_i + \dfrac{1}{2}(\boldsymbol{r}_k-\boldsymbol{r}_i)(\boldsymbol{r}_k-\boldsymbol{r}_i):(\nabla\nabla\boldsymbol{v}^N)_{i^\gamma} = \boldsymbol{0}\end{cases} \quad (7.19)$$

为简单计, 记 $\boldsymbol{r}_j-\boldsymbol{r}_i=\boldsymbol{a}$, $\boldsymbol{r}_k-\boldsymbol{r}_i=\boldsymbol{b}$, 把 $\boldsymbol{r}-\boldsymbol{r}_i$ 在 $\boldsymbol{a}, \boldsymbol{b}$ 上的分解表为

$$\boldsymbol{r}-\boldsymbol{r}_i = \rho_1\boldsymbol{a} + \rho_2\boldsymbol{b} \quad (7.20)$$

考虑 $\boldsymbol{r}-\boldsymbol{r}_i$ 是从 i 点引出的矢径, 矢端总是在三角形 i,j,k 内部, 所以总有

$$0 \leqslant \rho_1 \leqslant 1, \quad 0 \leqslant \rho_2 \leqslant 1 \quad (7.21)$$

把(7.19)的两个式分别乘 ρ_1 与 ρ_2, 然后再相加, 考虑到(7.20)便有

$$(\boldsymbol{r}-\boldsymbol{r}_i)\cdot(\nabla\boldsymbol{v}^N)_i + \frac{1}{2}(\boldsymbol{r}_j-\boldsymbol{r}_i)(\boldsymbol{r}_j-\boldsymbol{r}_i):(\nabla\nabla\boldsymbol{v}^N)_{i^\beta}\rho_1$$

$$+\frac{1}{2}(\boldsymbol{r}_k-\boldsymbol{r}_i)(\boldsymbol{r}_k-\boldsymbol{r}_i):(\nabla\nabla\boldsymbol{v}^N)_{i^\gamma}\rho_2=\boldsymbol{0}$$

考虑到(7.21)和(7.18),从上式推出

$$|(\boldsymbol{r}-\boldsymbol{r}_i)\cdot(\nabla\boldsymbol{v}^N)_i|<2Mh^2 \tag{7.22}$$

把这个式子应用于(7.15)可得

$$|\boldsymbol{v}^N(\boldsymbol{r})|<3Mh^2 \tag{7.23}$$

再记

$$\boldsymbol{a}^1=\frac{\boldsymbol{b}^0\times\boldsymbol{e}_3}{(\boldsymbol{a}^0\times\boldsymbol{b}^0)\cdot\boldsymbol{e}_3},\quad \boldsymbol{b}^1=\frac{\boldsymbol{e}_3\times\boldsymbol{a}^0}{(\boldsymbol{a}^0\times\boldsymbol{b}^0)\cdot\boldsymbol{e}_3} \tag{7.24}$$

这里 $\boldsymbol{a}^0=\boldsymbol{a}/|\boldsymbol{a}|$, $\boldsymbol{b}^0=\boldsymbol{b}/|\boldsymbol{b}|$, $\boldsymbol{e}_3$ 是平面的单位法矢量.显然我们有

$$\begin{aligned}
&(\boldsymbol{a}^0\times\boldsymbol{b}^0)\cdot\boldsymbol{e}_3=\sin\theta_i\\
&\boldsymbol{a}^0\cdot\boldsymbol{a}^1=\boldsymbol{b}^0\cdot\boldsymbol{b}^1=1\\
&\boldsymbol{a}^0\cdot\boldsymbol{b}^1=\boldsymbol{b}^0\cdot\boldsymbol{a}^1=0\\
&\boldsymbol{a}^1\cdot\boldsymbol{a}^1=\boldsymbol{b}^1\cdot\boldsymbol{b}^1=1/\sin^2\theta_i\\
&|\boldsymbol{a}^1\cdot\boldsymbol{b}^1|=|\boldsymbol{a}^0\cdot\boldsymbol{b}^0|/\sin^2\theta_i\leqslant 1/\sin^2\theta_i
\end{aligned} \tag{7.25}$$

这里 θ_i 是 ij,ik 两边的夹角(见 9.4 图).

由于我们有

$$\boldsymbol{v}^N=(\boldsymbol{v}^N)_i+(\boldsymbol{r}-\boldsymbol{r}_i)\cdot(\nabla\boldsymbol{v}^N)_p \tag{7.26}$$

这里 p 为 $\boldsymbol{r}$ 点到 $\boldsymbol{r}_i$ 之间联线上的某点. 若令 $\boldsymbol{v}^N=(\boldsymbol{v}^N)_j$ 代入，即以 $\boldsymbol{r}_j$ 代入(7.26)的左端,则由(7.14)有

$$(\boldsymbol{r}_j-\boldsymbol{r}_i)\cdot(\nabla\boldsymbol{v}^N)_A=\boldsymbol{0}$$

同理有

$$(\boldsymbol{r}_k-\boldsymbol{r}_i)\cdot(\nabla\boldsymbol{v}^N)_B=\boldsymbol{0} \tag{7.27}$$

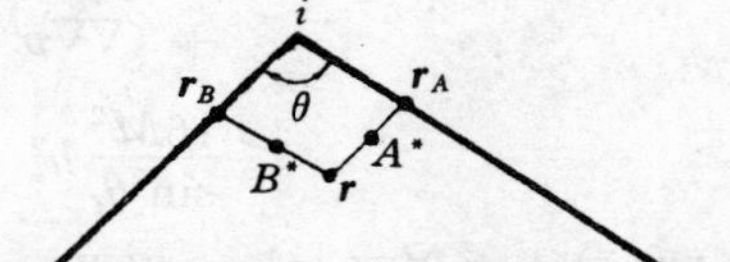

图 9.4

这里记 $\boldsymbol{r}_A,\boldsymbol{r}_B$ 分别为 ij,ik 边上的某点(图 9.4). 由于 $\boldsymbol{r}_j-\boldsymbol{r}_i$ 与 $\boldsymbol{a}^0$ 共向,$\boldsymbol{r}_k-\boldsymbol{r}_i$ 与 $\boldsymbol{b}^0$ 共向，所以

$$\boldsymbol{a}^0\cdot(\nabla\boldsymbol{v}^N)_A=\boldsymbol{b}^0\cdot(\nabla\boldsymbol{v}^N)_B=\boldsymbol{0} \tag{7.28}$$

若令

$$\nabla \boldsymbol{v}^N = \boldsymbol{a}^1 \boldsymbol{p}_a + \boldsymbol{b}^1 \boldsymbol{p}_b \tag{7.29}$$

则知

$$\boldsymbol{p}_a = \boldsymbol{a}^0 \cdot \nabla \boldsymbol{v}^N, \quad \boldsymbol{p}_b = \boldsymbol{b}^0 \cdot \nabla \boldsymbol{v}^N \tag{7.30}$$

(7.30)的第一式中令

$$\nabla \boldsymbol{v}^N = (\nabla \boldsymbol{v}^N)_A + (\boldsymbol{r} - \boldsymbol{r}_A) \cdot (\nabla\nabla \boldsymbol{v}^N)_{A^*}$$

第二式中令

$$\nabla \boldsymbol{v}^N = (\nabla \boldsymbol{v}^N)_B + (\boldsymbol{r} - \boldsymbol{r}_B) \cdot (\nabla\nabla \boldsymbol{v}^N)_{B^*}$$

其中 A^* 和 B^* 分别为 $\boldsymbol{r}$ 点至 $\boldsymbol{r}_A$ 之间联线上的某点和 $\boldsymbol{r}$ 点至 $\boldsymbol{r}_B$ 之间联线上的某点(见图 9.4). 再分别考虑到(7.28),就有

$$\begin{aligned} \boldsymbol{p}_a &= \boldsymbol{a}^0 (\boldsymbol{r} - \boldsymbol{r}_A) : (\nabla\nabla \boldsymbol{v}^N)_{A^*} \\ \boldsymbol{p}_b &= \boldsymbol{b}^0 (\boldsymbol{r} - \boldsymbol{r}_B) : (\nabla\nabla \boldsymbol{v}^N)_{B^*} \end{aligned} \tag{7.31}$$

把这两个式子代入(7.29)便得

$$\nabla \boldsymbol{v}^N = \boldsymbol{a}^1 \boldsymbol{a}^0 (\boldsymbol{r} - \boldsymbol{r}_A) : (\nabla\nabla \boldsymbol{v}^N)_{A^*} + \boldsymbol{b}^1 \boldsymbol{b}^0 (\boldsymbol{r} - \boldsymbol{r}_B) : (\nabla\nabla \boldsymbol{v}^N)_{B^*}$$

由此

$$\begin{aligned} |\nabla \boldsymbol{v}_N|^2 &= \nabla \boldsymbol{v}^N : (\nabla \boldsymbol{v}^N)^{\mathrm{T}} \\ &= [\boldsymbol{a}^1 \boldsymbol{a}^0 (\boldsymbol{r} - \boldsymbol{r}_A) : (\nabla\nabla \boldsymbol{v}^N)_{A^*} \\ &\quad + \boldsymbol{b}^1 \boldsymbol{b}^0 (\boldsymbol{r} - \boldsymbol{r}_B) : (\nabla\nabla \boldsymbol{v}^N)_{B^*}] \\ &\quad : [(\nabla\nabla \boldsymbol{v}^N)^{\mathrm{T}}_{A^*} : (\boldsymbol{r} - \boldsymbol{r}_A) \boldsymbol{a}^0 \boldsymbol{a}^1 \\ &\quad + (\nabla\nabla \boldsymbol{v}^N)^{\mathrm{T}}_{B^*} : (\boldsymbol{r} - \boldsymbol{r}_B) \boldsymbol{b}^0 \boldsymbol{b}^1] \\ &\leqslant \frac{16M^2}{\sin^2\theta_i} h^2 \end{aligned} \tag{7.32}$$

上式推导中考虑了(7.16)以及

$$|\boldsymbol{r} - \boldsymbol{r}_A|^2 \leqslant h^2, \quad (\boldsymbol{r} - \boldsymbol{r}_B)^2 \leqslant h^2$$

(7.32)还可以写为

$$|\nabla \boldsymbol{v}^N| \leqslant \frac{4Mh}{\sin\theta_i} \tag{7.33}$$

把(7.33)与(7.23)平方相加,并在 $\mathscr{D}$ 上进行积分. 考虑到 $\mathscr{D}$ 的有界性,立刻可以得到

$$\| \boldsymbol{v}^N \|_1 < \left(\sqrt{3(Mh)^2 + \frac{16M^2}{\sin^2\theta_i}} \right) V_{\mathscr{D}} h \leqslant \left(3Mh + \frac{2M}{\sin\theta_i} \right) V_{\mathscr{D}} h \tag{7.34}$$

式中 $V_{\mathscr{D}}$ 为 $\mathscr{D}$ 的面积，h 为使括号部分取最大值的单元中的大边长，θ_i 为对应单元中的最大夹角. 如果 $h/\sin\theta_i \to 0$，就有 $\| \boldsymbol{u}_0 - \boldsymbol{u}_N^I \|_1 \to 0$，即插值函数对精确解是平均收敛的.

上述条件 $h/\sin\theta_i \to 0$ 还可以稍加改变. 考虑到

$$h/\sin\theta_i = 2R$$

这里 R 是三角形 ijk 外接圆的半径. 则我们有如下定理：

定理 4 在 $\mathscr{D}$ 有界，且单元剖分满足其外接圆半径 $R \to 0$ 时，永远有

$$\| \boldsymbol{u}_0 - \boldsymbol{u}_N^I \|_1 \to 0$$

且由(7.34)，收敛的阶为 $O(R)$. 由(7.23)知，$\| \boldsymbol{u}_0 - \boldsymbol{u}_N^I \|_0 \to 0$，且收敛阶为 $O(R^2)$.

最后，还要顺便指出，§6 与 §7 中讨论的解，和第五章中弹性位移微分方程的解稍有不同. 后者假定位移二阶可微，而前者在 $\Pi(\boldsymbol{u})$ 的表达式中只要 $\boldsymbol{u}$ 的一阶可微. 前者的解一般称为广义解. 实际上，当广义解二阶可微时，就成为后者的解了. 另外，§6 和 §7 的讨论还多少有点不够严密，全部讨论建立在平方可积位移场上进行的. 而这类函数的严格讨论，有赖于实变函数数据的知识，有些还要涉及泛函分析的知识. 这些问题超出本书的范围，我们就不涉及它了.

习　题

1. 用最小势能原理近似求解薄膜平衡方程

$$T\Delta\varphi + q = 0$$

式中 $T=\text{const}$，为张力，φ 为挠度，q 为法向载荷. 且假定在 $\partial\mathscr{D}$ 上有 $\varphi = 0$，$\mathscr{D}$ 为单位圆.

2. 试推导用最小余能原理近似求解线性弹性问题的代数方程组.

3. 设基函数 $\boldsymbol{\varphi}_i$ 线性无关,即若

$$\sum_{i=1}^{n} b_i \boldsymbol{\varphi}_i = \mathbf{0}$$

则 $b_i=0\ (i=1,2,\cdots,n)$. 试证代数方程组(3.6)的行列式 $\|\mathbf{K}\| \neq 0$.

4. 试证(3.6)中系数矩阵 $\mathbf{K}$ 满足

$$K_{ij} = K_{ji}$$

即为对称矩阵.

5. 令

$$U = \int_{\mathscr{D}} (\mathbf{L}\cdot\boldsymbol{u} - \boldsymbol{f})^2 \mathrm{d}V + \int_{\partial\mathscr{D}} (\mathbf{M}\cdot\boldsymbol{u} - \boldsymbol{g})^2 \mathrm{d}\pi$$

把(3.1)代入上式对 q_i 取极小,得到一组线性代数方程,这样的近似求解法称为最小二乘法. 证明这个方法对于线性弹性系统来说它的收敛性同于 Ritz 法.

6. 设静不定桁架由 n 根杆组成,且设为 $m(<n)$ 次静不定. 令 N_i 为第 i 根杆的内力. 则知这些杆的余应变能为

$$V = \frac{1}{2}\sum_{i=1}^{n} \frac{N_i^2 l_i}{E_i F_i}$$

(l_i, F_i, E_i 分别为第 i 根杆的长度,截面积和杨氏模量).

若系统按节点可列出 s 个平衡方程:

$$Q_i(N_1, N_2, \cdots, N_n) = 0 \quad (i=1,\cdots,s) \tag{1}$$

则引进不定乘子 λ_i,并讨论

$$L = V + \sum_{i=1}^{s} \lambda_i Q_i \tag{2}$$

对 L 求极值共有 $n+s$ 个未知量(n 个 N_i, s 个 λ_i), $n+s$ 个方程((1)有 s 个方程,(2)有 n 个方程).

试证:方程组的解是真实解. 并证 λ_i 是 Q_i 所对应的广义位移.

7. 证明在第五章的§2讨论的平面有限元法中,$\mathbf{K}$ 中非零元素的个数不多于 $28n$ 个(n 为剖分的节点数).

8. 证明平面弹性力学问题的解的存在性.

9. 证明对弹性力学位移场恒存在正常数 m, 使 $\|\boldsymbol{u}\|_1 \leqslant m\|\boldsymbol{f}\|$, 式中 $\boldsymbol{f}$ 为体力场(假设 $\boldsymbol{u}|_{\partial\mathscr{D}} = 0$).

10. 试妨照§4.4中定理1的思路,对弹性力学的各种变分原理给以推广.

第十章　弹性薄板与薄壳

§1　薄壳与薄板. 中面的几何

1.1　薄壳与薄板

设想在空间有一张曲面段 π，通常我们假定 π 的矢径 $\boldsymbol{\rho}(\alpha_1,\alpha_2)$ 具有直到三阶连续的偏微商. 在 π 的每一点定义了一个厚度 h. 在 π 的两侧的法线上，到 π 上点的距离小于 $h/2$ 的点我们就认为是壳上的点，所有这些点就组成以曲面 π 为中面的壳体，h 称为壳厚.

过中面的法线作一平面 S，对中面上的任一点 A，这样的平面 S 可以作很多，不过每一平面 S 都和 π 有一交线 l，曲线 l 称为 S 在 π 上的法截线. 设在中面的每一点，所有法截线的曲率半径的极值为 R_1,R_2，其中一个为极大值，另一个为极小值. 我们设 $|h/R_1|$ 与 $|h/R_2|$ 是很小的，在工程实践中通常设它们小于 1/20. R_1,R_2 称为主曲率半径.

如果 π 是平面，则我们得到的是平板. 对于薄板，要求 $h/a\ll 1$ 即可(通常 $h/a<1/10$)，这里 a 为板的最小跨度.

板与壳由于比较薄，具有节省材料的优点，所以在工程中得到广泛的应用.

我们在第六章和第七章看到，弹性弯曲扭转问题和平面问题，可以利用问题本身变形的几何特点，把它们化为一个数学上的二维问题来求解. 也就是说，将一个本来依于三个自变量 x_1,x_2,x_3 的问题化归为两个自变量的问题，这在实际上节约了大量的计算工作量. 能否将板壳问题也化为二维问题呢？回答是肯定的. 这就是由于它有某一个方向的尺寸 h 比起另外两个尺寸小很多的几何特点，充分利用这一点可以把它化为两个自变量的问题. 事实上，弯扭问题与平面问题所以能做到这一点，也正是因为前者对于柱体的某一个尺寸比另外两个尺寸大很多，后者对于平面应变也是它有某一个尺寸比另外两个尺寸大很多，而对于平面应力则是它有某一个尺寸比另外两个尺寸小很多.

1.2 中面的几何参量

壳体的中面对壳体来说是非常重要的，在研究壳体时，必须对它有比较透彻的了解. 在某种意义上讲，可以说全部薄壳理论也就是中面的受力与变形的理论.

采用第一章§1中引进的正交曲线坐标，利用第一章的(1.1)中 $\boldsymbol{r}(x_1,x_2,x_3)$ 来表示壳块上的点. 令 $x_3=0$ 表示中面 π. 用新的记号 α_1,α_2 代表 x_1,x_2. 这样一来，坐标曲线 α_1,α_2 正好是中面的两族曲率线(可以证明，对小的 h，这种坐标是存在的).

令曲面的矢径

$$\boldsymbol{\rho}(\alpha_1,\alpha_2)=\boldsymbol{r}(\alpha_1,\alpha_2,0) \tag{1.1}$$

由第一章的(2.1)，那么(1.1)式对坐标参量的偏微商为

$$\frac{\partial\boldsymbol{\rho}}{\partial\alpha_i}=A_i\boldsymbol{e}_i=\left.\frac{\partial\boldsymbol{r}}{\partial\alpha_i}\right|_{x_3=0}\quad(i=1,2) \tag{1.2}$$

取 $\boldsymbol{e}_3=\dfrac{\partial\boldsymbol{r}}{\partial x_3}=\boldsymbol{n}$ 是中面的法矢量，由于在一般情况下有

$$\frac{\partial\boldsymbol{\rho}}{\partial s_i}\cdot\boldsymbol{n}=\boldsymbol{e}_i\cdot\boldsymbol{n}=0\quad(i=1,2)$$

把这个式子再微商一次得

$$\frac{\partial\boldsymbol{e}_i}{\partial s_j}\cdot\boldsymbol{n}+\boldsymbol{e}_i\cdot\frac{\partial\boldsymbol{n}}{\partial s_j}=0$$

考虑到法截线的曲率

$$\frac{1}{R_i}=-\frac{\partial\boldsymbol{e}_i}{\partial s_i}\cdot\boldsymbol{n}$$

和正交曲线坐标系中的公式(2.23)就有

$$\frac{\partial \boldsymbol{n}}{\partial \alpha_i} = \frac{A_i}{R_i}\boldsymbol{e}_i \quad (i = 1, 2) \tag{1.3}$$

这里 R_i 是主曲率半径. 上式等价于沿曲线 α_i 有

$$\frac{\partial \boldsymbol{n}}{\partial s_i} = \frac{1}{R_i}\boldsymbol{e}_i$$

这个式子正好是曲率线与主曲率半径的定义. 即：如果法线沿曲面上的一条曲线变化时,其微商只在这条曲线的切线方向上,则这条曲线是曲面的曲率线,其法曲率是主曲率 $1/R_i$.

今取壳块内任一点,由于壳厚 h 很小,可取曲线坐标

$$\boldsymbol{r}(\alpha_1, \alpha_2, x_3) = \boldsymbol{\rho}(\alpha_1, \alpha_2) + z\boldsymbol{n} \tag{1.4}$$

考虑到(1.2)、(1.3),则有

$$\left|\frac{\partial \boldsymbol{r}}{\partial \alpha_i}\right| = H_i = \left(1 + \frac{z}{R_i}\right)A_i \quad (i = 1, 2); \quad H_3 = 1 \tag{1.5}$$

这里 A_i 即(1.2)所定义的称为中面上的度量系数.

在第一章中(4.4)的有关式中,把(1.5)代入,并令 $z=0$,我们可以得到如下两个恒等式

$$\begin{aligned} \frac{\partial}{\partial \alpha_1}\left(\frac{A_2}{R_2}\right) &= \frac{1}{R_1}\frac{\partial A_2}{\partial \alpha_1} \\ \frac{\partial}{\partial \alpha_2}\left(\frac{A_1}{R_1}\right) &= \frac{1}{R_2}\frac{\partial A_1}{\partial \alpha_2} \end{aligned} \tag{1.6}$$

这两个式子称为曲面的柯达齐(Codazzi)方程. 在第一章中(4.5)的有关式中把(1.5)代入,并令 $z=0$,又可以得到一个关系式

$$\frac{\partial}{\partial \alpha_1}\left(\frac{1}{A_1}\frac{\partial A_2}{\partial \alpha_1}\right) + \frac{\partial}{\partial \alpha_2}\left(\frac{1}{A_2}\frac{\partial A_1}{\partial \alpha_2}\right) = -\frac{A_1 A_2}{R_1 R_2} \tag{1.7}$$

这个式子称为曲面的高斯(Gauss)方程.

对于壳块上取定活动标架 $\boldsymbol{e}_1, \boldsymbol{e}_2, \boldsymbol{n}$,用(1.5)代入第一章的(2.20) 与(2.21)中,我们有

$$C_1 = -\frac{A_2}{R_2}\mathrm{d}\alpha_2, \quad C_2 = \frac{A_1}{R_1}\mathrm{d}\alpha_1$$

$$C_3 = \frac{1}{H_1}\frac{\partial H_2}{\partial x_1}\mathrm{d}x_2 - \frac{1}{H_2}\frac{\partial H_1}{\partial x_2}\mathrm{d}x_1$$

$$= \frac{1}{\left(1+\frac{z}{R_1}\right)A_1}\frac{\partial}{\partial\alpha_1}\left[\left(1+\frac{z}{R_2}\right)A_2\right]\mathrm{d}\alpha_2$$

$$-\frac{1}{\left(1+\frac{z}{R_2}\right)A_2}\frac{\partial}{\partial\alpha_2}\left[\left(1+\frac{z}{R_1}\right)A_1\right]\mathrm{d}\alpha_1$$

$$= \frac{1}{\left(1+\frac{z}{R_1}\right)A_1}\frac{\partial A_2}{\partial\alpha_1}\mathrm{d}\alpha_2-\frac{1}{\left(1+\frac{z}{R_2}\right)A_2}\frac{\partial A_1}{\partial\alpha_2}\mathrm{d}\alpha_1$$

$$+\frac{z}{\left(1+\frac{z}{R_1}\right)A_1}\frac{1}{R_1}\frac{\partial A_2}{\partial\alpha_1}\mathrm{d}\alpha_2-\frac{z}{\left(1+\frac{z}{R_2}\right)A_2}\frac{1}{R_2}\frac{\partial A_1}{\partial\alpha_2}\mathrm{d}\alpha_1$$

上面在计算 C_3 表达式时利用了柯达齐方程(1.6).为了得到中面上的矢量微商公式,只要在上式中令 $z=0$ 得

$$\begin{aligned} C_1 &= -\frac{A_2}{R_2}\mathrm{d}\alpha_2, \quad C_2 = \frac{A_1}{R_1}\mathrm{d}\alpha_1 \\ C_3 &= \frac{1}{A_1}\frac{\partial A_2}{\partial\alpha_1}\mathrm{d}\alpha_2-\frac{1}{A_2}\frac{\partial A_1}{\partial\alpha_2}\mathrm{d}\alpha_1 \end{aligned} \tag{1.8}$$

把(1.8)代入第一章中的(2.22),考虑到 $\boldsymbol{e}_3=\boldsymbol{n}$,就得到在中面上标架的微商公式

$$\begin{aligned} \frac{\partial \boldsymbol{e}_1}{\partial\alpha_1} &= -\frac{1}{A_2}\frac{\partial A_1}{\partial\alpha_2}\boldsymbol{e}_2-\frac{A_1}{R_1}\boldsymbol{n} \\ \frac{\partial \boldsymbol{e}_1}{\partial\alpha_2} &= \frac{1}{A_1}\frac{\partial A_2}{\partial\alpha_1}\boldsymbol{e}_2 \\ \frac{\partial \boldsymbol{e}_2}{\partial\alpha_1} &= \frac{1}{A_2}\frac{\partial A_1}{\partial\alpha_2}\boldsymbol{e}_1 \\ \frac{\partial \boldsymbol{e}_2}{\partial\alpha_2} &= -\frac{1}{A_1}\frac{\partial A_2}{\partial\alpha_1}\boldsymbol{e}_1-\frac{A_2}{R_2}\boldsymbol{n} \\ \frac{\partial \boldsymbol{n}}{\partial\alpha_1} &= \frac{A_1}{R_1}\boldsymbol{e}_1 \\ \frac{\partial \boldsymbol{n}}{\partial\alpha_2} &= \frac{A_2}{R_2}\boldsymbol{e}_2 \end{aligned} \tag{1.9}$$

或者统一记为

$$\frac{\partial \boldsymbol{e}_i}{\partial \alpha_i}=-\frac{1}{A_j}\frac{\partial A_i}{\partial \alpha_j}\boldsymbol{e}_j-\frac{A_i}{R_i}\boldsymbol{n}$$

$$\frac{\partial \boldsymbol{e}_i}{\partial \alpha_j}=\frac{1}{A_i}\frac{\partial A_j}{\partial \alpha_i}\boldsymbol{e}_j \qquad (i,j=1,2;i\neq j) \qquad (1.10)$$

$$\frac{\partial \boldsymbol{n}}{\partial \alpha_i}=\frac{A_i}{R_i}\boldsymbol{e}_i$$

§2 薄壳的变形

2.1 薄壳变形的直法线假定

在材料力学中处理梁的问题时曾采用了一个平截面假定.现在对薄壳问题有类似之点,采用了直法线的假定.这个假定说：壳体变形时,原来它的法线上的质点在变形后仍处于法线上,而且这些点之间的距离不变.这个假定也可以简述为：壳体变形时它的法线仍保持为法线,且没有伸长应变.这相当于在我们取定的曲线坐标中有

$$\varepsilon_{13}=\varepsilon_{23}=\varepsilon_{33}=0 \qquad (2.1)$$

直法线假设在简化薄壳问题为二维问题中起着关键作用.

2.2 薄壳中面的位移

薄壳体上任一点的 6 个应变分量,其中有三个按照(2.1)皆是零.另外三个由第二章中的(2.8)与(2.10),有

$$\varepsilon_{11}=\gamma_{11}=\frac{1}{H_1}\frac{\partial u_1}{\partial \alpha_1}+\frac{u_2}{H_1H_2}\frac{\partial H_1}{\partial \alpha_2}+\frac{u_3}{H_1H_3}\frac{\partial H_1}{\partial z}$$

$$\varepsilon_{22}=\gamma_{22}=\frac{1}{H_2}\frac{\partial u_2}{\partial \alpha_2}+\frac{u_1}{H_1H_2}\frac{\partial H_2}{\partial \alpha_1}+\frac{u_3}{H_2H_3}\frac{\partial H_2}{\partial z} \qquad (2.2)$$

$$\gamma_{12}=\frac{1}{2}\varepsilon_{12}=\frac{1}{2}\left[\frac{H_1}{H_2}\frac{\partial}{\partial \alpha_2}\left(\frac{u_1}{H_1}\right)+\frac{H_2}{H_1}\frac{\partial}{\partial \alpha_1}\left(\frac{u_2}{H_2}\right)\right]$$

为了对上式进行简化,注意(2.1)的第三式为

$$\frac{\partial u_3}{\partial z} = 0$$

故 u_3 沿 z 为常数. 不妨取中面上的法向位移为 $w(\alpha_1, \alpha_2)$，就有

$$u_3 = w(\alpha_1, \alpha_2) \tag{2.3}$$

式(2.1)的第一个式子可写为

$$2\gamma_{13} = \frac{H_3}{H_1}\frac{\partial}{\partial \alpha_1}\left(\frac{u_3}{H_3}\right) + \frac{H_1}{H_3}\frac{\partial}{\partial z}\left(\frac{u_1}{H_1}\right) = 0$$

即

$$\frac{\partial}{\partial z}\left[\frac{u_1}{A_1\left(1+\frac{z}{R_1}\right)}\right] + \frac{1}{A_1^2\left(1+\frac{z}{R_1}\right)^2}\frac{\partial w}{\partial \alpha_1} = 0$$

把这个式子积分得

$$\int_0^z \frac{\partial}{\partial z}\left[\frac{u_1}{A_1\left(1+\frac{z}{R_1}\right)}\right]\mathrm{d}z + \frac{1}{A_1^2}\frac{\partial w}{\partial \alpha_1}\int_0^z \frac{\mathrm{d}z}{\left(1+\frac{z}{R_1}\right)^2} = 0$$

令中面上 $u_1 = u(\alpha_1, \alpha_2)$，由于

$$\int_0^z \frac{\mathrm{d}z}{\left(1+\frac{z}{R_1}\right)^2} = \frac{z}{1+\frac{z}{R_1}}$$

故得

$$\frac{u_1}{A_1\left(1+\frac{z}{R_1}\right)} - \frac{u}{A_1} + \frac{z}{A_1^2\left(1+\frac{z}{R_1}\right)}\frac{\partial w}{\partial \alpha_1} = 0$$

即有

$$u_1 = \left(1+\frac{z}{R_1}\right)u - \frac{z}{A_1}\frac{\partial w}{\partial \alpha_1} = u + z\vartheta \tag{2.4(a)}$$

同理，对于 $\gamma_{23} = 0$ 讨论可得

$$u_2 = v + z\psi \tag{2.4(b)}$$

其中 ϑ 与 ψ 分别是

$$\vartheta = -\frac{1}{A_1}\frac{\partial w}{\partial \alpha_1} + \frac{u}{R_1}, \quad \psi = -\frac{1}{A_2}\frac{\partial w}{\partial \alpha_2} + \frac{v}{R_2} \tag{2.5}$$

这里 u, v, w 是中面上点的位移在 $\boldsymbol{e}_1, \boldsymbol{e}_2, \boldsymbol{n}$ 上的分量. ϑ 与 ψ 的几何意义是变形前矢量 $\boldsymbol{e}_1$ 与 $\boldsymbol{e}_2$ 在变形过程中获得的向 $-\boldsymbol{n}$ 方向转动角度.

2.3 薄壳的应变分量

为了得到壳块上各点的应变分量通过中面的位移分量的表达式,把式(1.5)、(2.3)和(2.4)代入(2.2). 在具体计算中要考虑到柯达齐方程.

由(2.2)的第一式,用 $\varepsilon_{11}(z)$ 表示壳块上的相应的量,用不含 z 的符号表征相应于中面上的量,于是有

$$
\begin{aligned}
\varepsilon_{11}(z) = \gamma_{11}(z) &= \frac{1}{A_1\left(1+\dfrac{z}{R_1}\right)} \frac{\partial(u+z\vartheta)}{\partial\alpha_1} \\
&\quad + \frac{v+z\psi}{A_1A_2\left(1+\dfrac{z}{R_1}\right)\left(1+\dfrac{z}{R_2}\right)} \frac{\partial A_1\left(1+\dfrac{z}{R_1}\right)}{\partial\alpha_2} \\
&\quad + \frac{w}{A_1\left(1+\dfrac{z}{R_1}\right)} \frac{\partial A_1\left(1+\dfrac{z}{R_1}\right)}{\partial z} \\
&= \frac{1}{1+\dfrac{z}{R_1}}\Big[\frac{1}{A_1}\frac{\partial u}{\partial\alpha_1} + \frac{v}{A_1A_2}\frac{\partial A_1}{\partial\alpha_2} + \frac{w}{R_1} \\
&\quad + z\left(\frac{1}{A_1}\frac{\partial\vartheta}{\partial\alpha_1} + \frac{\psi}{A_1A_2}\frac{\partial A_1}{\partial\alpha_2}\right)\Big] \qquad (2.6(\mathrm{a}))
\end{aligned}
$$

$$
\begin{aligned}
\varepsilon_{22}(z) &= \gamma_{22}(z) \\
&= \frac{1}{1+\dfrac{z}{R_2}}\Big[\frac{1}{A_2}\frac{\partial v}{\partial\alpha_2} + \frac{u}{A_1A_2}\frac{\partial A_2}{\partial\alpha_1} + \frac{w}{R_2} \\
&\quad + z\left(\frac{1}{A_2}\frac{\partial\psi}{\partial\alpha_2} + \frac{\vartheta}{A_1A_2}\frac{\partial A_2}{\partial\alpha_1}\right)\Big] \qquad (2.6(\mathrm{b}))
\end{aligned}
$$

$$2\gamma_{12}(z)=\frac{1}{1+\frac{z}{R_1}}\left[\frac{1}{A_1}\frac{\partial v}{\partial\alpha_1}-\frac{u}{A_1A_2}\frac{\partial A_1}{\partial\alpha_2}+z\left(\frac{1}{A_1}\frac{\partial\psi}{\partial\alpha_1}-\frac{\vartheta}{A_1A_2}\frac{\partial A_1}{\partial\alpha_2}\right)\right]+\frac{1}{1+\frac{z}{R_2}}\left[\frac{1}{A_2}\frac{\partial u}{\partial\alpha_2}-\frac{v}{A_1A_2}\frac{\partial A_2}{\partial\alpha_1}+z\left(\frac{1}{A_2}\frac{\partial\vartheta}{\partial\alpha_2}-\frac{\psi}{A_1A_2}\frac{\partial A_2}{\partial\alpha_1}\right)\right] \tag{2.6(c)}$$

如果上述各式中令

$$\begin{aligned}
\gamma_{11}&=\varepsilon_{11}=\frac{1}{A_1}\frac{\partial u}{\partial\alpha_1}+\frac{v}{A_1A_2}\frac{\partial A_1}{\partial\alpha_2}+\frac{w}{R_1}\\
\gamma_{22}&=\varepsilon_{22}=\frac{1}{A_2}\frac{\partial v}{\partial\alpha_2}+\frac{u}{A_1A_2}\frac{\partial A_2}{\partial\alpha_1}+\frac{w}{R_2}\\
\gamma_{12}&=\frac{1}{A_1}\frac{\partial v}{\partial\alpha_1}-\frac{u}{A_1A_2}\frac{\partial A_1}{\partial\alpha_2}\\
\gamma_{21}&=\frac{1}{A_2}\frac{\partial u}{\partial\alpha_2}-\frac{v}{A_1A_2}\frac{\partial A_2}{\partial\alpha_1}
\end{aligned} \tag{2.7}$$

并且令

$$\left.\begin{aligned}
\kappa_{11}&=\frac{1}{A_1}\frac{\partial\vartheta}{\partial\alpha_1}+\frac{\psi}{A_1A_2}\frac{\partial A_1}{\partial\alpha_2}\\
&=-\frac{1}{A_1}\frac{\partial}{\partial\alpha_1}\left(\frac{1}{A_1}\frac{\partial w}{\partial\alpha_1}-\frac{u}{R_1}\right)\\
&\quad-\frac{1}{A_1A_2}\frac{\partial A_1}{\partial\alpha_2}\left(\frac{1}{A_2}\frac{\partial w}{\partial\alpha_2}-\frac{v}{R_2}\right)\\
\kappa_{22}&=\frac{1}{A_2}\frac{\partial\psi}{\partial\alpha_2}+\frac{\vartheta}{A_1A_2}\frac{\partial A_2}{\partial\alpha_1}\\
&=-\frac{1}{A_2}\frac{\partial}{\partial\alpha_2}\left(\frac{1}{A_2}\frac{\partial w}{\partial\alpha_2}-\frac{v}{R_2}\right)\\
&\quad-\frac{1}{A_1A_2}\frac{\partial A_2}{\partial\alpha_1}\left(\frac{1}{A_1}\frac{\partial w}{\partial\alpha_1}-\frac{u}{R_1}\right)\\
\kappa_{12}&=\frac{1}{A_1}\frac{\partial\psi}{\partial\alpha_1}-\frac{\vartheta}{A_1A_2}\frac{\partial A_1}{\partial\alpha_2}
\end{aligned}\right\} \tag{2.8}$$

$$
\begin{aligned}
&= -\frac{1}{A_1}\frac{\partial}{\partial \alpha_1}\left(\frac{1}{A_2}\frac{\partial w}{\partial \alpha_2}-\frac{v}{R_2}\right)\\
&\quad +\frac{1}{A_1A_2}\frac{\partial A_1}{\partial \alpha_2}\left(\frac{1}{A_1}\frac{\partial w}{\partial \alpha_1}-\frac{u}{R_1}\right)\\
\kappa_{21} &= \frac{1}{A_2}\frac{\partial \vartheta}{\partial \alpha_2}-\frac{\psi}{A_1A_2}\frac{\partial A_2}{\partial \alpha_1}\\
&= -\frac{1}{A_2}\frac{\partial}{\partial \alpha_2}\left(\frac{1}{A_1}\frac{\partial w}{\partial \alpha_1}-\frac{u}{R_1}\right)\\
&\quad +\frac{1}{A_1A_2}\frac{\partial A_2}{\partial \alpha_1}\left(\frac{1}{A_2}\frac{\partial w}{\partial \alpha_2}-\frac{v}{R_2}\right)
\end{aligned}
$$

则(2.6)可以统一写为

$$
\gamma_{ij}(z)=\frac{1}{2}\left[\frac{1}{1+\frac{z}{R_i}}(\gamma_{ij}+z\kappa_{ij})+\frac{1}{1+\frac{z}{R_j}}(\gamma_{ji}+z\kappa_{ji})\right] \tag{2.9}
$$

我们还可以直接验证(2.7)与(2.8)各式之间有如下的关系：

$$
\kappa_{12}+\frac{\gamma_{21}}{R_1}=\kappa_{21}+\frac{\gamma_{12}}{R_2} \tag{2.10}
$$

如果引进符号：

$$
\begin{aligned}
\varepsilon_{12} &= \varepsilon_{21}=\gamma_{12}+\gamma_{21}=\frac{A_1}{A_2}\frac{\partial}{\partial \alpha_2}\left(\frac{u}{A_1}\right)+\frac{A_2}{A_1}\frac{\partial}{\partial \alpha_1}\left(\frac{v}{A_2}\right)\\
\tau &= \kappa_{12}+\frac{\gamma_{21}}{R_1}=\kappa_{21}+\frac{\gamma_{12}}{R_2}\\
&= -\frac{1}{A_1A_2}\left(\frac{\partial^2 w}{\partial \alpha_1 \partial \alpha_2}-\frac{1}{A_1}\frac{\partial A_1}{\partial \alpha_2}\frac{\partial w}{\partial \alpha_1}-\frac{1}{A_2}\frac{\partial A_2}{\partial \alpha_1}\frac{\partial w}{\partial \alpha_2}\right) \qquad (2.11)\\
&\quad +\frac{1}{R_1}\left(\frac{1}{A_2}\frac{\partial u}{\partial \alpha_2}-\frac{u}{A_1A_2}\frac{\partial A_1}{\partial \alpha_2}\right)\\
&\quad +\frac{1}{R_2}\left(\frac{1}{A_1}\frac{\partial v}{\partial \alpha_1}-\frac{v}{A_1A_2}\frac{\partial A_2}{\partial \alpha_1}\right)
\end{aligned}
$$

并且在(2.9)中略去 $\frac{z}{R}$ 阶小量，则有下列近似关系式：

$$
\begin{aligned}
\varepsilon_{11}(z) &= \gamma_{11}(z) = \varepsilon_{11} + z\kappa_{11} \\
\varepsilon_{22}(z) &= \gamma_{22}(z) = \varepsilon_{22} + z\kappa_{22} \\
\varepsilon_{12}(z) &= 2\gamma_{12}(z) \\
&= \frac{1}{\left(1+\dfrac{z}{R_1}\right)\left(1+\dfrac{z}{R_2}\right)}\left[\left(1+\frac{z}{R_2}\right)(\gamma_{12}+z\kappa_{12})\right. \\
&\quad \left. + \left(1+\frac{z}{R_1}\right)(\gamma_{21}+z\kappa_{21})\right] \\
&= \left[(\gamma_{12}+z\kappa_{12}) + (\gamma_{21}+z\kappa_{21}) + \frac{z}{R_2}\gamma_{12} + \frac{z}{R_1}\gamma_{21}\right] \\
&= \varepsilon_{12} + 2z\tau
\end{aligned} \tag{2.12}
$$

在这里 $\varepsilon_{ij},\kappa_{11},\kappa_{22},\tau$ 是表征中面的 6 个分量,前三个完全表征了中面的拉伸与剪切变形,后三个表征了中曲面的弯曲变形.

2.4 壳块上的位移场和位移场的微分

今后,把中面的位移记为

$$
\boldsymbol{u} = u\boldsymbol{e}_1 + v\boldsymbol{e}_2 + w\boldsymbol{n}
$$

而把壳块内任一点的位移记为 $\boldsymbol{u}(z)$,由(2.3)与(2.4)知

$$
\boldsymbol{u}(z) = \boldsymbol{u} + z\boldsymbol{u}^1 \tag{2.13}
$$

这里记

$$
\boldsymbol{u}^1 = \vartheta\boldsymbol{e}_1 + \psi\boldsymbol{e}_2 \tag{2.14}
$$

由于在壳块上有直法线假定(2.1),所以我们不妨把壳块上任意一点的应变张量记为一个二维张量 $\boldsymbol{\Gamma}(z)$,它的分量是$\gamma_{11}(z)$, $\gamma_{12}(z)$, $\gamma_{22}(z)$. 引用第二章中的公式(1.12)

$$
\mathrm{d}[\boldsymbol{u}(z)] = \mathrm{d}\boldsymbol{r}\cdot\boldsymbol{\Gamma}(z) + \boldsymbol{\omega}(z)\times\mathrm{d}\boldsymbol{r} \tag{2.15}
$$

式中$\boldsymbol{\omega}(z)$仍然是一个三维矢量,而

$$
\mathrm{d}\boldsymbol{r} = H_1\mathrm{d}\alpha_1\boldsymbol{e}_1 + H_2\,\mathrm{d}\alpha_2\,\boldsymbol{e}_2 + \mathrm{d}z\boldsymbol{n}
$$

把式(1.5)、(2.3)和(2.4)代入第二章式(1.13)中 $\boldsymbol{\omega}$ 的表达式,可知

$$\omega_1(z) = -\psi$$

$$\omega_2(z) = \vartheta$$

$$\omega_3(z) = \frac{1}{2}\left[\frac{1}{1+\frac{z}{R_1}}(\gamma_{12} + z\kappa_{12}) - \frac{1}{1+\frac{z}{R_2}}(\gamma_{21} + z\kappa_{21})\right] \tag{2.16}$$

(2.15)中的 $\boldsymbol{\Gamma}(z)$ 由(2.12)可近似地表为

$$\boldsymbol{\Gamma}(z) = \boldsymbol{\Gamma} + z\mathbf{K} \tag{2.17}$$

式中 $\boldsymbol{\Gamma}$ 与 $\mathbf{K}$ 都是二阶张量,分别为

$$\boldsymbol{\Gamma} = \varepsilon_{11}\boldsymbol{e}_1\boldsymbol{e}_1 + \frac{1}{2}\varepsilon_{12}\boldsymbol{e}_1\boldsymbol{e}_2 + \frac{1}{2}\varepsilon_{21}\boldsymbol{e}_2\boldsymbol{e}_1 + \varepsilon_{22}\boldsymbol{e}_2\boldsymbol{e}_2$$

$$\mathbf{K} = \kappa_{11}\boldsymbol{e}_1\boldsymbol{e}_1 + \tau\boldsymbol{e}_1\boldsymbol{e}_2 + \tau\boldsymbol{e}_2\boldsymbol{e}_1 + \kappa_{22}\boldsymbol{e}_2\boldsymbol{e}_2$$

如前所述,在薄壳理论中 $\boldsymbol{\Gamma}$ 与 $\mathbf{K}$ 表征了壳块上任一点的应变状态.

2.5 中面的位移场及其微分

中曲面的位移场为

$$\boldsymbol{u} = u\boldsymbol{e}_1 + v\boldsymbol{e}_2 + w\boldsymbol{n} \tag{2.18}$$

它的微分

$$\mathrm{d}\boldsymbol{u} = \frac{\partial \boldsymbol{u}}{\partial s_1}\mathrm{d}s_1 + \frac{\partial \boldsymbol{u}}{\partial s_2}\mathrm{d}s_2$$

这里 $\mathrm{d}s_i = A_i\mathrm{d}\alpha_i\ (i = 1,2)$ 是中面沿坐标曲线的弧元. 同第二章§2的讨论,不过是对中曲面上进行的,我们有

$$\begin{aligned}\boldsymbol{u}_1 &= \frac{\partial \boldsymbol{u}}{\partial s_1} = \varepsilon_{11}\boldsymbol{e}_1 + \gamma_{12}\boldsymbol{e}_2 - \vartheta\boldsymbol{n} \\ &= \varepsilon_{11}\boldsymbol{e}_1 + \frac{1}{2}\varepsilon_{12}\boldsymbol{e}_2 + \frac{1}{2}(\gamma_{12} - \gamma_{21})\boldsymbol{e}_2 - \vartheta\boldsymbol{n} \\ \boldsymbol{u}_2 &= \frac{\partial \boldsymbol{u}}{\partial s_2} = \gamma_{21}\boldsymbol{e}_1 + \varepsilon_{22}\boldsymbol{e}_2 - \psi\boldsymbol{n} \\ &= \frac{1}{2}\varepsilon_{21}\boldsymbol{e}_1 + \varepsilon_{22}\boldsymbol{e}_2 - \frac{1}{2}(\gamma_{12} - \gamma_{21})\boldsymbol{e}_1 - \psi\boldsymbol{n}\end{aligned} \tag{2.19}$$

显然,其中

$$
\begin{aligned}
&\varepsilon_{11}=\boldsymbol{u}_1\cdot\boldsymbol{e}_1, \quad \varepsilon_{22}=\boldsymbol{u}_2\cdot\boldsymbol{e}_2\\
&\gamma_{12}=\boldsymbol{u}_1\cdot\boldsymbol{e}_2, \quad \gamma_{21}=\boldsymbol{u}_2\cdot\boldsymbol{e}_1\\
&\vartheta=-\boldsymbol{n}\cdot\boldsymbol{u}_1, \quad \psi=-\boldsymbol{n}\cdot\boldsymbol{u}_2
\end{aligned} \tag{2.20}
$$

把 $\boldsymbol{u}$ 进行偏微商并且代入上式，可以验证上述各式中 $\varepsilon_{11},\varepsilon_{22},\gamma_{12},\gamma_{21},\vartheta,\psi$ 与式(2.5)和(2.7)中所定义的量是相同的.

如果引进矢量 $\boldsymbol{\omega}=\boldsymbol{\omega}(0)$，它是(2.16)中令 $z=0$ 得到的旋转矢量，即

$$
\boldsymbol{\omega}=-\psi\boldsymbol{e}_1+\vartheta\boldsymbol{e}_2+\eta\boldsymbol{n} \tag{2.21}
$$

其中 $\eta=\frac{1}{2}(\gamma_{12}-\gamma_{21})$，则我们可以把(2.19)写为

$$
\mathrm{d}\boldsymbol{u}=\mathrm{d}\boldsymbol{r}\cdot\boldsymbol{\Gamma}+\boldsymbol{\omega}\times\mathrm{d}\boldsymbol{r} \tag{2.22}
$$

式中 $\mathrm{d}\boldsymbol{r}=\mathrm{d}s_1\boldsymbol{e}_1+\mathrm{d}s_2\boldsymbol{e}_2$. $\boldsymbol{\Gamma}$ 就是(2.17) 中的二阶张量.

对于 $\boldsymbol{\omega}$ 的微商有

$$
\begin{aligned}
&\boldsymbol{\omega}_1=\frac{\partial\boldsymbol{\omega}}{\partial s_1}=-\tau_{12}\boldsymbol{e}_1+\kappa_{11}\boldsymbol{e}_2+\zeta_1\boldsymbol{n}\\
&\boldsymbol{\omega}_2=\frac{\partial\boldsymbol{\omega}}{\partial s_2}=-\kappa_{22}\boldsymbol{e}_1+\tau_{21}\boldsymbol{e}_2+\zeta_2\boldsymbol{n}
\end{aligned} \tag{2.23}
$$

其中

$$
\begin{aligned}
&\kappa_{11}=\boldsymbol{\omega}_1\cdot\boldsymbol{e}_2, &&\kappa_{22}=-\boldsymbol{\omega}_2\cdot\boldsymbol{e}_1\\
&\tau_{12}=-\boldsymbol{\omega}_1\cdot\boldsymbol{e}_1=\kappa_{12}-\frac{\eta}{R_1}, &&\tau_{21}=\boldsymbol{\omega}_2\cdot\boldsymbol{e}_2=\kappa_{21}+\frac{\eta}{R_2}\\
&\zeta_1=\boldsymbol{n}\cdot\boldsymbol{\omega}_1, &&\zeta_2=\boldsymbol{n}\cdot\boldsymbol{\omega}_2
\end{aligned} \tag{2.24}
$$

上面的式子中考虑到 $\eta=\frac{1}{2}(\gamma_{12}-\gamma_{21})$，$\varepsilon_{12}=(\gamma_{12}+\gamma_{21})$，并且由(2.11) 可得

$$
\tau_{12}=\tau-\frac{\varepsilon_{12}}{2R_1}, \quad \tau_{21}=\tau-\frac{\varepsilon_{12}}{2R_2} \tag{2.25}
$$

现在，把(2.22)积分，并且考虑到

$$
\boldsymbol{\omega}\times\mathrm{d}(\boldsymbol{\rho}-\boldsymbol{r})=\mathrm{d}[\boldsymbol{\omega}\times(\boldsymbol{\rho}-\boldsymbol{r})]-\mathrm{d}\boldsymbol{\omega}\times(\boldsymbol{\rho}-\boldsymbol{r})
$$

经过一次分部积分可以得到

$$
\begin{aligned}
\boldsymbol{u} &= \boldsymbol{u}_0 + \int_{r_0}^{r} (\mathrm{d}\boldsymbol{\rho}\cdot\boldsymbol{\Gamma} + \boldsymbol{\omega}\times\mathrm{d}\boldsymbol{\rho}) \\
&= \boldsymbol{u}_0 + \boldsymbol{\omega}_0\times(\boldsymbol{r}-\boldsymbol{r}_0) + \int_{r_0}^{r} [\mathrm{d}\boldsymbol{\rho}\cdot\boldsymbol{\Gamma} + \mathrm{d}\boldsymbol{\omega}\times(\boldsymbol{r}-\boldsymbol{\rho})] \\
&= \boldsymbol{u}_0 + \boldsymbol{\omega}_0\times(\boldsymbol{r}-\boldsymbol{r}_0) + \int_{r_0}^{r} \boldsymbol{p}(\boldsymbol{\Gamma},\mathbf{K})\mathrm{d}s_1 + \boldsymbol{q}(\boldsymbol{\Gamma},\mathbf{K})\mathrm{d}s_2
\end{aligned}
\tag{2.26}
$$

这是由(2.23)直接算得 $\mathrm{d}\boldsymbol{\omega}=\boldsymbol{\omega}_1\mathrm{d}s_1+\boldsymbol{\omega}_2\mathrm{d}s_2$. 代入上式，不难直接计算得

$$
\begin{aligned}
\boldsymbol{p}(\boldsymbol{\Gamma},\mathbf{K}) &= \varepsilon_{11}\boldsymbol{e}_1 + \frac{1}{2}\varepsilon_{12}\boldsymbol{e}_2 + (\tau_{12}\boldsymbol{e}_1 - \kappa_{11}\boldsymbol{e}_2 - \zeta_1\boldsymbol{n})\times(\boldsymbol{\rho}-\boldsymbol{r}) \\
\boldsymbol{q}(\boldsymbol{\Gamma},\mathbf{K}) &= \frac{1}{2}\varepsilon_{12}\boldsymbol{e}_1 + \varepsilon_{22}\boldsymbol{e}_2 + (\kappa_{22}\boldsymbol{e}_1 - \tau_{21}\boldsymbol{e}_2 - \zeta_2\boldsymbol{n})\times(\boldsymbol{\rho}-\boldsymbol{r})
\end{aligned}
\tag{2.27}
$$

式中 τ_{12},τ_{21} 已为(2.25)所给出. 为了讨论 ζ_1 与 ζ_2 的表达式，考虑

$$
\boldsymbol{u}_1 = \varepsilon_{11}\boldsymbol{e}_1 + \frac{1}{2}\varepsilon_{12}\boldsymbol{e}_2 + \boldsymbol{\omega}\times\boldsymbol{e}_1
$$

$$
\boldsymbol{u}_2 = \frac{1}{2}\varepsilon_{12}\boldsymbol{e}_1 + \varepsilon_{22}\boldsymbol{e}_2 + \boldsymbol{\omega}\times\boldsymbol{e}_2
$$

并利用

$$
\frac{\partial^2\boldsymbol{u}}{\partial\alpha_1\partial\alpha_2} = \frac{\partial A_1\boldsymbol{u}_1}{\partial\alpha_2} = \frac{\partial A_2\boldsymbol{u}_2}{\partial\alpha_1}
$$

计算这个表达式在 $\boldsymbol{e}_1$ 与 $\boldsymbol{e}_2$ 方向的分量便可得

$$
\begin{aligned}
\zeta_1 &= -\frac{1}{A_1A_2}\left(\frac{\partial A_1\varepsilon_{11}}{\partial\alpha_2} - \frac{\partial A_2\varepsilon_{12}}{\partial\alpha_1} - \varepsilon_{22}\frac{\partial A_1}{\partial\alpha_2} + \frac{A_2}{2}\frac{\partial\varepsilon_{12}}{\partial\alpha_1}\right) \\
\zeta_2 &= -\frac{1}{A_1A_2}\left(\frac{\partial A_1\varepsilon_{12}}{\partial\alpha_2} - \frac{\partial A_2\varepsilon_{22}}{\partial\alpha_1} + \varepsilon_{11}\frac{\partial A_2}{\partial\alpha_1} - \frac{A_1}{2}\frac{\partial\varepsilon_{12}}{\partial\alpha_2}\right)
\end{aligned}
$$

以上这两个式子和(2.25)同时代入(2.27)，可以看出 $\boldsymbol{p},\boldsymbol{q}$ 是两个只依于 $\varepsilon_{11},\varepsilon_{22},\varepsilon_{12},\kappa_{11},\kappa_{22}$和 τ 等 6 个中面变形分量的线性表达式，亦即只与 $\boldsymbol{\Gamma}$ 与 $\mathbf{K}$ 两个二阶张量有关. 从这一事实我们也可以得到与第一章 § 4 末尾相似的定理：如果壳体中面的变形张量

$$\boldsymbol{\Gamma} \equiv \mathbf{K} \equiv \mathbf{0}$$

则壳体中面的位移为

$$\boldsymbol{u} = \boldsymbol{u}_0 + \boldsymbol{\omega}_0 \times (\boldsymbol{r} - \boldsymbol{r}_0)$$

亦即中面实现刚体运动.

从(2.26)这个积分表达式与积分路径无关的条件,即

$$\frac{\partial A_1 \boldsymbol{p}}{\partial \alpha_2} = \frac{\partial A_2 \boldsymbol{q}}{\partial \alpha_1}$$

把(2.27)代入并进行具体计算,可以得到6个变形分量之间的三个方程式,称为壳体变形分量的协调方程.这些方程是

$$\begin{cases} \dfrac{\partial A_1 \kappa_{11}}{\partial \alpha_2} - \kappa_{22} \dfrac{\partial A_1}{\partial \alpha_2} - \dfrac{\partial A_2 \tau}{\partial \alpha_1} - \tau \dfrac{\partial A_2}{\partial \alpha_1} + \dfrac{\varepsilon_{12}}{R_1} \dfrac{\partial A_2}{\partial \alpha_1} \\ \qquad - \dfrac{1}{R_2}\left(\dfrac{\partial A_1 \varepsilon_{11}}{\partial \alpha_2} - \dfrac{\partial A_2 \varepsilon_{12}}{\partial \alpha_1} - \varepsilon_{22} \dfrac{\partial A_1}{\partial \alpha_2} \right) = 0 \\ \dfrac{\partial A_2 \kappa_{22}}{\partial \alpha_1} - \kappa_{11} \dfrac{\partial A_2}{\partial \alpha_1} - \dfrac{\partial A_1 \tau}{\partial \alpha_2} - \tau \dfrac{\partial A_1}{\partial \alpha_2} + \dfrac{\varepsilon_{12}}{R_2} \dfrac{\partial A_1}{\partial \alpha_2} \\ \qquad - \dfrac{1}{R_1}\left(\dfrac{\partial A_2 \varepsilon_{22}}{\partial \alpha_1} - \varepsilon_{11} \dfrac{\partial A_2}{\partial \alpha_1} - \dfrac{\partial A_1 \varepsilon_{12}}{\partial \alpha_2} \right) = 0 \\ \dfrac{\kappa_{11}}{R_2} + \dfrac{\kappa_{22}}{R_1} + \dfrac{1}{A_1 A_2} \left\{ \dfrac{\partial}{\partial \alpha_1} \dfrac{1}{A_1} \left[A_2 \dfrac{\partial \varepsilon_{22}}{\partial \alpha_1} + \dfrac{\partial A_2}{\partial \alpha_1} (\varepsilon_{22} \right.\right. \\ \qquad \left. - \varepsilon_{11}) - \dfrac{1}{2} A_1 \dfrac{\partial \varepsilon_{12}}{\partial \alpha_2} - \dfrac{\partial A_1}{\partial \alpha_2} \varepsilon_{12} \right] \\ \qquad + \dfrac{\partial}{\partial \alpha_2} \dfrac{1}{A_2} \left[A_1 \dfrac{\partial \varepsilon_{11}}{\partial \alpha_2} + \dfrac{\partial A_1}{\partial \alpha_2} (\varepsilon_{11} - \varepsilon_{22}) \right. \\ \qquad \left.\left. - \dfrac{1}{2} A_2 \dfrac{\partial \varepsilon_{12}}{\partial \alpha_1} - \dfrac{\partial A_2}{\partial \alpha_1} \varepsilon_{12} \right] \right\} = 0 \end{cases} \tag{2.28}$$

§3 薄壳的平衡方程

3.1 薄壳的内力与变形能

考虑到假设(2.1),我们知道在变形时只有 $\sigma_{11}(z)$,$\sigma_{22}(z)$与$\sigma_{12}(z)$在应变能中出现.即应变能

$$U = \frac{1}{2}\int_{\mathscr{D}} \mathbf{\Gamma}(z) : \mathbf{T}(z) \mathrm{d}V \tag{3.1}$$

这里 $\mathscr{D}$ 是对整个壳块上积分的. 设 G 是中面的曲面段,∂G 是它的边界. $\partial\mathscr{D}$ 是 $\mathscr{D}$ 的边界,它是由壳块的两个边界面 $z=\pm h/2$(h 为壳厚),以及法线沿 ∂G 移动所形成的边界面所组成的.

现在假定 $\sigma_{11}(z)$,$\sigma_{22}(z)$ 与 $\sigma_{12}(z)$ 都沿壳厚线性分布,考虑到应力与应变关系是线性的,既然由(2.12)应变是 z 的线性函数,所以这个假定是自然的. 即有

$$\sigma_{ij}(z) = a_{ij} + z b_{ij} \quad (i,j=1,2) \tag{3.2}$$

这里 a_{ij}, b_{ij} 是与 z 无关的,即只是 α_1,α_2 的函数. 我们定义如下的 8 个内力

$$\begin{aligned} T_{ii} &= \int_{-h/2}^{+h/2} \sigma_{ii}\left(1+\frac{z}{R_j}\right)\mathrm{d}z \\ T_{ij} &= \int_{-h/2}^{+h/2} \sigma_{ij}\left(1+\frac{z}{R_j}\right)\mathrm{d}z \\ M_{ii} &= \int_{-h/2}^{+h/2} \sigma_{ij}(z) z\left(1+\frac{z}{R_j}\right)\mathrm{d}z \\ M_{ij} &= \int_{-h/2}^{+h/2} \sigma_{ij}(z) z\left(1+\frac{z}{R_j}\right)\mathrm{d}z \\ &(i,j=1,2;i\neq j) \end{aligned} \tag{3.3}$$

在沿 α_1,α_2 坐标曲线的法截面上,这些内力的正方向如图 10.1 所

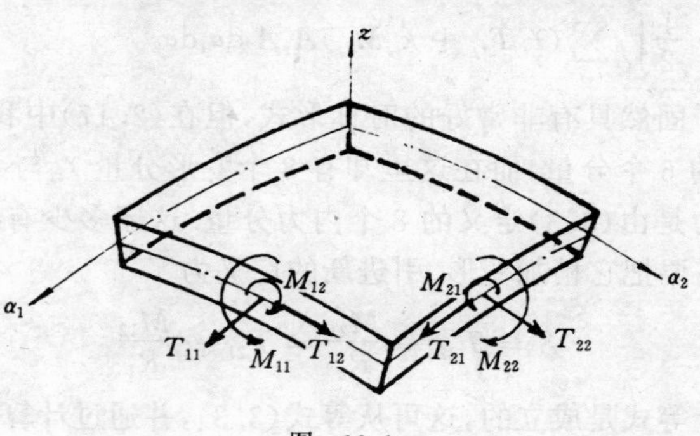

图 10.1

示.

如果在(3.3)中略去 z/R_j 阶小量,我们可以得到如下的 6 个内力的近似式

$$T_{ij}=\int_{-h/2}^{+h/2}\sigma_{ij}(z)\mathrm{d}z \qquad (i,j=1,2) \qquad (3.4)$$
$$M_{ij}=\int_{-h/2}^{+h/2}\sigma_{ij}(z)z\mathrm{d}z$$

由于 $\sigma_{ij}(z)=\sigma_{ji}(z)$,所以由(3.4)表示的近似内力有下面的关系

$$T_{12}=T_{21},\quad M_{12}=M_{21} \qquad (3.5)$$

把(3.2)代入(3.4)就可近似地用 T_{ij} 和 M_{ij} 来表示 a_{ij} 和 b_{ij},从而得到

$$\sigma_{ij}(z)=\frac{1}{h}T_{ij}+\frac{12}{h^3}M_{ij}\,z \qquad (3.6)$$

把(2.9)代入应变能的表达式(3.1)中去,并且考虑到

$$\mathrm{d}V=H_1H_2H_3\,\mathrm{d}\alpha_1\mathrm{d}\alpha_2\mathrm{d}\alpha_3=A_1A_2\left(1+\frac{z}{R_1}\right)\left(1+\frac{z}{R_2}\right)\mathrm{d}\alpha_1\mathrm{d}\alpha_2\mathrm{d}z$$

就可以得到

$$\begin{aligned}U&=\frac{1}{2}\int_G(\gamma_{11}T_{11}+\gamma_{12}T_{12}+\gamma_{21}T_{21}+\gamma_{22}T_{22}\\&\quad+\kappa_{11}M_{11}+\kappa_{12}M_{12}+\kappa_{21}M_{21}+\kappa_{22}M_{22})A_1A_2\mathrm{d}\alpha_1\mathrm{d}\alpha_2\\&=\frac{1}{2}\int_G\sum_{i,j}(\gamma_{ij}T_{ij}+\kappa_{ij}M_{ij})A_1A_2\mathrm{d}\alpha_1\mathrm{d}\alpha_2\end{aligned} \qquad (3.7)$$

这个式子固然具有非常好的对称形式,但在(2.17)中我们只引进 $\mathbf{\Gamma}$ 与 $\mathbf{K}$ 的 6 个分量,而在这里却有 8 个变形分量 γ_{ij} 与 κ_{ij},相应的广义内力是由(3.3)定义的 8 个内力分量. 这还多少有些不便,为此我们需要把它稍加变形. 引进新的广义力

$$S=T_{12}-\frac{M_{21}}{R_2}=T_{21}-\frac{M_{12}}{R_1} \qquad (3.8)$$

上面这个等式是成立的,这可从等式(3.3),并通过计算得到验证:

$$T_{12}-\frac{M_{21}}{R_2}-\left(T_{21}-\frac{M_{12}}{R_1}\right)$$

$$=\int_{-h/2}^{+h/2}\left[\sigma_{12}(z)-\sigma_{21}(z)\right]\left(1+\frac{z}{R_1}\right)\left(1+\frac{z}{R_2}\right)\mathrm{d}z$$

考虑到剪应力互等性 $\sigma_{12}(z)\equiv\sigma_{21}(z)$,故上式恒等于零.

进而考虑到

$$\varepsilon_{12}=\gamma_{12}+\gamma_{21}$$

并且引进近似表达式

$$H=M_{12}=M_{21} \tag{3.9}$$

代入(3.7)计算

$$\begin{aligned}U=&\frac{1}{2}\int_G(\gamma_{11}T_{11}+\gamma_{12}T_{12}+\gamma_{21}T_{21}+\gamma_{22}T_{22}+\kappa_{11}M_{11}\\&+\kappa_{12}M_{12}+\kappa_{21}M_{21}+\kappa_{22}M_{22})A_1A_2\mathrm{d}\alpha_1\mathrm{d}\alpha_2\\=&\frac{1}{2}\int_G\Big[\varepsilon_{11}T_{11}+\varepsilon_{22}T_{22}+\gamma_{12}\left(T_{12}-\frac{M_{21}}{R_2}\right)+\gamma_{21}\left(T_{21}-\frac{M_{12}}{R_1}\right)\\&+\kappa_{11}M_{11}+\kappa_{22}M_{22}+\left(\kappa_{12}+\frac{\gamma_{21}}{R_1}\right)M_{12}\\&+\left(\kappa_{21}+\frac{\gamma_{12}}{R_2}\right)M_{21}\Big]\mathrm{d}\pi\\=&\frac{1}{2}\int_G(\mathbf{\Gamma}:\mathbf{T}+\mathbf{K}:\mathbf{M})\mathrm{d}\pi\end{aligned} \tag{3.10}$$

其中

$$\mathbf{T}=T_{11}\boldsymbol{e}_1\boldsymbol{e}_1+S\boldsymbol{e}_1\boldsymbol{e}_2+S\boldsymbol{e}_2\boldsymbol{e}_1+T_{22}\,\boldsymbol{e}_2\boldsymbol{e}_2$$

$$\mathbf{M}=M_{11}\boldsymbol{e}_1\boldsymbol{e}_1+H\boldsymbol{e}_1\boldsymbol{e}_2+H\boldsymbol{e}_2\boldsymbol{e}_1+M_{22}\,\boldsymbol{e}_2\boldsymbol{e}_2$$

3.2 薄壳的平衡方程

现在我们从弹性体总势能原理出发来推导薄壳的内力(3.3)所应当满足的平衡微分方程.由于(3.3)所定义的内力还没有作任何近似,所以在推导中应当从变形能表达式(3.7)出发来讨论.为使讨论简便,引进如下的变形与内力张量符号

$$\widetilde{\mathbf{\Gamma}} = \sum_{i,j}^{2} \gamma_{ij} \boldsymbol{e}_i \boldsymbol{e}_j, \quad \widetilde{\mathbf{T}} = \sum_{i,j}^{2} T_{ij} \boldsymbol{e}_i \boldsymbol{e}_j$$

$$\begin{aligned} \widetilde{\mathbf{K}} &= -\kappa_{12}\boldsymbol{e}_1\boldsymbol{e}_2 + \kappa_{11}\boldsymbol{e}_1\boldsymbol{e}_2 - \kappa_{22}\boldsymbol{e}_2\boldsymbol{e}_1 + \kappa_{21}\boldsymbol{e}_2\boldsymbol{e}_2 \\ \widetilde{\mathbf{M}} &= -\mathbf{M}_{12}\boldsymbol{e}_1\boldsymbol{e}_1 + \mathbf{M}_{11}\boldsymbol{e}_1\boldsymbol{e}_2 - \mathbf{M}_{22}\boldsymbol{e}_2\boldsymbol{e}_1 + \mathbf{M}_{21}\boldsymbol{e}_2\boldsymbol{e}_2 \end{aligned} \tag{3.11}$$

在使用了这些符号之后变形能(3.7)可写为

$$U = \frac{1}{2}\int_G (\widetilde{\mathbf{\Gamma}} : \widetilde{\mathbf{T}} + \widetilde{\mathbf{K}} : \widetilde{\mathbf{M}}) \mathrm{d}\pi \tag{3.12}$$

设在壳体中面的单位面积上作用着外力 $\boldsymbol{f}$,它是 α_1 与 α_2 的函数. 又设在壳体中面的边界段 $\partial_t G$ 上作用着外力 $\boldsymbol{t}^*$ 与外力矩 $\boldsymbol{m}^*$,在边界段 $\partial_u G$ 上给定了位移 $\boldsymbol{u}^*$ 和旋转矢量 $\boldsymbol{\omega}^*$. 则壳体上的总势能为

$$\begin{aligned} \Pi = & \frac{1}{2}\int_G (\widetilde{\mathbf{\Gamma}} : \widetilde{\mathbf{T}} + \widetilde{\mathbf{K}} : \widetilde{\mathbf{M}}) \mathrm{d}\pi \\ & - \int_G \boldsymbol{f} \cdot \boldsymbol{u} \mathrm{d}\pi - \int_{\partial_t G} (\boldsymbol{t}^* \cdot \boldsymbol{u} + \boldsymbol{m}^* \cdot \boldsymbol{\omega}) \mathrm{d}l \\ & - \int_{\partial_u G} (\boldsymbol{t} \cdot \boldsymbol{u}^* + \boldsymbol{m} \cdot \boldsymbol{\omega}^*) \mathrm{d}l \end{aligned} \tag{3.13}$$

这里 $\mathrm{d}\pi$ 与 $\mathrm{d}l$ 分别为 G 上的面积元与 ∂G 上的弧元.

我们知道 $\boldsymbol{u}$ 与 $\boldsymbol{\omega}$ 是不完全独立的两个矢量. 由(2.19)与(2.21)有

$$\begin{cases} \boldsymbol{\omega} \cdot \boldsymbol{e}_1 = \boldsymbol{n} \cdot \boldsymbol{u}_2 = -\psi \\ \boldsymbol{\omega} \cdot \boldsymbol{e}_2 = -\boldsymbol{n} \cdot \boldsymbol{u}_1 = \vartheta \\ \boldsymbol{\omega} \cdot \boldsymbol{n} = \dfrac{1}{2}(\boldsymbol{u}_1 \cdot \boldsymbol{e}_2 - \boldsymbol{u}_2 \cdot \boldsymbol{e}_1) = \eta \end{cases} \tag{3.14}$$

为了在变分问题中使 $\boldsymbol{u}$ 与 $\boldsymbol{\omega}$ 完全独立,考虑到约束条件(3.14),我们应当引进相应的不定乘子 $\lambda_1, \lambda_2, \lambda_3$ 来讨论新的总势能

$$\begin{aligned} \Pi' = \Pi + \int_G \Big[& \lambda_1(\boldsymbol{u}_1 \cdot \boldsymbol{n} + \boldsymbol{\omega} \cdot \boldsymbol{e}_2) + \lambda_2(\boldsymbol{u}_2 \cdot \boldsymbol{n} - \boldsymbol{\omega} \cdot \boldsymbol{e}_1) \\ & + \lambda_3\left(\boldsymbol{\omega} \cdot \boldsymbol{n} - \frac{1}{2}\boldsymbol{u}_1 \cdot \boldsymbol{e}_2 + \frac{1}{2}\boldsymbol{u}_2 \cdot \boldsymbol{e}_1\right)\Big] \mathrm{d}\pi \end{aligned}$$

$$= \int_G \left[\frac{1}{2}(\widetilde{\boldsymbol{\Gamma}} : \widetilde{\mathbf{T}} + \widetilde{\mathbf{K}} : \widetilde{\mathbf{M}}) - \boldsymbol{\lambda} \cdot \boldsymbol{\omega} + \mathbf{P} : \boldsymbol{u} \nabla \right] \mathrm{d}\pi - \int_G \boldsymbol{f} \cdot \boldsymbol{u} \mathrm{d}\pi$$

$$- \int_{\partial_t G} (\boldsymbol{t}^* \cdot \boldsymbol{u} + \boldsymbol{m}^* \cdot \boldsymbol{\omega}) \mathrm{d}l - \int_{\partial_u G} (\boldsymbol{t} \cdot \boldsymbol{u}^* + \boldsymbol{m} \cdot \boldsymbol{\omega}^*) \mathrm{d}l \tag{3.15}$$

式中我们引进了记号

$$\boldsymbol{\lambda} = \lambda_2 \boldsymbol{e}_1 - \lambda_1 \boldsymbol{e}_2 - \lambda_3 \boldsymbol{n}$$

$$\mathbf{P} = \boldsymbol{e}_1 \boldsymbol{p}_1 + \boldsymbol{e}_2 \boldsymbol{p}_2 = \boldsymbol{e}_1 \left(\lambda_1 \boldsymbol{n} - \frac{1}{2} \lambda_3 \boldsymbol{e}_2 \right) + \boldsymbol{e}_2 \left(\lambda_2 \boldsymbol{n} + \frac{1}{2} \lambda_3 \boldsymbol{e}_1 \right)$$

而 $\boldsymbol{u}\nabla$ 是 $\boldsymbol{u}$ 的二维梯度.

在对 Π' 进行具体变分时我们需要进行下述计算:

首先,如果 $\mathrm{d}\boldsymbol{r} = \mathrm{d}s_1 \boldsymbol{e}_1 + \mathrm{d}s_2 \boldsymbol{e}_2$ 是沿 ∂G 绕行正方向上的微矢量,则在曲面切平面内的 ∂G 的外法矢量

$$\mathrm{d}\boldsymbol{l} = \mathrm{d}\boldsymbol{r} \times \boldsymbol{n} = \mathrm{d}s_2 \boldsymbol{e}_1 - \mathrm{d}s_1 \boldsymbol{e}_2$$

再考虑微分形以及它们的外微分运算则有

$$\begin{aligned}
&\mathrm{d}(\mathrm{d}\boldsymbol{l} \cdot \widetilde{\mathbf{T}} \cdot \boldsymbol{u}) \\
&= \mathrm{d}(\mathrm{d}\boldsymbol{l} \cdot \widetilde{\mathbf{T}}) \cdot \boldsymbol{u} - \mathrm{d}\boldsymbol{l} \cdot \widetilde{\mathbf{T}} \cdot \mathrm{d}\boldsymbol{u} \\
&= (\mathrm{div}_2 \widetilde{\mathbf{T}}) \cdot \boldsymbol{u} \mathrm{d}\pi - \mathrm{d}\boldsymbol{l} \cdot \widetilde{\mathbf{T}} \cdot [\mathrm{d}\boldsymbol{r} \cdot \widetilde{\boldsymbol{\Gamma}} + (\boldsymbol{\omega} - \eta \boldsymbol{n}) \times \mathrm{d}\boldsymbol{r}] \\
&= [\mathrm{div}_2 \widetilde{\mathbf{T}} \cdot \boldsymbol{u} + \widetilde{\boldsymbol{\Gamma}} : \widetilde{\mathbf{T}} + (\mathbf{I} \overset{\times}{\cdot} \widetilde{\mathbf{T}}) \cdot (\boldsymbol{\omega} - \eta \boldsymbol{n})] \mathrm{d}\pi \\
&= (\mathrm{div}_2 \widetilde{\mathbf{T}} \cdot \boldsymbol{u} + \widetilde{\boldsymbol{\Gamma}} : \widetilde{\mathbf{T}}) \mathrm{d}\pi
\end{aligned} \tag{3.16}$$

在计算上式时,我们引用了等式

$$\mathrm{d}\boldsymbol{u} = \mathrm{d}\boldsymbol{r} \cdot \widetilde{\boldsymbol{\Gamma}} + (\boldsymbol{\omega} - \eta \boldsymbol{n}) \times \mathrm{d}\boldsymbol{r}$$

这个式子是(2.19)的另一形式.(3.16)中的 div_2 是二维散度算子,若令 $\widetilde{\mathbf{T}} = \boldsymbol{e}_1 \widetilde{\boldsymbol{\tau}}_1 + \boldsymbol{e}_2 \widetilde{\boldsymbol{\tau}}_2$,则有

$$\mathrm{div}_2 \widetilde{\mathbf{T}} = \frac{1}{A_1 A_2} \left(\frac{\partial A_2 \widetilde{\boldsymbol{\tau}}_1}{\partial \alpha_1} + \frac{\partial A_1 \widetilde{\boldsymbol{\tau}}_2}{\partial \alpha_2} \right)$$

另外,在计算(3.16)时还考虑到 $\mathbf{I} \overset{\times}{\cdot} \widetilde{\mathbf{T}}$ 只有 $\boldsymbol{n}$ 方向的分量,而 $\boldsymbol{\omega} - \eta \boldsymbol{n}$ 没有 $\boldsymbol{n}$ 方向的分量,所以 $(\mathbf{I} \overset{\times}{\cdot} \widetilde{\mathbf{T}}) \cdot (\boldsymbol{\omega} - \eta \boldsymbol{n}) \equiv \mathbf{0}$. 于是我们有

$$\widetilde{\mathbf{\Gamma}}:\widetilde{\mathbf{T}}\mathrm{d}\pi=\mathrm{d}(\mathrm{d}\boldsymbol{l}\cdot\widetilde{\mathbf{T}}\cdot\boldsymbol{u})-\mathrm{div}_2\widetilde{\mathbf{T}}\cdot\boldsymbol{u}\mathrm{d}\pi \tag{3.17}$$

再由式(2.23)与(2.24)有

$$\begin{aligned}\mathrm{d}\boldsymbol{\omega}&=\left(-\kappa_{12}\boldsymbol{e}_1+\kappa_{11}\boldsymbol{e}_2+\zeta_1\boldsymbol{n}+\frac{n}{R_1}\boldsymbol{e}_1\right)\mathrm{d}s_1\\&\quad+\left(-\kappa_{22}\boldsymbol{e}_1+\kappa_{21}\boldsymbol{e}_2+\zeta_2\boldsymbol{n}+\frac{\eta}{R_2}\boldsymbol{e}_2\right)\mathrm{d}s_2\\&=\mathrm{d}\boldsymbol{r}\cdot\widetilde{\mathbf{K}}+\left(\zeta_1\boldsymbol{n}+\frac{\eta}{R_1}\boldsymbol{e}_1\right)\mathrm{d}s_1+\left(\zeta_2\boldsymbol{n}+\frac{\eta}{R_2}\boldsymbol{e}_2\right)\mathrm{d}s_2\end{aligned} \tag{3.18}$$

于是由(3.16)类似的推导,可得

$$\begin{aligned}\mathrm{d}(\mathrm{d}\boldsymbol{l}\cdot\widetilde{\mathbf{M}}\cdot\boldsymbol{\omega})&=\mathrm{div}_2\widetilde{\mathbf{M}}\cdot\boldsymbol{\omega}\,\mathrm{d}\pi-\mathrm{d}\boldsymbol{l}\cdot\widetilde{\mathbf{M}}\cdot\mathrm{d}\boldsymbol{\omega}\\&=\mathrm{div}_2\widetilde{\mathbf{M}}\cdot\boldsymbol{\omega}\,\mathrm{d}\pi-\mathrm{d}\boldsymbol{l}\cdot\widetilde{\mathbf{M}}\cdot\left[\mathrm{d}\boldsymbol{r}\cdot\widetilde{\mathbf{K}}+\left(\zeta_1\boldsymbol{n}\right.\right.\\&\quad\left.\left.+\frac{\eta}{R_1}\boldsymbol{e}_1\right)\mathrm{d}s_1+\left(\zeta_2\boldsymbol{n}+\frac{\eta}{R_2}\boldsymbol{e}_2\right)\mathrm{d}s_2\right]\\&=\mathrm{div}_2\widetilde{\mathbf{M}}\cdot\boldsymbol{\omega}\,\mathrm{d}\pi+\widetilde{\mathbf{M}}:\widetilde{\mathbf{K}}\mathrm{d}\pi-\eta\left(\frac{M_{12}}{R_1}-\frac{M_{21}}{R_2}\right)\mathrm{d}\pi\end{aligned}$$

即有

$$\widetilde{\mathbf{M}}:\widetilde{\mathbf{K}}\mathrm{d}\pi=\mathrm{d}(\mathrm{d}\boldsymbol{l}\cdot\widetilde{\mathbf{M}}\cdot\boldsymbol{\omega})-\left[\mathrm{div}_2\widetilde{\mathbf{M}}\cdot\boldsymbol{\omega}-\eta\left(\frac{M_{12}}{R_1}-\frac{M_{21}}{R_2}\right)\right]\mathrm{d}\pi \tag{3.19}$$

最后,由计算微分形

$$\begin{aligned}\mathrm{d}(\mathrm{d}\boldsymbol{l}\cdot\mathbf{P}\cdot\boldsymbol{u})&=\mathrm{div}_2\mathbf{P}\cdot\boldsymbol{u}\mathrm{d}\pi-\mathrm{d}\boldsymbol{l}\cdot\mathbf{P}\cdot\mathrm{d}\boldsymbol{u}\\&=(\mathrm{div}_2\mathbf{P}\cdot\boldsymbol{u}+\mathbf{P}:\boldsymbol{u}\nabla)\mathrm{d}\pi\end{aligned}$$

故有

$$\mathbf{P}:\boldsymbol{u}\nabla\mathrm{d}\pi=\mathrm{d}(\mathrm{d}\boldsymbol{l}\cdot\mathbf{P}\cdot\boldsymbol{u})-\mathrm{div}_2\mathbf{P}\cdot\boldsymbol{u}\mathrm{d}\pi \tag{3.20}$$

总结(3.17)、(3.19)与(3.20)三式,在其中令 $\delta\boldsymbol{u},\delta\boldsymbol{\omega},\delta\eta,\delta\widetilde{\mathbf{\Gamma}}$, $\delta\widetilde{\mathbf{K}}$分别取代相应的 $\boldsymbol{u},\boldsymbol{\omega},,\eta,\widetilde{\mathbf{\Gamma}},\widetilde{\mathbf{K}}$;对(3.15)进行变分时还考虑到:(1) $\widetilde{\mathbf{T}},\widetilde{\mathbf{\Gamma}}$ 以及 $\widetilde{\mathbf{M}},\widetilde{\mathbf{K}}$ 之间是线性关系;(2) $\delta\boldsymbol{u}^*=\delta\boldsymbol{\omega}^*=\mathbf{0}$(在

$\partial_u G$ 上)，这是由于在 $\partial_u G$ 上 $\boldsymbol{u}^*$ 与 $\boldsymbol{\omega}^*$ 是给定的；(3) 二维积分的 Stokes 公式. 最后可得

$$\begin{aligned}\delta\Pi' = &-\int_G [\operatorname{div}_2(\widetilde{\mathbf{T}} + \mathbf{P}) + \boldsymbol{f}] \cdot \delta\boldsymbol{u}\mathrm{d}\pi \\ &-\int_G \left[\operatorname{div}_2\widetilde{\mathbf{M}} + \boldsymbol{\lambda} - \left(\frac{M_{12}}{R_1} - \frac{M_{21}}{R_2}\right)\boldsymbol{n}\right] \cdot \delta\boldsymbol{\omega}\,\mathrm{d}\pi \\ &+\int_{\partial_t G} [\boldsymbol{l}^0 \cdot (\widetilde{\mathbf{T}} + \mathbf{P}) - \boldsymbol{t}^*] \cdot \delta\boldsymbol{u}\mathrm{d}l \\ &+\int_{\partial_t G} (\boldsymbol{l}^0 \cdot \widetilde{\mathbf{M}} - \boldsymbol{m}^*) \cdot \delta\boldsymbol{\omega}\,\mathrm{d}l \end{aligned} \tag{3.21}$$

式中 $\boldsymbol{l}^0$ 为 $\mathrm{d}\boldsymbol{l}$ 方向上的单位矢量.

上式考虑到 $\delta\boldsymbol{u}$ 与 $\delta\boldsymbol{\omega}$ 的任意性，我们就可得到下述平衡条件

$$\begin{cases}\operatorname{div}_2(\widetilde{\mathbf{T}} + \mathrm{P}) + \boldsymbol{f} = \mathbf{0} \\ \operatorname{div}_2\widetilde{\mathbf{M}} + \boldsymbol{\lambda} - \left(\dfrac{M_{12}}{R_1} - \dfrac{M_{21}}{R_2}\right)\boldsymbol{n} = \mathbf{0}\end{cases} \quad (\text{在 } G \text{ 内}) \tag{3.22}$$

$$\begin{cases}\boldsymbol{l}^0 \cdot (\widetilde{\mathbf{T}} + \mathbf{P}) = \boldsymbol{t}^* \\ \boldsymbol{l}^0 \cdot \widetilde{\mathbf{M}} = \boldsymbol{m}^*\end{cases} \quad (\text{在 } \partial_t G \text{ 上}) \tag{3.23}$$

值得指出的是：如果把 $\partial_t G$ 了解为任何一个已知合力与合力矩的中面上的割口的话，(2.23)给出了沿割口内力 $\widetilde{\mathbf{T}}+\mathbf{P}$ 与 $\widetilde{\mathbf{M}}$ 的平衡条件，从而也给出了 $\lambda_1, \lambda_2, \lambda_3$ 的物理意义. 也就是说，如果把 $\widetilde{\mathbf{T}}+\mathrm{P}$ 重新记为 $\widetilde{\mathbf{T}}$，则

$$\begin{aligned}\widetilde{\mathbf{T}} &= \boldsymbol{e}_1\boldsymbol{t}_1 + \boldsymbol{e}_2\boldsymbol{t}_2 \\ &= \boldsymbol{e}_1(T_{11}\boldsymbol{e}_1 + T_{12}\boldsymbol{e}_2 + \lambda_1\boldsymbol{n}) + \boldsymbol{e}_2(T_{21}\boldsymbol{e}_1 + T_{22}\boldsymbol{e}_2 + \lambda_2\boldsymbol{n})\end{aligned} \tag{3.24}$$

可见 λ_1 与 λ_2 代表 $\boldsymbol{t}_1$ 与 $\boldsymbol{t}_2$ 的法向分量(下面我们将看到 $\lambda_3 \equiv 0$). 此外，由于(3.23)的第二式左端没有 $\boldsymbol{n}$ 方向的分量，所以一般有

$$\boldsymbol{m}^* \cdot \boldsymbol{n} = 0 \tag{3.25}$$

将(3.22)写成分量形式，在计算矢量微商时要用到公式(1.10). 首先注意(3.22)的第二个式子在法向方向的分量为

$$-\left(\frac{M_{12}}{R_1}-\frac{M_{21}}{R_2}\right)\boldsymbol{n}+\left(\frac{M_{12}}{R_1}-\frac{M_{21}}{R_2}\right)\boldsymbol{n}+\lambda_3\boldsymbol{n}=\boldsymbol{0}$$

前二项显然是恒等于零的，故有 $\lambda_3\equiv 0$. 这个方程对我们今后讨论兴趣不大. 式(3.22)的其余 5 个方程可计算得

$$\begin{cases}\dfrac{1}{A_1A_2}\left(\dfrac{\partial A_2T_{11}}{\partial\alpha_1}+\dfrac{\partial A_1T_{21}}{\partial\alpha_2}+\dfrac{\partial A_1}{\partial\alpha_2}T_{12}-\dfrac{\partial A_2}{\partial\alpha_1}T_{22}\right)+\dfrac{\lambda_1}{R_1}+f_1=0\\ \dfrac{1}{A_1A_2}\left(\dfrac{\partial A_2T_{12}}{\partial\alpha_1}+\dfrac{\partial A_1T_{22}}{\partial\alpha_2}+\dfrac{\partial A_2}{\partial\alpha_1}T_{21}-\dfrac{\partial A_1}{\partial\alpha_2}T_{11}\right)+\dfrac{\lambda_2}{R_2}+f_2=0\\ \dfrac{1}{A_1A_2}\left(\dfrac{\partial A_2\lambda_1}{\partial\alpha_1}+\dfrac{\partial A_1\lambda_2}{\partial\alpha_2}\right)-\dfrac{T_{11}}{R_1}-\dfrac{T_{22}}{R_2}+f_3=0\\ \dfrac{1}{A_1A_2}\left(\dfrac{\partial A_2M_{11}}{\partial\alpha_1}+\dfrac{\partial A_1M_{21}}{\partial\alpha_2}+\dfrac{\partial A_1}{\partial\alpha_2}M_{12}-\dfrac{\partial A_2}{\partial\alpha_1}M_{22}\right)-\lambda_1=0\\ \dfrac{1}{A_1A_2}\left(\dfrac{\partial A_1M_{22}}{\partial\alpha_2}+\dfrac{\partial A_2M_{12}}{\partial\alpha_1}+\dfrac{\partial A_2}{\partial\alpha_1}M_{21}-\dfrac{\partial A_1}{\partial\alpha_2}M_{11}\right)-\lambda_2=0\end{cases}\tag{3.26}$$

以上 5 个标量方程就是薄壳内力平衡方程的一般形式. 易于看出，从第四、五式直接解得 λ_1,λ_2 通过 $M_{11},M_{12},M_{21},M_{22}$ 的表达式，代入前三个式子就可得到只含 $\widetilde{\mathbf{T}}$ 与 $\widetilde{\mathbf{M}}$ 分量的三个方程. 这一事实是由于 $\boldsymbol{u}$ 和 $\boldsymbol{\omega}$ 不独立所决定的. 如果考虑到 $\boldsymbol{\omega}$ 与 $\boldsymbol{u}$ 的关系(3.14)，我们不引进 λ 乘子，直接从总势能(3.13)进行变分，只考虑 $\delta\boldsymbol{u}$ 的任意性，也同样可以得到上述消去 λ_1 与 λ_2 的最后三个平衡方程.

§4 薄壳问题中的边条件与弹性关系

4.1 薄壳问题的边条件

上一节我们曾讨论过平衡方程的五个标量方程(3.26)，在消去 λ_1 与 λ_2 后可得三个独立的标量方程. 同样地，由(3.23)所决定的 5 个标量边条件(第二个矢量方程在 $\boldsymbol{n}$ 方向两端恒为零)也不是

完全独立的. 事实上,边界上完全独立的标量条件只有 4 个. 现在就来证明这一事实.

原来在壳体中面的实际边界 $\partial_l G$ 上(而不是在壳体内部的割口上)不能再认为 $\delta\boldsymbol{u}$ 与 $\delta\boldsymbol{\omega}$ 是完全独立的. 这由于在给定位移边条件时, $\boldsymbol{u}$ 与 $\boldsymbol{\omega}$ 的 6 个标量分量不能同时给定. 这时,在讨论边界上的条件时,就不能使用(3.23)而要直接从(3.21)来讨论.

由于(3.22),在(3.21)中只剩下它的边界积分部分

$$\int_{\partial_l G}[(\boldsymbol{l}^0\cdot\tilde{\mathbf{T}}-\boldsymbol{t}^*)\cdot\delta\boldsymbol{u}+(\boldsymbol{l}^0\cdot\tilde{\mathbf{M}}-\boldsymbol{m}^*)\cdot\delta\boldsymbol{\omega}]\mathrm{d}l=0 \tag{4.1}$$

式中 $\tilde{\mathbf{T}}$ 采用由式(3.24)所给出的新含义; $\boldsymbol{l}^0$ 是边界 ∂G 的单位外法矢量.

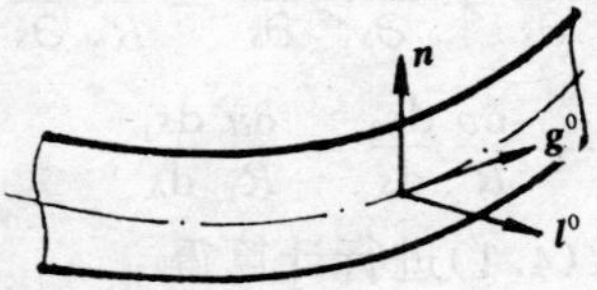

图 10.2

为了具体计算(4.1),我们在 ∂G 上引进活动标架$(\boldsymbol{l}^0,\boldsymbol{g}^0,\boldsymbol{n})$,其中 $\boldsymbol{g}^0$ 是沿 ∂G 正方向单位切矢量(图 10.2). 若令 $\mathrm{d}\boldsymbol{r}$ 表 $\boldsymbol{g}^0$ 上的微矢量, $\mathrm{d}s=|\mathrm{d}\boldsymbol{r}|=\mathrm{d}l$,则

$$\boldsymbol{g}^0=\frac{\mathrm{d}\boldsymbol{r}}{\mathrm{d}s}=\frac{\mathrm{d}s_1}{\mathrm{d}s}\boldsymbol{e}_1+\frac{\mathrm{d}s_2}{\mathrm{d}s}\boldsymbol{e}_2$$

$$\boldsymbol{l}^0=\frac{\mathrm{d}s_2}{\mathrm{d}s}\boldsymbol{e}_1-\frac{\mathrm{d}s_1}{\mathrm{d}s}\boldsymbol{e}_2 \tag{4.2}$$

把 $\delta\boldsymbol{u}$ 与 $\delta\boldsymbol{\omega}$ 都在$(\boldsymbol{l}^0,\boldsymbol{g}^0,\boldsymbol{n})$中进行分解

$$\delta\boldsymbol{u}=\delta u_l\boldsymbol{l}^0+\delta u_g\boldsymbol{g}^0+\delta w\boldsymbol{n}=\delta u\boldsymbol{e}_1+\delta v\boldsymbol{e}_2+\delta w\boldsymbol{n} \tag{4.3}$$

上式两边点乘 $\boldsymbol{l}^0$ 或 $\boldsymbol{g}^0$ 可得

$$\delta u_l = \delta u \boldsymbol{e}_1 \cdot \boldsymbol{l}^0 + \delta v \boldsymbol{e}_2 \cdot \boldsymbol{l}^0 = \delta u \frac{\mathrm{d}s_2}{\mathrm{d}s} - \delta v \frac{\mathrm{d}s_1}{\mathrm{d}s}$$

$$\delta u_g = \delta u \boldsymbol{e}_1 \cdot \boldsymbol{g}^0 + \delta v \boldsymbol{e}_2 \cdot \boldsymbol{g}^0 = \delta u \frac{\mathrm{d}s_1}{\mathrm{d}s} + \delta v \frac{\mathrm{d}s_2}{\mathrm{d}s} \tag{4.4}$$

同样的道理可得

$$\delta \boldsymbol{\omega} = \delta \omega_l \boldsymbol{l}^0 + \delta \omega_g \boldsymbol{g}^0 + \eta \boldsymbol{n}$$

$$\delta \omega_l = -\delta \psi \frac{\mathrm{d}s_2}{\mathrm{d}s} - \delta \vartheta \frac{\mathrm{d}s_1}{\mathrm{d}s}$$

$$\delta \omega_g = -\delta \psi \frac{\mathrm{d}s_1}{\mathrm{d}s} + \delta \vartheta \frac{\mathrm{d}s_2}{\mathrm{d}s} \tag{4.5}$$

若把 $\boldsymbol{t}^*$ 与 $\boldsymbol{m}^*$ 在 $(\boldsymbol{l}^0, \boldsymbol{g}^0, \boldsymbol{n})$ 中的分解记为

$$\boldsymbol{t}^* = t_l^* \boldsymbol{l}^0 + t_g^* \boldsymbol{g}^0 + t_n^* \boldsymbol{n}, \quad \boldsymbol{m}^* = m_l^* \boldsymbol{l}^0 + m_g^* \boldsymbol{g}^0 \tag{4.6}$$

把(2.5)代入(4.5)的第一式,并进行整理得

$$\delta \omega_l = \frac{\partial \delta w}{\partial s_2} \frac{\partial s_2}{\partial s} + \frac{\partial \delta w}{\partial s_1} \frac{\partial s_1}{\partial s} - \frac{\delta v}{R_2} \frac{\partial s_2}{\partial s} - \frac{\delta u}{R_1} \frac{\partial s_1}{\partial s}$$

$$= \frac{\mathrm{d}\delta w}{\mathrm{d}s} - \frac{\delta v}{R_2} \frac{\mathrm{d}s_2}{\mathrm{d}s} - \frac{\delta u}{R_1} \frac{\mathrm{d}s_1}{\mathrm{d}s} \tag{4.7}$$

把(4.2)到(4.7)代入(4.1)进行计算得

$$\int_{\partial_t G} \Big[(\boldsymbol{l}^0 \cdot \widetilde{\mathbf{T}} \cdot \boldsymbol{l}^0 - t_l^*) \delta u_1 + (\boldsymbol{l}^0 \cdot \widetilde{\mathbf{T}} \cdot \boldsymbol{g}^0 - t_g^*) \delta u_g$$

$$+ (\boldsymbol{l}^0 \cdot \widetilde{\mathbf{T}} \cdot \boldsymbol{n} - t_n^*) \cdot \delta w$$

$$+ (\boldsymbol{l}^0 \cdot \widetilde{\mathbf{M}} \cdot \boldsymbol{l}^0 - m_l^*) \left(\frac{\mathrm{d}\delta w}{\mathrm{d}s} - \frac{\delta v}{R_2} \frac{\mathrm{d}s_2}{\mathrm{d}s} - \frac{\delta u}{R_1} \frac{\mathrm{d}s_1}{\mathrm{d}s} \right)$$

$$+ (\boldsymbol{l}^0 \cdot \widetilde{\mathbf{M}} \cdot \boldsymbol{g}^0 - m_g^*) \delta \omega_g \Big] \mathrm{d}s = 0 \tag{4.8}$$

由于沿 ∂G 的外微分

$$\mathrm{d}[(\boldsymbol{l}^0 \cdot \widetilde{\mathbf{M}} \cdot \boldsymbol{l}^0 - m_l^*) \delta w]$$

$$= \mathrm{d}(\boldsymbol{l}^0 \cdot \widetilde{\mathbf{M}} \cdot \boldsymbol{l}^0 - m_l^*) \delta w + (\boldsymbol{l}^0 \cdot \widetilde{\mathbf{M}} \cdot \boldsymbol{l}^0 - m_l^*) \mathrm{d}(\delta w)$$

于是由 Stokes 公式有

$$\int_{\partial_t G} (\boldsymbol{l}^0 \cdot \widetilde{\mathbf{M}} \cdot \boldsymbol{l}^0 - m_l^*) \mathrm{d}(\delta w)$$

$$= - \int_{\partial_t G} \left[\frac{\partial}{\partial s} (\boldsymbol{l}^0 \cdot \widetilde{\mathbf{M}} \cdot \boldsymbol{l}^0 - m_l^*) \right] \delta w \mathrm{d}s$$

$$+ \int_{\partial(\partial_t G)} \left[(\boldsymbol{l}^0 \cdot \widetilde{\mathbf{M}} \cdot \boldsymbol{l}^0 - m_l^*) \delta w \right]$$

$$= \sum_{\partial(\partial_t G)} (-1)^\beta (\boldsymbol{l}^0 \cdot \widetilde{\mathbf{M}} \cdot \boldsymbol{l}^0 - m_l^*) \delta w$$

$$- \int_{\partial_t G} \frac{\partial}{\partial s} (\boldsymbol{l}^0 \cdot \widetilde{\mathbf{M}} \cdot \boldsymbol{l}^0 - m_l^*) \delta w \mathrm{d}s \qquad (4.9)$$

式中 $\partial(\partial_t G)$ 是指 $\partial_t G$ 各段的端点，$(-1)^\beta$ 是表示所取的符号与端点的定向有关，若端点处于 $\partial_t G$ 段的正向上，则取正值($\beta=0$)；否则取负值($\beta=1$).

把(4.3)两边点乘 $\boldsymbol{e}_1$ 与 $\boldsymbol{e}_2$ 可得

$$\delta u = \delta u_l \, \boldsymbol{l}^0 \cdot \boldsymbol{e}_1 + \delta u_g \, \boldsymbol{g}^0 \cdot \boldsymbol{e}_1 = \delta u_l \frac{\mathrm{d}s_2}{\mathrm{d}s} + \delta u_g \frac{\mathrm{d}s_1}{\mathrm{d}s}$$

$$\delta v = \delta u_l \, \boldsymbol{l}^0 \cdot \boldsymbol{e}_2 + \delta u_g \, \boldsymbol{g}^0 \cdot \boldsymbol{e}_2 = - \delta u_l \frac{\mathrm{d}s_1}{\mathrm{d}s} + \delta u_g \frac{\mathrm{d}s_2}{\mathrm{d}s}$$

把这两个式子代入(4.8)中有关项，并考虑到(4.9)便可得

$$\int_{\partial_t G} \Bigg\{ \Bigg[(\boldsymbol{l}^0 \cdot \widetilde{\mathbf{T}} \cdot \boldsymbol{l}^0 - t_l^*) + (\boldsymbol{l}^0 \cdot \widetilde{\mathbf{M}} \cdot \boldsymbol{l}^0 - m_l^*) \left(\frac{1}{R_2} - \frac{1}{R_1} \right) \frac{\mathrm{d}s_1}{\mathrm{d}s} \frac{\mathrm{d}s_2}{\mathrm{d}s} \Bigg] \delta u_l + \Bigg[(\boldsymbol{l}^0 \cdot \widetilde{\mathbf{T}} \cdot \boldsymbol{g}^0 - t_g^*) - (\boldsymbol{l}^0 \cdot \widetilde{\mathbf{M}} \cdot \boldsymbol{l}^0 - m_l^*) \left(\frac{1}{R_1} \left(\frac{\mathrm{d}s_1}{\mathrm{d}s} \right)^2 + \frac{1}{R_2} \left(\frac{\mathrm{d}s_2}{\mathrm{d}s} \right)^2 \right) \Bigg] \delta u_g$$

$$+ \left[(\boldsymbol{l}^0 \cdot \widetilde{\mathbf{T}} \cdot \boldsymbol{n} - t_n^*) - \frac{\partial}{\partial s} (\boldsymbol{l}^0 \cdot \widetilde{\mathbf{M}} \cdot \boldsymbol{l}^0 - m_l^*) \right] \delta w + (\boldsymbol{l}^0 \cdot \widetilde{\mathbf{M}} \cdot \boldsymbol{g}^0 - m_g^*) \delta \omega_g \Bigg\} \mathrm{d}s$$

$$+ \sum_{\partial(\partial_t G)} (-1)^\beta (\boldsymbol{l}^0 \cdot \widetilde{\mathbf{M}} \cdot \boldsymbol{l}^0 - m_l^*) \delta w = 0 \qquad (4.10)$$

上式中 δu_l、δu_g、δw 和 $\delta \omega_g$ 等 4 个广义位移在边界上各点是完全任

意的. 由此,我们得到 4 个边界上的标量等式

$$\begin{cases} \boldsymbol{l}^0 \cdot \widetilde{\mathbf{T}} \cdot \boldsymbol{l}^0 + \boldsymbol{l}^0 \cdot \widetilde{\mathbf{M}} \cdot \boldsymbol{l}^0 \left(\dfrac{1}{R_2} - \dfrac{1}{R_1}\right) \dfrac{\mathrm{d}s_1}{\mathrm{d}s} \dfrac{\mathrm{d}s_2}{\mathrm{d}s} \\ \qquad = t_l^* + m_l^* \left(\dfrac{1}{R_2} - \dfrac{1}{R_1}\right) \dfrac{\mathrm{d}s_1}{\mathrm{d}s} \dfrac{\mathrm{d}s_2}{\mathrm{d}s} \\ \boldsymbol{l}^0 \cdot \widetilde{\mathbf{T}} \cdot \boldsymbol{g}^0 - \boldsymbol{l}^0 \cdot \widetilde{\mathbf{M}} \cdot \boldsymbol{l}^0 \left[\dfrac{1}{R_1}\left(\dfrac{\mathrm{d}s_1}{\mathrm{d}s}\right)^2 + \dfrac{1}{R_2}\left(\dfrac{\mathrm{d}s_2}{\mathrm{d}s}\right)^2\right] \\ \qquad = t_g^* - m_l^* \left[\dfrac{1}{R_1}\left(\dfrac{\mathrm{d}s_1}{\mathrm{d}s}\right)^2 + \dfrac{1}{R_2}\left(\dfrac{\mathrm{d}s_2}{\mathrm{d}s}\right)^2\right] \\ \boldsymbol{l}^0 \cdot \widetilde{\mathbf{T}} \cdot \boldsymbol{n} - \dfrac{\partial}{\partial s}(\boldsymbol{l}^0 \cdot \widetilde{\mathbf{M}} \cdot \boldsymbol{l}^0) = t_n^* - \dfrac{\partial}{\partial s} m_l^* \\ \boldsymbol{l}^0 \cdot \widetilde{\mathbf{M}} \cdot \boldsymbol{g}^0 = m_g^* \end{cases} \tag{4.11}$$

如果边界点是处于 $\partial_t G$ 各段的端点,则还要考虑(4.10)的最后一项所得到的括号中的集中力的等式. 在给定边界上外力 $\boldsymbol{t}^*$ 与外力矩 $\boldsymbol{m}^*$ 的条件下,式(4.11)表示内力 $\widetilde{\mathbf{T}}$ 与 $\widetilde{\mathbf{M}}$ 所必须满足的边界条件最一般的情形.

对于重要的特殊情形,例如考虑边界为坐标曲线 $\alpha_1=\mathrm{const}$ 的情形,这时显然有

$$\boldsymbol{l}^0 = \boldsymbol{e}_1, \quad \boldsymbol{g}^0 = \boldsymbol{e}_2, \quad \frac{\mathrm{d}s_1}{\mathrm{d}s} = 0, \quad \frac{\mathrm{d}s_2}{\mathrm{d}s} = 1$$

故有

$$T_{11} = t_l^*, \quad T_{12} + \frac{M_{12}}{R_2} = t_g^* - m_l^* \frac{1}{R_2}$$

$$\lambda_1 + \frac{1}{A_2}\frac{\partial M_{12}}{\partial \alpha_2} = t_n^* - \frac{1}{A_2}\frac{\partial m_l^*}{\partial \alpha_2}, \quad M_{11} = m_g^*$$

根据同样的办法,也可以对 $\alpha_2=\mathrm{const}$ 时列出相应的力边条件.

在实际问题中,边界上不完全是给定外力的,有时给定位移约束条件. 这就组成各种不同情形的边界条件. 还可以用 $\alpha_1=\mathrm{const}$ 边界时为例,列出几种常见的边条件如下:

(1) 自由边界,即边界上外力为零

$$T_{11}=0,\ T_{12}+\frac{M_{12}}{R_2}=0,\ \lambda_1+\frac{1}{A_2}\frac{\partial M_{12}}{\partial\alpha_2}=0,\ M_{11}=0$$

(2) 铰支边界

$$u=v=w=0,\quad M_{11}=0$$

(3) 铰滑边界,即边界既可以绕自己转动又可沿法向方向滑动

$$u=v=0,\quad \lambda_1+\frac{1}{A_2}\frac{\partial M_{12}}{\partial\alpha_2}=0,\quad M_{11}=0$$

(4) 嵌固边界

$$u=v=w=\vartheta=0$$

4.2 薄壳的弹性关系

在 § 2 中我们引进了壳体中面变形张量 $\mathbf{\Gamma}$ 与 $\mathbf{K}$, 在 § 3 中又引进了内力张量 $\mathbf{T}$ 与 $\mathbf{M}$. 和在三维弹性理论中应力应变关系一样,壳体的变形张量与内力张量之间也存在着线性关系.

对于壳体块上我们进一步假设 $\sigma_{33}(z)\equiv 0$. 由于一般情况下法向载荷的法向分量比起壳内应力小一个数量级,而 $\sigma_{33}(z)$和法向载荷是同数量级,所以,这个假设在大多数情况下是符合实际的.

进而,由于假设 $\sigma_{33}(z)=0$. 所以对于壳块上切出的任何一个无限小元素来说,可以近似地看为在平行于中面切平面上的平面应力状态. 即由第五章中三维 Hooke 定律(1.2)写为分量形式

$$\varepsilon_{11}(z)=\frac{1}{E}[(1+\nu)\sigma_{11}(z)-\nu(\sigma_{11}(z)+\sigma_{22}(z))]$$

$$\varepsilon_{22}(z)=\frac{1}{E}[(1+\nu)\sigma_{22}(z)-\nu(\sigma_{11}(z)+\sigma_{22}(z))]$$

$$\gamma_{12}(z)=\frac{1}{E}(1+\nu)\sigma_{12}(z)$$

从这组式子中把 $\sigma_{ij}(z)$解出来得

$$\sigma_{11}(z)=\frac{E}{1-\nu^2}[\varepsilon_{11}(z)+\nu\varepsilon_{22}(z)]$$

$$\sigma_{22}(z) = \frac{E}{1-\nu^2}[\varepsilon_{22}(z) + \nu\varepsilon_{11}(z)]$$

$$\sigma_{12}(z) = \frac{E}{1+\nu}\gamma_{12}(z)$$

把(2.12)代入上式，并把上式中 $\sigma_{ij}(z)$ 代入近似的表达式(3.4)，对 z 积分后易于得到下述弹性关系式

$$\begin{cases} T_{11} = \dfrac{Eh}{1-\nu^2}(\varepsilon_{11} + \nu\varepsilon_{22}) \\ T_{22} = \dfrac{Eh}{1-\nu^2}(\varepsilon_{22} + \nu\varepsilon_{11}) \\ S = \dfrac{Eh}{2(1+\nu)}\varepsilon_{12} \\ M_{11} = \dfrac{Eh^3}{12(1-\nu^2)}(\kappa_{11} + \nu\kappa_{22}) \\ M_{22} = \dfrac{Eh^3}{12(1-\nu^2)}(\kappa_{22} + \nu\kappa_{11}) \\ H = \dfrac{Eh^3}{12(1+\nu)}\tau \end{cases} \tag{4.12}$$

这组式子是弹性关系式中比较简单的一种. 实际上如果保留 h/R 的高阶项，可以得到另外形式的弹性关系. 不过在许多问题中采用这组式子足以满足要求. 而且有许多人研究指出，直法线假定本身的近似程度就只有 h/R 级的，保留它的高阶小量意义不大.

最后，我们要指出上述壳体理论的各项假定是近似的. 因而存在着矛盾. 这就是：假定了 $\gamma_{13}=\gamma_{23}=0$，但又都在平衡方程中保留了 λ_1 与 λ_2，即 τ_{13} 与 τ_{23}；假定了 $\varepsilon_{33}=0$，这又显然与 $\sigma_{33}=0$ 矛盾. 这些假定都与严格的 Hooke 定律的要求相矛盾. 大量实践表明，虽然存在这些矛盾，它仍然是和实际情况接近的.

4.3 薄壳问题的求解

到现在为止我们建立了求解薄壳问题的全部方程. 把它们总结如下：

位移与变形分量间的关系

$$\begin{cases}\varepsilon_{11}=\boldsymbol{u}_1\cdot\boldsymbol{e}_1, \quad \varepsilon_{22}=\boldsymbol{u}_2\cdot\boldsymbol{e}_2\\ \varepsilon_{12}=\boldsymbol{u}_1\cdot\boldsymbol{e}_2+\boldsymbol{u}_2\cdot\boldsymbol{e}_1\\ \kappa_{11}=\boldsymbol{\omega}_1\cdot\boldsymbol{e}_2, \quad \kappa_{22}=\boldsymbol{\omega}_2\cdot\boldsymbol{e}_1\\ \tau=-\boldsymbol{\omega}_1\cdot\boldsymbol{e}_1+\dfrac{\varepsilon_{12}}{2R_1}=\boldsymbol{\omega}_2\cdot\boldsymbol{e}_2+\dfrac{\varepsilon_{12}}{2R_2}\end{cases}\tag{4.13}$$

平衡方程

$$\begin{cases}\mathrm{div}_2\widetilde{\mathbf{T}}+\boldsymbol{f}=\mathbf{0}\\ (\mathrm{div}_2\widetilde{\mathbf{M}}+\boldsymbol{\lambda})-\left(\dfrac{M_{12}}{R_1}-\dfrac{M_{21}}{R_2}\right)\boldsymbol{n}=\mathbf{0}\end{cases}\tag{4.14}$$

弹性关系

$$\begin{cases}T_{11}=\dfrac{Eh}{1-\nu^2}(\varepsilon_{11}+\nu\varepsilon_{22})\\ T_{22}=\dfrac{Eh}{1-\nu^2}(\varepsilon_{22}+\nu\varepsilon_{11})\\ S=\dfrac{Eh}{2(1+\nu)}\varepsilon_{12}\\ M_{11}=\dfrac{Eh^3}{12(1-\nu^2)}(\kappa_{11}+\nu\kappa_{22})\\ M_{22}=\dfrac{Eh^3}{12(1-\nu^2)}(\kappa_{22}+\nu\kappa_{11})\\ H=\dfrac{Eh^3}{12(1+\nu)}\tau\end{cases}\tag{4.15}$$

如果把(4.13)代入(4.15)就可以得到用位移分量表出的内力. 再由(4.14)消去 λ_1 与 λ_2,得到三个平衡方程. 最后,把由三个位移表出的内力表达式代入平衡方程,就可得用三个位移分量 u, v, w 表出的三个平衡方程. 在适当的边条件下求解这组方程就构成壳体问题的边值问题.

应当指出,利用变形协调方程(2.28)直接把它与平衡方程联立,也可以用来求解某些类型的壳体问题. 这个途径和在弹性体问题中的 Beltrami-Michell 方程相对应.

§5　扁壳与平板

5.1　薄壳应力状态的分类与扁壳方程

因壳体理论的完整方程组的求解很困难，故在实际工程问题中仍不得不采用进一步的简化. 其中最通常的办法就是求解薄壳方程在某种特定变形状态的解，且根据其解的特性来简化方程.

由§2讨论，我们知道薄壳块上某一点的应变可近似地表为

$$\varepsilon_{11}(z)=\varepsilon_{11}+z\kappa_{11},\quad \varepsilon_{22}(z)=\varepsilon_{22}+z\kappa_{22},\quad \varepsilon_{12}(z)=\varepsilon_{12}+2z\tau$$

如果用$[\varepsilon]$表示$\varepsilon_{11},\varepsilon_{22},\varepsilon_{12}$的数量级，用$[\kappa]$表示$\kappa_{11},\kappa_{22},\tau$的数量级. 我们可以遇到如下三种不同的情形：

1. $[\varepsilon]\gg h[\kappa]$.

这时把(4.12)代入(3.6)易于得到

$$[\sigma_{ij}(z)]=E[\varepsilon]+Eh[\kappa]\approx E[\varepsilon] \tag{5.1}$$

这里和以后我们都用$[\sigma_{ij}(z)]$表示$\sigma_{ij}(z)$的量阶，用$[X]$表示X的量阶. 式(5.1)表明，在这种情形下弯曲变形分量引起的应力可以略去. 这样一来，在全部平衡方程中可以略去弯矩与扭矩. 这就得到所谓的无矩应力状态，相应的理论也称为薄膜理论. 关于这种情况我们将在§6中专门讨论.

附带说明，对于这种应力状态，我们还自然地在简化方程时引用了这样的假定：即各力学量的变化足够平缓，在微商时各量不发生数量级的变化.

2. $h[\kappa]\gg[\varepsilon]$.

这时，在协调方程组中可以略去$\varepsilon_{11},\varepsilon_{22},\varepsilon_{12}$各量，得到方程组

$$\begin{cases}\dfrac{\partial A_1\kappa_{11}}{\partial\alpha^2}-\kappa_{22}\dfrac{\partial A_1}{\partial\alpha_2}-\dfrac{\partial A_2\tau}{\partial\alpha_1}-\tau\dfrac{\partial A_2}{\partial\alpha_1}=0\\[2mm]\dfrac{\partial A_2\kappa_{22}}{\partial\alpha_1}-\kappa_{11}\dfrac{\partial A_2}{\partial\alpha_1}-\dfrac{\partial A_1\tau}{\partial\alpha_2}-\tau\dfrac{\partial A_1}{\partial\alpha_2}=0\\[2mm]\dfrac{\kappa_{11}}{R_2}+\dfrac{\kappa_{22}}{R_1}=0\end{cases} \tag{5.2}$$

这就是所谓纯弯曲理论.

3. $h[\kappa] \sim [\varepsilon]$，即 $h[\kappa]$与$[\varepsilon]$具有相同的数量级.

对于这种比较复杂的状况，我们还要做如下的补充假定. 设度量系数变化是平缓的，可近似认为 $\frac{\partial [A]}{\partial s_i} \ll 1$；在平衡方程中略去切向载荷分量 $f_1 = f_2 = 0$.

在以上三种情形下对各个方程进行简化，略去与 1 相比的高阶小量. 在一般情况下有

$$\frac{\partial [A_i X]}{\partial s_j} \approx \frac{\partial [A_i]}{\partial s_j} X + A_i \frac{\partial [X]}{\partial s_j} \sim A_i \frac{\partial [X]}{\partial s_j} \tag{5.3}$$

把(5.3)的等价关系应用于平衡方程，略去高阶小量得

$$\begin{cases} \dfrac{\partial T_{11}}{\partial s_1} + \dfrac{\partial S}{\partial s_2} = 0 \\ \dfrac{\partial S}{\partial s_1} + \dfrac{\partial T_{22}}{\partial s_2} = 0 \\ \dfrac{\partial \lambda_1}{\partial s_1} + \dfrac{\partial \lambda_2}{\partial s_2} - \dfrac{T_{11}}{R_1} - \dfrac{T_{22}}{R_2} + f_3 = 0 \\ \dfrac{\partial M_{11}}{\partial s_1} + \dfrac{\partial H}{\partial s_2} - \lambda_1 = 0 \\ \dfrac{\partial H}{\partial s_1} + \dfrac{\partial M_{22}}{\partial s_2} - \lambda_2 = 0 \end{cases} \tag{5.4}$$

对协调方程(2.28)以同样的原则进行简化可得

$$\begin{cases} \dfrac{\partial \kappa_{22}}{\partial s_1} - \dfrac{\partial \tau}{\partial s_2} = 0 \\ \dfrac{\partial \tau}{\partial s_1} - \dfrac{\partial \kappa_{11}}{\partial s_2} = 0 \\ \dfrac{\kappa_{11}}{R_2} + \dfrac{\kappa_{22}}{R_1} + \dfrac{\partial^2 \varepsilon_{22}}{\partial s_1^2} + \dfrac{\partial^2 \varepsilon_{11}}{\partial s_2^2} - \dfrac{\partial^2 \varepsilon_{12}}{\partial s_1 \partial s_2} = 0 \end{cases} \tag{5.5}$$

对变形分量通过位移的表达式(2.8)与(2.11)进行简化得

$$\kappa_{11} = -\frac{\partial^2 w}{\partial s_1^2}, \quad \kappa_{22} = -\frac{\partial^2 w}{\partial s_2^2}, \quad \tau = -\frac{\partial^2 w}{\partial s_1 \partial s_2} \tag{5.6}$$

若引进应力函数使

$$T_{11} = -\frac{\partial^2 \varphi}{\partial s_2^2}, \quad T_{22} = -\frac{\partial^2 \varphi}{\partial s_1^2}, \quad S = \frac{\partial^2 \varphi}{\partial s_1 \partial s_2} \tag{5.7}$$

则简化后的平衡方程(5.4)中的前两式自然满足.

把式(5.6)代入(4.15)的后三式,得到用 w 表出的 M_{11}, M_{22} 与 H 的表达式. 再代入(5.4)的最后两式便可得到用 w 表出的 λ_1 与 λ_2 的表达式. 把它们代入(5.4)的第三式与(5.5)的第三式.

同样地,把(5.7)代入(4.15)的前三式,而且对 $\varepsilon_{11}, \varepsilon_{22}$ 与 ε_{12} 反解出来,便得到通过 φ 表出的 ε_{ij} 的表达式,把它们代入(5.5)的第三式. 并且把(5.7)直接代入(5.4)的第三式.

这样,由(5.5)与(5.4)的第三式便得到最后两个方程

$$\begin{cases} \dfrac{1}{Eh}\Delta^2 \varphi + \Delta_R w = 0 \\ \dfrac{Eh^3}{12(1-\nu^2)}\Delta^2 w - \Delta_R \varphi = q_n \end{cases} \tag{5.8}$$

式中 $\Delta = \frac{\partial^2}{\partial s_1^2} + \frac{\partial^2}{\partial s_2^2}$ 为 Laplace 算子;而

$$\Delta_R = \frac{1}{R_1}\frac{\partial^2}{\partial s_2^2} + \frac{1}{R_2}\frac{\partial^2}{\partial s_1^2}$$

式(5.8)是在假定 $\left|\frac{\partial A_i}{\partial s_j}\right| \ll 1$ 的条件下得到的. 这个条件相当于坐标系接近直角坐标系,在扁壳的条件下总是可以做到这一点的. 我们知道(5.8)成立的性质是与坐标系无关的. 于是在一般坐标系中其算子可以直接用

$$\Delta = \frac{1}{A_1 A_2}\left\{\frac{\partial}{\partial \alpha_1}\frac{A_2}{A_1}\frac{\partial}{\partial \alpha_1} + \frac{\partial}{\partial \alpha_2}\frac{A_1}{A_2}\frac{\partial}{\partial \alpha_2}\right\}$$

$$\Delta_B = \frac{1}{A_1 A_2}\left\{\frac{\partial}{\partial \alpha_1}\frac{A_2}{R_2 A_1}\frac{\partial}{\partial \alpha_1} + \frac{\partial}{\partial \alpha_2}\frac{A_1}{R_1 A_2}\frac{\partial}{\partial \alpha_2}\right\}$$

方程(5.8)通常称为扁壳方程. 这是由于在壳体比较扁,即它的跨度 a 与曲率半径相比较小时,所假定的条件都可得到近似满足.

方程(5.8)有时还被称为边缘效应方程.它反映了未知力学量在边界附近快速变化的性质.事实上,式(5.8)的第二个方程是由(5.4)的第三个方程变形而来的.而(5.4)的第三式的后两项(除f_3以外)的量阶是$Eh[\varepsilon]/[R]$,其前两项的估计首先考虑

$$[M]\approx Eh^3[\kappa]\approx Eh^2[\varepsilon]$$

其数量级为$Eh^2\dfrac{\partial^2[\varepsilon]}{\partial s^2}$.这两种项是同量阶的,这表明

$$[R]h\frac{\partial^2[\varepsilon]}{\partial s^2}\approx[\varepsilon] \tag{5.9}$$

由于h很小,这说明经过微商,未知量的数量阶有了变化.为了形象地说明这一快速变化现象,不妨把$[\varepsilon]$看作指数变化的,即

$$[\varepsilon]\approx\exp(-s/a)$$

这里a可以看为快速变化的近似范围大小.则代入(5.9)便得

$$\frac{Rh}{a^2}\approx 1,\quad 即\ a\approx\sqrt{Rh}$$

就是说,壳体中面的尺寸$a/R\approx\sqrt{h/R}$时(5.8)是适用的,这也就是扁壳跨度的大致尺寸.

对于未知量只沿一个自变量快速变化的情形,(5.8)可以退化为只依于一个自变量的四阶常微分方程.

对于方程(5.8),壳体的边条件也应当有相应的变化.一般在边界上应当给出(5.7)中的两个量以及w和$\dfrac{\partial w}{\partial l}$,共是4个边条件.

5.2 平板问题

对于壳体的中面是平面的情形,则壳体问题便退化为平板问题了.这时上述关于扁壳的方程仍然适用.但对于平板,由于$1/R_1=1/R_2=0$,方程(5.8)要简单得多,退化为互相独立的两个方程

$$\begin{cases}\Delta^2\varphi=0\\[4pt]\dfrac{Eh^3}{12(1-\nu^2)}\Delta^2 w=q_n\end{cases} \tag{5.10}$$

这两个方程中，第一个方程不是新的，它正是我们在第七章中讨论过的平面应力问题.(5.10)的第二个方程，单独构成了薄板纯弯曲问题微分方程.

§6 薄壳的无矩理论

6.1 无矩理论的基本方程

上一节我们已经谈到了无矩理论或薄膜理论的概念.在壳体平衡方程组(3.26)中略去 $M_{11},M_{22},H,\lambda_1$ 与 λ_2 之后得到

$$\begin{cases}\dfrac{1}{A_1A_2}\left(\dfrac{\partial A_2T_{11}}{\partial\alpha_1}+\dfrac{\partial A_1S}{\partial\alpha_2}+\dfrac{\partial A_1}{\partial\alpha_2}S-\dfrac{\partial A_2}{\partial\alpha_1}T_{22}\right)+f_1=0\\ \dfrac{1}{A_1A_2}\left(\dfrac{\partial A_2S}{\partial\alpha_1}+\dfrac{\partial A_1T_{22}}{\partial\alpha_2}+\dfrac{\partial A_2}{\partial\alpha_1}S-\dfrac{\partial A_1}{\partial\alpha_2}T_{11}\right)+f_2=0\\ \dfrac{T_{11}}{R_1}+\dfrac{T_{22}}{R_2}=f_n\end{cases}\tag{6.1}$$

这就是无矩理论的平衡方程，其中 T_{11},T_{22} 与 S 是未知函数，在适当的边条件下完全可以把它们从(6.1)的三个方程中解出来.可见无矩问题的无限小元素的平衡方程是静定的.

求得了 T_{11},T_{22} 与 S 后可以通过(2.7)的前两个式子和(2.11)的第一个式子把位移解出来.即解微分方程

$$\begin{cases}\varepsilon_{11}=\dfrac{1}{A_1}\dfrac{\partial u}{\partial\alpha_1}+\dfrac{v}{A_1A_2}\dfrac{\partial A_1}{\partial\alpha_2}+\dfrac{w}{R_1}=\dfrac{1}{Eh}(T_{11}-\nu T_{22})\\ \varepsilon_{22}=\dfrac{1}{A_2}\dfrac{\partial v}{\partial\alpha_2}+\dfrac{u}{A_1A_2}\dfrac{\partial A_2}{\partial\alpha_1}+\dfrac{w}{R_2}=\dfrac{1}{Eh}(T_{22}-\nu T_{11})\\ \varepsilon_{12}=\dfrac{A_2}{A_1}\dfrac{\partial}{\partial\alpha_1}\left(\dfrac{v}{A_2}\right)+\dfrac{A_1}{A_2}\dfrac{\partial}{\partial\alpha_2}\left(\dfrac{u}{A_1}\right)=\dfrac{2(1+\nu)}{Eh}S\end{cases}\tag{6.2}$$

顺便指出，这组方程当给定右端项恒为零时所对应的解，正好是对应于一个纯弯曲位移场，即 $\varepsilon_{11}=\varepsilon_{22}=\varepsilon_{12}=0$ 所确定的位移场.它与(5.2)所确定的 κ_{11},κ_{22} 与 τ 正好是相对应的.

对于无矩问题，边条件也应该做相应的改变．原来我们在 § 4 内所列出的边条件中关于 w^* 和 ϑ^*，或者对应地关于 λ_1 及 M_{11} 的条件也就不再出现了，而 H 也是为零的．这时固定边条件应当提为

$$u = 0, \quad v = 0$$

即每一点最多提两个条件．混合边条件应当给定一个内力（例如 T_{11}）和一个位移（例如 v）．对于混合边条件的问题，求解顺序是，首先用边界上给定的力边条件求解（6.1），然后再用位移边条件求解（6.2）．至于两个条件全是位移条件，或全是应力边条件，则需要把（6.1）与（6.2）联立起来求解．

6.2 旋转壳的无矩问题

在（6.1）中引进旋转壳的几何关系．我们取 z，θ 为 α_1，α_2，则可令 $r=r(z)$ 为母线方程，如图 10.3 所示．这时有

$$\begin{cases} A = A_1 = \sqrt{1 + r'^2} \\ A_2 = r \\ R = R_1 = \dfrac{-(1 + r'^2)^{3/2}}{r''} \\ R_2 = \dfrac{r}{\sin\varphi} = r\sqrt{1 + r'^2} \end{cases} \tag{6.3}$$

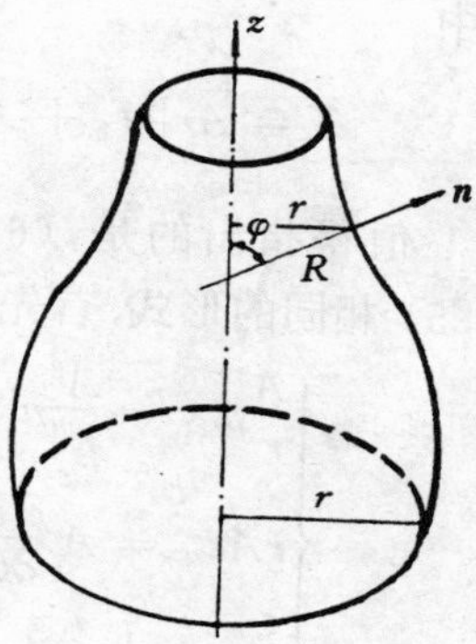

图 10.3

把这些量代入（6.1）中得

$$\begin{cases} (rT_{11})' - r'T_{22} + A\dfrac{\partial S}{\partial \theta} = -Arf_1 \\ A\dfrac{\partial T_{22}}{\partial \theta} + (rS)' + r'S = -Arf_2 \\ -\dfrac{rr''}{A^2}T_{11} + T_{22} = Arf_n \end{cases} \tag{6.4}$$

从上述第三式中解出 T_{22} 代入前两个方程，且令

$$U = r^2 S,\quad V = \frac{r}{A} T_{11}$$

则有

$$\begin{cases} \dfrac{\partial V}{\partial z} + \dfrac{1}{r^2}\dfrac{\partial U}{\partial \theta} = - r(f_1 - r' f_n) \\ \dfrac{\partial U}{\partial z} + r r'' \dfrac{\partial V}{\partial \theta} = - A r^2 \left(f_2 + A \dfrac{\partial f_n}{\partial \theta} \right) \end{cases}$$

进一步引进应力函数 Φ，使

$$U = - r^2 \frac{\partial \Phi}{\partial z},\quad V = \frac{\partial \Phi}{\partial \theta} - \int_{z_0}^{z} r(f_1 - r' f_n)\mathrm{d}z$$

显然，上面第一个方程恒成立. 代入第二个方程有

$$r \frac{\partial^2 \Phi}{\partial z^2} + 2r' \frac{\partial \Phi}{\partial z} - r'' \frac{\partial^2 \Phi}{\partial \theta^2} = Z \tag{6.5}$$

式中

$$Z = A r \left(f_2 + A \frac{\partial f_n}{\partial \theta} \right) - r'' \frac{\partial}{\partial \theta} \int_{z_0}^{z} r(f_1 - r' f_n)\mathrm{d}z$$

值得指出的是，(6.2)也可以通过适当的变换化到与上述(6.5)相同的形式. 首先，把(6.3)代入(6.2)，可以得到

$$\begin{cases} \dfrac{A^3}{r''}\varepsilon_{11} = \dfrac{A^2}{r''}u' - w = \dfrac{A^3}{Ehr''}(T_{11} - \nu T_{22}) \\ rA\varepsilon_{22} = A\dfrac{\partial v}{\partial \theta} + r' u + w = \dfrac{rA}{Eh}(T_{22} - \nu T_{11}) \\ \varepsilon_{12} = \dfrac{1}{r}\dfrac{\partial u}{\partial \theta} + \dfrac{1}{A}v' - \dfrac{v}{r}\dfrac{r'}{A} = \dfrac{2(1+\nu)}{Eh} S \end{cases} \tag{6.6}$$

将前两个式相加得

$$\begin{aligned} \frac{A^2}{r''}u' + A\frac{\partial v}{\partial \theta} + r' u &= \frac{A}{Eh}\left[\left(\frac{A^2}{r''} - \nu r \right) T_{11} + \left(r - \nu \frac{A^2}{r''} \right) T_{22} \right] \\ &= \frac{A^3}{r''}\varepsilon_{11} + rA\varepsilon_{22} \end{aligned}$$

令 $u = \dfrac{\xi}{A}$，$v = r\eta$，代入上式，并且对(6.6)稍加改写可得

$$\begin{cases} \dfrac{\partial \xi}{\partial z} + rr'' \dfrac{\partial \eta}{\partial \theta} = \dfrac{1}{Eh}[(A^2 - \nu rr'')T_{11} + (rr'' - \nu A^2)T_{22}] \\ \qquad = A^2\varepsilon_{11} + rr''\varepsilon_{22} \\ \dfrac{\partial \eta}{\partial z} + \dfrac{1}{r^2}\dfrac{\partial \xi}{\partial \theta} = \dfrac{2(1+\nu)}{Eh}\dfrac{A}{r}S = \dfrac{A}{r}\varepsilon_{12} \end{cases}$$

引进 Ψ 使

$$\xi = -r^2\frac{\partial \Psi}{\partial z}, \quad \eta = \frac{\partial \Psi}{\partial \theta} + \int_{z_0}^{z} \frac{A}{r}\varepsilon_{12}\,\mathrm{d}z$$

把它们代入上面两个方程,我们发现第二个方程恒等,而第一个方程变为

$$r\frac{\partial^2 \Psi}{\partial z^2} + 2r'\frac{\partial \Psi}{\partial z} - r''\frac{\partial^2 \Psi}{\partial \theta^2} = f(z,\theta) \tag{6.7}$$

式中

$$f(z,\theta) = -\frac{1}{r}(A^2\varepsilon_{11} + rr''\varepsilon_{22}) + r''\frac{\partial}{\partial \theta}\int_{z_0}^{z}\frac{A}{r}\varepsilon_{12}\,\mathrm{d}z.$$

注意,式(6.7)和(6.5)的左端完全相同.这说明求解无矩理论的内力和位移具有完全相同的过程.这一点,并不是偶然的,实际上几何问题和静力问题的对偶关系是整个力学问题中到处存在的.在材料力学中学过用虚梁法求解挠度,完全是用的求内力矩的办法.

6.3 无矩理论的适用范围

在什么条件下壳体按无矩理论计算是可行的.这个问题很有实际意义.

旋转壳的无矩理论求解总是与式(6.5)和(6.7)打交道.它的解在什么条件下不合理呢?即:什么时候解根本不存在,或者解虽然存在但与实际情况相差很大.

一般讲,为了避免上述情况必须:

(1) 外载应当是连续的,而且变化是相对平缓的.否则(6.5)的右端便会出现奇性.例如集中力或间断载荷附近用无矩理论一

般近似不好.

(2) 壳体的形状应当是光滑的. 母线光滑，且壳厚没有突变. 这由于方程包含 r,r' 和 r'' 各参数，它们也不允许出现奇性.

(3) 壳体的边界应当是无矩边条件. 这一条是明显的，因为边界上若已有弯矩作用，则显然无矩理论不合理了.

(4) 对于位移边条件，只应给定 u 和 v. 但应当申明的一点是在边界上给定了一个 u 或 v 后，壳体的位移场是否能保证有唯一确定的解呢？不一定. 这是壳体无矩理论方程和一般弹性理论或有矩理论不同，并不总是椭圆型方程. 它的方程类型视中面的 Gauss 曲率 $1/(R_1R_2)$ 的符号而定，从而和边值问题的适定性是紧密相连的.

习　题

1. 对于球壳和柱壳写出 $\varepsilon_{11},\varepsilon_{22},\varepsilon_{12},\kappa_{11},\kappa_{22}$ 与 τ 的通过位移的表达式. 写出平衡方程式.

2. 试用最小余能原理导出壳体变形分量与位移关系的表达式和位移边条件.

3. 求周边简支($w=0,M_r=0$)受均布载荷 q_n 的圆板的挠度表达式.

4. 受自重作用的等厚半球壳置于光滑水平面上，用无矩理论求它的内力.

5. 证明球壳周边给了切向位移 u_φ (φ 为纬角)在任意载荷作用下，这样问题的无矩解是唯一的.

6. 圆柱壳受轴对称法向载荷 q_n. 试证明它的方程可以简化为

$$\frac{Eh^3}{12(1-\nu^2)}\frac{\mathrm{d}^4w}{\mathrm{d}x^4}+\frac{Eh}{R^2}w=\left(q_n-\frac{\nu T_{11}}{R}\right)$$

7. 试推导扁球壳的方程.

8. 试讨论 r' 与 r'' 具有怎样的条件，方程(6.5)分别为椭圆型，双曲型和抛物型.

9. 试用§4.4 定理 1 的结论选定适当算子给出薄板或薄壳的广义变分原理的叙述与推导.

第十一章　弹性力学一些问题的解析解

弹性力学的解析解在理论上很有价值，对工程问题也有实际意义，它们也可以校核有限元数值解的精度. 限于篇幅，本书仅列出某些解析解的解答，至于详细的推导过程，我们给出了它们的原始文献，以供读者参考.

§1　Saint-Venant 问题

1.1　利用 Чебышев 多项式解扭转问题

如果柱体横截面边界方程可用形式

$$-\frac{1}{2}r^2+\sum A_n r^n T_n(\cos\theta)=0 \tag{1.1}$$

或

$$-\frac{1}{2}r^2+\sum(A_n r^n+B_n r^{-n})T_n(\cos\theta)=0 \tag{1.2}$$

定义，则等号左边的式子即为所论扭转问题的应力函数，其中

$$T_n(\cos\theta)=\cos n\theta$$

是第一类 Чебцшев 多项式[45].

例 1　椭圆截面.

边界方程

$$\frac{\cos^2\theta}{a^2}+\frac{\sin^2\theta}{b^2}=\frac{1}{r^2}$$

可改写为

$$-\frac{1}{2}r^2+\frac{a^2b^2}{a^2+b^2}+\frac{a^2-b^2}{2(a^2+b^2)}r^2T_2(\cos\theta)=0$$

即在(1.1)中取：

$$A_0=\frac{a^2b^2}{a^2+b^2},\quad A_2=\frac{a^2-b^2}{2(a^2+b^2)}$$

其余常数 $A_n=0$.

所求扭转问题的应力函数为

$$\Psi=-\frac{1}{2}r^2+\frac{a^2b^2}{a^2+b^2}+\frac{a^2-b^2}{2(a^2+b^2)}r^2\cos 2\theta$$

或

$$\Psi=-\frac{a^2b^2}{a^2+b^2}\left(\frac{x^2}{a^2}+\frac{y^2}{b^2}-1\right)$$

例 2 等边三角形截面(图 11.1).

边界方程

$$\left(x+\frac{1}{3}a\right)\left(x-\sqrt{3}\,y-\frac{2}{3}a\right)\left(x+\sqrt{3}\,y-\frac{2}{3}a\right)=0$$

可改写为

$$-\frac{1}{2}r^2+\frac{2}{27}a^2+\frac{1}{2a}r^3T_3(\cos\theta)=0$$

即在(1.1)中取:

$$A_0=\frac{2}{27}a^2,\quad A_3=\frac{1}{2a}$$

其余常数 $A_n=0$.

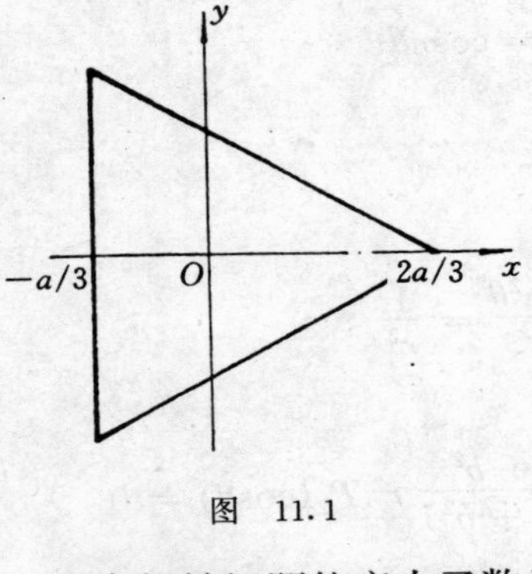

图 11.1

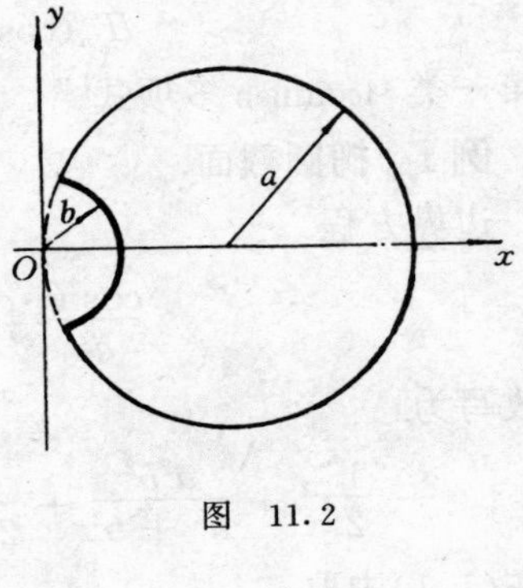

图 11.2

所求扭转问题的应力函数为

$$\Psi = -\frac{1}{2}r^2 + \frac{2}{27}a^2 + \frac{1}{2a}r^3\cos 3\theta$$

或

$$\Psi = -\frac{1}{2}\left[x^2 + y^2 - \frac{4}{27}a^2 - \frac{1}{a}(x^3 - 3xy^2)\right]$$

例 3 带凹槽的圆截面(图 11.2).

边界方程

$$(r^2 - b^2)\left(1 - \frac{2a}{r}\cos\theta\right) = 0$$

可改写为

$$-\frac{1}{2}r^2 + \frac{b^2}{2} + arT_1(\cos\theta) - \frac{ab^2}{r}T_1(\cos\theta) = 0$$

即在(1.2)中取：

$$A_0 = \frac{b^2}{2},\quad A_1 = a,\quad B_1 = -ab^2$$

其余 $A_n = 0, B_n = 0$.

所求扭转问题的应力函数为

$$\Psi = -\frac{1}{2}(r^2 - b^2)\left(1 - \frac{2a}{r}\cos\theta\right) \tag{1.3}$$

例 4 心脏形截面(图 11.3).

边界方程

$$r = \frac{1}{2a^2}(1 + \cos\theta)$$

可改写为

$$-\frac{1}{2}r^2 + \frac{1}{4a^3}r^{1/2}T_{1/2}(\cos\theta) + \frac{1}{4a^2}rT_1(\cos\theta) = 0$$

即取：

$$A_{1/2} = \frac{1}{4a^3},\quad A_1 = \frac{1}{4a^2}$$

其余常数 $A_n = 0$.

所求扭转问题的应力函数为

$$\Psi = -\frac{1}{2}\left(r^2 - \frac{1}{2a^3} r^{1/2}\cos\frac{\theta}{2} - \frac{1}{2a^2} r\cos\theta\right)$$

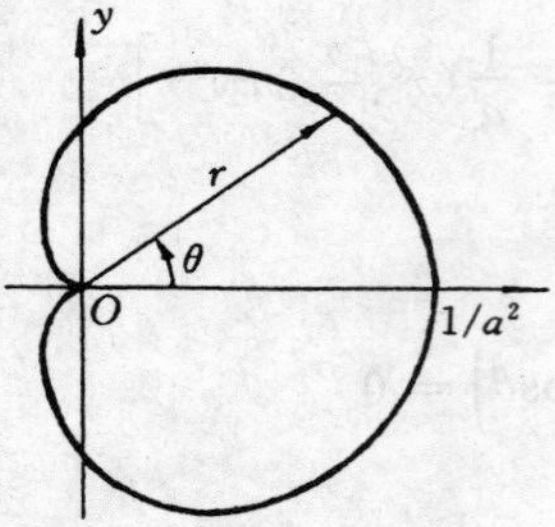

图 11.3

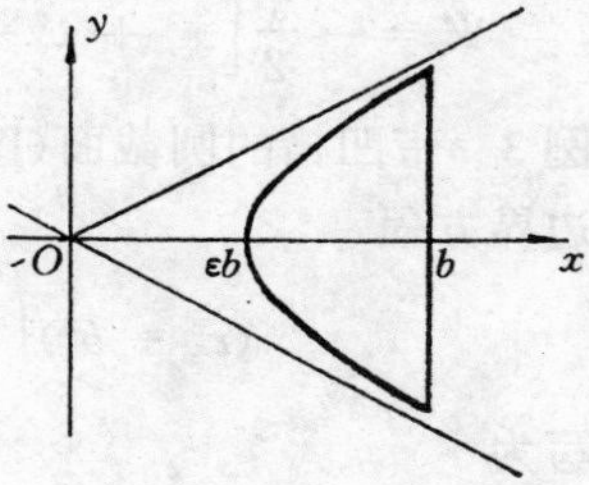

图 11.4

例 5 双曲线与直线所围成的截面(图 11.4).

边界方程

$$(x-b)(x^2-3y^2-\varepsilon^2 b^2)=0, \quad \varepsilon < 1$$

可改写为

$$-\frac{1}{2}r^2 - \frac{\varepsilon^2 b^2}{2} + \frac{\varepsilon^2 b}{2} r T_1(\cos\theta) + r^2 T_2(\cos\theta)$$
$$-\frac{1}{2b} r^3 T_3(\cos\theta) = 0$$

即取:

$$A_0 = -\varepsilon^2 b^2/2, \quad A_1 = \varepsilon^2 b/2, \quad A_2 = 1, \quad A_3 = -1/2b$$

其余 $A_n=0$.

所求扭转问题的应力函数为

$$\Psi = -\frac{1}{2b}(x-b)(x^2-3y^2-\varepsilon^2 b^2) \tag{1.4}$$

1.2 椭圆截面梁在横力作用下的弯曲解

椭圆截面悬臂梁

$$\frac{x^2}{a^2}+\frac{y^2}{b^2}\leqslant 1, \quad 0\leqslant z\leqslant l$$

在自由端受外力 R_x 的作用(图 11.5). 其弯曲函数为

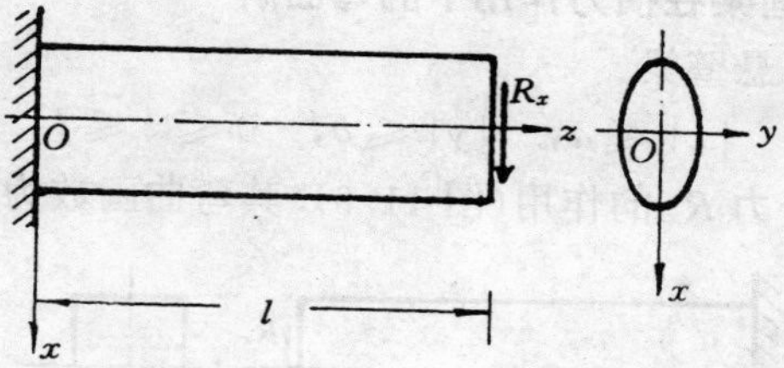

图 11.5

$$\varphi_1=\frac{a^2+(a^2+b^2)\nu}{3(3a^2+b^2)}(x^3-3xy^2)+\frac{2a^4\nu+2a^4+a^2b^2}{3a^2+b^2}x$$

应力为[15]

$$\sigma_x=\sigma_y=\tau_{xy}=0$$

$$\sigma_z=-\frac{R_x}{I_y}(l-z)x$$

$$\tau_{xz}=\frac{2(1+\nu)a^2+b^2}{2(1+\nu)(3a^2+b^2)}\frac{R_x}{I_y}\left[a^2-x^2-\frac{a^2(1-2\nu)}{2(1+\nu)a^2+b^2}y^2\right]$$

$$\tau_{yz}=-\frac{a^2+(a^2+b^2)\nu}{(1+\nu)(3a^2+b^2)}\frac{R_x}{I_y}xy$$

位移为

$$u=\frac{1}{E}\frac{R_x}{I_y}\left[z^2\left(\frac{l}{2}-\frac{1}{6}z\right)+\frac{\nu}{2}(x^2-y^2)(l-z)\right]$$

$$v=\frac{\nu}{E}\frac{R_x}{I_y}xy(l-z)$$

$$w=\frac{1}{E}\frac{R_x}{I_y}\left[\frac{a^2+(a^2+b^2)\nu}{3(3a^2+b^2)}(x^3-3xy^2)+\frac{2(1+\nu)a^2+b^2}{3a^2+b^2}a^2x\right.$$
$$\left.+\frac{\nu}{2}xy^2-\frac{1}{3}\left(1+\frac{\nu}{2}\right)x^3-xz\left(l-\frac{1}{2}z\right)\right]$$

其中

$$I_y=\frac{\pi}{4}a^3b$$

1.3 矩形截面梁在横力作用下的弯曲解

矩形截面悬壁梁

$$|x|\leqslant a,\quad |y|\leqslant b,\quad 0\leqslant z\leqslant l$$

在自由端受外力 R_x 的作用(图 11.6). 其弯曲函数为

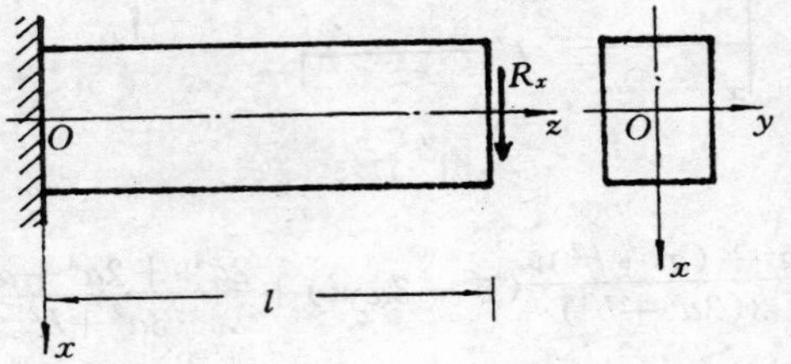

图 11.6

$$\varphi_1=(1+\nu)a^2x+4\nu\sum_{n=1}^{\infty}(-1)^{n+1}\frac{\operatorname{sh}\frac{n\pi x}{b}}{\left(\frac{n\pi}{b}\right)^3\operatorname{ch}\frac{n\pi a}{b}}\cos\frac{n\pi y}{b}$$

应力为[13]

$$\sigma_x=\sigma_y=\tau_{xy}=0$$

$$\sigma_z=-\frac{R_x}{I_y}(l\cdot z)x$$

$$\tau_{xz}=\frac{\nu}{2(1+\nu)}\frac{R_x}{I_y}\left[y^2+\frac{1+\nu}{\nu}(a^2-x^2)\right.$$

$$\left.+\frac{4b^2}{\pi^2}\sum_{n=1}^{\infty}(-1)^{n+1}\frac{\operatorname{ch}\frac{n\pi x}{b}}{n^2\operatorname{ch}\frac{n\pi a}{b}}\cos\frac{n\pi y}{b}\right]$$

$$\tau_{yz}=\frac{2\nu}{1+\nu}\frac{b^2R_x}{\pi^2I_y}\sum_{n=1}^{\infty}(-1)^n\frac{\operatorname{sh}\frac{n\pi x}{b}}{n^2\operatorname{ch}\frac{n\pi a}{b}}\sin\frac{n\pi y}{b}$$

位移为

$$u=\frac{1}{E}\frac{R_x}{I_y}\left[z^2\left(\frac{l}{2}-\frac{1}{6}z\right)+\frac{\nu}{2}(x^2-y^2)(l-z)\right]$$

$$v=\frac{\nu}{E}\frac{R_x}{I_y}xy(l-z)$$

$$w=\frac{1}{E}\frac{R_x}{I_y}\left[(1+\nu)a^2x+\frac{4\nu b^3}{\pi^3}\sum_{n=1}^{\infty}(-1)^{n+1}\frac{\operatorname{sh}\frac{n\pi x}{b}}{n^3\operatorname{ch}\frac{n\pi a}{b}}\cos\frac{n\pi y}{b}\right.$$

$$\left.+\frac{\nu}{2}xy^2-\frac{1}{3}\left(1+\frac{\nu}{2}\right)x^3-xy\left(l-\frac{1}{2}z\right)\right]$$

其中

$$I_y=\frac{4}{3}a^3b$$

1.4 Новожилов弯曲中心公式及其应用

第六章曾给出多连通区域的弯曲中心公式(4.15),此公式是在主形心系下描述的.而弹性力学的扭转问题,视其方便,常在非主形心系下求解.为能直接应用平移的非主形心系下扭转问题的现有结果,我们将应用下述平移的非主形心系下的 Новожилов 弯曲中心公式

$$x_{\mathrm{cf}}=-\frac{1}{I_x-y_0^2A}\iint_G(y-y_0)\varphi\,\mathrm{d}x\mathrm{d}y$$

$$+\frac{\nu}{1+\nu}\frac{1}{I_x-y_0^2A}\iint_G(x-x_0)\Psi\,\mathrm{d}x\mathrm{d}y$$

$$+\frac{\nu}{1+\nu}\frac{1}{I_x-y_0^2A}\sum_{i=1}^{n}C_iA_i(x_i-x_0)$$

$$y_{\mathrm{cf}}=-\frac{1}{I_y-x_0^2A}\iint_G(x-x_0)\varphi\,\mathrm{d}x\mathrm{d}y$$

$$+\frac{\nu}{1+\nu}\frac{1}{I_y-x_0^2A}\iint_G(y-y_0)\Psi\mathrm{d}x\mathrm{d}y$$

$$+\frac{\nu}{1+\nu}\frac{1}{I_y-x_0^2A}\sum_{i=1}^{n}C_iA_i(y_i-y_0)$$

其中 x,y 是经主形心系平移后所得坐标系的坐标,(x_0,y_0) 为 G 的形心,A 为 G 的面积.

特别地,对 $y_0=0$ 的单连通区域,上述弯曲中心公式可简化为

$$x_{\mathrm{cf}}=-\frac{1}{I_x}I_1+\frac{\nu}{1+\nu}\frac{1}{I_x}I_2,\quad y_{\mathrm{cf}}=0 \tag{1.5}$$

其中

$$\begin{aligned} I_1&=\iint_G y\varphi\,\mathrm{d}x\mathrm{d}y\\ I_2&=\iint_G(x-x_0)\Psi\mathrm{d}x\mathrm{d}y \end{aligned} \tag{1.6}$$

例 6 半圆截面的弯曲中心(图 11.7).

半圆截面方程

$$x^2+y^2\leqslant a^2,\quad x\geqslant 0$$

其形心和惯性矩分别为

$$x_0=\frac{4}{3\pi}a,\quad I_x=\frac{\pi}{8}a^4$$

该半圆截面扭转问题的应力函数和翘曲函数分别为[12]

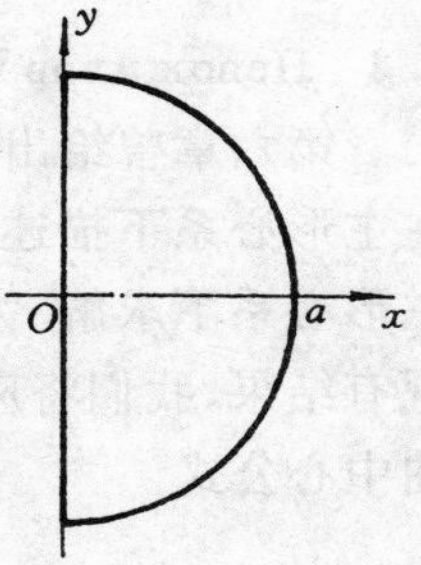

图 11.7

$$\Psi=-\frac{r^2}{2}(1+\cos 2\theta)$$

$$+\frac{8a^2}{\pi}\sum_{n=0}^{\infty}\frac{(-1)^{n+1}r^{2n+1}}{(2n-1)(2n+1)(2n+3)a^{2n+1}}\cos(2n+1)\theta$$

$$\varphi=\frac{r^2}{2}\sin 2\theta$$

$$+\frac{8a^2}{\pi}\sum_{n=0}^{\infty}\frac{(-1)^{n}r^{2n+1}}{(2n-1)(2n+1)(2n+3)a^{2n+1}}\sin(2n+1)\theta$$

按式(1.6)可算出

$$I_1 = -\frac{1}{5}a^5,\quad I_2 = \left(\frac{1}{15} - \frac{\pi^2 - 8}{3\pi^2}\right)a^5$$

从(1.5)即得弯曲中心

$$x_{\mathrm{cf}} = \frac{8(3+4\nu)}{15(1+\nu)\pi}a - \frac{8\nu(\pi^2-8)}{3(1+\nu)\pi^3}a,\quad y_{\mathrm{cf}} = 0$$

例 7 双曲线与直线所围成的截面的弯曲中心(图 11.8).

截面方程

$$x^2 - 3y^2 - \varepsilon^2 b^2 \geqslant 0,\quad \varepsilon < 1$$

$$x \leqslant b$$

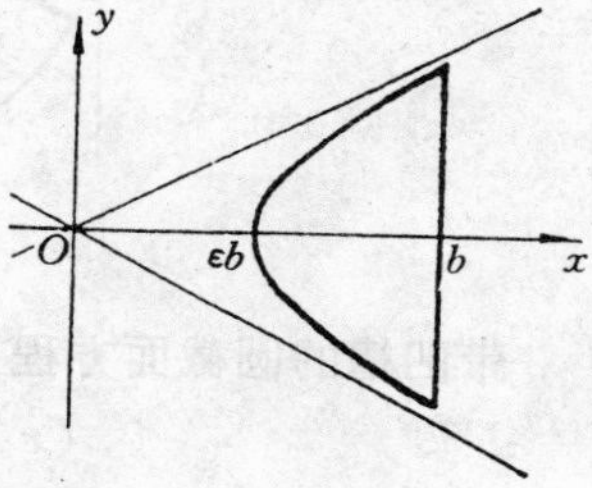

图 11.8

其形心和惯性矩分别为

$$x_0 = \frac{2b}{3k}(1-\varepsilon^2)^{3/2},$$

$$I_x = \frac{b^4}{36\sqrt{3}}[2(1-\varepsilon^2)^{3/2} - 3k\varepsilon^2]$$

该例扭转问题的应力函数为式(1.4),即

$$\Psi = \frac{1}{2b}(-x^3 + 3xy^2 + \varepsilon^2 b^2 x + bx^2 - 3by^2 - \varepsilon^2 b^2)$$

翘曲函数为

$$\varphi = -\frac{1}{2b}(y^3 - 3x^2 y + 4bxy + \varepsilon^2 b^2 y)$$

按式(1.6)可算出

$$I_1 = -\frac{b^5}{216\sqrt{3}}[2(4-3\varepsilon^2)(1-\varepsilon^2)^{3/2} - 3k\varepsilon^4]$$

$$I_2 = -\frac{b^5}{9\sqrt{3}}\left[-\frac{1}{5}\left(1+\frac{21}{4}\varepsilon^2\right)(1-\varepsilon^2)^{3/2} - \frac{3}{8}k\varepsilon^4 + \frac{1}{5k}(1+4\varepsilon^2)(1-\varepsilon^2)^3\right]$$

其中

$$k = (1-\varepsilon^2)^{1/2} - \varepsilon^2 \ln \frac{1+(1-\varepsilon^2)^{1/2}}{\varepsilon}$$

例 8 带凹槽的圆截面的弯曲中心(图 11.9).

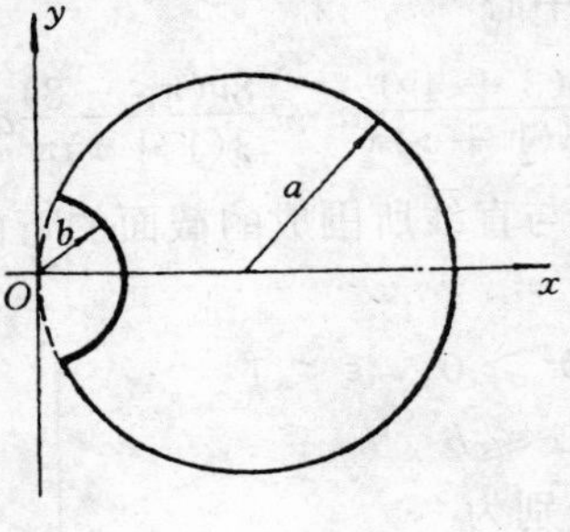

图 11.9

带凹槽的圆截面方程

$$(x-a)^2 + y^2 \leqslant a^2$$

$$x^2 + y^2 \geqslant b^2$$

其形心和惯性矩分别为

$$x_0 = \frac{a}{k}\left[\varepsilon(2-\varepsilon^2)(4-\varepsilon^2)^{1/2} + 8\arccos\frac{\varepsilon}{2}\right]$$

$$I_x = \frac{a^4}{48}[\varepsilon^3(1+2\varepsilon^2)(4-\varepsilon^2)^{1/2} + 3k]$$

该例扭转问题的应力函数为(1.3),即

$$\Psi = -\frac{1}{2}(r^2-b^2)\left(1-\frac{2a}{r}\cos\theta\right)$$

翘曲函数为

$$\varphi = -ar\sin\theta - \frac{ab^2}{r}\sin\theta$$

按式(1.6)可算出

$$I_1 = -\frac{a^5}{48}\Big[\varepsilon(6+7\varepsilon^2+5\varepsilon^4)(4-\varepsilon^2)^{1/2}$$

$$+ 12(2+2\varepsilon^2-3\varepsilon^4)\arccos\frac{\varepsilon}{2}\Big]$$

$$I_2 = -\frac{a^5}{k}\Big[\frac{1}{48}\varepsilon^4(46-19\varepsilon^2)(4-\varepsilon^2)$$

$$+\frac{1}{12}\varepsilon^3(40-3\varepsilon^2+2\varepsilon^4)(4-\varepsilon^2)^{1/2}\arccos\frac{\varepsilon}{2}$$

$$-\varepsilon^2(2+6\varepsilon^2-\varepsilon^4)\left(\arccos\frac{\varepsilon}{2}\right)^2\Big]$$

其中

$$k = 2\varepsilon(4-\varepsilon^2)^{1/2} + 4(2-\varepsilon^2)\arccos\frac{\varepsilon}{2}, \quad \varepsilon = \frac{b}{a}$$

1.5 等腰三角形截面的弯曲中心

等腰三角形截面方程(图 11.10)

$$x \leqslant a$$
$$y \leqslant x\tan\alpha + 2a\tan\alpha$$
$$y \geqslant -x\tan\alpha - 2a\tan\alpha$$

其弯曲中心为[37]

$$x_{\mathrm{cf}} = \frac{2}{5}\frac{1-2\nu}{(1+\nu)(1-3\tan^2\alpha)}a, \quad y_{\mathrm{cf}} = 0$$

其中

$$\nu = \frac{3\tan^2\alpha(1-\tan^2\alpha)}{1+3\tan^4\alpha}, \quad 0 < \alpha < 45°$$

1.6 半椭圆截面的弯曲中心

半椭圆截面方程(图 11.11)

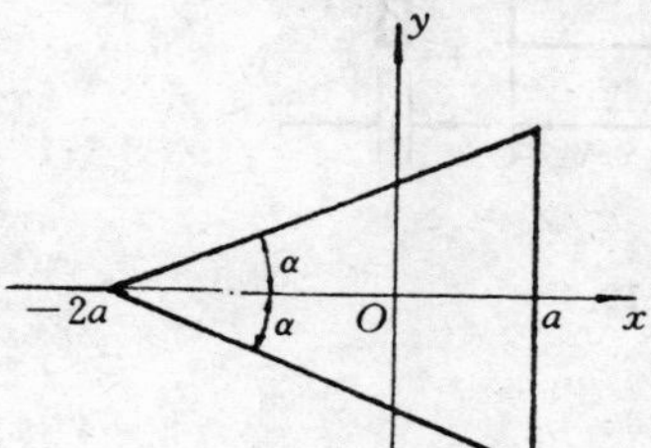

图 11.10

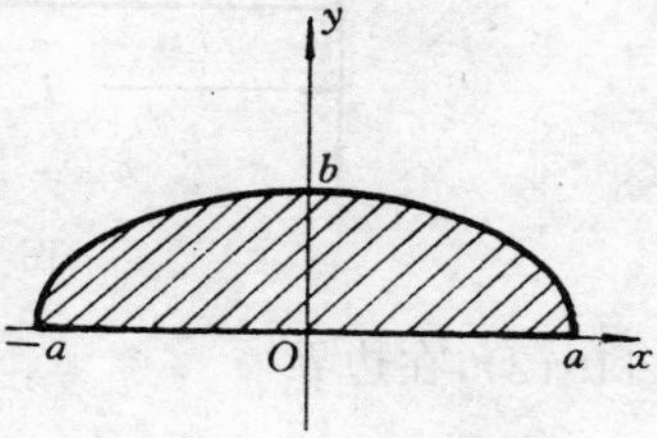

图 11.11

$$\frac{x^2}{a^2}+\frac{y^2}{b^2}\leqslant 1$$

$$y\geqslant 0$$

其弯曲中心为

$$x_{cf}=0$$

$$y_{cf}=\frac{16b[5(1+\nu)a^2+(1+3\nu)b^2]}{15\pi(1+\nu)(3a^2+b^2)}-\frac{3\nu b^3(\pi^2 a-8b)}{3\pi^3(1+\nu)a^3}+\frac{1024\nu b^4}{3\pi^3(1+\nu)a^3}\sum_{n=1,3,\cdots}^{\infty}\frac{1}{n(n^2-4)^2}\frac{(a-b)^n}{[(a+b)^n-(a-b)^n]}$$

附注　$a=b$ 时，上面弯曲中心公式则蜕化为半圆截面的弯曲中心公式[15].

§2　弹性力学的平面问题

2.1　狭长矩形梁的级数形式解及其应用

狭长矩形梁，其边界方程为

$$0\leqslant x\leqslant l$$

$$|y|\leqslant a$$

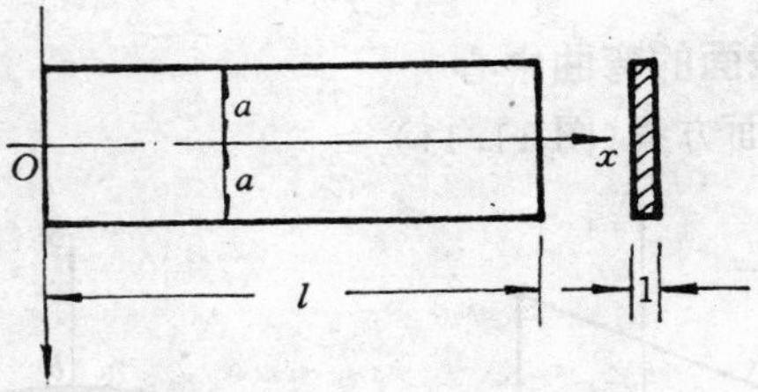

图　11.12

(图 11.12)，在边界

$$y=\pm a$$

上作用有给定的 p 次多项式分布的外力

$$(\sigma_y)_{y=a} = \sum_{k=0}^{p} A_k x^k, \quad (\sigma_y)_{y=-a} = \sum_{k=0}^{p} B_k x^k$$
$$(\tau_{xy})_{y=a} = \sum_{k=0}^{p} C_k x^k, \quad (\tau_{xy})_{y=-a} = \sum_{k=0}^{p} D_k x^k \tag{2.1}$$

在梁的左端 $x=0$ 上作用有：合力 F_x 和 F_y，合力矩 M，即

$$-F_x = \int_{-a}^{a}\left(\frac{\partial^2 U}{\partial y^2}\right)_{x=0} \mathrm{d}y, \quad F_y = \int_{-a}^{a}\left(\frac{\partial^2 U}{\partial x \partial y}\right)_{x=0} \mathrm{d}y$$
$$M = \int_{-a}^{a}\left(\frac{\partial^2 U}{\partial y^2}\right)_{x=0} y \mathrm{d}y$$

我们求出了该梁的平面问题的 Airy 应力函数为[41]

$$U = \sum_{n=0}^{p+5} \sum_{m=n}^{p+5} C_{mn} y^{m-n} x^n \tag{2.2}$$

其中 C_{mn} 可由下述递推公式确定：

$$\begin{aligned}
C_{nn} &= \frac{1}{2}\Bigg[\frac{A_{n-2}+B_{n-2}}{n(n-1)} + \frac{C_{n-1}-D_{n-1}}{2n}a \\
&\quad + \sum_{m=n+4,n+6,\cdots}^{p+5} (m-n-2) C_{mn} a^{m-n}\Bigg] \\
C_{n+1,n} &= \frac{1}{2}\Bigg[\frac{3(A_{n-2}-B_{n-2})}{2n(n-1)a} + \frac{C_{n-1}+D_{n-1}}{2n} \\
&\quad + \sum_{m=n+5,n+7,\cdots}^{p+5} (m-n-3) C_{mn} a^{m-n-1}\Bigg] \\
C_{n+2,n} &= -\frac{1}{2}\Bigg[\frac{C_{n-1}-D_{n-1}}{2na} \\
&\quad + \sum_{m=n+4,n+6,\cdots}^{p+5} (m-n-1) C_{mn} a^{m-n-2}\Bigg] \\
C_{n+3,n} &= -\frac{1}{2}\Bigg[\frac{C_{n-1}+D_{n-1}}{2na^2} + \frac{A_{n-2}-B_{n-2}}{2n(n-1)a^3} \\
&\quad + \sum_{m=n+5,n+7,\cdots}^{p+5} (m-n-1) C_{mn} a^{m-n-3}\Bigg]
\end{aligned} \tag{2.3}$$

以上各式中 $n=2,3,\cdots,p+5$.

$$C_{m,n-2}=-\left[2n(n-1)(m-n)(m-n-1)C_{mn}\right.$$
$$\left.+\frac{(n+2)(n+1)n(n-1)C_{m,n+2}}{(m-n+2)(m-n+1)(m-n)(m-n-1)}\right] \tag{2.4}$$

式中 $m=4,5,\cdots,p+5$；$n=2,3,\cdots,m-2$.

$$C_{31}=-\frac{1}{2}\left[\frac{C_0-D_0}{2a}+\sum_{m=5,7,\cdots}^{p+5}(m-1)C_{m1}a^{m-3}\right]$$

$$C_{21}=-\frac{C_0+D_0}{2}-3C_{41}a^2-\sum_{m=6,8,\cdots}^{p+5}(m-1)C_{m1}a^{m-2} \tag{2.5}$$

$$C_{20}=-\frac{F_x}{4a}-\frac{1}{2a^2}\sum_{m=4,6,\cdots}^{p+5}mC_{m0}a^m$$

$$C_{30}=\frac{M}{4a^3}-\frac{1}{2a^3}\sum_{m=5,7,\cdots}^{p+5}(m-1)C_{m0}a^m \tag{2.6}$$

$$C_{41}=-\frac{F_y}{4a^3}-\frac{C_0+D_0}{4a^2}-\frac{1}{4a^4}\sum_{m=6,8,\cdots}^{p+5}(m-2)C_{m1}a^m$$

而 C_{00},C_{10},C_{11}对应力分量无影响.

附注 计算时,若 $k>p$,取 $A_k=B_k=C_k=D_k=0$;若 $m>p+5$,则取 $C_{mn}=0$.

例 1 悬臂梁受线性分布法向载荷.

设悬臂梁在 $x=l$ 端固定,在 $y=-a$ 边作用有线性分布法向压力 $q=\frac{q_0}{l}x$(图 11.13).此时

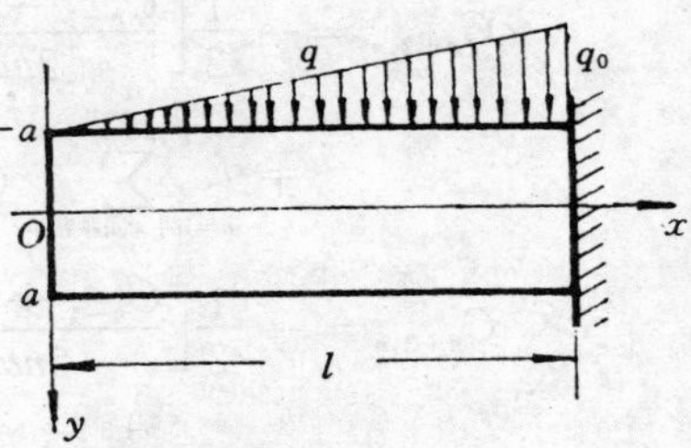

图 11.13

$$p=1$$

式(2.1)中各系数为

$$A_0=B_0=C_0=D_0=0$$

$$B_1 = -q_0/l$$
$$A_1 = C_1 = D_1 = 0$$

将上述诸式代入式(2.3)和(2.4),可得

$$C_{33} = -\frac{q_0}{12l}, \quad C_{43} = \frac{q_0}{8la}, \quad C_{53} = 0, \quad C_{63} = -\frac{q_0}{24la^3}$$

$$C_{62} = C_{60} = 0, \quad C_{61} = \frac{q_0}{40la^3}$$

再用一次(2.3)和(2.4),得

$$C_{22} = C_{32} = C_{42} = C_{52} = 0$$
$$C_{51} = C_{50} = C_{40} = 0$$

从(2.5),可算出

$$C_{31} = 0, \quad C_{21} = \frac{q_0 a}{40l}$$

将已知端部条件 $F_x = F_y = M = 0$ 代入(2.6),可得

$$C_{20} = C_{30} = 0, \quad C_{41} = -\frac{q_0}{20la}$$

于是,从(2.2)式可得本问题的应力函数为

$$U = \frac{q_0}{4l}\left(-\frac{1}{6a^3}x^3y^3 + \frac{1}{10a^3}xy^5 + \frac{1}{2a}x^3y - \frac{1}{5a}xy^3 - \frac{1}{3}x^3 + \frac{a}{10}xy\right)$$

例 2 悬臂梁受线性分布($p=1$)切向载荷.

如图 11.14 所示,该悬臂梁所受切向载荷为

$$\tau = \frac{\tau_0}{l}x$$

其应力函数为

$$U = \frac{\tau_0}{4l}\left(\frac{1}{2a^2}x^2y^3 - \frac{1}{10a^2}y^5 - \frac{1}{2a}x^2y^2 + \frac{1}{6a}y^4 - \frac{1}{2}x^2y + \frac{1}{5}y^3 + \frac{a}{2}x^2 - \frac{a}{3}y^2\right)$$

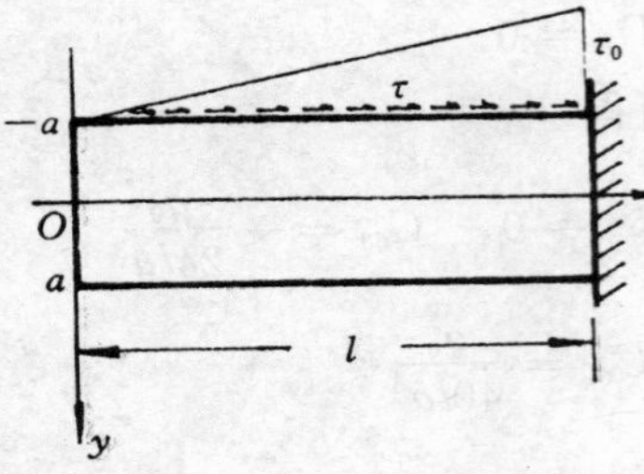

图 11.14

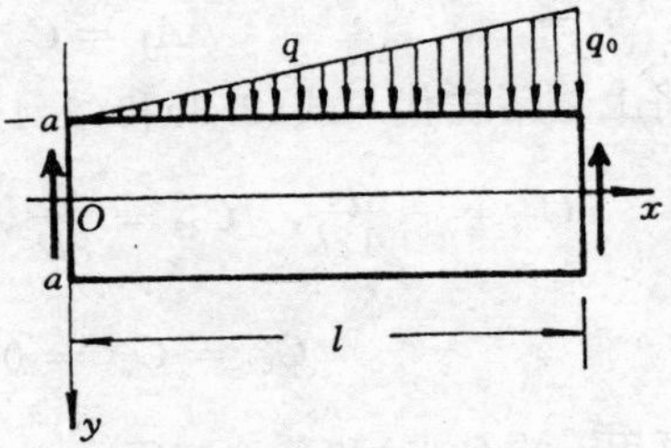

图 11.15

例 3 简支梁受线性分布($p=1$)法向载荷.

如图 11.15 所示,该简支梁所受法向载荷为

$$q=\frac{q_0}{l}x$$

其应力函数为

$$U=\frac{q_0}{4l}\Big[-\frac{1}{6a^3}x^3y^3+\frac{1}{10a^3}xy^5+\frac{1}{2a}x^3y+\left(\frac{l^2}{6a^3}-\frac{1}{5a}\right)xy^3-\frac{1}{3}x^3+\left(\frac{a}{10}-\frac{l^2}{2a}\right)xy\Big]$$

例 4 悬臂梁受二次分布($p=2$)法向载荷.

如图 11.16 所示,该悬臂梁所受法向载荷为

$$q=\frac{q_0}{l^2}x^2$$

其应力函数为

$$U=\frac{q_0}{4l^2}\Big(-\frac{1}{12a^3}x^4y^3+\frac{1}{10a^3}x^2y^5-\frac{1}{140a^3}y^7+\frac{1}{4a}x^4y-\frac{1}{5a}x^2y^3-\frac{1}{100a}y^5-\frac{1}{6}x^4+\frac{1}{6}y^4+\frac{a}{10}x^2y+\frac{29a}{700}y^3-\frac{a^2}{3}y^2\Big)$$

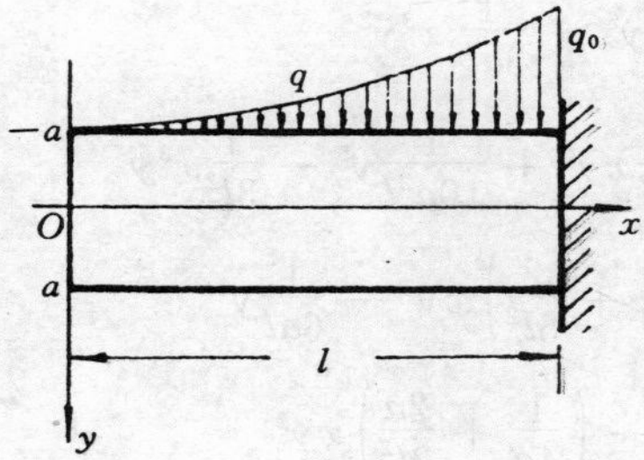

图　11.16

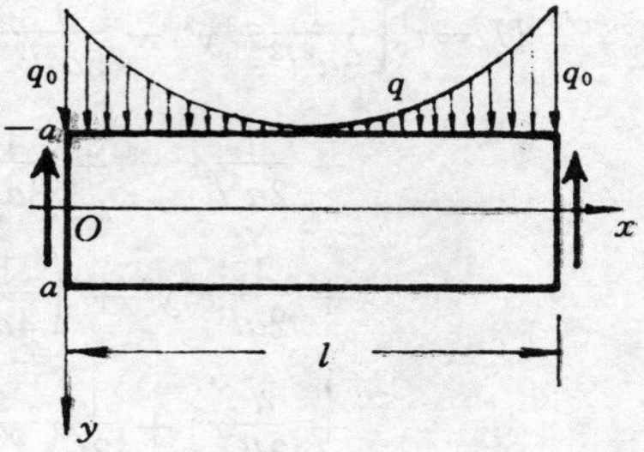

图　11.17

例 5　简支梁受二次分布($p=2$)法向载荷.

如图 11.17 所示,该简支梁所受法向载荷为

$$q=\frac{4q_0}{l^2}\left(x-\frac{l}{2}\right)^2$$

其应力函数为

$$\begin{aligned}U=q_0\Big[&-\frac{1}{12a^3l^2}x^4y^3+\frac{1}{10a^3l^2}x^2y^5-\frac{1}{140a^3l^2}y^7\\&+\frac{1}{6a^3l}x^3y^3-\frac{1}{10a^3l}xy^5+\frac{1}{4al^2}x^4y\\&-\left(\frac{1}{8a^3}+\frac{1}{5al^2}\right)x^2y^3+\left(\frac{1}{40a^3}-\frac{1}{100al^2}\right)y^5\\&-\frac{1}{6l^2}x^4-\frac{1}{2al}x^3y+\left(\frac{l}{24a^3}+\frac{1}{5al}\right)xy^3+\frac{1}{6l^2}y^4\\&+\frac{1}{3l}x^3+\left(\frac{3}{8a}+\frac{a}{10l^2}\right)x^2y+\left(\frac{29a}{700l^2}-\frac{1}{20a}\right)y^3\\&-\frac{1}{4}x^2-\left(\frac{l}{8a}+\frac{a}{10l}\right)xy-\frac{a^2}{3l^2}y^2\Big]\end{aligned}$$

例 6　悬臂梁受二次分布($p=2$)切向载荷.

如图 11.18 所示,该悬臂梁所受切向载荷为

$$\tau=\frac{4\tau_0}{l^2}\left(x-\frac{l}{2}\right)^2$$

其应力函数为

$$U=\tau_0\Big[\frac{1}{3a^2l^2}x^3y^3-\frac{1}{5a^2l^2}xy^5-\frac{1}{3al^2}x^3y^2$$
$$-\frac{1}{2a^2l}x^2y^3+\frac{1}{3al^2}xy^4+\frac{1}{10a^2l}y^5-\frac{1}{3l^2}x^3y$$
$$+\frac{1}{2al}x^2y^2+\left(\frac{1}{4a^2}+\frac{2}{5l^2}\right)xy^3-\frac{1}{6al}y^4$$
$$+\frac{a}{3l^2}x^3+\frac{1}{2l}x^2y-\left(\frac{1}{4a}+\frac{2a}{3l^2}\right)xy^2$$
$$-\frac{1}{5l}y^3-\frac{a}{2l}x^2-\left(\frac{1}{4}+\frac{a^2}{5l^2}\right)xy+\frac{a}{3l}y^2\Big]$$

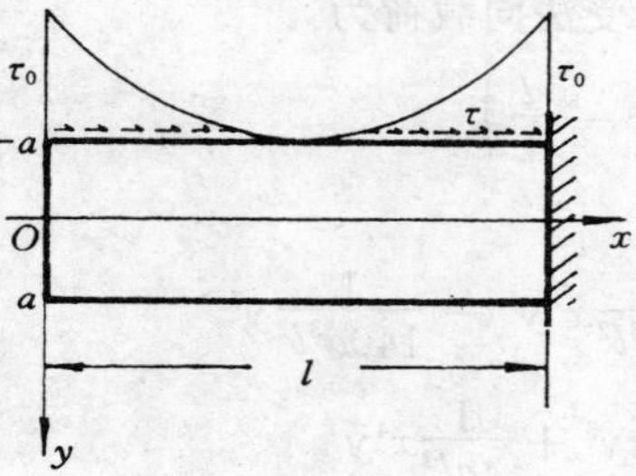

图 11.18

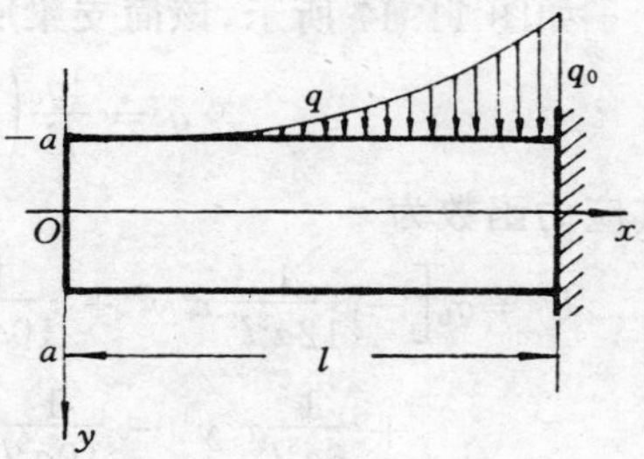

图 11.19

例 7 悬臂梁受三次分布($p=3$)法向载荷.

如图 11.19 所示,该悬臂梁所受法向载荷为

$$q=\frac{q_0}{l^3}x^3$$

其应力函数为

$$U=\frac{q_0}{4l^3}\Big(-\frac{1}{20a^3}x^5y^3+\frac{1}{10a^3}x^3y^5-\frac{3}{140a^3}xy^7+\frac{3}{20a}x^5y$$
$$-\frac{1}{5a}x^3y^3-\frac{3}{100a}xy^5-\frac{1}{10}x^5+\frac{1}{2}xy^4$$
$$+\frac{a}{10}x^3y+\frac{87a}{700}xy^3-a^2xy^2-\frac{51a^3}{700}xy\Big)$$

2.2 无限长圆柱的位移场

半径为 R 的无限长圆柱，其位移场为[26]

$$
\begin{aligned}
u &= \sum_{k=0}^{\infty} \frac{r^k}{R^k} A_k + \frac{1}{2(3-4\nu)} \sum_{k=0}^{\infty} \frac{R^2 - r^2}{k+1} \frac{\partial \psi_{k+1}}{\partial x} \\
v &= \sum_{k=0}^{\infty} \frac{r^k}{R^k} B_k + \frac{1}{2(3-4\nu)} \sum_{k=0}^{\infty} \frac{R^2 - r^2}{k+1} \frac{\partial \psi_{k+1}}{\partial y}
\end{aligned}
\tag{2.7}
$$

其中

$$
\psi_{k+1} = \frac{\partial}{\partial x}\left(\frac{r^{k+2}}{R^{k+2}} A_{k+2}\right) + \frac{\partial}{\partial y}\left(\frac{r^{k+2}}{R^{k+2}} B_{k+2}\right)
$$

情形 1. 位移边界条件.

若 $r=R$ 给定如下位移边界条件

$$
\begin{aligned}
u &= \sum_{k=0}^{\infty} (\overline{u}_k^{(1)} \cos k\theta + \overline{u}_k^{(2)} \sin k\theta) \\
v &= \sum_{k=0}^{\infty} (\overline{v}_k^{(1)} \cos k\theta + \overline{v}_k^{(2)} \sin k\theta)
\end{aligned}
$$

则有

$$
\begin{aligned}
A_k &= \overline{u}_k^{(1)} \cos k\theta + \overline{u}_k^{(2)} \sin k\theta \\
B_k &= \overline{v}_k^{(1)} \cos k\theta + \overline{v}_k^{(2)} \sin k\theta
\end{aligned}
$$

情形 2. 应力边界条件.

若 $r=R$ 给定如下应力边界条件

$$
\begin{aligned}
X_n &= \sum_{k=0}^{\infty} (\overline{M}_k^{(1)} \cos k\theta + \overline{M}_k^{(2)} \sin k\theta) \\
Y_n &= \sum_{k=0}^{\infty} (\overline{N}_k^{(1)} \cos k\theta + \overline{N}_k^{(2)} \sin k\theta)
\end{aligned}
\tag{2.8}
$$

则有

$$
\begin{aligned}
A_k = \frac{R}{2k\mu}\{&[2(1-\nu)\overline{M}_k^{(1)} + (1-2\nu)\overline{N}_k^{(2)}]\cos k\theta \\
&+ [2(1-\nu)\overline{M}_k^{(2)} - (1-2\nu)\overline{N}_k^{(1)}]\sin k\theta\} \\
B_k = \frac{R}{2k\mu}\{&[-(1-2\nu)\overline{M}_k^{(2)} + 2(1-\nu)\overline{N}_k^{(1)}]\cos k\theta \\
&+ [(1-2\nu)\overline{M}_k^{(1)} + 2(1-\nu)\overline{N}_k^{(2)}]\sin k\theta\}
\end{aligned}
\tag{2.9}
$$

例 8 在 $r=R$ 的圆柱面上给定应力边界条件：$X_n=a\cos 2\theta$，$Y_n=a\sin 2\theta$.

在(2.8)中取：

$$\overline{M}_2^{(1)}=a,\quad \overline{M}_2^{(2)}=0,\quad \overline{N}_2^{(1)}=0,\quad \overline{N}_2^{(2)}=a$$

其余系数 $\overline{M}_k^{(1)},\overline{M}_k^{(2)},\overline{N}_k^{(1)},\overline{N}_k^{(2)}(k\neq 2)$均为零.

把上述系数代入(2.9)，得

$$A_2=\frac{aR}{4\mu}(3-4\nu)\cos 2\theta,\quad B_2=\frac{aR}{4\mu}(3-4\nu)\sin 2\theta$$

$$A_k=B_k=0,\qquad \text{当 } k\neq 2 \text{ 时}$$

再代入(2.7)即得

$$u=\frac{a}{4\mu R}[(3-4\nu)(x^2-y^2)-2(x^2+y^2)]$$

$$v=\frac{a}{2\mu R}(3-4\nu)xy$$

其中 u,v 满足

$$u(0,0)=0,\quad v(0,0)=0$$

例 9 应力边界条件：$X_n=a\cos 4\theta$，$Y_n=0$.

将 $M_4^{(1)}=a$，其余 $\overline{M}_k^{(1)}=\overline{M}_k^{(2)}=\overline{N}_k^{(1)}=\overline{N}_k^{(2)}=0$ 代入(2.9)和(2.7)，即得

$$u=\frac{a}{4\mu R^3}[(1-\nu)(x^4+y^4-6x^2y^2)-(x^4-y^4)+R^2(x^2-y^2)]$$

$$v=\frac{a}{2\mu R^3}xy[(1-2\nu)(x^2-y^2)+x^2+y^2-R^2]$$

2.3 弹性半平面应力边值问题的一般解及其应用

弹性半平面

$$y\geqslant 0$$

(见图 11.20). 在边界 $y=0$ 上作用有外力

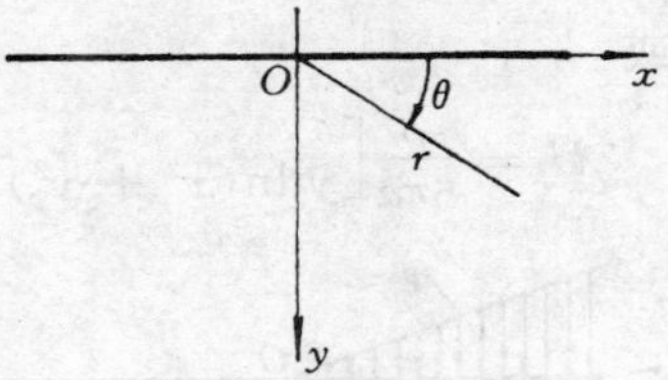

图 11.20

$$\sigma_\theta\big|_{\theta=0} = A_n r^n, \quad \tau_{r\theta}\big|_{\theta=0} = B_n r^n$$
$$\sigma_\theta\big|_{\theta=\pi} = A'_n r^n, \quad \tau_{r\theta}\big|_{\theta=\pi} = B'_n r^n \tag{2.10}$$

则应力函数为[38]

$$\begin{aligned} U = & \frac{r^{n+2}}{(n+1)(n+2)\pi} \\ & \cdot \left\{ \frac{A_n + (-1)^{n+1}A'_n}{2} [n\sin(n+2)\theta - (n+2)\sin n\theta]\ln r \right. \\ & - \left[A_n \frac{\pi}{2} - \frac{A_n + (-1)^{n+1}A'_n}{2}\theta \right] \\ & \cdot [n\cos(n+2)\theta - (n+2)\cos n\theta] \\ & + \frac{A_n + (-1)^{n+1}A'_n}{2} [\sin(n+2)\theta - \sin n\theta] \\ & - (n+2)\frac{B_n + (-1)^{n+1}B'_n}{2} [\cos(n+2)\theta - \cos n\theta]\ln r \\ & - (n+2)\left[B_n \frac{\pi}{2} - \frac{B_n + (-1)^{n+1}B'_n}{2}\theta \right] \\ & \left. \cdot [\sin(n+2)\theta - \sin n\theta] \right\} \end{aligned} \tag{2.11}$$

例 10 线性分布的法向载荷.

在 $\theta=\pi$ 边界上作用有线性分布法向压力 $\frac{p}{a}r$(见图 11.21), 因此在(2.10)中取

$$n=1, \quad A_1 = B_1 = 0, \quad A'_1 = -p/a, \quad B'_1 = 0$$

代入(2.11),即得应力函数

$$\begin{aligned} U = -\frac{pr^3}{12\pi a} [& (\sin 3\theta - 3\sin\theta)\ln r \\ & + \theta(\cos 3\theta - 3\cos\theta) + \sin 3\theta - \sin\theta] \end{aligned}$$

或

$$U = \frac{p}{6\pi a}\left[y^3\ln(x^2 + y^2) + (x^3 + 3xy^2)\arctan\frac{y}{x} - x^2 y\right]$$

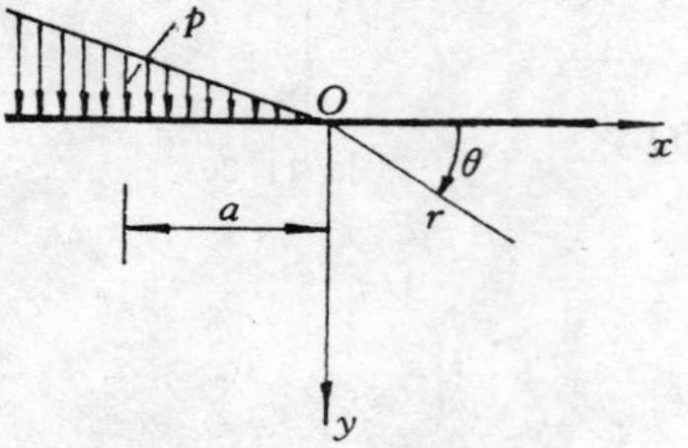

图 11.21

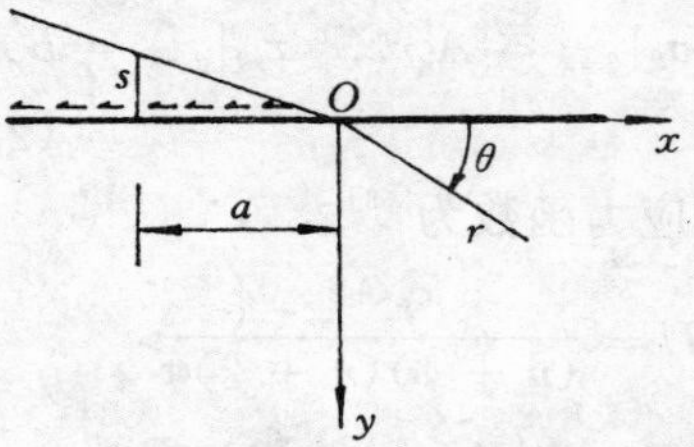

图 11.22

例 11 线性分布的切向载荷.

在 $\theta=\pi$ 边界上作用有线性分布的切向力 $\frac{s}{a}r$(见图 11.22),故在(2.10)中取

$$n = 1,\quad A_1 = B_1 = 0,\quad A_1' = 0,\quad B_1' = s/a$$

于是,应力函数为

$$U = -\frac{sr^3}{4\pi a}[(\cos3\theta - \cos\theta)\ln r - \theta(\sin3\theta - \sin\theta)]$$

或

$$U = \frac{s}{2\pi a}\left[xy^2\ln(x^2 + y^2) + (x^2 y - y^3)\arctan\frac{y}{x}\right]$$

例 12 二次分布的法向载荷.

在 $\theta=\pi$ 边界上作用有按抛物线分布的压力 $\frac{p}{a^2}r^2$(见图 11.23),在(2.10)中取

$$n = 2,\quad A_2 = B_2 = 0,\quad A_2' = -p/a^2,\quad B_2' = 0$$

其应力函数为

$$U = \frac{pr^4}{24\pi a^2}[(2\sin4\theta - 4\sin2\theta)\ln r - \theta(-2\cos4\theta + 4\cos2\theta) + \sin4\theta - \sin2\theta]$$

或

$$U=-\frac{p}{12\pi a^2}\Big[4xy^3\ln(x^2+y^2)$$
$$+(x^4+6x^2y^2-3y^4)\arctan\frac{y}{x}-x^3y+3xy^3\Big]$$

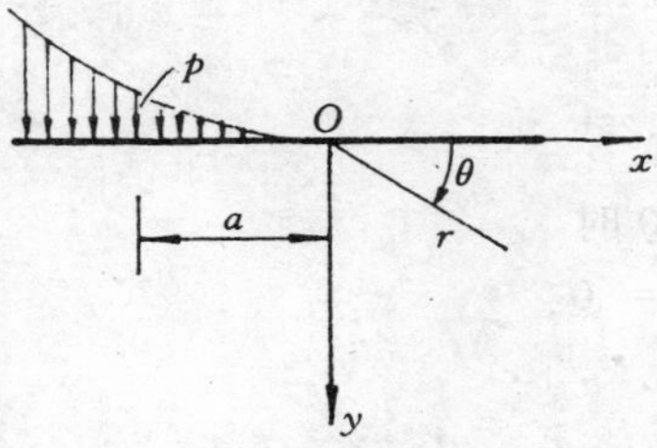

图 11.23

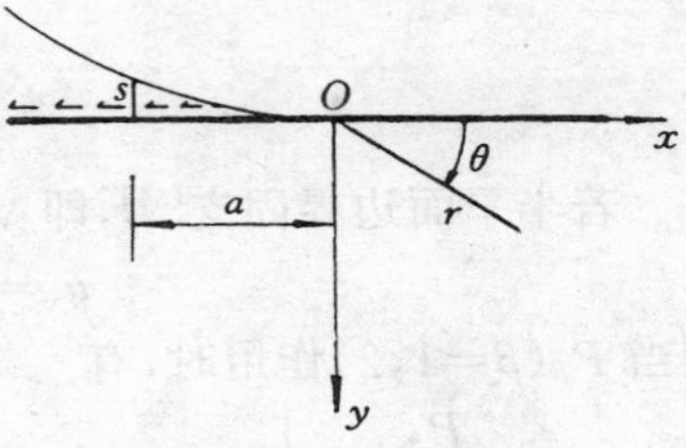

图 11.24

例 13 二次分布的切向载荷.

在 $\theta=\pi$ 边界上作用有按抛物线分布的切向力 $\frac{s}{a^2}r^2$（见图 11.24），在(2.10)中取

$$n=2,\quad A_2=B_2=0,\quad A_2'=0,\quad B_2'=s/a^2$$

其应力函数为

$$U=\frac{sr^4}{6\pi a^2}[(\cos4\theta-\cos2\theta)\ln r-\theta(\sin4\theta-\sin2\theta)]$$

或

$$U=-\frac{S}{6\pi a^2}\Big[(3x^2y^2-y^4)\ln(x^2+y^2)$$
$$+2(x^3y-3xy^3)\arctan\frac{y}{x}\Big]$$

2.4 集中力作用在弹性半平面内

弹性半平面

$$y\geqslant 0$$

有集中力(P_1,P_2)作用在内点$(0,c)$上，$c>0$（见图 11.25）.

情形 1. 半平面边界固支.

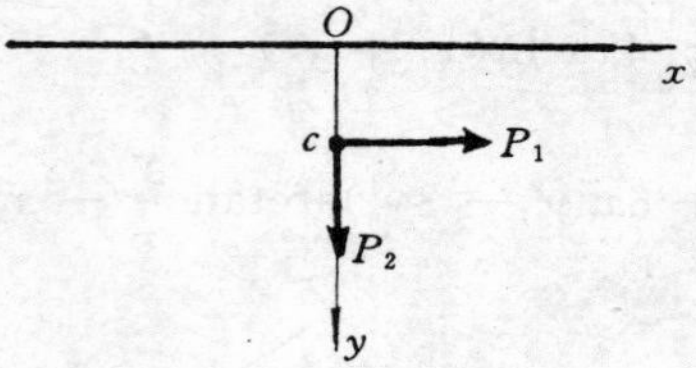

图 11.25

若半平面边界固支[54],即 $y=0$ 时

$$u = v = 0$$

则当 $P_\beta(\beta=1,2)$作用时,有

$$u_\alpha^{(\beta)} = \frac{P_\beta}{8\pi\mu(1-\nu)}\Big[-(3-4\nu)\delta_{\alpha\beta}\ln\frac{r}{\tilde{r}} + \frac{r_\alpha r_\beta}{r^2} - \frac{r_\alpha r_\beta}{\tilde{r}^2}(1-\delta_{\alpha\beta})$$
$$- \frac{\tilde{r}_\alpha \tilde{r}_\beta}{\tilde{r}^2}\delta_{\alpha\beta} + \frac{2}{3-4\nu}\frac{cy}{\tilde{r}^2}(2\delta_{2\alpha}\delta_{2\beta} - \delta_{\alpha\beta})$$
$$+ \frac{4}{3-4\nu}\frac{cy\tilde{r}_\alpha}{\tilde{r}^4}(\tilde{r}_\beta - 2\delta_{2\beta}\tilde{r}_2)\Big]$$

附注 本解答是对平面应变而言,平面应力时,弹性常数应作相应变化.

情形 2. 半平面边界自由(Melan 问题).

若半平面边界自由[52],即 $y=0$ 时

$$\tau_{xy} = \sigma_y = 0$$

则当 $P_\beta(\beta=1,2)$作用时,有

$$u_\alpha^{(\beta)} = \frac{P_\beta}{8\pi\mu(1-\nu)}\Big\{-[(3-4\nu)\ln r + \ln\tilde{r}]\delta_{\alpha\beta}$$
$$+ \frac{r_\alpha r_\beta}{r^2} + (3-4\nu)\frac{r_\alpha r_\beta}{\tilde{r}^2}(1-\delta_{\alpha\beta}) + (3-4\nu)\frac{\tilde{r}_\alpha \tilde{r}_\beta}{\tilde{r}^2}\delta_{\alpha\beta}$$
$$+ 4(1-\nu)(1-2\nu)(\delta_{1\beta}\delta_{2\alpha} - \delta_{1\alpha}\delta_{2\beta})\arctan\frac{x}{y+c}$$
$$- 4(1-\nu)(1-2\nu)\delta_{\alpha\beta}\ln\tilde{r}$$
$$+ \frac{2cy}{\tilde{r}^4}(\delta_{\alpha\beta}\tilde{r}^2 - 2\tilde{r}_\alpha\tilde{r}_\beta)(1-2\delta_{2\beta})\Big\}$$

其中

$$\alpha = 1,2, \quad u_1 = u, \quad u_2 = v$$

$$r_1 = x, \quad r_2 = y - c$$

$$\tilde{r}_1 = x, \quad \tilde{r}_2 = y + c$$

2.5 集中力作用在具有椭圆孔的无限大板上

设椭圆孔的方程为

$$\frac{x^2}{a^2} + \frac{y^2}{b^2} = 1$$

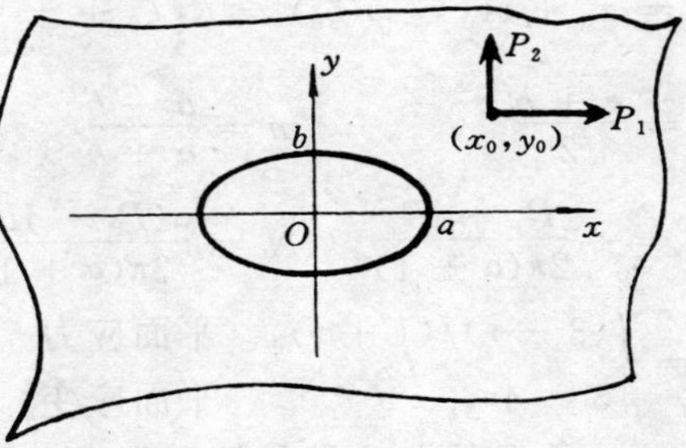

图 11.26

其孔边自由,有集中力作用在该椭圆孔外的点(x_0, y_0)上[14,36](图11.26).则其应力的复变表示为

$$\sigma_x + \sigma_y = 4\mathrm{Re}\varphi'(z)$$

$$\sigma_y - \sigma_x + 2\mathrm{i}\tau_{xy} = 2[\bar{z}\,\varphi''(z) + \psi'(z)]$$

其中

$$\begin{aligned} \varphi(z) &= \varphi(\omega(\zeta)) \\ &= M\lg(\zeta - \zeta_0) - \overline{N}\lg\left(\zeta - \frac{R^2}{\bar{\zeta}_0}\right) \\ &\quad - \frac{\overline{M}}{\zeta - \dfrac{R^2}{\bar{\zeta}_0}} \frac{\zeta_0 + \dfrac{m}{\zeta_0} - \left(\dfrac{R^2}{\bar{\zeta}_0} + \dfrac{m}{R^2}\bar{\zeta}_0\right)}{\left(1 - \dfrac{m}{\bar{\zeta}_0^2}\right)} \frac{R^2}{\bar{\zeta}_0^2} + \overline{N}\lg\zeta \end{aligned}$$

$$\psi(z)=\chi'(z)=K(\zeta)-\bar{\omega}\left(\frac{R^2}{3}\right)\varphi'(z)$$

$$K(\zeta)=N\lg(\zeta-\zeta_0)-\frac{M}{\zeta-\zeta_0}\frac{\bar{\zeta}_0+\dfrac{m}{\bar{\zeta}_0}-\left(\dfrac{R^2}{\zeta_0}-\dfrac{m}{R^2}\zeta_0\right)}{\left(1-\dfrac{m}{\zeta_0^2}\right)}$$

$$-\bar{M}\lg\left(\zeta-\frac{R^2}{\bar{\zeta}_0}\right)+\bar{M}\lg\zeta$$

$$z=x+\mathrm{i}y=\omega(\zeta)=R\left(\zeta+\frac{m}{\zeta}\right)$$

$$z_0=x_0+\mathrm{i}y_0=\omega(\zeta_0)=R\left(\zeta_0+\frac{m}{\zeta_0}\right)$$

$$R=\frac{a+b}{2},\qquad m=\frac{a-b}{a+b}$$

$$M=-\frac{P_1+\mathrm{i}P_2}{2\pi(\alpha+1)},\quad N=\frac{\alpha(P_1-\mathrm{i}P_2)}{2\pi(\alpha+1)}$$

$$\alpha=\begin{cases}(3-\nu)/(1+\nu), & \text{平面应力}\\ 3-4\nu, & \text{平面应变}\end{cases}$$

附注 当 $m=0,\zeta_0=b$ 时,上述解答蜕化为具有自由圆孔的无限板内一点作用着集中力的公式[14].

§3 弹性力学的三维问题

3.1 集中力作用在弹性半空间内

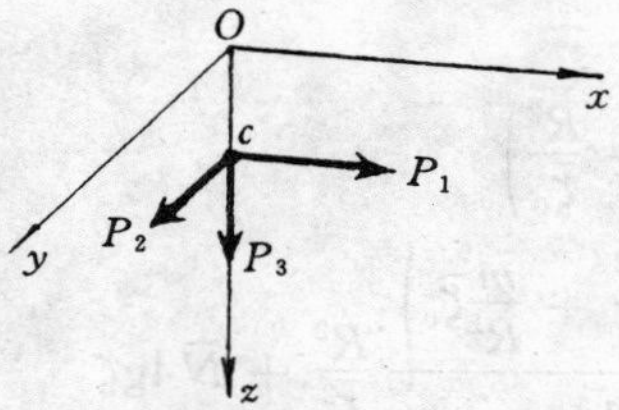

图 11.27

弹性半空间

$$z\geqslant 0$$

有集中力 (P_1,P_2,P_3) 作用在半空间的内点 $(0,0,c)$ 上,$c>0$(图 11.27).

情形 1. 半空间边界固支.

若半空间边界固支[51,54],即 $z=0$ 时

$$u = 0$$

则当 $P_j(j=1,2,3)$作用时,有

$$u_i^{(j)} = \frac{P_j}{16\pi\mu(1-\nu)}\Big[(3-4\nu)\left(\frac{1}{R}-\frac{1}{\widetilde{R}}\right)\delta_{ij}+\frac{R_iR_j}{R^3}$$

$$-\frac{R_iR_j}{\widetilde{R}^3}(1-\delta_{ij})-\frac{\widetilde{R}_i\widetilde{R}_j}{\widetilde{R}^3}\delta_{ij}+\frac{2}{(3-4\nu)}\frac{cz}{\widetilde{R}^3}(2\delta_{3i}\delta_{3j}-\delta_{ij})$$

$$+\frac{6}{(3-4\nu)}\frac{cz\widetilde{R}_i}{\widetilde{R}^5}(\widetilde{R}_j-2\delta_{3j}\widetilde{R}_3)\Big]$$

情形2. 半空间边界自由(Mindlin 问题).

若半空间边界自由[27,53],即 $z=0$ 时

$$\tau_{xz}=\tau_{yz}=\sigma_z=0$$

则当 $P_j(j=1,2,3)$作用时,有

$$u_i^{(j)} = \frac{P_j}{16\pi\mu(1-\nu)}\Big\{\Big[(3-4\nu)\frac{1}{R}+\frac{1}{\widetilde{R}}\Big]\delta_{ij}+\frac{R_iR_j}{R^3}$$

$$+(3-4\nu)\frac{R_iR_j}{\widetilde{R}^3}(1-\delta_{ij})+(3-4\nu)\frac{\widetilde{R}_i\widetilde{R}_j}{\widetilde{R}^3}\delta_{ij}$$

$$+4(1-\nu)(1-2\nu)$$

$$\cdot\Big[\frac{1}{\widetilde{R}+\widetilde{R}_3}\delta_{ij}-\frac{\widetilde{R}_i\widetilde{R}_j}{\widetilde{R}(\widetilde{R}+\widetilde{R}_3)^2}\Big](1-\delta_{3i})(1-\delta_{3j})$$

$$+4(1-\nu)(1-2\nu)$$

$$\cdot\frac{1}{\widetilde{R}(\widetilde{R}+\widetilde{R}_3)}(\delta_{3i}\widetilde{R}_j-\delta_{3j}\widetilde{R}_i)(1-\delta_{ij})$$

$$+4(1-\nu)(1-2\nu)\frac{1}{\widetilde{R}}\delta_{3i}\delta_{3j}$$

$$+\frac{2cz}{\widetilde{R}^5}(\delta_{ij}\widetilde{R}^2-3\widetilde{R}_i\widetilde{R}_j)(1-2\delta_{3j})\Big\}\qquad(i=1,2,3)$$

其中

$$R_1 = x,\quad R_2 = y,\quad R_3 = z - c$$

$$\widetilde{R}_1 = x,\quad \widetilde{R}_2 = y,\quad \widetilde{R}_3 = z + c$$

3.2 集中力作用在圆锥顶部

设圆锥的顶角为 α，在顶部作用有集中力 $\boldsymbol{P}$. 将坐标原点取在圆锥的顶点，z 轴为对称轴，并且其正半轴在锥体内[24].

情形 1. 力沿圆锥轴向(图 11.28).

若 $\boldsymbol{P}=P\boldsymbol{k}$，则在球坐标$(r,\theta,\varphi)$下的应力分量为

$$\sigma_{rr} = \frac{A(1-2\nu)}{8\pi(1-\nu)r^2}\left(1+\cos\alpha - \frac{4-2\nu}{1-2\nu}\cos\theta\right)$$

$$\sigma_{\theta\theta} = \frac{A(1-2\nu)}{8\pi(1-2\nu)r^2}\,\frac{\cos\theta(\cos\theta-\cos\alpha)}{1+\cos\theta}$$

$$\sigma_{\varphi\varphi} = \frac{A(1-2\nu)}{8\pi(1-\nu)r^2}\left(\frac{\cos\theta-\cos\alpha}{1+\cos\theta} - 1 + \cos\theta\right)$$

$$\sigma_{r\theta} = \frac{A(1-2\nu)}{8\pi(1-\nu)r^2}\,\frac{\sin\theta(\cos\theta-\cos\alpha)}{1+\cos\theta}$$

$$\sigma_{\theta\varphi} = \sigma_{\varphi r} = 0$$

其中

$$A = \frac{4P(1-\nu)}{1-\cos^3\alpha - (1-2\nu)(\cos\alpha - \cos^2\alpha)}$$

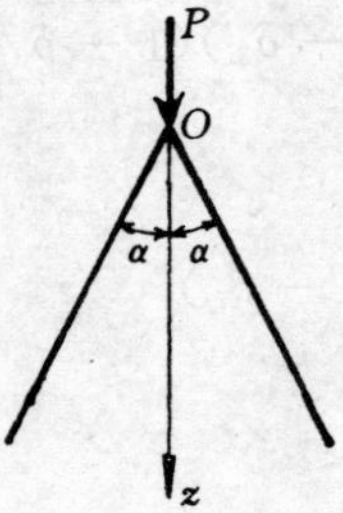

图 11.28

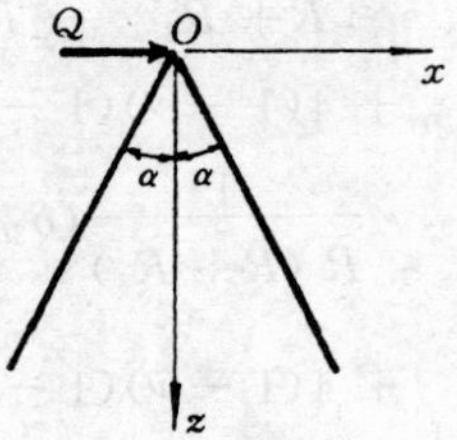

图 11.29

情形 2. 力垂直于圆锥轴向(图 11.29).

若 $\boldsymbol{P}=Q\boldsymbol{i}$，则球坐标应力分量为

$$\sigma_{rr} = \frac{B\sin\theta\cos\varphi}{r^2}\frac{2(1-\cos\alpha)}{\sin\alpha}\left(\frac{1}{1+\cos\theta} - \frac{2-\nu}{1-2\nu}\frac{1}{1+\cos\alpha}\right)$$

$$\sigma_{\theta\theta} = \frac{B\sin\theta\cos\varphi}{r^2}\left[\frac{1-\cos\alpha}{\sin\alpha(1+\cos\alpha)} - \frac{2(1-\cos\alpha)}{\sin\alpha(1+\cos\theta)} + \frac{\sin\alpha(1-\cos\theta)}{\sin^2\theta(1+\cos\theta)}\right]$$

$$\sigma_{\varphi\varphi} = \frac{B\sin\theta\cos\varphi}{r^2}\left[\frac{1-\cos\alpha}{\sin\alpha(1+\cos\alpha)} - \frac{\sin\alpha(1-\cos\theta)}{\sin^2\theta(1+\cos\theta)}\right]$$

$$\sigma_{r\theta} = \frac{B\cos\varphi}{r^2}\left[-\frac{\cos\theta(1-\cos\alpha)}{\sin\alpha(1+\cos\alpha)} + \frac{(1-\cos\alpha)(1+2\cos\theta)}{\sin\alpha(1+\cos\theta)} - \frac{\sin\alpha}{1+\cos\theta}\right]$$

$$\sigma_{\theta\varphi} = \frac{B\sin\varphi}{r^2(1+\cos\theta)}\left[\frac{\sin\theta(1-\cos\alpha)}{\sin\alpha} - \frac{\sin\alpha(1-\cos\theta)}{\sin\theta}\right]$$

$$\sigma_{\varphi r} = \frac{B\sin\varphi}{r^2}\left[\frac{1-\cos\alpha}{\sin\alpha(1+\cos\alpha)} - \frac{(1-\cos\alpha)(1+2\cos\theta)}{\sin\alpha(1+\cos\theta)} + \frac{\sin\alpha}{1+\cos\theta}\right]$$

其中

$$B = \frac{Q(1-2\nu)\sin\alpha(1+\cos\alpha)}{2\pi(1+\nu\cos\alpha)(1-\cos\alpha)^3}$$

3.3 球体的位移边值问题

设球体的半径为 R，若在球面 $r=R$ 给定位移边界条件[13,26]

$$u = \sum_{k=0}^{\infty} A_k, \quad v = \sum_{k=0}^{\infty} B_k, \quad w = \sum_{k=0}^{\infty} C_k$$

其中 A_k, B_k, C_k 为 k 次球面调和函数. 则整个球体的位移场为

$$u = \sum_{k=0}^{\infty}\frac{r^k}{R^k}A_k + \frac{R^2-r^2}{2}\sum_{k=0}^{\infty}\frac{1}{3k+4-2\nu(2k+3)}\frac{\partial\psi_{k+1}}{\partial x}$$

$$v = \sum_{k=0}^{\infty}\frac{r^k}{R^k}B_k + \frac{R^2-r^2}{2}\sum_{k=0}^{\infty}\frac{1}{3k+4-2\nu(2k+3)}\frac{\partial\psi_{k+1}}{\partial y}$$

$$w = \sum_{k=0}^{\infty}\frac{r^k}{R^k}C_k + \frac{R^2-r^2}{2}\sum_{k=0}^{\infty}\frac{1}{3k+4-2\nu(2k+3)}\frac{\partial\psi_{k+1}}{\partial z}$$

上式中

$$\psi_{k+1} = \frac{\partial}{\partial x}\left(\frac{r^{k+2}}{R^{k+2}}A_{k+2}\right) + \frac{\partial}{\partial y}\left(\frac{r^{k+2}}{R^{k+2}}B_{k+2}\right) + \frac{\partial}{\partial z}\left(\frac{r^{k+2}}{R^{k+2}}C_{k+2}\right)$$

附注 (1) 在参考文献[26]中也给出了应力边值问题的解；(2) 关于球体在某一直径两端受对压集中力作用的解可见参考文

献[58].

3.4 Eshelby 问题：具有椭球核的无限大弹性空间

无限弹性空间，其内含椭球核

$$\frac{x_1^2}{a_1^2}+\frac{x_2^2}{a_2^2}+\frac{x_3^2}{a_3^2}\leqslant 1$$

若无限远处的应变场为 $\varepsilon_{mn}^{\infty}$，则椭球核内的应变场为[25,44]

$$\varepsilon_{ij}=S_{ijpq}\varepsilon_{pq}^{*}$$

其中 S_{ijpq} 为 Eshelby 张量，而 ε_{pq}^{*} 由下式决定：

$$[(C_{ijmn}^{*}-C_{ijmn})S_{mnpq}+C_{ijpq}]\varepsilon_{pq}^{*}=(C_{ijmn}-C_{ijmn}^{*})\varepsilon_{mn}^{\infty}$$

这里 C_{ijmn} 和 C_{ijmn}^{*} 分别为无限大弹性空间和椭球核的弹性常数，重复下标表示约定求和.

附注 当无限空间和椭球核均为各向同性材料时，Eshelby 张量如以下各例所示.

例 1 球 $(a_1=a_2=a_3)$.

在此例中 Eshelby 张量为：

$$S_{1111}=S_{2222}=S_{3333}=\frac{7-5\nu}{15(1-\nu)}$$

$$S_{1122}=S_{2233}=S_{3311}=S_{1133}=S_{2211}=S_{3322}=\frac{5\nu-1}{15(1-\nu)}$$

$$S_{1212}=S_{2323}=S_{3131}=\frac{4-5\nu}{15(1-\nu)}$$

例 2 圆柱 $(a_1=a_2, a_3\to\infty)$.

Eshelby 张量为：

$$S_{1111}=S_{2222}=\frac{5-4\nu}{8(1-\nu)},\quad S_{3333}=0$$

$$S_{1122}=S_{2211}=\frac{4\nu-1}{8(1-\nu)}$$

$$S_{2233}=S_{1133}=\frac{\nu}{2(1-\nu)},\quad S_{3311}=S_{3322}=0$$

$$S_{1212} = \frac{3 - 4\nu}{8(1 - \nu)}, \quad S_{2323} = S_{3131} = \frac{1}{4}$$

例 3 钱币形 ($a_1 = a_2, a_3 \to 0$).

Eshelby 张量为:

$$S_{2323} = S_{3131} = \frac{1}{2}, \quad S_{3333} = 1$$

$$S_{3311} = S_{3322} = \nu/(1 - \nu)$$

在上述三例中,ν 为无限弹性空间的泊松比,未写出的 Eshelby 张量的分量皆为零.

对于一般情形下的 Eshelby 张量,以及椭球核外的应变分量,请见参考文献[28].

附录　曲线坐标下的弹性力学方程式

1. 直角坐标 x,y,z

应变与位移的关系为

$$\gamma_{xx}=\frac{\partial u_x}{\partial x},\quad \gamma_{yy}=\frac{\partial u_y}{\partial y},\quad \gamma_{zz}=\frac{\partial u_z}{\partial z}$$

$$\gamma_{xy}=\frac{1}{2}\left(\frac{\partial u_x}{\partial y}+\frac{\partial u_y}{\partial x}\right),\quad \gamma_{yz}=\frac{1}{2}\left(\frac{\partial u_y}{\partial z}+\frac{\partial u_z}{\partial y}\right),\quad \gamma_{zx}=\frac{1}{2}\left(\frac{\partial u_z}{\partial x}+\frac{\partial u_x}{\partial z}\right)$$

平衡方程为

$$\begin{cases}\dfrac{\partial\sigma_{xx}}{\partial x}+\dfrac{\partial\sigma_{xy}}{\partial y}+\dfrac{\partial\sigma_{xz}}{\partial z}+f_x=0\\[2mm]\dfrac{\partial\sigma_{yx}}{\partial x}+\dfrac{\partial\sigma_{yy}}{\partial y}+\dfrac{\partial\sigma_{yz}}{\partial z}+f_y=0\\[2mm]\dfrac{\partial\sigma_{zx}}{\partial x}+\dfrac{\partial\sigma_{zy}}{\partial y}+\dfrac{\partial\sigma_{zz}}{\partial z}+f_z=0\end{cases}$$

应变协调方程为

$$\begin{cases}\dfrac{\partial^2\gamma_{yy}}{\partial z^2}+\dfrac{\partial^2\gamma_{zz}}{\partial y^2}-2\dfrac{\partial^2\gamma_{yz}}{\partial y\partial z}=0\\[2mm]\dfrac{\partial^2\gamma_{zz}}{\partial x^2}+\dfrac{\partial^2\gamma_{xx}}{\partial z^2}-2\dfrac{\partial^2\gamma_{zx}}{\partial z\partial x}=0\\[2mm]\dfrac{\partial^2\gamma_{xx}}{\partial y^2}+\dfrac{\partial^2\gamma_{yy}}{\partial x^2}-2\dfrac{\partial^2\gamma_{xy}}{\partial x\partial y}=0\\[2mm]\dfrac{\partial^2\gamma_{xx}}{\partial y\partial z}-\dfrac{\partial}{\partial x}\left(-\dfrac{\partial\gamma_{yz}}{\partial x}+\dfrac{\partial\gamma_{zx}}{\partial y}+\dfrac{\partial\gamma_{xy}}{\partial z}\right)=0\\[2mm]\dfrac{\partial^2\gamma_{yy}}{\partial z\partial x}-\dfrac{\partial}{\partial y}\left(\dfrac{\partial\gamma_{yz}}{\partial x}-\dfrac{\partial\gamma_{zx}}{\partial y}+\dfrac{\partial\gamma_{xy}}{\partial z}\right)=0\\[2mm]\dfrac{\partial^2\gamma_{zz}}{\partial x\partial y}-\dfrac{\partial}{\partial z}\left(\dfrac{\partial\gamma_{yz}}{\partial x}+\dfrac{\partial\gamma_{zx}}{\partial y}-\dfrac{\partial\gamma_{xy}}{\partial z}\right)=0\end{cases}$$

Beltrami-Michell 方程(无体力)为

$$\begin{cases}\nabla^2\sigma_{xx}+\dfrac{1}{1+\nu}\dfrac{\partial^2\Theta}{\partial x^2}=0, & \nabla^2\sigma_{yy}+\dfrac{1}{1+\nu}\dfrac{\partial^2\Theta}{\partial y^2}=0\\ \nabla^2\sigma_{zz}+\dfrac{1}{1+\nu}\dfrac{\partial^2\Theta}{\partial z^2}=0, & \nabla^2\sigma_{yz}+\dfrac{1}{1+\nu}\dfrac{\partial^2\Theta}{\partial y\partial z}=0\\ \nabla^2\sigma_{zx}+\dfrac{1}{1+\nu}\dfrac{\partial^2\Theta}{\partial z\partial x}=0, & \nabla^2\sigma_{xy}+\dfrac{1}{1+\nu}\dfrac{\partial^2\Theta}{\partial x\partial y}=0\end{cases}$$

其中 $\Theta=\sigma_{xx}+\sigma_{yy}+\sigma_{zz}$.

以位移表示的平衡方程(无体力)为

$$\begin{cases}\nabla^2u_x+\dfrac{1}{1-2\nu}\dfrac{\partial\theta}{\partial x}=0\\ \nabla^2u_y+\dfrac{1}{1-2\nu}\dfrac{\partial\theta}{\partial y}=0\\ \nabla^2u_z+\dfrac{1}{1-2\nu}\dfrac{\partial\theta}{\partial z}=0\end{cases}$$

其中 $\theta=\dfrac{\partial u_x}{\partial x}+\dfrac{\partial u_y}{\partial y}+\dfrac{\partial u_z}{\partial z}$.

Папкович-Neuber 解(无体力)为

$$\begin{cases}u_x=b_1-\dfrac{1}{4(1-\nu)}\dfrac{\partial}{\partial x}(b_0+xb_1+yb_2+zb_3)\\ u_y=b_2-\dfrac{1}{4(1-\nu)}\dfrac{\partial}{\partial x}(b_0+xb_1+yb_2+zb_3)\\ u_z=b_3-\dfrac{1}{4(1-\nu)}\dfrac{\partial}{\partial x}(b_0+zb_1+yb_2+zb_3)\end{cases}$$

其中 $\nabla^2b_i=0(i=0,1,2,3)$.

2. 柱坐标 r,φ,z

基本关系

$$x=r\cos\varphi,\quad y=r\sin\varphi,\quad z=z$$
$$H_r=1,\quad H_\varphi=r,\quad H_z=1$$
$$u_r=u_x\cos\varphi+u_y\sin\varphi,\quad u_\varphi=-u_x\sin\varphi+u_y\cos\varphi,\quad u_z=u_z$$

应变与位移的关系为

$$\begin{cases}\gamma_{rr}=\dfrac{\partial u_r}{\partial r},\ \gamma_{\varphi\varphi}=\dfrac{1}{r}\dfrac{\partial u_\varphi}{\partial\varphi}+\dfrac{u_r}{r},\ \gamma_{zz}=\dfrac{\partial u_z}{\partial z}\\ \gamma_{r\varphi}=\dfrac{1}{2}\left(\dfrac{1}{r}\dfrac{\partial u_r}{\partial\varphi}+\dfrac{\partial u_\varphi}{\partial r}-\dfrac{u_\varphi}{r}\right)\\ \gamma_{rz}=\dfrac{1}{2}\left(\dfrac{\partial u_r}{\partial z}+\dfrac{\partial u_z}{\partial r}\right),\ \gamma_{\varphi z}=\dfrac{1}{2}\left(\dfrac{\partial u_\varphi}{\partial z}+\dfrac{\partial u_z}{r\partial\varphi}\right)\end{cases}$$

平衡方程为

$$\begin{cases}\dfrac{\partial\sigma_{rr}}{\partial r}+\dfrac{1}{r}\dfrac{\partial\sigma_{r\varphi}}{\partial\varphi}+\dfrac{\partial\sigma_{rz}}{\partial z}+\dfrac{\sigma_{rr}-\sigma_{\varphi\varphi}}{r}+f_r=0\\ \dfrac{\partial\sigma_{\varphi r}}{\partial r}+\dfrac{1}{r}\dfrac{\partial\sigma_{\varphi\varphi}}{\partial\varphi}+\dfrac{\partial\sigma_{\varphi z}}{\partial z}+\dfrac{2\sigma_{r\varphi}}{r}+f_\varphi=0\\ \dfrac{\partial\sigma_{zr}}{\partial r}+\dfrac{1}{r}\dfrac{\partial\sigma_{z\varphi}}{\partial\varphi}+\dfrac{\partial\sigma_{zz}}{\partial z}+\dfrac{\sigma_{rz}}{r}+f_z=0\end{cases}$$

应变协调方程为

$$\begin{cases}\dfrac{\partial^2\gamma_{\varphi\varphi}}{\partial z^2}+\dfrac{\partial^2\gamma_{zz}}{r^2\partial\varphi^2}+\dfrac{1}{r}\dfrac{\partial\gamma_{zz}}{\partial r}-\dfrac{2}{r}\dfrac{\partial^2\gamma_{\varphi z}}{\partial\varphi\,\partial z}-\dfrac{2}{r}\dfrac{\partial\gamma_{zr}}{\partial z}=0\\ \dfrac{\partial^2\gamma_{zz}}{\partial r^2}+\dfrac{\partial^2\gamma_{rr}}{\partial z^2}-2\dfrac{\partial^2\gamma_{rz}}{\partial r\partial z}=0\\ \left(\dfrac{1}{r^2}\dfrac{\partial^2}{\partial\varphi^2}-\dfrac{1}{r}\dfrac{\partial}{\partial r}\right)\gamma_{rr}+\dfrac{1}{r^2}\dfrac{\partial}{\partial r}\left(r^2\dfrac{\partial\gamma_{\varphi\varphi}}{\partial r}\right)-\dfrac{2}{r^2}\dfrac{\partial}{\partial r}\left(r\dfrac{\partial\gamma_{r\varphi}}{\partial\varphi}\right)=0\\ \dfrac{\partial^2\gamma_{rr}}{r\partial\varphi\,\partial z}+\dfrac{\partial}{\partial r}\left(\dfrac{1}{r}\dfrac{\partial}{\partial r}r\gamma_{\varphi z}\right)-\dfrac{\partial}{\partial r}\left(\dfrac{1}{r}\dfrac{\partial\gamma_{zr}}{\partial\varphi}\right)-\dfrac{1}{r^2}\dfrac{\partial}{\partial r}\left(r^2\dfrac{\partial\gamma_{r\varphi}}{\partial z}\right)=0\\ \dfrac{1}{r}\dfrac{\partial}{\partial r}\left(r\dfrac{\partial\gamma_{\varphi\varphi}}{\partial z}\right)-\dfrac{1}{r^2}\dfrac{\partial}{\partial r}\left(r\dfrac{\partial\gamma_{z\varphi}}{\partial\varphi}\right)+\dfrac{\partial^2\gamma_{zr}}{r^2\partial\varphi^2}-\dfrac{1}{r}\dfrac{\partial^2\gamma_{\varphi r}}{\partial\varphi\,\partial z}\\ \qquad\qquad-\dfrac{1}{r}\dfrac{\partial\gamma_{rr}}{\partial z}=0\\ \dfrac{\partial}{\partial r}\left(\dfrac{\partial\gamma_{zz}}{r\partial\varphi}\right)-r\dfrac{\partial}{\partial r}\left(\dfrac{1}{r}\dfrac{\partial\gamma_{z\varphi}}{\partial z}\right)-\dfrac{\partial^2\gamma_{zr}}{r\partial\varphi\,\partial z}+\dfrac{\partial^2\gamma_{r\varphi}}{\partial z^2}=0\end{cases}$$

Beltrami-Michell 方程(无体力)为

$$\begin{cases}\nabla^2\sigma_{rr}+\dfrac{2(\sigma_{\varphi\varphi}-\sigma_{rr})}{r^2}-\dfrac{4}{r^2}\dfrac{\partial\tau_{r\varphi}}{\partial\varphi}+\dfrac{1}{1+\nu}\dfrac{\partial^2\Theta}{\partial r^2}=0\\ \nabla^2\sigma_{\varphi\varphi}-\dfrac{2(\sigma_{\varphi\varphi}-\sigma_{rr})}{r^2}+\dfrac{4}{r^2}\dfrac{\partial\tau_{r\varphi}}{\partial\varphi}+\dfrac{1}{1+\nu}\left(\dfrac{\partial^2\Theta}{r^2\partial\varphi^2}+\dfrac{1}{r}\dfrac{\partial\Theta}{\partial r}\right)=0\\ \nabla^2\sigma_{zz}+\dfrac{1}{1+\nu}\dfrac{\partial^2\Theta}{\partial z^2}=0\\ \nabla^2\sigma_{\varphi z}-\dfrac{\sigma_{z\varphi}}{r^2}+\dfrac{2}{r^2}\dfrac{\partial\sigma_{rz}}{\partial\varphi}+\dfrac{1}{1+\nu}\dfrac{\partial^2\Theta}{r\partial\varphi\partial z}=0\\ \nabla^2\sigma_{zr}-\dfrac{\sigma_{rz}}{r^2}-\dfrac{2}{r^2}\dfrac{\partial\sigma_{\varphi z}}{\partial\varphi}+\dfrac{1}{1+\nu}\dfrac{\partial^2\Theta}{\partial z\partial r}=0\\ \nabla^2\sigma_{r\varphi}-\dfrac{4\sigma_{r\varphi}}{r^2}-\dfrac{2}{r^2}\dfrac{\partial}{\partial\varphi}(\sigma_{\varphi\varphi}-\sigma_{rr})+\dfrac{1}{1+\nu}\dfrac{\partial}{\partial r}\left(\dfrac{1}{r}\dfrac{\partial\Theta}{\partial\varphi}\right)=0\end{cases}$$

其中 $\Theta=\sigma_{rr}+\sigma_{\varphi\varphi}+\sigma_{zz}$, $\nabla^2=\frac{\partial^2}{\partial r^2}+\frac{1}{r}\frac{\partial}{\partial r}+\frac{\partial^2}{r^2\partial\varphi^2}+\frac{\partial^2}{\partial z^2}$.

以位移表示的平衡方程(无体力)为

$$\begin{cases}\nabla^2 u_r-\frac{2}{r^2}\frac{\partial u_\varphi}{\partial\varphi}-\frac{u_r}{r^2}+\frac{1}{1-2\nu}\frac{\partial}{\partial r}\left(\frac{\partial u_r}{\partial r}+\frac{u_r}{r}+\frac{\partial u_\varphi}{r\partial\varphi}+\frac{\partial u_z}{\partial z}\right)=0\\ \nabla^2 u_\varphi+\frac{2}{r^2}\frac{\partial u_r}{\partial\varphi}-\frac{u_\varphi}{r^2}+\frac{1}{1-2\nu}\frac{\partial}{r\partial\varphi}\left(\frac{\partial u_r}{\partial r}+\frac{u_r}{r}+\frac{\partial u_\varphi}{r\partial\varphi}+\frac{\partial u_z}{\partial z}\right)=0\\ \nabla^2 u_z+\frac{1}{1-2\nu}\frac{\partial}{\partial z}\left(\frac{\partial u_r}{\partial r}+\frac{u_r}{r}+\frac{\partial u_\varphi}{r\partial\varphi}+\frac{\partial u_z}{\partial z}\right)=0\end{cases}$$

Папковнч-Neuber 解(无体力)为

$$\begin{cases}u_r=b_r-\frac{1}{4(1-\nu)}\frac{\partial}{\partial r}(b_0+rb_r+zb_z)\\ u_\varphi=b_\varphi-\frac{1}{4(1-\nu)}\frac{\partial}{r\partial\varphi}(b_0+rb_r+zb_z)\\ u_z=b_z-\frac{1}{4(1-\nu)}\frac{\partial}{\partial z}(b_0+rb_r+zb_z)\end{cases}$$

其中 $\nabla^2 b_0=0$, $\nabla^2 b_r-\frac{2}{r^2}\frac{\partial b_\varphi}{\partial\varphi}-\frac{b_r}{r^2}=0$, $\nabla^2 b_\varphi+\frac{2}{r^2}\frac{\partial b_r}{\partial\varphi}-\frac{b_\varphi}{r^2}=0$, $\nabla^2 b_z=0$.

3. 球坐标 γ,θ,φ

基本关系

$$x=r\sin\theta\cos\varphi,\quad y=r\sin\theta\sin\varphi,\quad z=r\cos\theta$$

$$H_r=1,\quad H_\theta=r,\quad H_\varphi=r\sin\theta$$

$$\begin{cases}u_r=u_x\sin\theta\cos\varphi+u_y\sin\theta\sin\varphi+u_z\cos\theta\\ u_\theta=u_x\cos\theta\cos\varphi+u_y\cos\theta\sin\varphi-u_z\sin\theta\\ u_\varphi=-u_x\sin\varphi+u_y\cos\varphi\end{cases}$$

应变与位移的关系为

$$\begin{cases}\gamma_{rr}=\frac{\partial u_r}{\partial r}\\ \gamma_{\theta\theta}=\frac{1}{r}\frac{\partial u_\theta}{\partial\theta}+\frac{u_r}{r}\\ \gamma_{\varphi\varphi}=\frac{1}{r\sin\theta}\frac{\partial u_\varphi}{\partial\varphi}+\frac{\cot\theta}{r}u_\theta+\frac{1}{r}u_r\\ \gamma_{r\theta}=\frac{1}{2}\left(\frac{\partial u_\theta}{\partial r}+\frac{1}{r}\frac{\partial u_r}{\partial\theta}-\frac{1}{r}u_\theta\right)\\ \gamma_{\theta\varphi}=\frac{1}{2}\left(\frac{1}{r}\frac{\partial u_\varphi}{\partial\theta}+\frac{1}{r\sin\theta}\frac{\partial u_\theta}{\partial\varphi}-\frac{\cot\theta}{r}u_\varphi\right)\\ \gamma_{\varphi r}=\frac{1}{2}\left(\frac{1}{r\sin\theta}\frac{\partial u_r}{\partial\varphi}+\frac{\partial u_\varphi}{\partial r}-\frac{1}{r}u_\varphi\right)\end{cases}$$

平衡方程为

$$
\begin{cases}
\dfrac{\partial\sigma_{rr}}{\partial r}+\dfrac{\partial\sigma_{r\theta}}{r\partial\theta}+\dfrac{\partial\sigma_{r\varphi}}{r\sin\theta\partial\varphi}+\dfrac{\cot\theta}{r}\sigma_{\theta r}+\dfrac{2\sigma_{rr}-\sigma_{\theta\theta}-\sigma_{\varphi\varphi}}{r}+f_r=0\\
\dfrac{\partial\sigma_{r\theta}}{\partial r}+\dfrac{1}{r}\dfrac{\partial\sigma_{\theta\theta}}{\partial\theta}+\dfrac{1}{r\sin\theta}\dfrac{\partial\sigma_{\theta\varphi}}{\partial\varphi}+\dfrac{3}{r}\sigma_{r\theta}+\dfrac{\cot\theta}{r}(\sigma_{\theta\theta}-\sigma_{\varphi\varphi})+f_0=0\\
\dfrac{\partial\sigma_{r\varphi}}{\partial r}+\dfrac{1}{r}\dfrac{\partial\sigma_{\varphi\theta}}{\partial\theta}+\dfrac{1}{r\sin\theta}\dfrac{\partial\sigma_{\varphi\varphi}}{\partial\varphi}+\dfrac{3}{r}\sigma_{\varphi r}+\dfrac{2\cot\theta}{r}\sigma_{\varphi\theta}+f_\varphi=0
\end{cases}
$$

应变协调方程为

$$
\begin{cases}
\dfrac{\partial^2\gamma_{\theta\theta}}{\partial\varphi^2}+\dfrac{\sin^2\theta}{r}\dfrac{\partial}{\partial r}(r^2\gamma_{\theta\theta})-\sin\theta\cos\theta\dfrac{\partial\gamma_{\theta\theta}}{\partial\theta}+\dfrac{\partial}{\partial\theta}\left(\sin^2\theta\dfrac{\partial\gamma_{\varphi\varphi}}{\partial\theta}\right)\\
\qquad+r\sin^2\theta\dfrac{\partial\gamma_{\varphi\varphi}}{\partial r}-2\dfrac{\partial^2}{\partial\varphi\,\partial\theta}(\sin\theta\gamma_{\theta\varphi})-2\sin\theta\dfrac{\partial}{\partial\theta}(\sin\theta\gamma_{r\theta})\\
\qquad-2\sin\theta\dfrac{\partial\gamma_{r\varphi}}{\partial\varphi}-2\sin^2\theta\gamma_{rr}=0\\
\dfrac{\partial}{\partial r}\left(r^2\dfrac{\partial\gamma_{\varphi\varphi}}{\partial r}\right)+\dfrac{1}{\sin^2\theta}\dfrac{\partial^2\gamma_{rr}}{\partial\varphi^2}-r\dfrac{\partial\gamma_{rr}}{\partial r}+\cot\theta\dfrac{\partial\gamma_{rr}}{\partial\theta}\\
\qquad\qquad-\dfrac{2}{\sin\theta}\dfrac{\partial^2(r\gamma_{r\varphi})}{\partial r\partial\varphi}-2\cot\theta\dfrac{\partial(r\gamma_{r\theta})}{\partial r}=0\\
\dfrac{\partial^2\gamma_{rr}}{\partial\theta^2}-r\dfrac{\partial\gamma_{rr}}{\partial r}+\dfrac{\partial}{\partial r}\left(r^2\dfrac{\partial\gamma_{\theta\theta}}{\partial r}\right)-2\dfrac{\partial^2(r\gamma_{r\theta})}{\partial r\partial\theta}=0\\
\dfrac{\partial^2}{\partial\varphi\,\partial\theta}\left(\dfrac{\gamma_{rr}}{\sin\theta}\right)+\dfrac{\partial}{\partial r}\left(r^2\dfrac{\partial\gamma_{\theta\varphi}}{\partial r}\right)-\sin\theta\dfrac{\partial^2}{\partial r\partial\theta}\left(\dfrac{r\gamma_{r\varphi}}{\sin\theta}\right)-\dfrac{1}{\sin\theta}\dfrac{\partial^2(r\gamma_{r\theta})}{\partial r\partial\varphi}=0\\
r\dfrac{\partial^2\gamma_{\theta\theta}}{\partial r\partial\varphi}-\dfrac{r}{\sin\theta}\dfrac{\partial^2}{\partial\theta\partial r}(\sin^2\theta\gamma_{\theta\varphi})+\dfrac{\partial^2}{\partial\theta^2}(\sin\theta\gamma_{r\varphi})-\cot\theta\dfrac{\partial}{\partial\theta}(\sin\theta\gamma_{r\varphi})\\
\qquad\quad+2\sin\theta\gamma_{r\varphi}-\sin\theta\dfrac{\partial^2}{\partial\theta\partial\varphi}\left(\dfrac{\gamma_{r\theta}}{\sin\theta}\right)-\dfrac{\partial\gamma_{rr}}{\partial\varphi}=0\\
r\sin\theta\dfrac{\partial^2(\sin\theta\gamma_{\varphi\varphi})}{\partial\varphi^2}-r\sin\theta\dfrac{\partial^2\gamma_{\theta\varphi}}{\partial\varphi\partial r}-\dfrac{\partial^2(\sin\theta\gamma_{r\varphi})}{\partial\varphi\,\partial\theta}\\
\qquad+\dfrac{\partial^2\gamma_{r\theta}}{\partial\varphi^2}+2\sin^2\theta\gamma_{r\theta}-\sin^2\theta\dfrac{\partial\gamma_{rr}}{\partial\theta}-r\sin\theta\cos\theta\dfrac{\partial\gamma_{\theta\theta}}{\partial r}=0
\end{cases}
$$

Beltrami-Michell 方程(无体力)为

$$
\begin{cases}
\nabla^2\sigma_{rr} - 2\dfrac{2\sigma_{rr}-\sigma_{\theta\theta}-\sigma_{\varphi\varphi}}{r^2} - \dfrac{4}{r^2}\dfrac{\partial\sigma_{r\theta}}{\partial\theta} - \dfrac{4}{r^2\sin\theta}\dfrac{\partial\sigma_{r\varphi}}{\partial\varphi} \\
\quad - \dfrac{4\cot\theta}{r^2}\sigma_{r\theta} + \dfrac{1}{1+\nu}\dfrac{\partial^2\Theta}{\partial r^2} = 0 \\
\nabla^2\sigma_{\theta\theta} - 2\dfrac{\sigma_{\theta\theta}-\sigma_{rr}\sin^2\theta-\sigma_{\varphi\varphi}\cos^2\theta}{r^2\sin^2\theta} + \dfrac{4}{r^2}\dfrac{\partial\sigma_{r\theta}}{\partial\theta} - \dfrac{4\cos\theta}{r^2\sin^2\theta}\dfrac{\partial\sigma_{\theta\varphi}}{\partial\varphi} \\
\quad + \dfrac{1}{1+\nu}\left(\dfrac{1}{r^2}\dfrac{\partial^2\Theta}{\partial\theta^2} + \dfrac{1}{r}\dfrac{\partial\Theta}{\partial r}\right) = 0 \\
\nabla\sigma_{\varphi\varphi} - 2\dfrac{\sigma_{\varphi\varphi}-\sigma_{rr}\sin^2\theta-\sigma_{\theta\theta}\cos^2\theta}{r^2\sin^2\theta} + \dfrac{4}{r^2\sin\theta}\dfrac{\partial\sigma_{r\varphi}}{\partial\varphi} + \dfrac{4\cos\theta}{r^2\sin^2\theta}\dfrac{\partial\sigma_{\theta\varphi}}{\partial\varphi} \\
\quad + \dfrac{4\cos\theta}{r^2\sin\theta}\sigma_{r\theta} + \dfrac{1}{1+\nu}\left(\dfrac{1}{r^2\sin^2\theta}\dfrac{\partial^2\Theta}{\partial\varphi^2} + \dfrac{1}{r}\dfrac{\partial\Theta}{\partial r} + \dfrac{\cos\theta}{r^2\sin\theta}\dfrac{\partial\Theta}{\partial\theta}\right) = 0 \\
\nabla^2\sigma_{\theta\varphi} - 2\dfrac{(1+\cos^2\theta)\sigma_{\theta\varphi}+\sin\theta\cos\theta\sigma_{r\varphi}}{r^2\sin^2\theta} + \dfrac{2\cos\theta}{r^2\sin^2\theta}\dfrac{\partial}{\partial\varphi}(\sigma_{\theta\theta}-\sigma_{\varphi\varphi}) \\
\quad + \dfrac{2}{r^2}\dfrac{\partial\sigma_{r\varphi}}{\partial\theta} + \dfrac{1}{r^2\sin\theta}\dfrac{\partial\sigma_{r\theta}}{\partial\varphi} + \dfrac{1}{1+\nu}\left(\dfrac{1}{r^2\sin\theta}\dfrac{\partial^2\Theta}{\partial\theta\partial\varphi} - \dfrac{\cos\theta}{r^2\sin^2\theta}\dfrac{\partial\Theta}{\partial\varphi}\right) = 0 \\
\nabla^2\sigma_{\varphi r} - \dfrac{4}{r^2}\sigma_{\varphi r} - \dfrac{1}{r^2\sin^2\theta}\sigma_{\varphi r} - \dfrac{4\cos\theta}{r^2\sin\theta}\sigma_{\theta\varphi} \\
\quad + \dfrac{2}{r^2\sin\theta}\dfrac{\partial}{\partial\varphi}(\sigma_{rr}-\sigma_{\varphi\varphi}) + \dfrac{2\cos\theta}{r^2\sin^2\theta}\dfrac{\partial\sigma_{r\theta}}{\partial\varphi} - \dfrac{2}{r^2}\dfrac{\partial\sigma_{\theta\varphi}}{\partial\theta} \\
\quad + \dfrac{1}{1+\nu}\left(\dfrac{1}{r\sin\theta}\dfrac{\partial\Theta}{\partial r\partial\varphi} - \dfrac{1}{r^2\sin\theta}\dfrac{\partial\Theta}{\partial\varphi}\right) = 0 \\
\nabla^2\sigma_{r\theta} - \dfrac{4}{r^2}\sigma_{r\theta} - \dfrac{1}{r^2\sin^2\theta}\sigma_{r\theta} + \dfrac{2\cos\theta}{r^2\sin\theta}(\sigma_{\varphi\varphi}-\sigma_{\theta\theta}) \\
\quad - \dfrac{2}{r^2}\dfrac{\partial\sigma_{\theta\theta}}{\partial\theta} + \dfrac{2}{r^2}\dfrac{\partial\sigma_{rr}}{\partial\theta} - \dfrac{2}{r^2\sin\theta}\dfrac{\partial\sigma_{\theta\varphi}}{\partial\varphi} - \dfrac{2\cos\theta}{r^2\sin^2\theta}\dfrac{\partial\sigma_{r\varphi}}{\partial\varphi} \\
\quad + \dfrac{1}{1+\nu}\left(\dfrac{1}{r}\dfrac{\partial^2\Theta}{\partial r\partial\theta} - \dfrac{1}{r^2}\dfrac{\partial\Theta}{\partial\theta}\right) = 0
\end{cases}
$$

其中 $\Theta=\sigma_{rr}+\sigma_{\theta\theta}+\sigma_{\varphi\varphi}$,又

$$
\nabla^2 = \frac{\partial^2}{\partial r^2} + \frac{2}{r}\frac{\partial}{\partial r} + \frac{1}{r^2}\frac{\partial^2}{\partial\theta^2} + \frac{\cos\theta}{r^2\sin\theta}\frac{\partial}{\partial\theta} + \frac{1}{r^2\sin^2\theta}\frac{\partial^2}{\partial\varphi^2}
$$

以位移表示的平衡方程(无体力)为

$$
\begin{cases}
\nabla^2 u_r - \dfrac{2}{r^2}\dfrac{\partial u_\theta}{\partial \theta} - \dfrac{2}{r^2\sin\theta}\dfrac{\partial u_\varphi}{\partial \varphi} - \dfrac{2}{r^2}u_r - \dfrac{2\cos\theta}{r^2\sin\theta}u_\theta \\
\quad + \dfrac{1}{1-2\nu}\dfrac{\partial}{\partial r}\left(\dfrac{\partial u_r}{\partial r} + \dfrac{2}{r}u_r + \dfrac{1}{r}\dfrac{\partial u_\theta}{\partial \theta}\right. \\
\quad \left. + \dfrac{1}{r}\cot\theta\, u_\theta + \dfrac{1}{r\sin\theta}\dfrac{\partial u_\varphi}{\partial \varphi}\right) = 0 \\
\nabla^2 u_\theta - \dfrac{2}{r^2}\dfrac{\cos\theta}{\sin^2\theta}\dfrac{\partial u_\varphi}{\partial \varphi} + \dfrac{2}{r^2}\dfrac{\partial u_r}{\partial \theta} - \dfrac{1}{r^2\sin^2\theta}u_\theta \\
\quad + \dfrac{1}{1-2\nu}\dfrac{\partial}{r\partial \theta}\left(\dfrac{\partial u_r}{\partial r} + \dfrac{2}{r}u_r + \dfrac{1}{r}\dfrac{\partial u_\theta}{\partial \theta}\right. \\
\quad \left. + \dfrac{1}{r}\cot\theta\, u_\theta + \dfrac{1}{r\sin\theta}\dfrac{\partial u_\varphi}{\partial \varphi}\right) = 0 \\
\nabla^2 u_\varphi + \dfrac{2}{r^2\sin\theta}\dfrac{\partial u_r}{\partial \varphi} + \dfrac{2\cos\theta}{r^2\sin^2\theta}\dfrac{\partial u_\theta}{\partial \varphi} - \dfrac{1}{r^2\sin^2\theta}u_\varphi \\
\quad + \dfrac{1}{1-2\nu}\dfrac{1}{r\sin\theta}\dfrac{\partial}{\partial \varphi}\left(\dfrac{\partial u_r}{\partial r} + \dfrac{2}{r}u_r + \dfrac{1}{r}\dfrac{\partial u_\theta}{\partial \theta}\right. \\
\quad \left. + \dfrac{1}{r}\cot\theta\, u_\theta + \dfrac{1}{r\sin\theta}\dfrac{\partial u_\varphi}{\partial \varphi}\right) = 0
\end{cases}
$$

Папкович-Neuber 解(无体力)为

$$
\begin{cases}
u_r = b_r - \dfrac{1}{4(1-\nu)}\dfrac{\partial}{\partial r}(b_0 + rb_r) \\
u_\theta = b_\theta - \dfrac{1}{4(1-\nu)}\dfrac{\partial}{r\partial \theta}(b_0 + rb_r) \\
u_\varphi = b_\varphi - \dfrac{1}{4(1-\nu)}\dfrac{1}{r\sin\theta}\dfrac{\partial}{\partial \varphi}(b_0 + rb_r)
\end{cases}
$$

其中 b_0, b_r, b_θ 和 b_φ 满足

$$
\begin{cases}
\nabla^2 b_0 = 0 \\
\nabla^2 b_r - \dfrac{2}{r^2}\dfrac{\partial b_\theta}{\partial \theta} - \dfrac{2}{r^2\sin\theta}\dfrac{\partial b_\varphi}{\partial \varphi} - \dfrac{2}{r^2}b_r - \dfrac{2\cos\theta}{r^2\sin\theta}b_\theta = 0 \\
\nabla^2 b_\theta - \dfrac{2}{r^2}\dfrac{\cos\theta}{\sin^2\theta}\dfrac{\partial b_\varphi}{\partial \varphi} + \dfrac{2}{r^2}\dfrac{\partial b_r}{\partial \theta} - \dfrac{1}{r^2\sin^2\theta}b_\theta = 0 \\
\nabla^2 b_\varphi + \dfrac{2}{r^2\sin\theta}\dfrac{\partial b_r}{\partial \varphi} + \dfrac{2\cos\theta}{r^2\sin^2\theta}\dfrac{\partial b_\theta}{\partial \varphi} - \dfrac{1}{r^2\sin^2\theta}b_\varphi = 0
\end{cases}
$$

参考文献

1. 北京大学固体力学教研室,旋转壳的应力分析,水利电力出版社,1979.
2. 杜庆华、余寿文、姚振汉,弹性理论,科学出版社,1986.
3. 格拉德韦尔著,范天佑译,经典弹性理论中的接触问题,北京理工大学出版社,1991.
4. 胡海昌,弹性力学的变分原理及其应用,科学出版社,1981.
5. 加林著,王君健译,弹性理论的接触问题,科学出版社,1958.
6. 监凯维奇著,尹泽勇、江伯南译,有限元法,科学出版社,1985.
7. 鹫津久一郎著,老亮、郝松林译,弹性和塑性力学中的变分法,科学出版社,1984.
8. 卡兹著,王知民译,弹性理论,人民教育出版社,1961.
9. 朗道、栗弗希兹著,彭旭麟译,连续介质力学(第三册),人民教育出版社,1962(1965年有俄文新版).
10. 陆明万、罗学富,弹性理论基础,清华大学出版社,1990.
11. 穆斯海里什维里著,赵惠元译,数学弹性力学的几个基本问题,科学出版社,1958(1966年有俄文新版).
12. 钱伟长、林鸿荪、胡海昌、叶开沅,弹性柱体的扭转理论,科学出版社,1956.
13. 钱伟长、叶开沅,弹性力学,科学出版社,1980.
14. 森口繁一著,刘亦珩译,平面弹性论,上海科学技术出版社,1962.
15. 铁摩辛柯、古地尔著,徐芝伦译,弹性理论,高等教育出版社,1990.
16. 王龙甫,弹性理论,科学出版社,1978.
17. 王敏中、王炜、武际可,弹性力学教程,北京大学出版社,2001.
18. 王敏中,高等弹性力学,北京大学出版社(即将出版).
19. 武际可,力学史,重庆出版社,1999.
20. 谢贻权、林钟祥、丁皓江,弹性力学,浙江大学出版社,1988.
21. 徐芝伦,弹性力学,人民教育出版社,1979.
22. Fichera, G., Existence Theorems in Elasticity, Encyclopedia of Physics, Vol. Ⅵ a/2, edited by C. Truesdell, Springer-Verlag, 1972.

23. Flanders, H., Differential Forms with Applications to the Physical Sciences, New York, Academic press, 1963.
24. Gurtin, M. E., The Linear Theory of Elasticity, Encyclopedia of Physics, Ⅵ a/2, edited by C. Truesdell, Springer-Verlag, 1972.
25. Kupradze, V. D., Three-Dimensional Problems of the Mathematical Theory of Elasticity and Thermoelasticity, North-Holland, 1979(译自俄文).
26. Love, A. E. H., A Treatise on the Mathematical Theory of Elasticity, 4th ed., Cambridge, 1927.
27. Lur'e, A. T., Three-Dimensional Problems of the Theory of Elasticity, New York, Willey, 1964.
28. Mura, T., Micromechanics of Defects in Solids, Second, revised edition, Martinus Nijhoff, 1987.
29. Nadeau, G., Introduction to Elasticity, Holt, Rinehart & Winston, 1964.
30. Sokolnikoff, I. S., Mathematical Theory of Elasticity, 2nd et., New York, McGraw-Hill, 1956.
31. Strang, G. & Fix, G. J., An Analysis of the Finite Element Method, Prentice-Hall, 1973.
32. Villaggio, P., Qualitative Methods in Elasticity, Leyden, Noordhoff, 1977.
33. Лейбензон, Л. С., Курс Теории Упругости, ГИТЛ, 1947.
34. Михлин, С. Г., Вариационные Математической Физике, ГИТЛ, 1957.
35. Новожилов, В. В., Теория Тонких Оболочек, Судпромгиз, 1962.
36. 村上敬宜,日本机械学会论文集(第1部),**43**, 370(1977), 2022～2031.
37. 李显方,Hertz 接触问题的解的唯一性条件,应用力学学报,**11**,1(1994), 114～117.
38. 王敏中,受一般载荷的楔:佯谬的解决,力学学报,**18**, 3(1986), 242～251.
39. 王敏中,青春炳,协调方程和应力函数的注记,力学学报,第4期(1980), 428～430.
40. 王佩伦,等腰三角形截面杆的弯曲,南京工学院学报,第3期(1981), 79

~84.
41. 王炜,Airy 应力函数在狭长矩形梁问题中的解,力学与实践,**7**,3(1985),15~19.
42. 武际可,关于位移边值问题的注记,固体力学学报,第 2 期(1982).
43. 武际可,对胡海昌-鹫津久一郎原理的推广,北京大学学报,第 3 期(1985),27~31.
44. 云天铨,论 Hertz 接触问题解的不唯一性,应用力学学报,**7**,3(1990),86~89.
45. Abbassi, M. M., Simple solutions of Saint-Venant torsion problem by using Tchebycheff polynomials, Quart. Appl. Math., **14**, 1(1956), 75~81.
46. Carlson, D. E., On the completeness of the Beltrami stress functions in continuum mechanics, J. Math. Anal. Appl., **15** (1966), 311~315.
47. Ericksen, J. L., Toupin, R. A., Implications of Hadamard's condition for elastic stability with respect to uniqueness theorems, Canad. J. Math., **8** (1956), 432~436.
48. Eshelby, J. D., The determination of the elastic field of an ellipsoidal inclusion, and related problems, Proc. Roy. Soc., A, **241** (1957), 376~396.
49. Horgan, C. O., Recent developments concerning Saint-Venant's principle: An update, Appl. Mech. Rev., **42**, 11(1989), 295~303.
50. Lakes, R., Experimental micro mechanics methods for conventional and negative Poisson's ratio cellular solids as cosserat continua, J. Eng. Mat. Tech., **113** (1991), 148~155.
51. Lorentz, H. A., Ein Allgemeiner Satz, die Bewegung einer reibenden Flussigkeit betreffend, nebst einigen Anwendungen desselben. Abh. Theor. Phys. Leipzig **1** (1907), 23.
52. Melan, E., Der Spannungszustand der durch eine Einzelkraft im Innern beanspruchten Halbscheibe, ZAMM, **12**, 6(1932), 343~346.
53. Mindlin, R. D. Force at a point in the interior of a semi-infinite solid, Phys., **7** (1936), 195~202.
54. Phan-Thien, N., On the image system for the Kelving-state, J.

Elasticity, **13** (1983), 231～235.
55. Ramaswamy, M., On a counterexample to a conjecture of Saint Venant, J. Elasticity, **27** (1992), 183～192.
56. Rostamian, R., The completeness of Maxwell's stress function representation, J. Elasticity, **9**, 4(1979), 349～356.
57. Schaefer, H., Die Spannungsfunktionen des dreidimensionalen Kontinuums und des elastischen korpers, Z. angew. Math. Mech., **33** (1953), 356～362.
58. Sternberg, E., Rosenthal, F., The elastic sphere under concentrated loads, J. Appl. Mech., **19**, 4(1952), 413～421.
59. Stevenson, A. F., Note on the existence and determination of a vector potential, Q. Appl. Math., **12**, 2(1954), 194～198.
60. Washizu, K., A Note on the conditions of compatibility, J. Math. Phys., **36**, 4(1958), 306～312.
61. Новожилов, В. В., О центре чзгчба, ПММ, **21** (1957), 281～284.

索　引